풍산자
필수유형

기하

엄선된 필수 유형 학습으로

실력을 올리고 상위권으로 도약하는

〈풍산자 필수유형〉입니다.

엄선된 유형을 한 권에 가득, 필수 유형서

풍산자
필수유형

중단원별
꼭 알아야 할 개념을
**쉽고 명쾌하게
요약한 내용 정리**

출제 의도와 다양한
해결 방법을 이해할 수 있는
**친절하고
자세한 풀이**

유형별 필수 문제의
중요도와 난이도를 제시한
**실력을 기르는
유형**

교재 활용
로드맵

출제 비중이 높은 사고력과
응용력 문제인
**고득점을 향한
도약**

핵심적이고 출제 빈도
높은 문제로 구성된
**내신을 꽉 잡는
서술형**

꼭 알아야 할 중단원별 개념 정리와 설명
핵심 내용과 문제 해결의 활용 요소를 풍쌤 비법으로 제시

엄선된 문제들의 중요도, 난이도 제시
내신 및 평가원, 교육청 기출 문제를 포함한 엄선된 필수 문제 구성

서술형과 고득점 문항으로 최종 점검
완벽한 시험 대비를 위한 서술형 문항, 사고력과 응용력 강화 문제
제시

머리말

고등학교 수학의 내신이나 수능 기출 문제는 무척 많지만 모두 교과 과정의 개념에서 파생된 문제입니다. 문제를 척 보면 아하! 이것은 무엇을 묻는 문제이구나! 하고 간파할 수 있을까요?

그럴 수 있어야 합니다.

고등학교 수학 문제는 수없이 많지만 그 기저에는 뼈대가 되는 기본 문제 유형이 있습니다. 이 기본 문제 유형을 정복하는 것이 수학 문제 정복의 열쇠입니다.

– 어려운 문제처럼 보이지만 한 단계만 해결하면 쉬운 문제로 변신하는 문제가 있습니다.

– 낯선 문제처럼 보이지만 한 꺼풀만 벗기면 익숙한 문제로 바뀌는 문제가 있습니다.

– 겉모양은 전혀 다른데 본질을 파악하면 사실상 동일한 문제가 있습니다.

가면을 쓰고 다른 문제인 척 가장할 때 속아 넘어 가지 않으려면 어떻게 해야 할까요?

풍산자 필수유형은 어려운 문제를 쉬운 문제로, 낯선 문제를 익숙한 문제로 바꾸는 능력을 기를 수 있도록 구성된 문제기본서입니다. 세상의 모든 수학 문제를 유형별로 정리하고 분석하여 그 뼈대가 되는 문제들로 구성하였습니다.

몇 천 문항씩 되는 많은 문제를 두서없이 풀기보다는 뼈대 문제를 완벽히 이해한다면 어떠한 수학 문제를 만나도 당당하게 맞서는 수학의 고수로 다시 태어날 것입니다.

구성과 특징

꼭 필요한 유형으로만 꽉 채운
풍산자 필수유형!

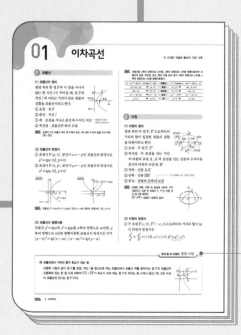

핵심 내용 요약 정리

중단원별로 꼭 알아야 하는 개념을 간단하고 명쾌하게 요약하였으며, 예, 참고, 주의 등으로 개념을 쉽게 이해할 수 있도록 하였습니다.

실력을 기르는 유형

학습에 필요한 문제들을 유형별로 나누고 유형별 중요도와 문항별 난이도를 제시하여 학습 수준에 맞추어 충분한 연습이 될 수 있도록 구성하였습니다.

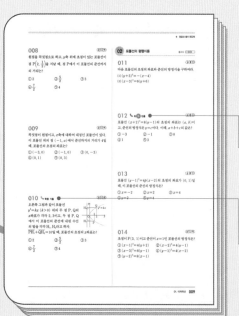

문제 풀 때 유용한 풍쌤 비법

핵심 내용과 연계되어 문제 풀이에 자주 이용되는 개념, 개념을 문제에 적용하는 방법 등을 소개하고 이를 활용할 수 있도록 하였습니다.

📞 최 多 빈출

자주 출제되는 유형 중 가장 출제 비중이 높은 문제입니다.

📞 학평 기출

평가원, 교육청의 학력평가 기출 문제 중 자주 출제되는 유형의 문제입니다.

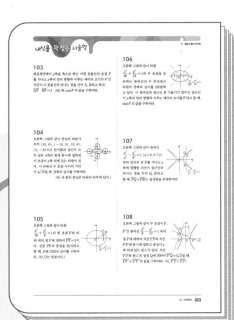

내신을 꽉 잡는 서술형

핵심적이고 출제 빈도가 높은 서술형 기출 문제로 구성하여 강화된 서술형 평가에 대비할 수 있도록 하였습니다.

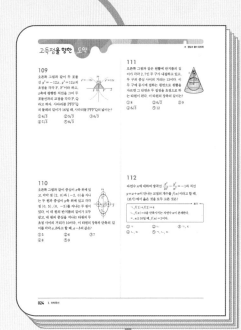

고득점을 향한 도약

난이도가 높고, 출제 비중이 높은 문제로 구성하여 수학적 사고력과 응용력을 기를 수 있도록 하였습니다.

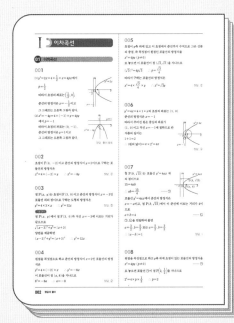

풀이

자세하고 친절한 풀이와 다른 풀이로 문제의 출제 의도와 다양한 해결 방향을 이해할 수 있도록 하였습니다.

차례

I

이차곡선

01 이차곡선

더 자세한 개념은 풍산자 기하 12쪽

1 포물선

(1) 포물선의 정의

평면 위의 한 점 F와 이 점을 지나지 않는 한 직선 l이 주어질 때, 점 F와 직선 l에 이르는 거리가 같은 점들의 집합을 포물선이라고 한다.

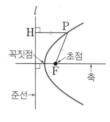

① 초점 : 점 F

② 준선 : 직선 l

③ 축 : 초점을 지나고 준선에 수직인 직선 ── 포물선은 축에 대하여 대칭이다.

④ 꼭짓점 : 포물선과 축의 교점

> 참고 초점이 F인 포물선 위의 점 P에서 준선 l에 내린 수선의 발을 H라 하면 $\overline{PF} = \overline{PH}$

(2) 포물선의 방정식

① 초점이 $F(p, 0)$, 준선이 $x = -p$인 포물선의 방정식은 $y^2 = 4px$ (단, $p \neq 0$)

② 초점이 $F(0, p)$, 준선이 $y = -p$인 포물선의 방정식은 $x^2 = 4py$ (단, $p \neq 0$)

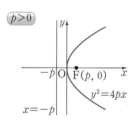
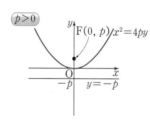

> 참고 포물선 $y^2 = 4px$와 $x^2 = 4py$는 직선 $y = x$에 대하여 대칭이다. (단, $p \neq 0$)

(3) 포물선의 평행이동

포물선 $y^2 = 4px$와 $x^2 = 4py$를 x축의 방향으로 m만큼, y축의 방향으로 n만큼 평행이동한 포물선의 방정식은 각각 $(y-n)^2 = 4p(x-m)$, $(x-m)^2 = 4p(y-n)$

> 참고 포물선을 x축의 방향으로 m만큼, y축의 방향으로 n만큼 평행이동하면 포물선의 초점, 꼭짓점, 준선, 축도 다음 표와 같이 x축의 방향으로 m만큼, y축의 방향으로 n만큼 평행이동된다.

$(y-n)^2=4p(x-m)$	⟵	$y^2=4px$	포물선	$x^2=4py$	⟶	$(x-m)^2=4p(y-n)$
$(p+m, n)$	⟵	$(p, 0)$	초점	$(0, p)$	⟶	$(m, p+n)$
(m, n)	⟵	$(0, 0)$	꼭짓점	$(0, 0)$	⟶	(m, n)
$x=-p+m$	⟵	$x=-p$	준선	$y=-p$	⟶	$y=-p+n$
$y=n$	⟵	$y=0$	축	$x=0$	⟶	$x=m$

2 타원

(1) 타원의 정의

평면 위의 두 점 F, F'으로부터의 거리의 합이 일정한 점들의 집합을 타원이라고 한다.

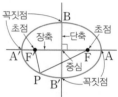

① 초점 : 두 점 F, F'

② 꼭짓점 : 두 초점을 잇는 직선과 타원의 교점 A, A'과 초점을 잇는 선분의 수직이등분선과 타원의 교점 B, B'

③ 장축 : 선분 AA'

④ 단축 : 선분 BB' ── 두 초점을 이은 선분의 중점

⑤ 중심 : 장축과 단축의 교점

> 참고 타원은 장축, 단축 및 중심에 대하여 각각 대칭이다. 또한 두 초점이 F, F'인 타원 위의 점 P에 대하여
> $\overline{PF} + \overline{PF'} = $ (일정) $= $ (장축의 길이)

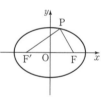

(2) 타원의 방정식

① 두 초점 $F(c, 0), F'(-c, 0)$으로부터의 거리의 합이 $2a$인 타원의 방정식은
$$\frac{x^2}{a^2} + \frac{y^2}{b^2} = 1 \text{ (단, } a > c > 0, \underset{c^2 = a^2 - b^2}{b^2 = a^2 - c^2}\text{)}$$

문제 풀 때 유용한 **풍쌤** 비법

❶ **포물선에서 거리의 합이 최소가 되는 점**

오른쪽 그림과 같이 점 F를 초점, 직선 l을 준선으로 하는 포물선에서 포물선 위를 움직이는 점 P와 포물선의 오른쪽에 있는 한 점 A에 대하여 $\overline{PA} + \overline{PF}$가 최소가 되게 하는 점 P의 위치는 점 A에서 준선 l에 그은 수선이 포물선과 만나는 점 P'이다.

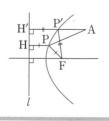

② 두 초점 $F(0, c)$, $F'(0, -c)$로부터의 거리의 합이 $2b$인 타원의 방정식은

$$\frac{x^2}{a^2} + \frac{y^2}{b^2} = 1 \ (단, b > c > 0, \underset{c^2=b^2-a^2}{a^2 = b^2 - c^2})$$

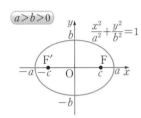 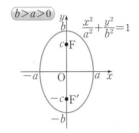

(3) 타원의 평행이동

타원 $\dfrac{x^2}{a^2} + \dfrac{y^2}{b^2} = 1$을 x축의 방향으로 m만큼, y축의 방향으로 n만큼 평행이동한 타원의 방정식은

$$\frac{(x-m)^2}{a^2} + \frac{(y-n)^2}{b^2} = 1$$

참고 타원을 x축의 방향으로 m만큼, y축의 방향으로 n만큼 평행이동하면 타원의 초점, 꼭짓점, 중심도 x축의 방향으로 m만큼, y축의 방향으로 n만큼 평행이동된다. 그러나 장축과 단축의 길이는 변하지 않는다.

3 쌍곡선

(1) 쌍곡선의 정의

평면 위의 두 점 F, F'으로부터의 거리의 차가 일정한 점들의 집합을 쌍곡선이라고 한다.

① 초점 : 두 점 F, F'
② 꼭짓점 : 두 초점을 잇는 직선과 쌍곡선의 교점 A, A'
③ 주축 : 선분 AA' ── 두 초점을 이은 선분의 중점
④ 중심 : 선분 AA'의 중점

참고 쌍곡선은 중심, 주축의 수직이등분선에 대하여 각각 대칭이다. 또한 두 초점이 F, F'인 쌍곡선 위의 점 P에 대하여
$|\overline{PF} - \overline{PF'}| = (일정) = (주축의 길이)$

(2) 쌍곡선과 점근선의 방정식

① 두 초점 $F(c, 0)$, $F'(-c, 0)$으로부터의 거리의 차가 $2a$인 쌍곡선의 방정식은

$$\frac{x^2}{a^2} - \frac{y^2}{b^2} = 1 \ (단, c > a > 0, \underset{c^2=a^2+b^2}{b^2 = c^2 - a^2})$$

② 두 초점 $F(0, c)$, $F'(0, -c)$로부터의 거리의 차가 $2b$인 쌍곡선의 방정식은

$$\frac{x^2}{a^2} - \frac{y^2}{b^2} = -1 \ (단, c > b > 0, \underset{c^2=a^2+b^2}{a^2 = c^2 - b^2})$$

③ 쌍곡선 $\dfrac{x^2}{a^2} - \dfrac{y^2}{b^2} = \pm 1$의 점근선의 방정식은

$$y = \pm \frac{b}{a} x$$

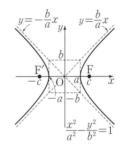 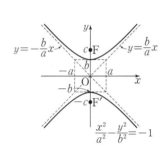

(3) 쌍곡선의 평행이동

쌍곡선 $\dfrac{x^2}{a^2} - \dfrac{y^2}{b^2} = \pm 1$을 x축의 방향으로 m만큼, y축의 방향으로 n만큼 평행이동한 쌍곡선의 방정식은

$$\frac{(x-m)^2}{a^2} - \frac{(y-n)^2}{b^2} = \pm 1 \ (복호동순)$$

참고 포물선, 타원과 마찬가지로 쌍곡선을 평행이동하면 쌍곡선의 초점, 꼭짓점, 중심, 점근선도 평행이동된다. 그러나 주축의 길이는 변하지 않는다.

4 이차곡선

계수가 실수인 두 일차식의 곱으로 인수분해되지 않는 x, y에 대한 이차방정식
$$Ax^2 + By^2 + Cxy + Dx + Ey + F = 0$$
으로 나타내어지는 곡선을 이차곡선이라고 한다.

참고 원, 포물선, 타원, 쌍곡선은 모두 이차곡선이다.

──── 문제 풀 때 유용한 풍쌤 비법

❷ 이차방정식 $Ax^2 + By^2 + Cxy + Dx + Ey + F = 0$에서 $C = 0$일 때, 다음과 같이 계수의 조건에 따라 이 이차방정식은 원, 포물선, 타원, 쌍곡선 중 하나를 나타낸다.

① $A = B$, $AB \neq 0 \Rightarrow$ 원
② $(A = 0, BD \neq 0)$ 또는 $(B = 0, AE \neq 0) \Rightarrow$ 포물선
③ $AB > 0$, $A \neq B \Rightarrow$ 타원
④ $AB < 0 \Rightarrow$ 쌍곡선

01 포물선의 방정식
중요도

001
상중하

다음 포물선의 초점의 좌표와 준선의 방정식을 구하고, 그 그래프를 그려라.

(1) $y^2 = 2x$ (2) $x^2 = -4y$

002
상중하

초점이 $F(0, -2)$이고 준선의 방정식이 $y = 2$인 포물선의 방정식은?

① $x^2 = -4y$ ② $x^2 = 4y$
③ $x^2 = -8y$ ④ $x^2 = 8y$
⑤ $x^2 = -12y$

003
상중하

좌표평면 위의 한 점 $F(3, 0)$과 직선 $x = -3$으로부터 같은 거리에 있는 점 $P(x, y)$가 나타내는 도형의 방정식은?

① $x^2 = 4y$ ② $x^2 = 8y$
③ $y^2 = 4x$ ④ $y^2 = 8x$
⑤ $y^2 = 12x$

004 ☎ 최多빈출
상중하

원점을 꼭짓점으로 하고 준선의 방정식이 $x = 2$인 포물선이 점 $(a, 8)$을 지날 때, a의 값은?

① -16 ② -8 ③ -4
④ 4 ⑤ 8

005
상중하

초점이 y축 위에 있고 이 초점에서 준선까지 수직으로 그은 선분의 중점이 원점인 포물선이 점 $(\sqrt{3}, \sqrt{3})$을 지날 때, 이 포물선의 방정식은?

① $x^2 = 3y$ ② $x^2 = \sqrt{3}y$ ③ $y^2 = x$
④ $y^2 = \sqrt{3}x$ ⑤ $y^2 = 3x$

006
상중하

포물선 $y^2 = 4x$의 초점을 중심으로 하고 이 포물선의 준선에 접하는 원의 넓이는?

① π ② 2π ③ 3π
④ 4π ⑤ 5π

007
상중하

포물선 $y^2 = 4ax$ 위의 한 점 $P(b, \sqrt{15})$에서 이 포물선의 준선에 이르는 거리가 4일 때, $|a-b|$의 값을 구하여라.
(단, $a > 0$)

008 상 중 하

원점을 꼭짓점으로 하고, y축 위에 초점이 있는 포물선이 점 $P\left(2, \dfrac{1}{2}\right)$을 지날 때, 점 P에서 이 포물선의 준선까지의 거리는?

① 2
② $\dfrac{5}{2}$
③ 3
④ $\dfrac{7}{2}$
⑤ 4

009 상 중 하

꼭짓점이 원점이고, x축에 대하여 대칭인 포물선이 있다. 이 포물선 위의 점 $(-1, a)$에서 준선까지의 거리가 4일 때, 포물선의 초점의 좌표는?

① $(-3, 0)$
② $(-1, 0)$
③ $(0, -3)$
④ $(0, 1)$
⑤ $(0, 3)$

010 ✎ 학평 기출 상 중 하

오른쪽 그림과 같이 포물선 $y^2=kx$ $(k>0)$ 위의 두 점 P, Q의 x좌표가 각각 2, 3이고, 두 점 P, Q에서 이 포물선의 준선에 내린 수선의 발을 각각 H_1, H_2라고 하자. $\overline{PH_1}+\overline{QH_2}=10$일 때, 포물선의 초점의 x좌표는?

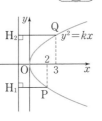

① 2
② $\dfrac{5}{2}$
③ 3
④ $\dfrac{7}{2}$
⑤ 4

02 포물선의 평행이동 중요도 ▭▭▭

011 상 중 하

다음 포물선의 초점의 좌표와 준선의 방정식을 구하여라.
(1) $(y+3)^2=-(x-4)$
(2) $(x-3)^2=6(y+6)$

012 ✎ 최多빈출 상 중 하

포물선 $(x+2)^2=8(y-1)$의 초점의 좌표는 (a, b)이고, 준선의 방정식은 $y=c$이다. 이때, $a+b+c$의 값은?

① -3
② -1
③ 0
④ 1
⑤ 3

013 상 중 하

포물선 $(y-1)^2=4p(x-2)$의 초점의 좌표가 $(0, 1)$일 때, 이 포물선의 준선의 방정식은?

① $x=-2$
② $x=2$
③ $x=4$
④ $y=2$
⑤ $y=4$

014 상 중 하

초점이 $F(3, 1)$이고 준선이 $x=1$인 포물선의 방정식은?

① $(x-1)^2=4(y+2)$
② $(x-2)^2=4(y-1)$
③ $(x-3)^2=8(y-1)$
④ $(y-1)^2=4(x-2)$
⑤ $(y-2)^2=8(x-1)$

015 (상 중 하)

포물선 $y^2+6y-4x+13=0$에 대하여 다음을 구하여라.

(1) 꼭짓점의 좌표

(2) 초점의 좌표

(3) 준선의 방정식

016 (상 중 하)

포물선 $x^2-8y-4x+20=0$의 초점의 좌표는 (a, b)이고, 준선의 방정식은 $y=c$이다. 이때, $a+b+c$의 값은?

① 2   ② 4   ③ 6

④ 8   ⑤ 10

017 (상 중 하)

포물선 $y^2-4x-4y+12k=0$의 초점이 직선 $y=2x-16$ 위에 있을 때, 실수 k의 값은?

① -5 ② -3 ③ -1

④ 1   ⑤ 3

018 (상 중 하)

세 점 $(-1, 2)$, $(-1, 3)$, $(1, 1)$을 지나고 축이 x축에 평행한 포물선의 방정식이 $(y-m)^2=x-n$일 때, 상수 m, n에 대하여 $m+n$의 값은?

① $-\dfrac{5}{2}$ ② $-\dfrac{5}{4}$ ③ 0

④ $\dfrac{5}{4}$ ⑤ $\dfrac{5}{2}$

03 포물선의 정의의 활용   중요도 ▬▬▭

019 (상 중 하)

평면 위의 한 점 $F(6, 1)$과 한 직선 $x=-4$에 이르는 거리가 같은 점 중에서 직선 $x=-4$와의 거리가 최소인 점을 M이라고 하자. 이때, 점 M과 직선 $x=-4$ 사이의 거리는?

① 5   ② 4   ③ 3

④ 2   ⑤ 1

020 📞 최 多 빈출 (상 중 하)

초점이 F인 포물선 $x^2=-8y$ 위의 한 점 $A(a, b)$에 대하여 $\overline{AF}=4$일 때, a^2b의 값은?

① -32 ② -24 ③ -16

④ -12 ⑤ -8

021 📞 학평 기출 (상 중 하)

오른쪽 그림과 같이 포물선 $y^2=12x$의 초점 F를 지나는 직선과 포물선이 만나는 두 점 A, B에서 준선 l에 내린 수선의 발을 각각 C, D라고 하자. $\overline{AC}=4$일 때, 선분 BD의 길이는?

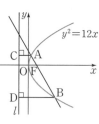

① 12   ② $\dfrac{25}{2}$ ③ 13

④ $\dfrac{27}{2}$ ⑤ 14

022

(상 중 하)

점 $(2, 0)$을 지나는 직선이 포물선 $y^2=8x$, 원 $(x-2)^2+y^2=3$과 제1사분면에서 만나는 점을 각각 P, Q라고 하자. 점 P에서 직선 $x=-2$에 내린 수선의 발을 H라고 할 때, $\overline{PH}-\overline{PQ}$의 값은?

① $\sqrt{2}$　　　② $\sqrt{3}$　　　③ 2

④ $\sqrt{5}$　　　⑤ 3

023

(상 중 하)

포물선 $y^2=16x$ 위의 서로 다른 세 점 A, B, C의 무게중심이 이 포물선의 초점 F와 일치할 때, $\overline{AF}+\overline{BF}+\overline{CF}$의 값은?

① 16　　　② 18　　　③ 20

④ 22　　　⑤ 24

024

(상 중 하)

오른쪽 그림과 같이 포물선 $y^2=8x-16$ 위의 한 점 P에서 x축과 y축에 내린 수선의 발을 각각 H, K라고 하자. 이 포물선의 초점 F에 대하여 삼각형 PFA가 정삼각형이 되도록 x축 위에 점 A를 정할 때, 사각형 OFPK의 넓이는? (단, O는 원점이고, $\overline{OH}>4$이다.)

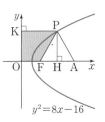

① $9\sqrt{3}$　　　② $12\sqrt{3}$　　　③ $12\sqrt{6}$

④ $24\sqrt{3}$　　　⑤ $24\sqrt{6}$

025

(상 중 하)

오른쪽 그림과 같은 포물선 $y^2=x$의 초점을 F라고 하자. 포물선 위의 점 P_1, P_2, P_3의 y좌표가 각각 1, $\sqrt{2}$, $\sqrt{3}$이면

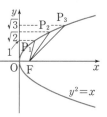

$$\overline{FP_1}+\overline{FP_2}+\overline{FP_3}=\frac{a}{b}$$

가 성립한다고 할 때, 서로소인 두 실수 a, b에 대하여 $a+b$의 값은? (단, O는 원점이다.)

① 31　　　② 32　　　③ 33

④ 34　　　⑤ 35

026 　학평 기출　 　풍쌤 비법❶

(상 중 하)

오른쪽 그림과 같이 포물선 $x^2=12y$ 위의 임의의 점 P와 두 점 $A(0, 3)$, $B(3, 5)$에 대하여 $\overline{PA}+\overline{PB}$의 최솟값은?

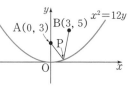

① 4　　　② 5　　　③ 6

④ 7　　　⑤ 8

027

(상 중 하)

오른쪽 그림과 같이 포물선의 초점 F를 지나는 직선이 포물선과 만나는 두 점을 각각 A, B라 하고, 두 점 A, B에서 준선 l에 내린 수선의 발을 각각 H, H′이라고 하자. $\overline{AB}=10$이고 사각형 AHH′B의 넓이가 40일 때, 선분 HH′의 길이는?

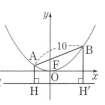

① 2　　　② 4　　　③ 6

④ 8　　　⑤ 10

028

오른쪽 그림과 같은 포물선에서 초점 F
를 지나는 직선이 포물선과 만나는 두
점을 각각 A, B라 하고, 선분 AB의 중
점을 M이라고 하자. 세 점 A, M, B에
서 포물선의 준선 l에 내린 수선의 발을
각각 P, Q, R라 하고, $\overline{AB}=20$이라고
할 때, 선분 MQ의 길이는?

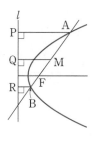

① 8   ② 9   ③ 10

④ 11   ⑤ 12

029

상 중 하

오른쪽 그림과 같이 포물선 $y^2=12x$와
점 $(3, 0)$을 지나는 직선
$y=m(x-3)$이 만나는 두 점을 각각
A, B라 하고, 두 점 A, B에서 y축에
내린 수선의 발을 각각 C, D라고 하자.
$\overline{AC}+\overline{BD}=6$일 때, 선분 AB의 길이
는?

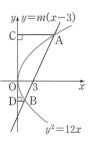

① 6   ② 8   ③ 10

④ 12   ⑤ 14

030 📞 학평 기출

상 중 하

오른쪽 그림과 같이 위성 안테나의 단
면은 꼭짓점이 A, 축이 직선 AT인 포
물선 모양이다. 직선 AT와 수직인 직
선 l 위의 점 P에서 축과 평행하게 들
어간 전파가 점 Q에서 반사되어 초점
F를 지나 다시 점 R에서 반사되어 직
선 l 위의 점 S에 닿았다고 한다. $\overline{AF}=2$, $\overline{TF}=6$일 때,
$\overline{PQ}+\overline{QR}+\overline{RS}$의 값을 구하여라.

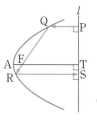

031

포물선 $x^2=24y$ 위의 임의의 점 P와 초점 F, 점
A$(-4, 7)$을 꼭짓점으로 하는 삼각형 APF의 둘레의
길이의 최솟값은?

① $11+\sqrt{13}$ ② $11+\sqrt{17}$ ③ $11+\sqrt{21}$

④ $13+\sqrt{13}$ ⑤ $13+\sqrt{17}$

---

04   타원의 방정식

중요도 ▮▮▯

032

상 중 하

다음 타원의 방정식을 구하여라.

(1) 두 초점 F$(3, 0)$, F$'(-3, 0)$으로부터의 거리의 합
이 10인 타원

(2) 두 초점 F$(0, 5)$, F$'(0, -5)$로부터의 거리의 합이
14인 타원

033

상 중 하

다음 타원의 장축, 단축의 길이와 초점의 좌표를 구하고,
그 그래프를 그려라.

(1) $\dfrac{x^2}{64}+\dfrac{y^2}{16}=1$ (2) $\dfrac{x^2}{16}+\dfrac{y^2}{25}=1$

034

상 중 하

타원 $\dfrac{x^2}{8}+\dfrac{y^2}{4}=1$의 장축의 길이를 a, 단축의 길이를 b,
한 초점의 좌표를 $(c, 0)$이라고 할 때, $a+b+c$의 값은?
(단, $c>0$)

① $6-4\sqrt{2}$ ② $6-\sqrt{2}$ ③ 6

④ $6+\sqrt{2}$ ⑤ $6+4\sqrt{2}$

035 (상 중 하)

타원 $4x^2+9y^2=36$의 두 초점과 타원 $9x^2+4y^2=36$의 두 초점을 꼭짓점으로 하는 사각형의 넓이는?

① 4   ② 6   ③ 8
④ 10   ⑤ 12

036 (상 중 하)

두 초점 $F(0, 3)$과 $F'(0, -3)$에서의 거리의 합이 10인 타원의 방정식은 $\dfrac{x^2}{a^2}+\dfrac{y^2}{b^2}=1$이다. 이때, 양수 a, b에 대하여 a^2+b^2의 값은?

① 37   ② 39   ③ 41
④ 43   ⑤ 45

037 (상 중 하)

타원 $9x^2+4y^2=36$과 두 초점을 공유하고, 점 $(2, 3)$을 지나는 타원의 방정식은 $\dfrac{x^2}{a^2}+\dfrac{y^2}{b^2}=1$이다. 이때, 양수 a, b에 대하여 a^2b^2의 값은?

① 120   ② 130   ③ 140
④ 150   ⑤ 160

038 최多빈출 (상 중 하)

타원 $\dfrac{x^2}{a^2}+\dfrac{y^2}{b^2}=1$의 두 초점은 모두 x축 위에 있고 원점과의 거리가 모두 $\sqrt{6}$이다. 타원의 장축의 길이가 8일 때, 양수 a, b에 대하여 ab의 값은?

① $\sqrt{5}$ ② $2\sqrt{5}$ ③ $\sqrt{10}$
④ $2\sqrt{10}$ ⑤ $4\sqrt{10}$

039 (상 중 하)

두 초점이 $F(4, 0)$, $F'(-4, 0)$이고, 장축과 단축의 길이의 차가 4인 타원이 있다. 이 타원의 장축의 길이는?

① 8   ② 10   ③ 12
④ 14   ⑤ 16

040 학평 기출 (상 중 하)

오른쪽 그림과 같이 타원 $\dfrac{x^2}{a^2}+\dfrac{y^2}{b^2}=1$의 한 초점을 $F(c, 0)$ $(c>0)$, 이 타원이 x축과 만나는 점 중에서 x좌표가 음수인 점을 A, y축과 만나는 점 중에서 y좌표가 양수인 점을 B라고 하자. $\angle AFB=60°$이고 삼각형 AFB의 넓이는 $6\sqrt{3}$일 때, a^2+b^2의 값은? (단, a, b는 상수이다.)

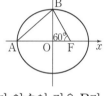

① 22   ② 24   ③ 26
④ 28   ⑤ 30

041 (상 중 하)

오른쪽 그림과 같이 원점을 중심으로 하는 타원의 한 초점을 F라하고, 이 타원이 y축과 만나는 한 점을 A라고 하자. 직선 AF의 방정식이 $y=\dfrac{1}{3}x-1$일 때, 이 타원의 장축의 길이는?

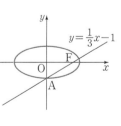

① $\sqrt{10}$ ② $\sqrt{15}$ ③ $2\sqrt{6}$
④ $2\sqrt{10}$ ⑤ $2\sqrt{15}$

042

상 중 하

오른쪽 그림과 같이 두 초점이 F,
F′인 타원 $\dfrac{x^2}{a^2}+\dfrac{y^2}{b^2}=1$ 위의 점

A에 대하여 삼각형 AF′F는
∠A=90°이고, $\overline{AF'}=6$,
$\overline{AF}=2$인 직각삼각형이다. 이 타원의 단축의 길이는?

(단, $a>0, b>0$)

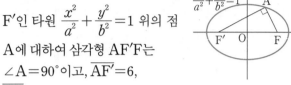

① $\sqrt{6}$ ② 4 ③ $2\sqrt{6}$
④ 8 ⑤ $4\sqrt{6}$

043

상 중 하

오른쪽 그림과 같이 두 초점이
F(2, 0), F′(−2, 0)인 타원
$\dfrac{x^2}{a^2}+\dfrac{y^2}{b^2}=1$과 점 F′을 지나
는 직선이 만나는 두 점을 각각
A, B라고 할 때, 삼각형 ABF
의 둘레의 길이가 12이다. 이때, 양수 a, b에 대하여 a^2+b^2
의 값은?

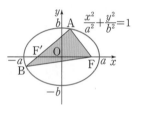

① 11 ② 12 ③ 13
④ 14 ⑤ 15

044

상 중 하

오른쪽 그림과 같이 두 초점이 F, F′
인 타원의 장축을 선분 AB라고 하
자. $\overline{AF}=2$, $\overline{BF}=8$일 때, 이 타원
의 단축의 길이는?

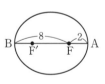

① 4 ② 5 ③ 6
④ 7 ⑤ 8

045 ✎ 학평 기출

상 중 하

오른쪽 그림과 같이 밑면의 반지름의
길이가 3인 원기둥 모양의 그릇에 물
을 담아 지면과 이루는 각이 30°가 되
도록 기울였더니 수면은 타원이 되었
다. 이 타원의 두 초점 사이의 거리는?

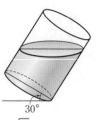

① $2\sqrt{3}$ ② 4 ③ $4\sqrt{2}$
④ $4\sqrt{3}$ ⑤ 8

05 타원의 평행이동

중요도

046

상 중 하

다음 타원의 초점과 꼭짓점의 좌표를 구하여라.

(1) $\dfrac{(x-2)^2}{9}+\dfrac{(y+3)^2}{4}=1$

(2) $5(x+1)^2+4(y-1)^2=20$

047 ✎ 학평 기출

상 중 하

타원 $\dfrac{(x-2)^2}{a}+\dfrac{(y-2)^2}{4}=1$의 두 초점의 좌표가
$(6, b)$, $(-2, b)$일 때, ab의 값은? (단, a는 양수이다.)

① 40 ② 42 ③ 44
④ 46 ⑤ 48

048

상 중 하

타원 $3x^2+2y^2-6x-8y+5=0$을 x축의 방향으로 m만
큼, y축의 방향으로 n만큼 평행이동하면 타원
$3x^2+2y^2=k$와 일치할 때, $m^2+n^2+k^2$의 값은?

(단, k는 상수이다.)

① 14 ② 21 ③ 30
④ 41 ⑤ 46

049 상 중 **하**

타원 $x^2+2y^2+2x-16y+25=0$의 두 초점을 F, F'이라고 할 때, 원점 O에 대하여 삼각형 OFF'의 넓이는?

① 8 　　　② 9 　　　③ 10

④ 11 　　　⑤ 12

050 상 중 **하**

타원 $x^2+3y^2+2x-12y+7=0$의 초점 중 x좌표가 음수인 초점을 F라고 할 때, 점 F와 직선 $3x+4y-5=0$ 사이의 거리는?

① $\dfrac{2}{5}$ 　　　② $\dfrac{3}{5}$ 　　　③ $\dfrac{4}{5}$

④ 1 　　　⑤ $\dfrac{6}{5}$

---

06 타원의 정의의 활용
중요도 ▮▮▯

051 📞 최 多 빈출 상 중 **하**

타원 $\dfrac{x^2}{25}+\dfrac{y^2}{9}=1$의 두 초점 F, F'과 이 타원 위의 점 P에 대하여 $\overline{PF}:\overline{PF'}=1:4$일 때, $\overline{PF}\times\overline{FF'}$의 값은?

① 16 　　　② 20 　　　③ 24

④ 28 　　　⑤ 32

052 상 **중** 하

타원 $\dfrac{x^2}{100}+\dfrac{y^2}{36}=1$의 두 초점을 F, F'이라 하고, 이 타원과 원 $(x+8)^2+y^2=9$의 교점 중 하나를 P라고 하자. 이때, $|\overline{PF}-\overline{PF'}|$의 값은?

① 13 　　　② 14 　　　③ 15

④ 16 　　　⑤ 17

---

053 상 중 **하**

오른쪽 그림과 같이 두 점 F$(6,0)$, F'$(-6,0)$을 초점으로 하는 타원 위에 점 P가 있다. 원점 O에 대하여 삼각형 OFP가 정삼각형일 때, 이 타원의 장축의 길이는?

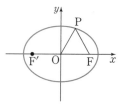

① $6+4\sqrt{3}$ 　　　② $4+6\sqrt{3}$ 　　　③ $6+5\sqrt{3}$

④ $5+6\sqrt{3}$ 　　　⑤ $6+6\sqrt{3}$

054 상 중 **하**

오른쪽 그림과 같은 타원 $\dfrac{x^2}{25}+\dfrac{y^2}{9}=1$의 두 초점을 F, F'이라고 하자. 이 타원 위의 점 P에 대하여 $\overline{OP}=\overline{OF}$를 만족시킬 때, $\overline{PF}\times\overline{PF'}$의 값은? (단, O는 원점이다.)

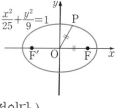

① 16 　　　② 18 　　　③ 20

④ 22 　　　⑤ 24

055 상 **중** 하

오른쪽 그림과 같이 두 타원이 두 초점 F, F'을 공유하고, 큰 타원 위의 한 점을 P, 작은 타원이 $\overline{PF'}$과 만나는 점을 Q라고 하자. 두 타원의 장축의 길이가 각각 7, 8이고 $\overline{FQ}=3$, $\overline{FF'}=5$일 때, 선분 FP의 길이는?

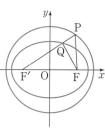

① $\dfrac{25}{8}$ 　　　② $\dfrac{21}{8}$ 　　　③ $\dfrac{9}{4}$

④ $\dfrac{15}{8}$ 　　　⑤ $\dfrac{3}{2}$

056

(상)(중)하

오른쪽 그림과 같이 타원
$\dfrac{x^2}{36}+\dfrac{y^2}{27}=1$ 위의 다섯 개의 점
A_1, A_2, A_3, A_4, A_5에서 한 초점
$F(-3, 0)$까지의 거리의 합이 40
일 때, 이 다섯 개의 점에서 다른
한 초점 $G(3, 0)$까지의 거리의 합
$\overline{A_1G}+\overline{A_2G}+\cdots+\overline{A_5G}$의 값은?

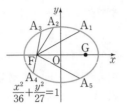

① 20
② 25
③ 30
④ 35
⑤ 40

057

(상)(중)하

오른쪽 그림과 같이 타원
$\dfrac{x^2}{4}+\dfrac{y^2}{3}=1$에 삼각형 ABC가
내접할 때, 타원의 두 초점 F, F′
은 각각 선분 AC, AB 위에 있
다. 이때, 삼각형 ABC의 넓이는?

(단, 점 A는 y축 위의 점이다.)

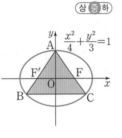

① $\dfrac{47\sqrt{3}}{16}$
② $\dfrac{50\sqrt{3}}{19}$
③ $\dfrac{57\sqrt{3}}{22}$
④ $\dfrac{64\sqrt{3}}{25}$
⑤ $\dfrac{71\sqrt{3}}{28}$

058

(상)(중)하

타원 $4x^2+9y^2=36$의 두 초점을 F, F′이라고 할 때, 이
타원 위의 점 P에 대하여 $\overline{PF}^2+\overline{PF'}^2$의 최솟값은?

① 16
② 18
③ 20
④ 22
⑤ 24

059 ✎ 학평 기출

(상)(중)하

좌표평면에서 두 점 A$(5, 0)$,
B$(-5, 0)$에 대하여 장축이
선분 AB인 타원의 두 초점을
F, F′이라고 하자. 초점이 F이
고 꼭짓점이 원점인 포물선이
타원과 만나는 두 점을 각각 P,
Q라고 하자. $\overline{PQ}=2\sqrt{10}$일 때, 두 선분 PF와 PF′의 길
이의 곱 $\overline{PF}\times\overline{PF'}$의 값은 $\dfrac{q}{p}$이다. $p+q$의 값을 구하여
라. (단, p와 q는 서로소인 자연수이다.)

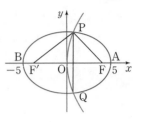

---

07 쌍곡선의 방정식

중요도 ▭

060

(상)(중)하

다음 쌍곡선의 방정식을 구하여라.

(1) 두 초점 F$(2, 0)$, F′$(-2, 0)$으로부터의 거리의 차가
2인 쌍곡선

(2) 두 초점 F$(0, 5)$, F′$(0, -5)$로부터의 거리의 차가 8
인 쌍곡선

061

(상)(중)하

다음 쌍곡선의 꼭짓점의 좌표, 주축의 길이, 초점의 좌표,
점근선의 방정식을 구하고, 그 그래프를 그려라.

(1) $\dfrac{x^2}{36}-\dfrac{y^2}{64}=1$
(2) $\dfrac{x^2}{9}-\dfrac{y^2}{16}=-1$

062 (상 중 하)

쌍곡선 $\dfrac{x^2}{16}-\dfrac{y^2}{9}=1$의 두 초점의 좌표가 (x_1, y_1), (x_2, y_2)이고 주축의 길이가 l일 때, x_1-x_2+l의 값을 구하여라. (단, $x_1>x_2$이다.)

063 (상 중 하)

두 초점의 좌표가 $(3, 0)$, $(-3, 0)$이고, 점근선의 방정식이 $y=\pm\dfrac{\sqrt{3}}{3}x$인 쌍곡선의 방정식이 $\dfrac{x^2}{a^2}-\dfrac{y^2}{b^2}=1$일 때, 양수 a, b에 대하여 ab의 값은?

① $\dfrac{5\sqrt{3}}{4}$ ② $\dfrac{3\sqrt{3}}{2}$ ③ $\dfrac{7\sqrt{3}}{4}$

④ $2\sqrt{3}$ ⑤ $\dfrac{9\sqrt{3}}{4}$

064 🔧 학평 기출 (상 중 하)

쌍곡선 $\dfrac{x^2}{a^2}-\dfrac{y^2}{9}=1$의 두 꼭짓점은 타원 $\dfrac{x^2}{13}+\dfrac{y^2}{b^2}=1$의 두 초점이다. 양수 a, b에 대하여 a^2+b^2의 값은?

① 10   ② 11   ③ 12

④ 13   ⑤ 14

065 🔧 최多빈출 (상 중 하)

쌍곡선 $\dfrac{x^2}{a^2}-\dfrac{y^2}{b^2}=-1$의 주축의 길이가 $2\sqrt{6}$이고, 두 초점 사이의 거리가 $2\sqrt{13}$일 때, 양수 a, b에 대하여 a^2b^2의 값은?

① 42   ② 48   ③ 54

④ 56   ⑤ 60

066 (상 중 하)

타원 $\dfrac{x^2}{25}+\dfrac{y^2}{16}=1$과 두 초점을 공유하고 한 점근선의 방정식이 $y=2\sqrt{2}x$인 쌍곡선의 주축의 길이는?

① $\dfrac{1}{4}$ ② $\dfrac{1}{2}$ ③ 1

④ $\dfrac{5}{4}$ ⑤ 2

067 (상 중 하)

주축의 길이가 8이고, 두 점근선이 서로 수직인 쌍곡선의 두 초점 사이의 거리는?

① $4\sqrt{2}$ ② $5\sqrt{2}$ ③ $6\sqrt{2}$

④ $7\sqrt{2}$ ⑤ $8\sqrt{2}$

068 (상 중 하)

두 점 $(0, \sqrt{3})$, $(0, -\sqrt{3})$으로부터의 거리의 차가 일정하고 점 $(3, 2\sqrt{5})$를 지나는 쌍곡선의 주축의 길이는?

① 2   ② $\sqrt{5}$ ③ $\sqrt{6}$

④ $\sqrt{7}$ ⑤ $2\sqrt{2}$

069 (상 중 하)

쌍곡선 $x^2-3y^2=9$의 두 점근선이 이루는 예각의 크기를 $\theta°$라고 할 때, $\cos\theta°$의 값은?

① $-\dfrac{1}{2}$ ② 0   ③ $\dfrac{1}{2}$

④ $\dfrac{\sqrt{2}}{2}$ ⑤ $\dfrac{\sqrt{3}}{2}$

070 〔상 **중** 하〕

쌍곡선 $\dfrac{x^2}{a^2} - \dfrac{y^2}{b^2} = -1$이 점 $(2, 4)$를 지나고 두 점근선이 서로 수직일 때, 상수 a, b에 대하여 $a^2 + b^2$의 값은?

① 20   ② 22   ③ 24
④ 26   ⑤ 28

071 📞학평 기출 〔상 **중** 하〕

원 $x^2 + y^2 = 8$과 쌍곡선 $\dfrac{x^2}{a^2} - \dfrac{y^2}{b^2} = 1$이 서로 다른 네 점에서 만나고 이 네 점은 원의 둘레를 4등분한다. 이 쌍곡선의 한 점근선의 방정식이 $y = \sqrt{2}x$일 때, $a^2 + b^2$의 값은? (단, a, b는 상수이다.)

① 4   ② 5   ③ 6
④ 7   ⑤ 8

---

08 쌍곡선의 평행이동   중요도 ▭▭▭

072 〔상 중 **하**〕

다음 쌍곡선의 초점과 꼭짓점의 좌표를 구하여라.

(1) $\dfrac{(x-2)^2}{4} - \dfrac{(y+3)^2}{9} = 1$

(2) $(x+1)^2 - 4y^2 = -16$

073 〔상 중 **하**〕

쌍곡선 $x^2 - 4y^2 - 2x + 8y - 7 = 0$에 대하여 다음을 구하여라.

(1) 중심의 좌표
(2) 초점의 좌표
(3) 점근선의 방정식

074 📞최 **多** 빈출 〔상 중 **하**〕

쌍곡선 $25x^2 - 4y^2 - 100x = 0$의 두 초점 사이의 거리는?

① 8   ② $4\sqrt{5}$ ③ $3\sqrt{10}$
④ 10   ⑤ $2\sqrt{29}$

075 〔상 **중** 하〕

두 초점 사이의 거리가 $10\sqrt{2}$인 쌍곡선 $\dfrac{(x-1)^2}{k^2} - \dfrac{(y-2)^2}{25} = -1$의 두 점근선의 방정식 중 기울기가 양수인 것은? (단, $k > 0$)

① $y = x + 1$ ② $y = x + 2$
③ $y = 2x + 1$ ④ $y = 2x + 2$
⑤ $y = 2x - 1$

076 📞학평 기출 〔상 중 **하**〕

방정식 $x^2 - y^2 + 2y + a = 0$이 나타내는 도형이 x축에 평행한 주축을 갖는 쌍곡선이 되기 위한 실수 a의 값의 범위는?

① $a < -1$ ② $a > -1$ ③ $a < 1$
④ $a > 1$ ⑤ $a > 2$

077 상(중)하

쌍곡선 $4x^2-9y^2-8x-36y-68=0$의 점근선과 y축으로 둘러싸인 부분의 넓이는?

① $\dfrac{1}{3}$ ② $\dfrac{2}{3}$ ③ 1

④ $\dfrac{4}{3}$ ⑤ $\dfrac{5}{3}$

078 상(중)하

점 $(0, 3)$을 지나고 기울기가 m인 직선이 쌍곡선 $3x^2-y^2+6y=0$과 만나지 않을 때, m의 값의 범위를 구하여라.

09 쌍곡선의 정의와 점근선의 활용   중요도 ▮▮▯

079 상(중)하

오른쪽 그림과 같이 쌍곡선 $\dfrac{x^2}{a^2}-\dfrac{y^2}{12}=1$ 위의 점 P와 두 초점 F, F′에 대하여 점 P를 중심으로 하는 원이 초점 F$(c, 0)$에서 x축에 접한다. 선분 PF′과 원이 만나는 점 A에 대하여 $\overline{\text{AF}'}=8$일 때, c^2의 값은? (단, $a>0$, $c>0$)

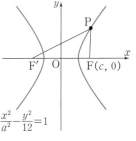

① 20   ② 22   ③ 24

④ 26   ⑤ 28

080 상(중)하

오른쪽 그림과 같이 두 초점이 F, F′인 쌍곡선 위의 한 점 P에 대하여 주축의 길이는 3이고 $\overline{\text{PF}'}=4\overline{\text{PF}}$일 때, 선분 PF의 길이는?

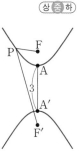

① 1   ② 2   ③ 3

④ 4   ⑤ 5

081 📞최多빈출 상(중)하

쌍곡선 $8x^2-y^2=8$의 두 초점 F, F′과 쌍곡선 위의 점 P에 대하여 $\overline{\text{PF}}:\overline{\text{PF}'}=2:1$일 때, 삼각형 PFF′의 둘레의 길이는?

① 10   ② 11   ③ 12

④ 13   ⑤ 14

082 상(중)하

오른쪽 그림과 같이 쌍곡선 $\dfrac{x^2}{9}-\dfrac{y^2}{16}=1$의 두 초점을 F, F′이라고 하자. 제1사분면에 있는 쌍곡선 위의 점 P에 대하여 $2\overline{\text{FF}'}=\overline{\text{PF}}+\overline{\text{PF}'}$일 때, 선분 PF의 길이를 구하여라.

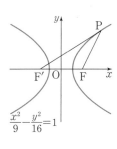

083 상(중)하

쌍곡선 $5x^2-4y^2=20$과 원 $(x-3)^2+y^2=4$가 만나는 제1사분면 위의 점을 A라고 할 때, 점 B$(-3, 0)$에서 점 A까지의 거리는?

① 3   ② 4   ③ 5

④ 6   ⑤ 7

084

오른쪽 그림과 같이 쌍곡선 $\dfrac{x^2}{16} - \dfrac{y^2}{9} = 1$의 두 초점을 F, F′이라고 하자. 제1사분면에 있는 쌍곡선 위의 점 P와 제2사분면에 있는 쌍곡선 위의 점 Q에 대하여 $\overline{PF'} - \overline{QF'} = 1$일 때, $\overline{QF} - \overline{PF}$의 값은?

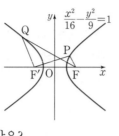

① 13 ② 14 ③ 15
④ 16 ⑤ 17

085 최多빈출

오른쪽 그림과 같이 쌍곡선 $\dfrac{x^2}{9} - \dfrac{y^2}{4} = 1$의 두 초점을 F, F′이라고 하자. 쌍곡선 위의 두 점 A, B에 대하여 $\overline{AB} = 10$이고 선분 AB가 점 F를 지날 때, 삼각형 AF′B의 둘레의 길이는?

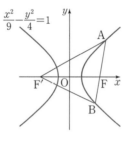

① 26 ② 28 ③ 30
④ 32 ⑤ 34

086

오른쪽 그림과 같이 쌍곡선 $\dfrac{x^2}{4} - \dfrac{y^2}{21} = 1$ 위의 한 점 P와 두 초점 F, F′에 대하여 $\angle FPF' = 90°$일 때, 삼각형 PF′F의 넓이는? (단, 점 P는 제2사분면 위의 점이다.)

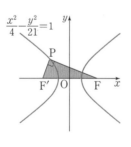

① 20 ② 21 ③ 22
④ 23 ⑤ 24

087 학평 기출

오른쪽 그림과 같이 쌍곡선 $\dfrac{4x^2}{9} - \dfrac{y^2}{40} = 1$의 두 초점은 F, F′이고, 점 F를 중심으로 하는 원 C는 쌍곡선과 한 점에서 만난다. 제2사분면에 있는 쌍곡선 위의 점 P에서 원 C에 접선을 그었을 때 접점을 Q라고 하자. $\overline{PQ} = 12$일 때, 선분 PF′의 길이는?

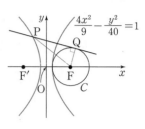

① 10 ② $\dfrac{21}{2}$ ③ 11
④ $\dfrac{23}{2}$ ⑤ 12

088

오른쪽 그림과 같이 쌍곡선 $\dfrac{x^2}{4} - \dfrac{y^2}{2} = -1$의 두 초점을 지름의 양 끝 점으로 하는 원이 쌍곡선의 두 점근선과 네 점 A, B, C, D에서 만난다. 이때, 사각형 ABCD의 넓이를 구하여라.

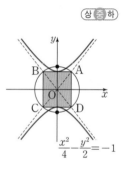

089

오른쪽 그림과 같이 쌍곡선 $\dfrac{x^2}{6} - \dfrac{y^2}{3} = 1$ 위의 한 점 P와 두 초점 F, F′에 대하여 $\angle F'PF$의 이등분선이 x축과 만나는 점을 A라고 하면 $\overline{F'A} : \overline{FA} = 2 : 1$이다. 삼각형 PF′F의 둘레의 길이가 $m + n\sqrt{6}$일 때, mn의 값은? (단, m, n은 유리수이다.)

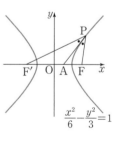

① 18 ② 20 ③ 21
④ 24 ⑤ 36

090

(상 중 하)

오른쪽 그림과 같이 쌍곡선
$\dfrac{x^2}{4}-\dfrac{y^2}{a}=1$의 한 꼭짓점을
지나고 x축에 수직인 직선이
이 쌍곡선의 점근선과 제1사
분면에서 만나는 점을 P라고

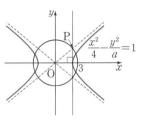

하자. 중심이 원점이고 점 P를 지나는 원이 x축과 만나는
한 점의 좌표가 $(3, 0)$일 때, 양수 a의 값은?

① 4 　　　　② 5 　　　　③ 6
④ 7 　　　　⑤ 8

091

(상 중 하)

오른쪽 그림과 같이 두 점
F, F′을 초점으로 하는 쌍
곡선 $\dfrac{x^2}{a^2}-\dfrac{y^2}{b^2}=1$에
대하여 타원
$\dfrac{x^2}{25}+\dfrac{(y-3)^2}{9}=1$의

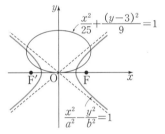

두 초점은 쌍곡선의 점근선 위에 있고, 타원의 장축의 양
끝 점은 쌍곡선 위에 있다. 이때, 선분 FF′의 길이를 구하
여라.

092

(상 중 하)

오른쪽 그림과 같이 두 초점
$F(0, 3), F'(0, -3)$을 공유하는 타
원과 쌍곡선이 점 $P(2, 3)$에서 만
난다. 타원의 한 꼭짓점을 A, 쌍곡
선의 한 꼭짓점을 B라고 할 때, 삼각
형의 ABP의 넓이를 구하여라.

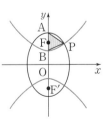

(단, 두 점 A, B의 y좌표는 모두 양수이다.)

10 자취의 방정식

중요도 ◖▮▯▯◗

093 ☎ 최多빈출

(상 중 하)

다음 중 직선 $x=-2$에 접하고 점 $A(2, 2)$를 지나는 원
의 중심이 나타내는 도형은?

① 　② 　③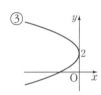

④ 　⑤

094

(상 중 하)

오른쪽 그림과 같이 점 $A(4, 0)$을
지나고 y축에 접하는 원의 중심
$P(x, y)$의 자취의 방정식이
$y^2=ax+b$일 때, $a+b$의 값은?
(단, a, b는 상수이다.)

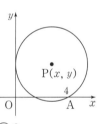

① -16 　　② -8 　　③ 0
④ 8 　　　　⑤ 16

095

(상 중 하)

좌표평면에서 점 $A(9, 0)$과 직선 $x=1$로부터의 거리의
비가 $3 : 1$인 점 $P(x, y)$가 나타내는 도형의 방정식을
구하여라.

096   상 중 하

원 $x^2+(y-4)^2=1$에 외접하고 직선 $y=-3$에 접하는 원의 중심이 나타내는 도형의 방정식은?

① $x^2=8y$ 　　　　　② $x^2=16y$

③ $x^2+16y^2=48$ 　　④ $8x^2+5y^2=40$

⑤ $x^2-4y^2=1$

097   상 중 하

오른쪽 그림과 같이 원 $C_1: x^2+(y+1)^2=9$에 외접하고 원 $C_2: x^2+(y-1)^2=49$에 내접하는 원이 있다. 이 원의 중심 P가 나타내는 도형의 방정식을 구하여라.

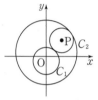

098 📞학평 기출   상 중 하

다음 그림과 같이 서로 만나지 않는 두 원 A, B의 반지름의 길이가 각각 $8, 2$일 때, 두 원 중 한 원과 내접하고 다른 한 원과 외접하는 원의 중심 P가 나타내는 도형은?

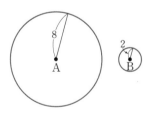

① 반지름의 길이가 6인 원

② 장축의 길이가 10인 타원

③ 단축의 길이가 6인 타원

④ 주축의 길이가 6인 쌍곡선

⑤ 주축의 길이가 10인 쌍곡선

11 이차곡선   중요도 ▭▭▭

099 📞풍쌤 비법 ❷   상 중 하

다음 중 이차곡선 $5x^2+ky^2-k+3=0$이 타원이 되도록 하는 실수 k의 값이 <u>아닌</u> 것은?

① 4 　　② 5 　　③ 6

④ 7 　　⑤ 8

100   상 중 하

이차곡선 $(2-k)x^2+(4-3k)y^2+3x+y=0$이 포물선이 되도록 하는 모든 실수 k의 값의 합은?

① 2 　　② $\dfrac{7}{3}$ 　　③ $\dfrac{8}{3}$

④ 3 　　⑤ $\dfrac{10}{3}$

101   상 중 하

방정식 $(k-4)x^2+(2k+4)y^2+2x-3=0$이 나타내는 도형이 쌍곡선이 되도록 하는 정수 k의 개수는?

① 1 　　② 2 　　③ 3

④ 4 　　⑤ 5

102   상 중 하

이차곡선 $x^2+5y^2+ax+by+c=0$ 위의 임의의 점 P에서 두 점 $A(4, -3), B(0, -3)$에 이르는 거리의 합이 $2\sqrt{5}$일 때, 상수 a, b, c에 대하여 $a-b+c$의 값은?

① 5 　　② 10 　　③ 15

④ 20 　　⑤ 25

내신을 꽉 잡는 서술형

103

좌표평면에서 y축을 축으로 하는 어떤 포물선의 초점 F 를 지나고 x축의 양의 방향과 이루는 예각의 크기가 $\theta°$인 직선이 이 포물선과 만나는 점을 각각 A, B라고 하자. $\overline{AF} : \overline{BF} = 3 : 4$일 때, $\cos\theta°$의 값을 구하여라.

104

오른쪽 그림과 같이 중심의 좌표가 각각 $(10, 0)$, $(-10, 0)$, $(0, 6)$, $(0, -6)$이고 반지름의 길이가 모두 같은 4개의 원에 동시에 접하면서 초점이 x축 위에 있는 타원이 있다. 이 타원의 두 초점 사이의 거리가 $4\sqrt{10}$일 때, 장축의 길이를 구하여라.

(단, 네 원의 중심은 타원의 외부에 있다.)

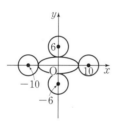

105

오른쪽 그림과 같이 타원 $\dfrac{x^2}{16} + \dfrac{y^2}{9} = 1$의 한 초점 F와 타원 위의 점 P에 대하여 $\overline{PF} = 2$이다. 선분 PF의 중점을 M이라고 할 때, 선분 OM의 길이를 구하여라. (단, O는 원점이다.)

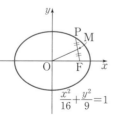

106

오른쪽 그림과 같이 타원 $\dfrac{x^2}{36} + \dfrac{y^2}{16} = 1$과 두 초점을 공유하는 쌍곡선의 두 꼭짓점이 타원의 장축의 길이를 3등분하고 있다. 이 쌍곡선의 점근선 중 기울기가 양수인 점근선이 x축의 양의 방향과 이루는 예각의 크기를 $\theta°$라고 할 때, $\tan\theta°$의 값을 구하여라.

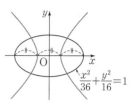

107

오른쪽 그림과 같이 쌍곡선 $\dfrac{x^2}{a^2} - \dfrac{y^2}{b^2} = 1 \ (a>0, b>0)$ 위의 임의의 점 P를 지나고 y축에 평행한 직선이 점근선과 만나는 점을 각각 Q, R라고 할 때, $\overline{PQ} \times \overline{PR}$는 일정함을 증명하여라.

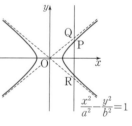

108

오른쪽 그림과 같이 두 초점이 F, F'인 쌍곡선 $\dfrac{x^2}{8} - \dfrac{y^2}{17} = 1$ 위의 점 P에 대하여 직선 FP와 직선 F'P에 동시에 접하고 중심이 y축 위에 있는 원 C가 있다. 직선 F'P와 원 C의 접점 Q에 대하여 $\overline{F'Q} = 5\sqrt{2}$일 때, $\overline{FP}^2 + \overline{F'P}^2$의 값을 구하여라. (단, $\overline{F'P} < \overline{FP}$)

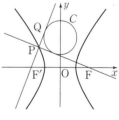

109

오른쪽 그림과 같이 두 포물선 $y^2 = -12x$, $y^2 = 12x$의 초점을 각각 F, F'이라 하고, x축에 평행한 직선을 그어 두 포물선과의 교점을 각각 P, Q라고 하자. 사다리꼴 PFF'Q의 둘레의 길이가 16일 때, 사다리꼴 PFF'Q의 넓이는?

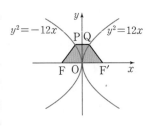

① $4\sqrt{3}$ ② $5\sqrt{3}$ ③ $6\sqrt{3}$
④ $7\sqrt{3}$ ⑤ $8\sqrt{3}$

110

오른쪽 그림과 같이 중심이 x축 위에 있고, 각각 점 $(2, 0)$과 $(-2, 0)$을 지나는 두 원과 중심이 y축 위에 있고 각각 점 $(0, 5)$, $(0, -5)$를 지나는 두 원이 있다. 이 네 원의 반지름의 길이가 모두 같고, 네 원의 중심을 지나는 타원의 두 초점 사이의 거리가 10이다. 이 타원의 장축과 단축의 길이를 각각 a, b라고 할 때, $a-b$의 값은?

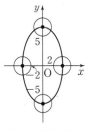

① 5 ② 6 ③ 7
④ 8 ⑤ 9

111

오른쪽 그림과 같은 원뿔에 반지름의 길이가 각각 2, 7인 두 구가 내접하고 있고, 두 구의 중심 사이의 거리는 13이다. 이 두 구에 동시에 접하는 평면으로 원뿔을 자르면 그 단면은 두 접점을 초점으로 하는 타원이 된다. 이 타원의 장축의 길이는?

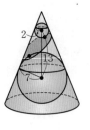

① 8 ② $6\sqrt{2}$ ③ 9
④ $6\sqrt{3}$ ⑤ 12

112

자연수 n에 대하여 쌍곡선 $\dfrac{x^2}{10^2} - \dfrac{y^2}{n^2} = -1$과 직선 $y = x + n$이 만나는 교점의 개수를 $f(n)$이라고 할 때, 〈보기〉에서 옳은 것을 모두 고른 것은?

┌─────────────────────── 보기 ─┐
ㄱ. $f(1) + f(2) = 4$
ㄴ. $f(n) = 0$을 만족시키는 자연수 n이 존재한다.
ㄷ. $n \geq 10$일 때, $f(n) = 2$이다.
└──────────────────────────────┘

① ㄱ ② ㄴ ③ ㄱ, ㄷ
④ ㄴ, ㄷ ⑤ ㄱ, ㄴ, ㄷ

02 이차곡선의 접선

더 자세한 개념은 풍산자 기하 49쪽

① 이차곡선과 직선의 위치 관계

이차곡선의 방정식과 직선의 방정식에서 한 문자를 소거하여 얻은 이차방정식의 판별식을 D라고 하면 이차곡선과 직선의 위치 관계는 다음과 같다.

① $D>0 \iff$ 서로 다른 두 점에서 만난다. ⎫ 만난다.
② $D=0 \iff$ 한 점에서 만난다. (접한다.) ⎭
③ $D<0 \iff$ 만나지 않는다.

② 포물선의 접선의 방정식

(1) 기울기가 주어진 포물선의 접선의 방정식

포물선 $y^2=4px$에 접하고 기울기가 m인 접선의 방정식은

$$y=mx+\frac{p}{m}\ (단,\ m\neq 0)$$

> **참고** 기울기 m이 주어진 이차곡선의 접선의 방정식을 구할 때에는 접선의 방정식을 $y=mx+k$로 놓고 이 식을 이차곡선의 방정식에 대입하여 얻은 이차방정식의 판별식이 0임을 이용하여 상수 k의 값을 구할 수도 있다.

(2) 포물선 위의 점에서의 접선의 방정식

① 포물선 $y^2=4px$ 위의 점 (x_1, y_1)에서의 접선의 방정식은

$$y_1 y=2p(x+x_1)$$

  y^2 대신 $y_1 y$, x 대신 $\frac{1}{2}(x+x_1)$을 대입

② 포물선 $x^2=4py$ 위의 점 (x_1, y_1)에서의 접선의 방정식은

$$x_1 x=2p(y+y_1)$$

  x^2 대신 $x_1 x$, y 대신 $\frac{1}{2}(y+y_1)$을 대입

③ 타원의 접선의 방정식

(1) 기울기가 주어진 타원의 접선의 방정식

타원 $\dfrac{x^2}{a^2}+\dfrac{y^2}{b^2}=1$에 접하고 기울기가 m인 접선의 방정식은 $y=mx\pm\sqrt{a^2 m^2+b^2}$ (단, $m\neq 0$)

(2) 타원 위의 점에서의 접선의 방정식

타원 $\dfrac{x^2}{a^2}+\dfrac{y^2}{b^2}=1$ 위의 점 (x_1, y_1)에서의 접선의 방정식은 $\dfrac{x_1 x}{a^2}+\dfrac{y_1 y}{b^2}=1$

  x^2 대신 $x_1 x$, y^2 대신 $y_1 y$를 대입

④ 쌍곡선의 접선의 방정식

(1) 기울기가 주어진 쌍곡선의 접선의 방정식

쌍곡선 $\dfrac{x^2}{a^2}-\dfrac{y^2}{b^2}=1$에 접하고 기울기가 m인 접선의 방정식은 $y=mx\pm\sqrt{a^2 m^2-b^2}$ (단, $m\neq 0$, $a^2 m^2-b^2>0$)

> **참고** $a^2 m^2-b^2<0$이면 접선이 존재하지 않고 $a^2 m^2-b^2=0$, 즉 $m=\pm\dfrac{b}{a}$이면 점근선과 일치하므로 접선이 아니다.

(2) 쌍곡선 위의 점에서의 접선의 방정식

① 쌍곡선 $\dfrac{x^2}{a^2}-\dfrac{y^2}{b^2}=1$ 위의 점 (x_1, y_1)에서의 접선의 방정식은 $\dfrac{x_1 x}{a^2}-\dfrac{y_1 y}{b^2}=1$

  x^2 대신 $x_1 x$, y^2 대신 $y_1 y$를 대입

② 쌍곡선 $\dfrac{x^2}{a^2}-\dfrac{y^2}{b^2}=-1$ 위의 점 (x_1, y_1)에서의 접선의 방정식은 $\dfrac{x_1 x}{a^2}-\dfrac{y_1 y}{b^2}=-1$

  x^2 대신 $x_1 x$, y^2 대신 $y_1 y$를 대입

문제 풀 때 유용한 **풍쌤 비법**

❶ **음함수의 미분법을 이용한 이차곡선의 접선의 방정식**

미적분에서 음함수의 미분법을 공부한 뒤라면 이를 이용하여 이차곡선의 접선의 방정식을 다음과 같이 구할 수도 있다.

(i) 음함수의 미분법을 이용하여 $\dfrac{dy}{dx}$를 구한 후 이 식에 이차곡선 위의 점 (x_1, y_1)의 좌표를 대입하여 접선의 기울기 m을 구한다.

(ii) 기울기가 m이고 점 (x_1, y_1)을 지나는 직선의 방정식은 $y-y_1=m(x-x_1)$임을 이용하여 접선의 방정식을 구한다.

❷ **이차곡선 밖의 점에서의 접선의 방정식**

이차곡선 밖의 한 점 (p, q)에서 그은 접선의 방정식은 다음의 두 가지 방법을 이용한다.

[방법 1] 접선의 기울기를 m으로 놓고 이 접선이 점 (p, q)를 지남을 이용한다.

[방법 2] 곡선 위의 점 (x_1, y_1)에서의 접선이 점 (p, q)를 지남을 이용한다.

01 이차곡선과 직선의 위치 관계 _{중요도}

113 상중**하**

포물선 $y^2=8x$와 직선 $y=x+k$의 위치 관계가 다음과 같을 때, 실수 k의 값 또는 그 범위를 구하여라.

(1) 서로 다른 두 점에서 만난다.

(2) 접한다.

(3) 만나지 않는다.

114 상중**하**

타원 $4x^2+y^2=12$와 다음 직선의 위치 관계를 말하여라.

(1) $x-y=1$

(2) $x+y-4=0$

(3) $y=2x+2\sqrt{6}$

115 최多빈출 상중**하**

직선 $y=mx+1$이 쌍곡선 $x^2-4y^2=12$와 한 점에서 접하도록 하는 모든 상수 m의 값의 곱은?

① -1 ② $-\dfrac{1}{3}$ ③ $\dfrac{1}{3}$

④ 1 ⑤ $\dfrac{4}{3}$

116 상**중**하

두 집합

$$A=\{(x,\ y)\,|\,(x-2)^2=3y\},$$
$$B=\{(x,\ y)\,|\,y=x+k\}$$

에 대하여 $n(A\cap B)=2$를 만족시키는 모든 음의 정수 k의 값의 합은?

① -5 ② -4 ③ -3

④ -2 ⑤ -1

117 상**중**하

쌍곡선 $\dfrac{x^2}{4}-\dfrac{y^2}{9}=1$과 직선 $y=ax+b$가 실수 b의 값에 관계없이 교점을 가질 때, 다음 〈보기〉에서 실수 a의 값이 될 수 있는 것을 모두 고른 것은?

> ── 보기 ──
> ㄱ. $-\dfrac{5}{3}$ ㄴ. -1 ㄷ. $-\dfrac{2}{3}$
> ㄹ. $\dfrac{1}{2}$ ㅁ. 2 ㅂ. $\dfrac{7}{4}$

① ㄱ, ㄴ, ㄷ   ② ㄱ, ㄷ, ㄹ

③ ㄱ, ㄹ, ㅁ   ④ ㄴ, ㄷ, ㄹ

⑤ ㄷ, ㅁ, ㅂ

118 상**중**하

타원 $\dfrac{x^2}{3}+\dfrac{y^2}{4}=1$ 위의 점 $(x,\ y)$에 대하여 정수 $3x-y$의 개수는?

① 3 ② 5 ③ 8

④ 11 ⑤ 14

119 　학평 기출 　(상 **중** 하)

직선 $y=3x+5$가 쌍곡선 $\dfrac{x^2}{a}-\dfrac{y^2}{2}=1$에 접할 때, 쌍곡선의 두 초점 사이의 거리는?

① $\sqrt{7}$ 　　② $2\sqrt{3}$ 　　③ 4
④ $2\sqrt{5}$ 　　⑤ $4\sqrt{3}$

120 　(상 중 **하**)

직선 $y=-x$를 x축에 대하여 대칭이동한 후 y축의 방향으로 k만큼 평행이동하였더니 타원 $x^2+4y^2=4$와 접하였다. 이때, 양수 k의 값은?

① 1 　　② $\sqrt{2}$ 　　③ $\sqrt{3}$
④ 2 　　⑤ $\sqrt{5}$

121 　(**상** 중 하)

포물선 $x^2=16y$와 직선 $y=x+k$가 서로 다른 두 점 A, B에서 만난다. $\overline{AB}=32$일 때, 상수 k의 값은?

① -4 　　② -2 　　③ 0
④ 2 　　⑤ 4

122 　(**상** 중 하)

기울기가 m이고 점 $(2, 1)$을 지나는 직선이 포물선 $x^2=2y+1$과 만나는 점의 개수를 a_m이라고 할 때, $a_1+2a_2+3a_3+4a_4$의 값은?

① 4 　　② 8 　　③ 12
④ 16 　　⑤ 20

02 기울기가 주어진 포물선의 접선의 방정식　중요도 ▭▭▭

123 　(상 중 **하**)

다음 직선의 방정식을 구하여라.
(1) 포물선 $y^2=8x$에 접하고 기울기가 2인 직선
(2) 포물선 $x^2=4y$에 접하고 기울기가 3인 직선

124 　(상 **중** 하)

포물선 $x^2=\dfrac{1}{2}y$에 접하고 기울기가 -1인 직선이 $ax+by+1=0$일 때, 상수 a, b에 대하여 $a-b$의 값은?

① -2 　　② -1 　　③ 0
④ 1 　　⑤ 2

125 　(상 **중** 하)

포물선 $y^2=x$에 접하고 x축의 양의 방향과 이루는 각의 크기가 $60°$인 직선의 x절편은?

① $-\sqrt{3}$ 　　② $-\dfrac{1}{12}$ 　　③ $\dfrac{1}{12}$
④ 1 　　⑤ $\sqrt{3}$

126 (상)(중)(하)

포물선 $y^2=4x$에 접하고 직선 $x+3y+5=0$에 수직인 직선의 방정식은?

① $y=-3x-\dfrac{1}{3}$

② $y=3x+\dfrac{1}{3}$

③ $y=-\dfrac{1}{3}x+1$

④ $y=\dfrac{1}{3}x-1$

⑤ $y=-\dfrac{1}{3}x+3$

127 ☎최多빈출 (상)(중)(하)

포물선 $y^2=-12x$에 접하고 직선 $4x+2y-1=0$에 평행한 직선은 점 $\left(-\dfrac{1}{4},\,a\right)$를 지난다. a의 값은?

① -3 ② -1 ③ 2

④ 4 ⑤ 6

128 ☎학평 기출 (상)(중)(하)

좌표평면에서 포물선 $y^2=16x$에 접하는 기울기가 $\dfrac{1}{2}$인 직선과 x축, y축으로 둘러싸인 삼각형의 넓이를 구하여라.

129 (상)(중)(하)

초점이 F$(2, 0)$이고 준선의 방정식이 $x=-2$인 포물선이 직선 $x-y-k=0$에 접할 때, 상수 k의 값은?

① -1 ② -2 ③ -3

④ -4 ⑤ -5

---

03 포물선 위의 점에서의 접선의 방정식 중요도 ▮▮▮

130 ☎풍쌤 비법❶ (상)(중)(하)

다음 접선의 방정식을 구하여라.

(1) 포물선 $y^2=4x$ 위의 점 $(1, 2)$에서의 접선의 방정식

(2) 포물선 $x^2=8y$ 위의 점 $(4, 2)$에서의 접선의 방정식

131 (상)(중)(하)

포물선 $y^2=4x$ 위의 점 $(1, -2)$에서의 접선의 y절편은?

① -2 ② -1 ③ 0

④ 1 ⑤ 2

132 ☎최多빈출 (상)(중)(하)

포물선 $y^2=3x$의 초점을 지나고, 포물선 위의 점 $(12, 6)$에서의 접선에 평행한 직선의 방정식을 $y=mx+n$이라고 할 때, 상수 m, n에 대하여 $m+n$의 값은?

① $\dfrac{1}{16}$

② $\dfrac{1}{8}$

③ $\dfrac{3}{16}$

④ $\dfrac{1}{4}$

⑤ $\dfrac{5}{16}$

● 정답과 풀이 023쪽

133 (상 중 하)

포물선 $y^2=4px$ ($p>0$) 위의 점 P(p, $2p$)에서 준선까지의 거리가 6이다. 점 P에서 그은 포물선의 접선이 점 (4, a)를 지날 때, 상수 a의 값은?

① 1   ② 3   ③ 5
④ 7   ⑤ 9

134 (상 중 하)

포물선 $x^2=4y$ 위의 두 점 A(-2, 1), B(4, 4)에 대하여 점 A에서의 접선과 점 B에서의 접선의 교점의 좌표를 (a, b)라고 할 때, ab의 값은?

① -2 ② -1 ③ 0
④ 1   ⑤ 2

135 (상 중 하)

포물선 $y^2=4x$ 위의 점 P(1, 2)에서의 접선이 x축과 만나는 점을 A, 포물선의 초점을 F라고 할 때, 삼각형 PAF의 넓이는?

① $\dfrac{3}{2}$ ② 2   ③ $\dfrac{5}{2}$
④ 3   ⑤ $\dfrac{7}{2}$

136 (상 중 하)

포물선 $y^2=x$ 위의 한 점 (a, b)에서의 접선과 직선 $y=x+1$이 서로 만나지 않을 때, ab의 값은?

① $\dfrac{1}{8}$ ② $\dfrac{1}{4}$ ③ 1
④ 4   ⑤ 8

137 (상 중 하)

오른쪽 그림과 같이 포물선 $y^2=12x$ 위의 점 P(a, b)에서의 접선이 x축의 양의 방향과 이루는 각의 크기가 30°일 때, ab의 값은? (단, 점 P는 제1사분면 위의 점이다.)

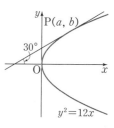

① 18   ② $18\sqrt{3}$
③ 36   ④ $36\sqrt{3}$
⑤ $54\sqrt{3}$

138 📞 학평 기출 (상 중 하)

포물선 $y^2=4x$ 위의 점 A(4, 4)에서의 접선을 l이라고 하자. 직선 l과 포물선의 준선이 만나는 점을 B, 직선 l과 x축이 만나는 점을 C, 포물선의 준선과 x축이 만나는 점을 D라고 하자. 삼각형 BCD의 넓이는?

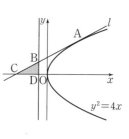

① $\dfrac{7}{4}$ ② 2   ③ $\dfrac{9}{4}$
④ $\dfrac{5}{2}$ ⑤ $\dfrac{11}{4}$

139 (상 중 하)

오른쪽 그림과 같이 포물선 $x^2=4y$ 위의 점 P에서 y축에 내린 수선의 발을 H라 하고, 점 P에서 그은 접선과 y축과의 교점을 Q라고 할 때, $\dfrac{\overline{\text{QO}}}{\overline{\text{OH}}}$ 의 값은?

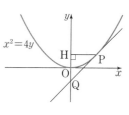

(단, O는 원점이다.)

① $\dfrac{3}{4}$ ② $\dfrac{4}{5}$ ③ 1
④ $\dfrac{5}{4}$ ⑤ $\dfrac{4}{3}$

140 (상 중 하)

포물선 $y^2 = -x$ 위의 점 (a, b)에서 직선 $x - y - 2 = 0$ 까지의 거리가 최소일 때, $a + b$의 값은? (단, $b \neq 0$)

① -1 ② $-\dfrac{3}{4}$ ③ $-\dfrac{1}{2}$

④ $-\dfrac{1}{4}$ ⑤ 0

---

04 포물선 밖의 점에서 그은 접선의 방정식 중요도 ▨▢▢

141 📞풍쌤 비법❷ (상 중 하)

점 $(2, -1)$을 지나고, 포물선 $y^2 = -4x$에 접하는 모든 직선의 기울기의 합은?

① -2 ② $-\dfrac{3}{2}$ ③ -1

④ $-\dfrac{1}{2}$ ⑤ 0

142 (상 중 하)

점 $P(-2, 2)$에서 포물선 $y^2 = 6x$에 그은 두 접선의 접점을 A, B라고 할 때, 삼각형 PAB의 넓이는?

① 16   ② $\dfrac{64}{3}$ ③ $\dfrac{80}{3}$

④ 32   ⑤ 40

---

143 📞최多빈출 (상 중 하)

점 $(a, 4)$에서 포물선 $y^2 = 8x$에 그은 두 접선이 수직일 때, a의 값은?

① -3 ② -2 ③ -1

④ 1   ⑤ 2

---

05 기울기가 주어진 타원의 접선의 방정식 중요도 ▨▨▢

144 (상 중 하)

다음 직선의 방정식을 구하여라.

(1) 타원 $\dfrac{x^2}{3} + \dfrac{y^2}{2} = 1$에 접하고 기울기가 2인 직선

(2) 타원 $4x^2 + y^2 = 12$에 접하고 기울기가 -2인 직선

145 (상 중 하)

타원 $x^2 + 4y^2 = 5$에 접하고 기울기가 -1인 한 직선이 $mx + ny + 5 = 0$일 때, 상수 m, n에 대하여 mn의 값은?

① -4 ② -2 ③ 2

④ 4   ⑤ 6

146 📞최多빈출 (상 중 하)

타원 $x^2 + 2y^2 = 8$에 접하고 x축의 양의 방향과 이루는 각의 크기가 $45°$인 두 직선의 y절편의 곱은?

① -12 ② $-4\sqrt{3}$ ③ -3

④ 3   ⑤ 12

147 (상 중 하)

타원 $4x^2+9y^2=36$에 접하고 기울기가 m인 접선이 x축, y축과 만나는 점을 각각 A, B라고 할 때, 선분 AB의 길이의 최솟값은?

① 1   ② 2   ③ 3

④ 4   ⑤ 5

148 (상 중 하)

타원 $\dfrac{x^2}{3}+\dfrac{y^2}{6}=1$ 위의 점과 직선 $y=x+5$ 사이의 거리의 최솟값은?

① $\sqrt{2}$ ② $\dfrac{5\sqrt{2}}{4}$ ③ $\dfrac{3\sqrt{2}}{2}$

④ $\dfrac{7\sqrt{2}}{4}$ ⑤ $2\sqrt{2}$

06 타원 위의 점에서의 접선의 방정식   중요도 ▮▮▮▯

149 풍쌤 비법 ❶ (상 중 하)

타원 $\dfrac{x^2}{12}+\dfrac{y^2}{4}=1$ 위의 점 (3, 1)에서의 접선의 방정식은?

① $y=-x-2$ ② $y=-x+2$

③ $y=-x+4$ ④ $y=x-4$

⑤ $y=x+4$

150 (상 중 하)

타원 $\dfrac{x^2}{k}+\dfrac{y^2}{2k}=1$ 위의 점 (2, 2)에서의 접선의 방정식이 $y=ax+b$일 때, 상수 a, b에 대하여 $a+b$의 값은?

① 1   ② 2   ③ 3

④ 4   ⑤ 5

151 (상 중 하)

타원 $\dfrac{x^2}{4}+\dfrac{y^2}{6}=1$ 위의 점 $(\sqrt{2}, \sqrt{3})$에서의 접선과 x축, y축으로 둘러싸인 삼각형의 넓이는?

① $\sqrt{6}$ ② $2\sqrt{6}$ ③ $3\sqrt{6}$

④ $4\sqrt{6}$ ⑤ $5\sqrt{6}$

152 ☎ 최多빈출 (상 중 하)

점 $(a, 5)$에서 타원 $\dfrac{x^2}{4}+\dfrac{y^2}{25}=1$에 그은 접선의 접점의 좌표가 $\left(\dfrac{8}{5}, b\right)$일 때, $a+b$의 값은? (단, $b<0$)

① $\dfrac{3}{4}$ ② 1   ③ $\dfrac{5}{4}$

④ $\dfrac{3}{2}$ ⑤ $\dfrac{7}{4}$

153 (상 중 하)

타원 $4x^2+y^2=20$ 위의 두 점 $(-1, 4)$, $(-1, -4)$에서의 접선이 y축과 만나는 점을 각각 A, B라 하고, 두 접선의 교점을 P라고 하자. 삼각형 ABP의 넓이는?

① 19   ② 21   ③ 23

④ 25   ⑤ 27

154

(상 중 하)

타원 $\dfrac{x^2}{16}+\dfrac{y^2}{12}=1$의 두 초점 F, F'에서 타원 위의 점 (2, 3)에서의 접선에 이르는 거리를 각각 d_1, d_2라고 할 때, $d_1+d_2=\dfrac{p\sqrt5}{q}$이다. $p+q$의 값은?

(단, p와 q는 서로소인 자연수이다.)

① 19   ② 21   ③ 23
④ 25   ⑤ 27

155 🖊 학평 기출

(상 중 하)

오른쪽 그림과 같이 타원 $\dfrac{x^2}{25}+\dfrac{y^2}{9}=1$ 위의 점 P에서 x축에 내린 수선의 발을 H, 점 P에서의 타원의 접선이 x축과 만나는 점을 Q라고 할 때, $\overline{\mathrm{OH}}\times\overline{\mathrm{OQ}}$의 값은? (단, O는 원점이고, 점 P는 제1사분면 위의 점이다.)

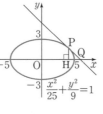

① 19   ② 21   ③ 23
④ 25   ⑤ 27

156

(상 중 하)

타원 $2(x-1)^2+(y+2)^2=3$ 위의 점 $(2, -1)$에서의 접선의 방정식의 y절편은?

① 2   ② 3   ③ 4
④ 5   ⑤ 6

---

07   타원 밖의 점에서 그은 접선의 방정식   중요도 ▭

157 🗨 풍쌤 비법 ❷

(상 중 하)

점 (4, 2)를 지나고 타원 $3x^2+4y^2=16$에 접하는 두 직선의 기울기의 합을 구하여라.

158

(상 중 하)

점 $(-2, 0)$에서 타원 $\dfrac{x^2}{2}+y^2=1$에 그은 접선의 방정식이 $ax+by+2=0$일 때, 상수 a, b에 대하여 a^2+b^2의 값을 구하여라.

159 📞 최多빈출

(상 중 하)

점 P(a, b)에서 타원 $\dfrac{x^2}{5}+\dfrac{y^2}{9}=1$에 그은 두 접선이 서로 수직일 때, a^2+b^2의 값을 구하여라.

160 📞 학평 기출

(상 중 하)

좌표평면에서 점 A(0, 4)와 타원 $\dfrac{x^2}{5}+y^2=1$ 위의 점 P에 대하여 두 점 A와 P를 지나는 직선이 원 $x^2+(y-3)^2=1$과 만나는 두 점 중 A가 아닌 점을 Q라고 하자. 점 P가 타원 위의 모든 점을 지날 때, 점 Q가 나타내는 도형의 길이는?

① $\dfrac{\pi}{6}$ ② $\dfrac{\pi}{4}$ ③ $\dfrac{\pi}{3}$
④ $\dfrac{2}{3}\pi$ ⑤ $\dfrac{3}{4}\pi$

08 기울기가 주어진 쌍곡선의 접선의 방정식 중요도 ▮▮▯▯

161
(상 중 **하**)

다음 직선의 방정식을 구하여라.

(1) 쌍곡선 $\dfrac{x^2}{5} - \dfrac{y^2}{9} = 1$에 접하고 기울기가 2인 직선

(2) 쌍곡선 $x^2 - 2y^2 - 12 = 0$에 접하고 기울기가 -1인 직선

162
(상 중 **하**)

점 $(2, 3)$을 지나고 기울기가 2인 직선이 쌍곡선 $x^2 - \dfrac{y^2}{k} = 1$에 접할 때, 상수 k의 값은? (단, $k \neq 0$)

① 2 　　② 3 　　③ 4
④ 5 　　⑤ 6

163
(상 **중** 하)

쌍곡선 $4x^2 - 3y^2 = 12$에 접하고 x축의 양의 방향과 이루는 각의 크기가 $60°$인 직선의 방정식이 $y = mx + k$일 때, $m^2 + k^2$의 값은? (단, m, k는 상수이다.)

① 5 　　② 6 　　③ 7
④ 8 　　⑤ 9

164 📞최多빈출
(상 **중** 하)

기울기가 1이고 쌍곡선 $\dfrac{x^2}{9} - \dfrac{y^2}{4} = 1$에 접하는 두 직선 사이의 거리는?

① 2 　　② $\sqrt{6}$ 　　③ $2\sqrt{2}$
④ $\sqrt{10}$ 　　⑤ $2\sqrt{3}$

09 쌍곡선 위의 점에서의 접선의 방정식 중요도 ▮▮▯▯

165 📞풍쌤 비법❶ 📞
(상 **중** 하)

쌍곡선 $\dfrac{x^2}{2} - y^2 = 1$ 위의 점 $(2, 1)$에서의 접선의 y절편은?

① -2 　　② -1 　　③ 0
④ 1 　　⑤ 2

166
(상 **중** 하)

쌍곡선 $ax^2 - by^2 = 16$ 위의 점 $(2, 4)$에서의 접선의 기울기가 3일 때, ab의 값은? (단, $a > 0, b > 0$)

① 20 　　② 22 　　③ 24
④ 26 　　⑤ 28

167 📞최多빈출
(상 **중** 하)

쌍곡선 $\dfrac{x^2}{10} - \dfrac{y^2}{10} = 1$ 위의 한 점 $(\sqrt{a}, \sqrt{b})$에서의 접선이 점 $(5, 5)$를 지날 때, $\sqrt{a} + \sqrt{b}$의 값은?

① 5 　　② 6 　　③ 7
④ 8 　　⑤ 9

168 　상중하

쌍곡선 $3x^2-2y^2=1$ 위의 점 $(1, 1)$에서의 접선에 수직이고, 점 $(3, 5)$를 지나는 직선의 x절편을 구하여라.

169 　상중하

쌍곡선 $\dfrac{x^2}{9}-\dfrac{y^2}{18}=-1$ 위의 점 $(-3, 6)$에서의 접선과 직선 $y=3x+7$의 교점의 좌표가 (p, q)일 때, $p+q$의 값은?

① 3
② 4
③ 5
④ 6
⑤ 7

170 　상중하

쌍곡선 $4x^2-y^2=a$ 위의 점 $(1, b)$에서의 접선이 쌍곡선의 한 점근선과 수직일 때, 상수 a에 대하여 $a+b$의 값을 구하여라. (단, $a<0, b>0$)

171 　📞학평 기출 　상중하

쌍곡선 $\dfrac{x^2}{8}-y^2=1$ 위의 점 $\mathrm{A}(4, 1)$에서의 접선이 x축과 만나는 점을 B라고 하자. 이 쌍곡선의 두 초점 중 x좌표가 양수인 점을 F라고 할 때, 삼각형 FAB의 넓이는?

① $\dfrac{5}{12}$
② $\dfrac{1}{2}$
③ $\dfrac{7}{12}$
④ $\dfrac{2}{3}$
⑤ $\dfrac{3}{4}$

172 　상중하

오른쪽 그림과 같이 쌍곡선 $\dfrac{x^2}{25}-\dfrac{y^2}{16}=1$ 위의 점 $\mathrm{P}(5\sqrt{2}, 4)$에서의 접선이 x축과 만나는 점을 Q라고 할 때, 삼각형 POQ의 넓이는?
(단, O는 원점이다.)

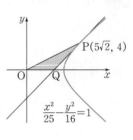

① $\sqrt{2}$
② $2\sqrt{2}$
③ $3\sqrt{2}$
④ $4\sqrt{2}$
⑤ $5\sqrt{2}$

173 　상중하

쌍곡선 $\dfrac{x^2}{12}-\dfrac{y^2}{16}=-1$ 위의 한 점 (a, b)에서의 접선과 x축 및 y축으로 둘러싸인 도형의 넓이가 12일 때, ab의 값은? (단, $a>0, b>0$)

① 4
② 6
③ 8
④ 10
⑤ 12

174 　상중하

쌍곡선 $x^2-y^2=-3$ 위의 점 $(1, -2)$에서의 접선이 쌍곡선의 두 점근선과 만나는 점을 각각 A, B라고 할 때, 선분 AB의 길이는?

① $\sqrt{5}$
② $2\sqrt{5}$
③ $3\sqrt{5}$
④ $4\sqrt{5}$
⑤ $5\sqrt{5}$

175 📞 학평 기출 (상 중 **하**)

쌍곡선 $\dfrac{x^2}{12}-\dfrac{y^2}{8}=1$ 위의 점 $(a,\ b)$에서의 접선이 타

원 $\dfrac{(x-2)^2}{4}+y^2=1$ 의 넓이를 이등분할 때, a^2+b^2 의

값을 구하여라.

176 (상 중 **하**)

오른쪽 그림과 같이 중심이 $(6,0)$인 원이 쌍곡선 $2x^2-y^2=1$ 과 두 점에서 접할 때, 원의 넓이는?

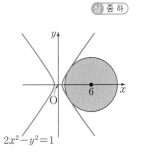

① 20π ② 21π

③ 22π ④ 23π

⑤ 24π

 10 쌍곡선 밖의 점에서 그은 접선의 방정식 중요도 ▭▭▭

177 📞 풍쌤 비법 ❷ (상 **중** 하)

점 $(-1,\ 1)$에서 쌍곡선 $4x^2-y^2=4$ 에 그은 접선의 방정식을 구하여라.

178 (상 중 **하**)

점 $(-1,\ 1)$에서 쌍곡선 $x^2-y^2=4$ 에 그은 한 접선의 방정식이 $mx+ny+8=0$일 때, 상수 m, n에 대하여 mn 의 값을 구하여라.

179 📞 최 ❸ 빈출 (상 **중** 하)

쌍곡선 $\dfrac{x^2}{5}-\dfrac{y^2}{4}=1$ 위에 있지 않은 한 점 $P(a,\ b)$에서 쌍곡선에 그은 두 접선이 서로 수직일 때, 점 P가 나타내는 도형의 넓이는?

① $\dfrac{1}{2}\pi$ ② π ③ $\dfrac{3}{2}\pi$

④ 2π ⑤ $\dfrac{5}{2}\pi$

180 (상 **중** 하)

점 $(2,\ 2)$에서 쌍곡선 $x^2-8y^2=8$ 에 그은 두 접선의 기울기를 각각 m_1, m_2라고 할 때, $m_1^2+m_2^2$의 값은?

① 5 ② $\dfrac{11}{2}$ ③ 6

④ $\dfrac{13}{2}$ ⑤ 7

181 (상 **중** 하)

점 $(1,\ 1)$에서 쌍곡선 $2x^2-y^2=4$ 에 그은 두 접선의 접점을 각각 P, Q라 하고, 두 점 P, Q를 지나는 직선이 x축, y축과 만나는 점을 각각 A, B라고 할 때, 삼각형 OAB의 넓이를 구하여라. (단, O는 원점이다.)

내신을 꽉 잡는 서술형

182

기울기가 -1인 직선과 포물선 $x^2=4y$가 서로 다른 두 점 A, B에서 만날 때, 선분 AB의 중점의 자취의 방정식을 구하여라.

183

포물선 $y^2=4x$ 위의 점 $P(a, b)$에서의 접선이 x축과 만나는 점을 Q라고 하자. $\overline{PQ}=4\sqrt{5}$일 때, a^2+b^2의 값을 구하여라. (단, 점 P는 제1사분면 위의 점이다.)

184

포물선 $y^2=6x$ 위의 점 $P(a, b)$에서의 접선과 이 접선에 평행하면서 이 포물선의 초점을 지나는 직선 사이의 거리가 $\dfrac{3\sqrt{5}}{2}$일 때, 점 P의 좌표를 구하여라.

(단, 점 P는 제1사분면 위의 점이다.)

185

타원 $\dfrac{x^2}{8}+\dfrac{y^2}{2}=1$ 위의 한 점 P에서의 접선이 점 A$(4, 0)$을 지날 때, 삼각형 OAP의 넓이를 구하여라.

(단, O는 원점이고, 점 P는 제1사분면 위의 점이다.)

186

원점 O에서 쌍곡선 $x^2-y^2=32$ 위의 점 $P(-6, 2)$에서의 접선에 내린 수선의 발을 H라 하고, 직선 OH와 쌍곡선이 제1사분면에서 만나는 점을 Q라고 하자. 이때, $\overline{OH}\times\overline{OQ}$의 값을 구하여라.

187

오른쪽 그림과 같이 점 $P(2\sqrt{3}, 1)$은 타원 $\dfrac{x^2}{16}+\dfrac{y^2}{4}=1$과 쌍곡선 $\dfrac{x^2}{a}-\dfrac{y^2}{b}=1$의 교점이고, 점

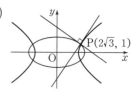

P에서의 타원과 쌍곡선의 두 접선은 서로 수직이다. 이때, 양수 a, b에 대하여 ab의 값을 구하여라.

188

오른쪽 그림과 같이 포물선 $y^2=4x$ 위의 꼭짓점이 아닌 점 $P(x_1, y_1)$ 에서의 접선이 x축과 만나는 점을 T라 하고, 포물선의 초점을 F라고 하자. 점 P를 지나고 x축에 평행한 직선과 점 P에서의 접선이 이루는 예각의 크기를 $\theta°$라고 할 때, 〈보기〉에서 옳은 것을 모두 고른 것은? (단, 점 P는 제1사분면 위의 점이다.)

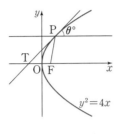

──● 보기 ●──
ㄱ. $\overline{TF}=\overline{PF}$ ㄴ. $\angle FPT=\theta°$ ㄷ. $\tan\theta°=\dfrac{1}{\sqrt{x_1}}$

① ㄱ ② ㄴ ③ ㄱ, ㄴ
④ ㄱ, ㄷ ⑤ ㄱ, ㄴ, ㄷ

189

자연수 n에 대하여 직선 $y=2nx+n+1$이 꼭짓점의 좌표가 원점이고 초점이 $\left(\dfrac{1}{2}a_n, 0\right)$인 포물선에 접할 때, $a_1+a_2+a_3$의 값은?

① 70 ② 75 ③ 80
④ 85 ⑤ 90

190

점 $P(-1, -2)$에서 포물선 $x^2=4y$에 그은 두 접선의 접점을 각각 A, B라고 하자. 삼각형 APB의 무게중심 G의 좌표를 (m, n)이라고 할 때, $m+n$의 값은?

① -2 ② -1 ③ 0
④ 1 ⑤ 2

191

점 $P(1, 3)$에서 타원 $9x^2+5y^2=45$에 그은 두 접선이 이루는 예각의 크기를 $\theta°$라고 할 때, $\tan\theta°$의 값은?

① $\dfrac{\sqrt{3}}{4}$ ② 1 ③ $\dfrac{3}{2}$
④ $\sqrt{3}$ ⑤ $2\sqrt{3}$

192

타원 $\dfrac{x^2}{12}+\dfrac{y^2}{4}=1$의 두 초점 F, F'에 대하여 타원 위의 점 $(3, 1)$에서의 접선을 l이라고 하자. 접선 l 위의 한 점 P에 대하여 $\overline{PF}+\overline{PF'}$의 최솟값은?

① $\sqrt{3}$ ② $2\sqrt{3}$ ③ $3\sqrt{3}$
④ $4\sqrt{3}$ ⑤ $5\sqrt{3}$

193 〔100점 도전〕

오른쪽 그림과 같이 타원 $\dfrac{x^2}{6}+\dfrac{y^2}{2}=1$ 위의 한 점 $(\sqrt{3},\,1)$에서의 접선 l과 타원의 두 초점 F, F′에 대하여 두 점 F, F′에서 직선 l에 내린 수선의 발을 각각 A, B라고 하자. 점 A를 지나고 x축과 평행한 직선이 직선 BF′과 만나는 점을 C라고 할 때, 삼각형 ABC의 둘레의 길이는?

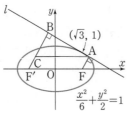

① $1+\sqrt{3}$
② $1+2\sqrt{3}$
③ $4+\sqrt{3}$
④ $4+2\sqrt{3}$
⑤ $6+2\sqrt{3}$

194

오른쪽 그림과 같이 점 $(0,\,3)$에서 타원 $\dfrac{x^2}{9}+\dfrac{y^2}{4}=1$에 그은 두 접선의 접점을 각각 P, Q라 하고, 타원의 두 초점 중 하나를 F라고 할 때, 삼각형 PFQ의 둘레의 길이는?

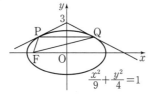

① $2+2\sqrt{5}$
② $4+\sqrt{5}$
③ $4+2\sqrt{5}$
④ $6+\sqrt{5}$
⑤ $6+2\sqrt{5}$

195

다음은 쌍곡선 $\dfrac{x^2}{a^2}-\dfrac{y^2}{b^2}=1$ $(a>0,\,b>0)$ 위의 임의의 한 점에서의 접선과 두 점근선으로 만들어지는 삼각형의 넓이가 일정함을 증명한 것이다.

• 증명 •

쌍곡선 $\dfrac{x^2}{a^2}-\dfrac{y^2}{b^2}=1$

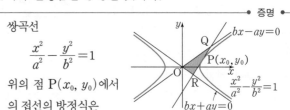

위의 점 $P(x_0,\,y_0)$에서의 접선의 방정식은

$$\dfrac{x_0 x}{a^2}-\dfrac{y_0 y}{b^2}=1 \qquad \cdots\cdots \text{㉠}$$

직선 ㉠과 점근선 $bx-ay=0$과의 교점을 $Q(x_1,\,y_1)$이라고 하면

$$x_1=\boxed{\text{(가)}},\; y_1=\dfrac{ab^2}{bx_0-ay_0}$$

또, 직선 ㉠과 점근선 $bx+ay=0$과의 교점을 $R(x_2,\,y_2)$라고 하면

$$x_2=\dfrac{a^2 b}{bx_0+ay_0},\; y_2=\boxed{\text{(나)}}$$

따라서 삼각형 ORQ의 넓이 S는

$$S=\dfrac{1}{2}|x_1 y_2-x_2 y_1|=\boxed{\text{(다)}}$$

로 일정하다.

위의 증명에서 (가), (나), (다)에 알맞은 것은?

	(가)	(나)	(다)
①	$\dfrac{ab^2}{bx_0+ay_0}$	$\dfrac{a^2 b}{bx_0-ay_0}$	ab
②	$\dfrac{ab^2}{bx_0+ay_0}$	$\dfrac{a^2 b}{bx_0-ay_0}$	$\dfrac{1}{2}ab$
③	$\dfrac{a^2 b}{bx_0-ay_0}$	$-\dfrac{ab^2}{bx_0+ay_0}$	$\dfrac{1}{2}ab$
④	$\dfrac{a^2 b}{bx_0-ay_0}$	$-\dfrac{ab^2}{bx_0+ay_0}$	ab
⑤	$\dfrac{a^2 b}{bx_0-ay_0}$	$-\dfrac{ab^2}{bx_0-ay_0}$	ab

II

평면벡터

03 벡터의 연산

더 자세한 개념은 **풍산자 기하** 70쪽

1 벡터

(1) 벡터의 뜻 : 크기와 방향을 함께 가지는 양으로 점 A에서 점 B로 향하는 화살표를 사용하여 그 크기와 방향을 나타내고, 기호로 $\overrightarrow{AB}$와 같이 나타낸다.

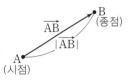

(2) 평면벡터 : 평면에서의 벡터

(3) 벡터의 크기 : 선분 AB의 길이를 벡터 $\overrightarrow{AB}$의 크기라 하고, 기호로 $|\overrightarrow{AB}|$와 같이 나타낸다.

> **참고** 벡터를 한 문자로 나타낼 때 $\vec{a}, \vec{b}, \vec{c}, \cdots$와 같이 나타내고, 벡터 $\vec{a}$의 크기를 기호로 $|\vec{a}|$와 같이 나타낸다.

(4) 단위벡터 : 크기가 1인 벡터

(5) 영벡터 : 시점과 종점이 일치하는 벡터를 영벡터라 하고, 기호로 $\vec{0}$과 같이 나타낸다. 크기가 0이고 방향은 생각하지 않는다.

(6) 서로 같은 벡터 : 두 벡터 $\vec{a}, \vec{b}$의 크기와 방향이 각각 같을 때, 두 벡터는 서로 같다고 하고, 기호로 $\vec{a}=\vec{b}$와 같이 나타낸다.

> **참고** 한 벡터를 평행이동하여 겹쳐지는 벡터는 모두 서로 같은 벡터이다.

(7) 크기가 같고 방향이 반대인 벡터 : 벡터 $\vec{a}$와 크기는 같지만 방향이 반대인 벡터를 기호로 $-\vec{a}$와 같이 나타낸다.

2 벡터의 덧셈과 뺄셈

(1) 벡터의 덧셈

① $\vec{a}=\overrightarrow{AB}, \vec{b}=\overrightarrow{BC}$일 때,
$$\vec{a}+\vec{b}=\overrightarrow{AB}+\overrightarrow{BC}=\overrightarrow{AC}$$

② 평행사변형 ABCD에서
$\vec{a}=\overrightarrow{AB}, \vec{b}=\overrightarrow{AD}$일 때,
$$\vec{a}+\vec{b}=\overrightarrow{AB}+\overrightarrow{AD}=\overrightarrow{AC}$$

> **참고** $\overrightarrow{AD}=\overrightarrow{BC}$이므로 $\overrightarrow{AB}+\overrightarrow{AD}=\overrightarrow{AB}+\overrightarrow{BC}=\overrightarrow{AC}$

(2) 벡터의 덧셈에 대한 성질

세 벡터 $\vec{a}, \vec{b}, \vec{c}$와 영벡터 $\vec{0}$에 대하여

① 교환법칙 : $\vec{a}+\vec{b}=\vec{b}+\vec{a}$

② 결합법칙 : $(\vec{a}+\vec{b})+\vec{c}=\vec{a}+(\vec{b}+\vec{c})$

③ $\vec{a}+\vec{0}=\vec{0}+\vec{a}=\vec{a}$

④ $\vec{a}+(-\vec{a})=(-\vec{a})+\vec{a}=\vec{0}$

(3) 벡터의 뺄셈

$\vec{a}=\overrightarrow{AB}, \vec{b}=\overrightarrow{AC}$일 때,
$$\vec{a}-\vec{b}=\overrightarrow{AB}-\overrightarrow{AC}=\overrightarrow{CB}$$

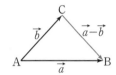

3 벡터의 실수배

(1) 벡터의 실수배

① $\vec{a}\neq\vec{0}$일 때, 실수 k에 대하여 $k\vec{a}$는
  (i) $k>0$: $\vec{a}$와 방향이 같고, 크기가 $k|\vec{a}|$인 벡터
  (ii) $k<0$: $\vec{a}$와 방향이 반대이고, 크기가 $|k||\vec{a}|$인 벡터
  (iii) $k=0$: $k\vec{a}=\vec{0}$

② $\vec{a}=\vec{0}$일 때, 실수 k에 대하여 $k\vec{a}=\vec{0}$이다.

(2) 벡터의 실수배에 대한 성질

두 실수 k, l과 두 벡터 $\vec{a}, \vec{b}$에 대하여

① 결합법칙 : $k(l\vec{a})=(kl)\vec{a}$

② 분배법칙 : $(k+l)\vec{a}=k\vec{a}+l\vec{a}, k(\vec{a}+\vec{b})=k\vec{a}+k\vec{b}$

> **참고** $\vec{a}\neq\vec{0}$일 때, 벡터 $\dfrac{\vec{a}}{|\vec{a}|}$는 벡터 $\vec{a}$와 방향이 같은 단위벡터이다.

4 벡터의 평행

(1) 영벡터가 아닌 두 벡터 $\vec{a}, \vec{b}$의 방향이 같거나 반대일 때, $\vec{a}$와 $\vec{b}$는 서로 평행하다고 하고, 기호로 $\vec{a}/\!/\vec{b}$와 같이 나타낸다.

(2) 두 벡터가 평행할 조건

영벡터가 아닌 두 벡터 $\vec{a}, \vec{b}$에 대하여
$$\vec{a}/\!/\vec{b} \iff \vec{b}=k\vec{a} \text{ (단, } k\neq0\text{인 실수이다.)}$$

문제 풀 때 유용한 **풍쌤 비법**

❶ 영벡터가 아닌 두 벡터 $\vec{a}, \vec{b}$가 서로 평행하지 않을 때, 실수 m, n, s, t에 대하여

  ① $m\vec{a}+n\vec{b}=\vec{0} \iff m=n=0$ ② $m\vec{a}+n\vec{b}=s\vec{a}+t\vec{b} \iff m=s, n=t$

❷ 서로 다른 세 점이 한 직선 위에 있을 조건

  서로 다른 세 점 A, B, C가 한 직선 위에 있다. $\iff \overrightarrow{AC}=k\overrightarrow{AB} \iff \overrightarrow{OC}=m\overrightarrow{OA}+(1-m)\overrightarrow{OB}$ (단, k와 m은 0이 아닌 실수이다.)

실력을 기르는 유형

01 벡터의 크기

중요도 ▮▯▯

196

(상 중 **하**)

오른쪽 그림과 같이 한 변의 길이가 1인 정사각형 ABCD에서 $\overrightarrow{AC}$의 크기는?

① 1 　　　　② $\sqrt{2}$
③ $\sqrt{3}$ 　　　④ 2
⑤ $\sqrt{5}$

197

(상 **중** 하)

오른쪽 그림과 같이 한 변의 길이가 1인 정육각형 ABCDEF에서 $|\overrightarrow{CE}| = k$라고 할 때, k^2의 값은?

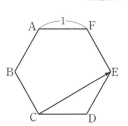

① 2 　　　　② 3
③ 4 　　　　④ 5
⑤ 6

198

(상 **중** 하)

오른쪽 그림과 같이 한 변의 길이가 1인 정육각형 ABCDEF에서 각 꼭짓점을 시점과 종점으로 하는 벡터 중 크기가 2인 벡터의 개수는?

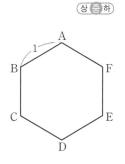

① 2 　　　　② 3
③ 4 　　　　④ 5
⑤ 6

02 서로 같은 벡터

중요도 ▮▮▯

199

(상 중 **하**)

오른쪽 그림과 같이 한 변의 길이가 4인 정삼각형 ABC의 세 변 AB, BC, CA의 중점을 각각 D, E, F라고 할 때, 〈보기〉에서 옳은 것을 모두 골라라.

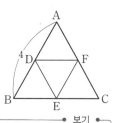

● 보기 ●
ㄱ. $|\overrightarrow{DE}| = |\overrightarrow{FC}|$
ㄴ. $\overrightarrow{DF}$와 같은 벡터의 개수는 3이다.
ㄷ. $\overrightarrow{CF}$와 크기는 같고 방향이 반대인 벡터의 개수는 3이다.

200

(상 중 **하**)

오른쪽 그림을 보고, 다음 벡터를 모두 찾아라.

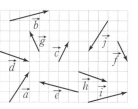

(1) 서로 같은 벡터
(2) 크기가 같고 방향이 반대인 벡터

201 📞최多빈출

(상 중 **하**)

오른쪽 그림과 같은 정육각형 ABCDEF에서 각 꼭짓점과 대각선의 교점 O를 시점과 종점으로 하는 벡터 중 $\overrightarrow{OE}$와 서로 같은 벡터의 개수를 a, $\overrightarrow{OE}$와 크기는 같고 방향이 반대인 벡터의 개수를 b라고 할 때, $a+b$의 값은?

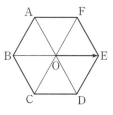

① 7 　　　　② 8 　　　　③ 9
④ 10 　　　⑤ 11

202

상 중 하

오른쪽 그림과 같이 한 변의 길이
가 1인 정육각형에서 점 O는 세
대각선 AD, BE, CF의 교점이
다. 7개의 점 A, B, C, D, E, F,
O에서 서로 다른 두 점을 택하여
한 점을 시점, 다른 한 점을 종점
으로 하는 단위벡터를 만들 때, 서로 다른 단위벡터의 개
수는?

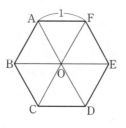

① 6 　　　 ② 8 　　　 ③ 10
④ 12 　　 ⑤ 14

---

03 벡터의 연산

중요도 ▭▭▭

203

상 중 하

평면 위의 네 점 A, B, C, D에 대하여 다음 중
$\overrightarrow{BC}+\overrightarrow{DB}+\overrightarrow{AB}+\overrightarrow{CD}$와 같은 벡터는?

① $\overrightarrow{AB}$ 　　 ② $\overrightarrow{BC}$ 　　 ③ $\overrightarrow{CA}$
④ $\overrightarrow{CD}$ 　　 ⑤ $\overrightarrow{DA}$

204

상 중 하

서로 다른 세 점 A, B, C에 대하여 다음 중 옳은 것은?

① $\overrightarrow{AB}+\overrightarrow{AA}-\overrightarrow{BA}=\vec{0}$
② $\overrightarrow{AB}+\overrightarrow{AC}-\overrightarrow{BC}=\vec{0}$
③ $\overrightarrow{AB}+\overrightarrow{BC}-\overrightarrow{CA}=\vec{0}$
④ $\overrightarrow{AB}-\overrightarrow{AC}-\overrightarrow{BC}=\vec{0}$
⑤ $\overrightarrow{AB}-\overrightarrow{CB}-\overrightarrow{AC}=\vec{0}$

205

상 중 하

오른쪽 그림과 같은 평행사변형
ABCD에서 두 대각선의 교점을
O라 하고, $\overrightarrow{OA}=\vec{a}$, $\overrightarrow{OB}=\vec{b}$라고
할 때, $\overrightarrow{AD}$를 $\vec{a}$, $\vec{b}$로 나타내어라.

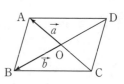

206 📞최多빈출

상 중 하

오른쪽 그림과 같은 정육각형
ABCDEF에서 $\overrightarrow{AB}=\vec{a}$, $\overrightarrow{BC}=\vec{b}$,
$\overrightarrow{CD}=\vec{c}$라고 할 때, 다음 중
$\vec{a}-\vec{b}+\vec{c}$와 같은 벡터는?

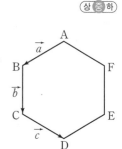

① $\vec{0}$ 　　　　 ② $\overrightarrow{AB}$
③ $\overrightarrow{AD}$ 　　　 ④ $\overrightarrow{BE}$
⑤ $\overrightarrow{CF}$

207

상 중 하

평면 위의 서로 다른 네 점 A, B, C, D가 점 O에 대하여
$\overrightarrow{OA}+\overrightarrow{OC}=\overrightarrow{OB}+\overrightarrow{OD}$를 만족시킬 때, 사각형 ABCD
는 어떤 사각형인가?

① 사다리꼴 　　 ② 평행사변형 　　 ③ 직사각형
④ 마름모 　　　 ⑤ 정사각형

---

04 벡터의 실수배

중요도 ▭▭▭

208

상 중 하

다음을 간단히 하여라.

(1) $3(\vec{a}+\vec{b})-2(2\vec{a}-3\vec{b})$

(2) $\dfrac{1}{2}(-5\vec{a}-\vec{b}+2\vec{c})+\dfrac{2}{3}(4\vec{a}+\vec{b}-3\vec{c})$

209 📞최**多**빈출 (상 중 **하**)

등식 $3(\vec{a}-\vec{x})+2(\vec{b}-2\vec{a})=-4\vec{x}$를 만족시키는 벡터 $\vec{x}$에 대하여 $\vec{x}=m\vec{a}+n\vec{b}$가 성립할 때, $m+n$의 값은?

(단, m, n은 실수이다.)

① -3 ② -2 ③ -1
④ 1 ⑤ 2

210 (상 중 **하**)

오른쪽 그림과 같이 일정한 간격의 평행선으로 이루어진 도형 위에 네 점 A, B, C, D가 있다.

$$\overrightarrow{AD}=m\overrightarrow{AB}+n\overrightarrow{AC}$$

일 때, $m+n$의 값을 구하여라.

(단, m, n은 실수이다.)

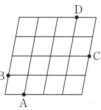

211 (상 **중** 하)

삼각형 ABC의 변 BC의 중점을 D, 무게중심을 G라 하고, $\overrightarrow{AB}=\vec{a}$, $\overrightarrow{AC}=\vec{b}$라고 할 때, $\overrightarrow{AG}$를 $\vec{a}, \vec{b}$로 나타내면?

① $\vec{a}+\vec{b}$ ② $\vec{a}-\vec{b}$ ③ $\dfrac{1}{3}(\vec{a}+\vec{b})$
④ $\dfrac{2}{3}(\vec{a}+\vec{b})$ ⑤ $\dfrac{1}{3}(2\vec{a}-\vec{b})$

212 (상 **중** 하)

두 벡터 $\vec{a}, \vec{b}$에 대하여 $\overrightarrow{AB}=k\vec{a}+l\vec{b}$, $\overrightarrow{CA}=3\vec{a}+2\vec{b}$일 때, 점 O에 대하여 $2\overrightarrow{OA}+\overrightarrow{OB}=3\overrightarrow{OC}$가 성립한다. 이때, 실수 k, l에 대하여 $k+l$의 값은?

① -15 ② -13 ③ -11
④ -9 ⑤ -7

---

05 벡터의 연산과 도형 중요도 ▬▬▬

213 (상 중 **하**)

평면 위의 서로 다른 5개의 점 O, A, B, C, D에 대하여 $\overrightarrow{OA}+\overrightarrow{OC}=\overrightarrow{OB}+\overrightarrow{OD}$가 성립하고, $|\overrightarrow{AB}|=6$, $|\overrightarrow{AD}|=12$일 때, 사각형 ABCD의 넓이의 최댓값은?

① 30 ② 45 ③ 60
④ 72 ⑤ 80

214 (상 중 **하**)

삼각형 ABC에서 변 AC 위의 점 P에 대하여 $\overrightarrow{PA}+\overrightarrow{PB}+\overrightarrow{PC}=\overrightarrow{AB}$가 성립할 때, 두 삼각형 ABP, CBP의 넓이의 비는?

① $1:1$ ② $1:2$ ③ $2:1$
④ $3:2$ ⑤ $5:2$

215 📞학평 기출 (**상** 중 하)

직사각형 ABCD의 내부의 점 P가

$$\overrightarrow{PA}+\overrightarrow{PB}+\overrightarrow{PC}+\overrightarrow{PD}=\overrightarrow{CA}$$

를 만족시킨다. 〈보기〉에서 옳은 것을 모두 고른 것은?

> ─────── 보기 ───────
> ㄱ. $\overrightarrow{PB}+\overrightarrow{PD}=2\overrightarrow{CP}$
> ㄴ. $\overrightarrow{AP}=\dfrac{3}{4}\overrightarrow{AC}$
> ㄷ. 삼각형 ADP의 넓이가 3이면 직사각형 ABCD의 넓이는 8이다.

① ㄱ   ② ㄷ   ③ ㄱ, ㄴ
④ ㄴ, ㄷ   ⑤ ㄱ, ㄴ, ㄷ

216

(상 중 하)

오른쪽 그림과 같은 정사각형 ABCD
에서 두 대각선 AC, BD의 교점을 O
라고 할 때, 다음 중 그 크기가 나머지
넷과 <u>다른</u> 하나는?

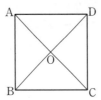

① $\overrightarrow{AB}$
② $\overrightarrow{AO}+\overrightarrow{BO}$
③ $\overrightarrow{AD}+\overrightarrow{CA}$
④ $\overrightarrow{CO}+\overrightarrow{AB}$
⑤ $\overrightarrow{AD}+\overrightarrow{OC}+\overrightarrow{OA}$

217 최多빈출

(상 중 하)

오른쪽 그림과 같이 원에 내접하는
정사각형 ABCD에서

$$|\overrightarrow{AB}+\overrightarrow{AC}+\overrightarrow{AD}|=16\sqrt{2}$$

일 때, 이 정사각형의 한 변의 길이는?

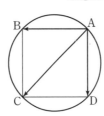

① 4
② 6
③ 8
④ $6\sqrt{2}$
⑤ $8\sqrt{2}$

218

(상 중 하)

한 변의 길이가 1인 정삼각형 ABC에서
$|\overrightarrow{AB}-\overrightarrow{BC}+\overrightarrow{CA}|$의 값은?

① $\dfrac{\sqrt{3}}{2}$
② 1
③ $\sqrt{3}$
④ 2
⑤ $2\sqrt{3}$

219

(상 중 하)

오른쪽 그림과 같이 한 변의 길이
가 1인 정육각형 ABCDEF에
서 $\overrightarrow{BA}=\vec{a}$, $\overrightarrow{BC}=\vec{b}$라고 할 때,
$|6\vec{a}+3\vec{b}|$의 값은?

① $\sqrt{3}$
② 2
③ 3
④ $2\sqrt{3}$
⑤ $3\sqrt{3}$

220

(상 중 하)

오른쪽 그림과 같이 한 변의 길이가
4인 정삼각형 ABC가 있다. 변 AB
위의 점 P와 변 BC의 중점 M에
대하여 $|\overrightarrow{CP}-\overrightarrow{CB}+\overrightarrow{AM}+\overrightarrow{BA}|$의
최댓값은?

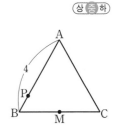

① $2\sqrt{6}$
② $2\sqrt{7}$
③ $4\sqrt{2}$
④ 6
⑤ $2\sqrt{10}$

221 학평 기출

(상 중 하)

오른쪽 그림과 같이 평면 위
에 반지름의 길이가 1인 네
개의 원 C_1, C_2 C_3, C_4가 서
로 외접하고 있고 두 원 C_1,
C_2의 접점을 A라고 하자.
원 C_3 위를 움직이는 점 P와
원 C_4 위를 움직이는 점 Q에 대하여 $|\overrightarrow{AP}+\overrightarrow{AQ}|$의 최댓
값은?

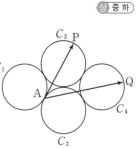

① $4\sqrt{3}-\sqrt{2}$
② 6
③ $3\sqrt{3}+1$
④ $3\sqrt{3}+\sqrt{2}$
⑤ 7

07 두 벡터가 서로 같을 조건 중요도

222 ↘ 풍쌤 비법❶ ↗ 상중하
영벡터가 아닌 두 벡터 $\vec{a}, \vec{b}$가 서로 평행하지 않을 때,
$$(x+2y)\vec{a}+(x-y+1)\vec{b}=3\vec{a}-2\vec{b}$$
를 만족시키는 실수 x, y에 대하여 $x+y$의 값은?

① -2 ② -1 ③ 0
④ 1 ⑤ 2

223 상중하
영벡터가 아닌 세 벡터 $\vec{a}, \vec{b}, \vec{c}$에 대하여 $\vec{c}=3\vec{b}$가 성립할 때, 등식
$$\frac{1}{3}(8\vec{a}+\vec{b}+\vec{c})-\frac{2}{3}\left(\vec{a}+\frac{1}{2}\vec{b}+\frac{3}{2}\vec{c}\right)=2\vec{a}+k\vec{b}$$
를 만족시키는 실수 k의 값은?
(단, $\vec{a}$와 $\vec{b}$는 서로 평행하지 않다.)

① -2 ② -1 ③ 0
④ 1 ⑤ 2

224 상중하
서로 평행하지 않은 두 벡터 $\vec{a}, \vec{b}$에 대하여 두 벡터 $\vec{x}, \vec{y}$가
$$\vec{x}+\vec{y}=\vec{a}+2\vec{b}, \quad \vec{x}-\vec{y}=2\vec{a}-\vec{b}$$
일 때, $2\vec{x}+4\vec{y}=p\vec{a}+q\vec{b}$를 만족시키는 실수 p, q에 대하여 $p+q$의 값은? (단, $\vec{a}\neq\vec{0}, \vec{b}\neq\vec{0}$)

① 2 ② 4 ③ 6
④ 8 ⑤ 10

225 상중하
서로 평행하지 않은 두 벡터 $\vec{a}, \vec{b}$에 대하여
$$\overrightarrow{OA}=\vec{a}, \ \overrightarrow{OB}=\vec{b}, \ \overrightarrow{OC}=3\vec{a}-k\vec{b}$$
이다. $m\overrightarrow{AC}=6\overrightarrow{BA}$일 때, 실수 k의 값은?
(단, $\vec{a}\neq\vec{0}, \vec{b}\neq\vec{0}$이고 m은 실수이다.)

① -2 ② -1 ③ 1
④ 2 ⑤ 3

08 벡터의 평행 중요도

226 상중하
영벡터가 아니고 서로 평행하지 않은 두 벡터 $\vec{a}, \vec{b}$에 대하여 두 벡터 $\vec{a}-2\vec{b}, 4\vec{a}+m\vec{b}$가 서로 평행할 때, 실수 m의 값은?

① -8 ② -4 ③ 0
④ 4 ⑤ 8

227 상중하
두 벡터 $\vec{a}, \vec{b}$에 대하여 $|\vec{a}+\vec{b}|=|\vec{a}|+|\vec{b}|$가 성립할 필요충분조건은? (단, k는 실수이다.)

① $|\vec{a}|=|\vec{b}|$ ② $|\vec{a}||\vec{b}|=0$
③ $\vec{b}=|k|\vec{a}$ ④ $\vec{a}/\!/\vec{b}$
⑤ $\vec{a}\perp\vec{b}$

228 ☎ 최多빈출 상중하
세 벡터 $\vec{p}=\vec{a}-2\vec{b}, \vec{q}=2\vec{a}+\vec{b}, \vec{r}=3\vec{a}-k\vec{b}$에 대하여 $\vec{p}+\vec{q}$와 $\vec{q}-\vec{r}$가 서로 평행하기 위한 실수 k의 값은?
(단, 두 벡터 $\vec{a}, \vec{b}$는 영벡터가 아니고 서로 평행하지 않다.)

① -1 ② $-\frac{2}{3}$ ③ $-\frac{1}{3}$
④ $\frac{1}{3}$ ⑤ $\frac{2}{3}$

229 (상 중 하)

영벡터가 아닌 세 벡터 $\overrightarrow{AB}, \overrightarrow{CD}, \overrightarrow{EF}$에 대하여
$\overrightarrow{AB} = \frac{1}{3}\overrightarrow{CD}$, $\overrightarrow{CD} /\!/ \overrightarrow{EF}$이고 $|\overrightarrow{AB}| = 3$일 때,
$3(\overrightarrow{AB} - \overrightarrow{CD}) + \overrightarrow{EF} - 2\overrightarrow{CD} = 3(\overrightarrow{EF} + 2\overrightarrow{AB})$가 성립한다. 이때, $|\overrightarrow{EF}|$의 값은?

① 12 ② 14 ③ 16
④ 18 ⑤ 27

09 세 점이 한 직선 위에 있을 조건 중요도

230 ✎ 풍쌤 비법 ❷ (상 중 하)

$\vec{a} \neq \vec{0}, \vec{b} \neq \vec{0}$이고 서로 평행하지 않은 두 벡터 $\vec{a}, \vec{b}$에 대하여
$$\overrightarrow{OA} = \vec{a}, \quad \overrightarrow{OB} = \vec{b}, \quad \overrightarrow{OC} = 2\vec{a} + m\vec{b}$$
일 때, 세 점 A, B, C가 한 직선 위에 있도록 하는 실수 m의 값은?

① -2 ② -1 ③ 0
④ 1 ⑤ 2

231 (상 중 하)

오른쪽 그림과 같이 $\angle AOB = 90°$인 부채꼴 OAB에서 $\overrightarrow{OA} = \vec{a}, \overrightarrow{OB} = \vec{b}$라고 할 때, $\angle AOB$를 이등분하는 벡터 $\overrightarrow{OC}$를 $\vec{a}, \vec{b}$로 나타내면?

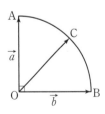

① $\vec{a} + \vec{b}$ ② $\frac{\sqrt{3}}{2}(\vec{a} + \vec{b})$
③ $\frac{\sqrt{2}}{2}(\vec{a} + \vec{b})$ ④ $\frac{\sqrt{3}}{3}(\vec{a} + \vec{b})$
⑤ $\frac{1}{2}(\vec{a} + \vec{b})$

232 (상 중 하)

오른쪽 그림과 같은 평행사변형 ABCD에서 변 CD의 중점을 M, 선분 AC를 $k : 1$로 내분하는 점을 N이라고 할 때, 세 점 B, N, M이 한 직선 위에 있도록 하는 실수 k의 값은?

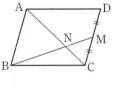

① 1 ② $\sqrt{2}$ ③ $\sqrt{3}$
④ 2 ⑤ $\sqrt{5}$

233 (상 중 하)

오른쪽 그림과 같은 삼각형 ABC에서 선분 BC의 중점을 M, 선분 AC를 삼등분한 점 중에서 점 A에 가까운 점을 N, 두 선분 AM, BN의 교점을 P라고 하자.
$\overrightarrow{AP} = m\overrightarrow{AB} + n\overrightarrow{AC}$일 때, 실수 m, n에 대하여 $m + n$의 값은?

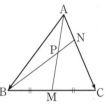

① $\frac{1}{4}$ ② $\frac{1}{2}$ ③ $\frac{3}{4}$
④ 1 ⑤ $\frac{5}{4}$

234 (상 중 하)

한 직선 위에 있지 않은 서로 다른 세 점 O, A, B에 대하여 $\overrightarrow{OA} = \vec{a}, \overrightarrow{OB} = \vec{b}$일 때, 종점이 직선 AB 위에 있는 벡터를 〈보기〉에서 모두 고른 것은?

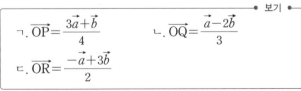

보기
ㄱ. $\overrightarrow{OP} = \dfrac{3\vec{a} + \vec{b}}{4}$ ㄴ. $\overrightarrow{OQ} = \dfrac{\vec{a} - 2\vec{b}}{3}$
ㄷ. $\overrightarrow{OR} = \dfrac{-\vec{a} + 3\vec{b}}{2}$

① ㄱ ② ㄱ, ㄴ ③ ㄱ, ㄷ
④ ㄴ, ㄷ ⑤ ㄱ, ㄴ, ㄷ

내신을 꽉 잡는 서술형

235

오른쪽 그림과 같이 서로 합동인 두 개의 정육각형을 한 변이 겹치도록 하여 붙여 놓았다. $\overrightarrow{AB}=\vec{a}$, $\overrightarrow{BC}=\vec{b}$라고 할 때, 벡터 $\overrightarrow{BG}$를 $\vec{a}$, $\vec{b}$로 나타내어라.

236

좌표평면 위의 원점 O에서 원 $(x-\sqrt{2})^2+(y-\sqrt{2})^2=1$에 그은 두 접선의 접점을 각각 A, B라고 할 때, 두 벡터 $\overrightarrow{OA}$, $\overrightarrow{OB}$에 대하여 $|\overrightarrow{OA}+\overrightarrow{OB}|$의 값을 구하여라.

237

평면 위의 네 점 O, A, B, C에 대하여 $\overrightarrow{OA}=\vec{a}$, $\overrightarrow{OB}=\vec{b}$, $\overrightarrow{OC}=\vec{c}$라고 하자. 세 벡터 $\vec{a}$, $\vec{b}$, $\vec{c}$가 다음 세 조건을 만족시킬 때, 네 점 O, A, B, C를 꼭짓점으로 하는 사각형은 어떤 사각형인지 구하여라.

(가) $\vec{c}=\vec{a}+\vec{b}$	(나) $|\vec{c}|=|\vec{b}-\vec{a}|$	(다) $|\vec{b}|=|\vec{c}-\vec{b}|$

238

오른쪽 그림과 같은 정삼각형 OAB에서 점 P는 변 AB 위를 꼭짓점 A에서 꼭짓점 B까지 움직인다. $\overrightarrow{OX}=\dfrac{\overrightarrow{OP}}{|\overrightarrow{OP}|}$라고 할 때, 벡터 $\overrightarrow{OX}$의 종점 X가 나타내는 도형의 길이를 구하여라.

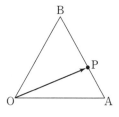

239

평면 위의 서로 다른 네 점 A, B, C, D와 점 O에 대하여 $\overrightarrow{OA}=\vec{a}$, $\overrightarrow{OB}=\vec{b}$, $\overrightarrow{OC}=\vec{a}+k\vec{b}$, $\overrightarrow{OD}=3\vec{a}-\vec{b}$이다. 두 벡터 $\overrightarrow{AB}$와 $\overrightarrow{CD}$가 서로 평행할 때, 실수 k의 값을 구하여라. (단, $\vec{a}$, $\vec{b}$는 영벡터가 아니고 서로 평행하지 않다.)

240

오른쪽 그림과 같은 직사각형 ABDE에서 $\overrightarrow{CF}\perp\overrightarrow{BD}$이다. $\overrightarrow{CA}=\vec{a}$, $\overrightarrow{CF}=\vec{b}$, $\overrightarrow{CE}=\vec{c}$일 때, $\overrightarrow{AP}=k(\vec{c}-\vec{b}-\vec{a})$를 만족시키는 점 P는 어떤 직선 위에 있는지 구하여라. (단, k는 0이 아닌 실수이다.)

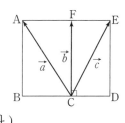

241

삼각형 ABC에 대하여 세 변 AB, BC, CA 위의 점을 각각 P, Q, R라고 하자. 두 삼각형 ABC, PQR가 다음 세 조건을 만족시킬 때, $\dfrac{\triangle PQR}{\triangle ABC}$ 의 값은?

> (가) $\overrightarrow{PA}+\overrightarrow{PB}+\overrightarrow{PC}=\overrightarrow{BC}$
> (나) $\overrightarrow{QA}+\overrightarrow{QB}+\overrightarrow{QC}=\overrightarrow{CA}$
> (다) $\overrightarrow{RA}+\overrightarrow{RB}+\overrightarrow{RC}=\overrightarrow{AB}$

① $\dfrac{1}{3}$ ② $\dfrac{1}{2}$ ③ 1

④ 2   ⑤ 3

242

원에 내접하는 정육각형 ABCDEF에서

$$|\overrightarrow{AB}+\overrightarrow{AC}+\overrightarrow{AD}+\overrightarrow{AE}+\overrightarrow{AF}|=18$$

일 때, 이 정육각형의 넓이는?

① $\dfrac{23}{2}\sqrt{3}$ ② $12\sqrt{3}$ ③ $\dfrac{25}{2}\sqrt{3}$

④ $13\sqrt{3}$ ⑤ $\dfrac{27}{2}\sqrt{3}$

243

좌표평면 위의 점 A가 $y=\dfrac{1}{2}x^2+\dfrac{3}{2}$ 이 나타내는 곡선 위를 움직일 때, $\overrightarrow{OB}=\dfrac{\overrightarrow{OA}}{|\overrightarrow{OA}|}$ 의 종점 B가 나타내는 도형의 길이는? (단, O는 원점이다.)

① $\dfrac{\pi}{3}$ ② $\sqrt{2}$ ③ $\sqrt{3}$

④ $\dfrac{2}{3}\pi$ ⑤ 3

244

오른쪽 그림과 같이 한 평면 위에 서로 평행한 세 직선 l_1, l_2, l_3과 서로 평행한 두 직선 m_1, m_2가 있다. 이들 직선들의 교점을 각각 A, B, C, X, O, Y라 하고 $\overrightarrow{OA}=\vec{a}$, $\overrightarrow{OB}=\vec{b}$, $\overrightarrow{OC}=\vec{c}$ 라고 할 때, $\overrightarrow{AP}=(\vec{a}+\vec{b}-\vec{c})t$를 만족시키는 점 P가 나타내는 도형은?

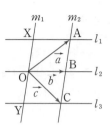

(단, t는 0이 아닌 실수이다.)

① 직선 XA   ② 직선 XC   ③ 직선 AC

④ 직선 YA   ⑤ 직선 YC

245 〔100점 도전〕

갑, 을 두 사람이 꼭짓점 A에서 동시에 출발하여 갑은 변 AB 위를 속력 u로 간 뒤 다시 변 BC 위를 속력 v로 가고, 을은 변 AC 위를 속력 w로 갔더니 갑, 을 두 사람이 동시에 꼭짓점 C에 도착하였다. 평면 위의 네 점 O, P, Q, R에 대하여 $\overrightarrow{OP}$는 $\overrightarrow{AB}$와 방향이 같고 크기가 u, $\overrightarrow{OQ}$는 $\overrightarrow{BC}$와 방향이 같고 크기가 v, $\overrightarrow{OR}$는 $\overrightarrow{AC}$와 방향이 같고 크기가 w일 때, 〈보기〉에서 옳은 것을 모두 고른 것은?

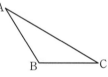

(단, u, v, w는 실수이다.)

> ●━ 보기 ●
> ㄱ. 갑이 A에서 B까지 가는 데 걸린 시간을 x라고 하면 $\overrightarrow{OP}=\dfrac{1}{x}\overrightarrow{AB}$이다.
> ㄴ. $\dfrac{|\overrightarrow{AB}|}{u}+\dfrac{|\overrightarrow{BC}|}{v}=\dfrac{|\overrightarrow{AC}|}{w}$
> ㄷ. 세 점 P, Q, R는 한 직선 위에 있지 않다.

① ㄱ   ② ㄴ   ③ ㄱ, ㄴ

④ ㄴ, ㄷ   ⑤ ㄱ, ㄴ, ㄷ

04 평면벡터의 성분과 내적

더 자세한 개념은 풍산자 기하 91쪽

1 위치벡터

(1) 위치벡터

① 한 점 O를 시점으로 하는 벡터 $\overrightarrow{OA}$를 점 O에 대한 점 A의 위치벡터라고 한다.

② 두 점 A, B의 위치벡터를 각각 $\vec{a}, \vec{b}$라 하면

$$\overrightarrow{AB}=\vec{b}-\vec{a}$$
$$\underset{\overrightarrow{AB}=\overrightarrow{OB}-\overrightarrow{OA}}{}$$

참고 ① 일반적으로 위치벡터의 시점은 좌표평면의 원점 O로 잡고 원점 O의 위치벡터는 영벡터 $\vec{0}$이다.
② 점 O에 대한 점 P의 위치벡터를 간단히 점 P의 위치벡터라고 한다.

(2) 선분의 내분점과 외분점의 위치벡터

두 점 A, B의 위치벡터를 각각 $\vec{a}, \vec{b}$라고 할 때, 선분 AB를

$m:n\,(m>0,\,n>0)$으로 내분하는 점 P와 외분하는 점 Q의 위치벡터를 각각 $\vec{p}, \vec{q}$라고 하면

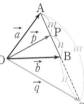

$$\vec{p}=\frac{m\vec{b}+n\vec{a}}{m+n},\quad \vec{q}=\frac{m\vec{b}-n\vec{a}}{m-n}\ (단,\ m\neq n)$$

참고 ① 두 점 A, B의 위치벡터를 각각 $\vec{a}, \vec{b}$라 하고, 선분 AB의 중점 M의 위치벡터를 $\vec{m}$이라고 하면
$$\vec{m}=\frac{\vec{a}+\vec{b}}{2}$$
② 삼각형 ABC의 무게중심을 G라 하고 점 A, B, C, G의 위치벡터를 각각 $\vec{a}, \vec{b}, \vec{c}, \vec{g}$라고 하면
$$\vec{g}=\frac{\vec{a}+\vec{b}+\vec{c}}{3}$$

2 평면벡터의 성분

(1) 평면벡터의 성분

좌표평면 위의 점 (a_1, a_2)의 위치벡터를 $\vec{a}$라고 하면
$$\vec{a}=(a_1, a_2)$$
이때, 실수 a_1, a_2를 벡터 $\vec{a}$의 성분이라고 하며, a_1을 벡터 $\vec{a}$의 x성분, a_2를 벡터 $\vec{a}$의 y성분이라고 한다.

(2) 평면벡터의 성분과 크기

두 평면벡터 $\vec{a}=(a_1, a_2)$, $\vec{b}=(b_1, b_2)$에 대하여 $\vec{e_1}=(1,0), \vec{e_2}=(0,1)$일 때,

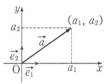

① $\vec{a}=a_1\vec{e_1}+a_2\vec{e_2}$
② $|\vec{a}|=\sqrt{a_1{}^2+a_2{}^2}$
③ $\vec{a}=\vec{b}\Longleftrightarrow a_1=b_1,\ a_2=b_2$

(3) 평면벡터의 성분에 의한 연산

$\vec{a}=(a_1, a_2), \vec{b}=(b_1, b_2)$일 때,
① 덧셈 : $\vec{a}+\vec{b}=(a_1+b_1, a_2+b_2)$
② 뺄셈 : $\vec{a}-\vec{b}=(a_1-b_1, a_2-b_2)$
③ 실수배 : $k\vec{a}=(ka_1, ka_2)$ (단, k는 실수이다.)

참고 두 점 $A(a_1, a_2)$, $B(b_1, b_2)$에 대하여
① $\overrightarrow{AB}=(b_1-a_1,\ b_2-a_2)$
② $|\overrightarrow{AB}|=\sqrt{(b_1-a_1)^2+(b_2-a_2)^2}$

3 평면벡터의 내적

(1) 평면벡터의 내적

두 평면벡터 $\vec{a}, \vec{b}$가 이루는 각의 크기를 $\theta°\,(0°\leq\theta°\leq180°)$라고 할 때,

$$\vec{a}\cdot\vec{b}=\begin{cases}|\vec{a}||\vec{b}|\cos\theta° & (0°\leq\theta°\leq90°)\\ -|\vec{a}||\vec{b}|\cos(180°-\theta°) & (90°<\theta°\leq180°)\end{cases}$$

참고 ① 두 평면벡터 $\vec{a}, \vec{b}$의 내적 $\vec{a}\cdot\vec{b}$는 실수이다.
② $\vec{0}\cdot\vec{a}=0$ ③ $\vec{a}\cdot\vec{a}=|\vec{a}|^2$

(2) 평면벡터의 내적과 성분

두 벡터 $\vec{a}=(a_1, a_2), \vec{b}=(b_1, b_2)$에 대하여
$$\vec{a}\cdot\vec{b}=a_1b_1+a_2b_2$$

(3) 평면벡터의 내적의 성질

세 평면벡터 $\vec{a}, \vec{b}, \vec{c}$와 실수 k에 대하여
① $\vec{a}\cdot\vec{b}=\vec{b}\cdot\vec{a}$
② $\vec{a}\cdot(\vec{b}+\vec{c})=\vec{a}\cdot\vec{b}+\vec{a}\cdot\vec{c}$, $(\vec{a}+\vec{b})\cdot\vec{c}=\vec{a}\cdot\vec{c}+\vec{b}\cdot\vec{c}$
③ $(k\vec{a})\cdot\vec{b}=\vec{a}\cdot(k\vec{b})=k(\vec{a}\cdot\vec{b})$

문제 풀 때 유용한 풍쌤 비법

❶ $\overrightarrow{OP}=m\overrightarrow{OA}+n\overrightarrow{OB}$를 만족시키는 점 P가 나타내는 도형

(i) $m+n=1$일 때 : 직선 AB
(ii) $m\geq0,\ n\geq0,\ m+n=1$일 때 : 선분 AB
(iii) $m>0,\ n>0,\ m+n<1$일 때 : 삼각형 OAB의 내부
(iv) $m\geq0,\ n\geq0,\ m+n<1$일 때 : 삼각형 OAB의 내부와 둘레
(v) $0\leq m\leq1,\ 0\leq n\leq1$일 때 : $\overline{OA}, \overline{OB}$를 이웃하는 두 변으로 하는 평행사변형의 내부와 둘레

4 두 평면벡터가 이루는 각

(1) 두 평면벡터가 이루는 각의 크기

영벡터가 아닌 두 평면벡터 $\vec{a}=(a_1, a_2)$, $\vec{b}=(b_1, b_2)$가 이루는 각의 크기를 $\theta°$라고 할 때,

① $\vec{a}\cdot\vec{b}\geq0$이면 $0°\leq\theta°\leq90°$이고

$$\cos\theta° = \frac{\vec{a}\cdot\vec{b}}{|\vec{a}||\vec{b}|}$$

$$= \frac{a_1b_1+a_2b_2}{\sqrt{a_1{}^2+a_2{}^2}\sqrt{b_1{}^2+b_2{}^2}}$$

② $\vec{a}\cdot\vec{b}<0$이면 $90°<\theta°\leq180°$이고

$$\cos(180°-\theta°) = -\frac{\vec{a}\cdot\vec{b}}{|\vec{a}||\vec{b}|}$$

$$= -\frac{a_1b_1+a_2b_2}{\sqrt{a_1{}^2+a_2{}^2}\sqrt{b_1{}^2+b_2{}^2}}$$

(2) 두 평면벡터의 수직 조건과 평행 조건

영벡터가 아닌 두 평면벡터 $\vec{a}, \vec{b}$에 대하여

① 수직 조건 : $\vec{a}\perp\vec{b} \iff \vec{a}\cdot\vec{b}=0$

② 평행 조건 : $\vec{a}/\!/\vec{b} \iff \vec{a}\cdot\vec{b}=\pm|\vec{a}||\vec{b}|$

참고 $\vec{a}=(a_1, a_2)$, $\vec{b}=(b_1, b_2)$일 때,
① $\vec{a}\perp\vec{b} \iff \vec{a}\cdot\vec{b}=a_1b_1+a_2b_2=0$
② $\vec{a}/\!/\vec{b} \iff \vec{b}=k\vec{a} \iff b_1=ka_1, b_2=ka_2$ (단, $k\neq0$인 실수이다.)

5 직선의 방정식

(1) 방향벡터를 이용한 직선의 방정식

① 점 A를 지나고 영벡터가 아닌 벡터 $\vec{u}$에 평행한 직선 l 위의 한 점을 P라 하고 두 점 A, P의 위치벡터를 각각 $\vec{a}, \vec{p}$라고 하면

$\vec{p}=\vec{a}+t\vec{u}$ (단, t는 실수이다.)

이때, 벡터 $\vec{u}$를 직선 l의 방향벡터라고 한다.

② 점 $A(x_1, y_1)$을 지나고, 방향벡터가 $\vec{u}=(a, b)$인 직선의 방정식은

$$\frac{x-x_1}{a} = \frac{y-y_1}{b} \text{ (단, } ab\neq0)$$

참고 두 점 $A(x_1, y_1)$, $B(x_2, y_2)$를 지나는 직선의 방정식은

$$\frac{x-x_1}{x_2-x_1} = \frac{y-y_1}{y_2-y_1} \text{ (단, } x_1\neq x_2, y_1\neq y_2)$$

(2) 법선벡터를 이용한 직선의 방정식

① 점 A를 지나고 영벡터가 아닌 벡터 $\vec{n}$에 수직인 직선 l 위의 한 점을 P라 하고 두 점 A, P의 위치벡터를 각각 $\vec{a}, \vec{p}$라고 하면

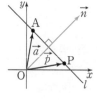

$(\vec{p}-\vec{a})\cdot\vec{n}=0$

이때, 벡터 $\vec{n}$을 직선 l의 법선벡터라고 한다.

② 점 $A(x_1, y_1)$을 지나고, 법선벡터가 $\vec{n}=(a, b)$인 직선의 방정식은

벡터 $\vec{n}=(a, b)$에 수직인

$$a(x-x_1)+b(y-y_1)=0$$

6 두 직선의 위치 관계

(1) 두 직선이 이루는 각

두 직선 l_1, l_2의 방향벡터가 각각 $\vec{u_1}=(a_1, b_1)$, $\vec{u_2}=(a_2, b_2)$일 때, 두 직선 l_1, l_2가 이루는 각의 크기를 $\theta°$ $(0°\leq\theta°\leq90°)$라고 하면

$$\cos\theta° = \frac{|\vec{u_1}\cdot\vec{u_2}|}{|\vec{u_1}||\vec{u_2}|} = \frac{|a_1a_2+b_1b_2|}{\sqrt{a_1{}^2+b_1{}^2}\sqrt{a_2{}^2+b_2{}^2}}$$

(2) 두 직선의 수직 조건과 평행 조건

두 직선 l_1, l_2의 방향벡터가 각각 $\vec{u_1}=(a_1, b_1)$, $\vec{u_2}=(a_2, b_2)$일 때,

① 수직 조건 : $l_1\perp l_2 \iff \vec{u_1}\perp\vec{u_2}=0$

$\iff a_1a_2+b_1b_2=0$

② 평행 조건 : $l_1/\!/l_2 \iff \vec{u_1}/\!/\vec{u_2} \iff \vec{u_1}=k\vec{u_2}$

$\iff \dfrac{a_1}{a_2}=\dfrac{b_1}{b_2}$

(단, $k\neq0$인 실수이고 $a_2b_2\neq0$이다.)

7 평면벡터를 이용한 원의 방정식

점 C와 $\overline{CP}=r$를 만족시키는 점 P에 대하여 두 점 C, P의 위치벡터를 각각 $\vec{c}, \vec{p}$라고 할 때, 점 C를 중심으로 하고 반지름의 길이가 r인 원의 방정식은

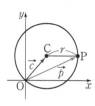

$|\vec{p}-\vec{c}|=r$ 또는

$(\vec{p}-\vec{c})\cdot(\vec{p}-\vec{c})=r^2$

참고 $\vec{p}=(x, y)$, $\vec{c}=(x_1, y_1)$이라고 하면 $\vec{p}-\vec{c}=(x-x_1, y-y_1)$이므로
$(x-x_1)^2+(y-y_1)^2=r^2$

문제 풀 때 유용한 풍쌤 비법

❷ 평면벡터의 내적의 성질의 활용

① $|\vec{a}+\vec{b}|^2=(\vec{a}+\vec{b})\cdot(\vec{a}+\vec{b})=|\vec{a}|^2+2\vec{a}\cdot\vec{b}+|\vec{b}|^2$

② $|\vec{a}-\vec{b}|^2=(\vec{a}-\vec{b})\cdot(\vec{a}-\vec{b})=|\vec{a}|^2-2\vec{a}\cdot\vec{b}+|\vec{b}|^2$

③ $(\vec{a}+\vec{b})\cdot(\vec{a}-\vec{b})=|\vec{a}|^2-|\vec{b}|^2$

④ $|m\vec{a}+n\vec{b}|^2=(m\vec{a}+n\vec{b})\cdot(m\vec{a}+n\vec{b})=m^2|\vec{a}|^2+2mn\vec{a}\cdot\vec{b}+n^2|\vec{b}|^2$

실력을 기르는 유형

01 위치벡터

중요도 ▱▱▱

246

상 중 **하**

오른쪽 그림과 같은 평행사변형 OABC에서 두 꼭짓점 A, B의 위치벡터를 각각 $\vec{a}, \vec{b}$라고 할 때, 꼭짓점 C의 위치벡터를 $\vec{a}, \vec{b}$로 나타내어라.

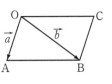

247

상 중 **하**

세 점 A, B, C의 위치벡터를 각각 $\vec{a}, \vec{b}, \vec{c}$라고 할 때, 벡터 $\overrightarrow{AB} - \overrightarrow{BC}$를 $\vec{a}, \vec{b}, \vec{c}$로 나타내면?

① $-\vec{a} - \vec{b} - \vec{c}$ ② $-\vec{a} + 2\vec{b} - \vec{c}$
③ $\vec{a} + \vec{b} - \vec{c}$ ④ $\vec{a} - \vec{b} - \vec{c}$
⑤ $\vec{a} + 2\vec{b} + \vec{c}$

248

상 **중** 하

오른쪽 그림과 같이 좌표평면 위에 두 점 A(2, 1), B(3, 3)이 있다. $\overrightarrow{AB} + \overrightarrow{OC} = \vec{0}$, $\overrightarrow{AB} = \overrightarrow{OD}$가 성립하도록 하는 점 C$(a, b)$, D$(c, d)$에 대하여 $abcd$의 값은?
(단, O는 원점이다.)

① 1   ② 2   ③ 3
④ 4   ⑤ 5

249

상 **중** 하

영벡터가 아니고 서로 평행하지 않은 두 벡터 $\vec{a}, \vec{b}$에 대하여 평면 위의 세 점 A, B, C의 위치벡터를 각각 $\vec{a} - 2\vec{b}$, $-\vec{a} - 3\vec{b}$, $k\vec{a} + 2\vec{b}$라고 하자. 세 점 A, B, C가 한 직선 위에 있을 때, 실수 k의 값은?

① 8   ② 9   ③ 10
④ 11   ⑤ 12

02 선분의 내분점과 외분점의 위치벡터

중요도 ▰▰▱

250 📞 최多빈출

상 **중** 하

삼각형 ABC의 무게중심 G에 대하여 네 점 A, B, C, G의 위치벡터를 각각 $\vec{a}, \vec{b}, \vec{c}, \vec{g}$라고 할 때, 다음 중 $\overrightarrow{AG} + \overrightarrow{BG} + \overrightarrow{CG}$와 같은 벡터는?

① $\vec{0}$ ② $-\vec{a}$ ③ $\vec{b}$
④ $\vec{a} + \vec{b} + \vec{c}$ ⑤ $\frac{1}{3}\vec{g}$

251

상 **중** 하

삼각형 ABC에서 선분 BC의 중점을 M, 선분 AM의 중점을 K라고 하자. $\overrightarrow{AB} = \vec{a}$, $\overrightarrow{AC} = \vec{b}$일 때, $\overrightarrow{BK}$를 두 벡터 $\vec{a}, \vec{b}$로 나타내면?

① $\frac{3}{4}\vec{a} - \frac{1}{4}\vec{b}$ ② $\frac{1}{4}\vec{a} - \frac{3}{4}\vec{b}$
③ $-\frac{3}{4}\vec{a} + \frac{1}{4}\vec{b}$ ④ $-\frac{1}{4}\vec{a} + \frac{3}{4}\vec{b}$
⑤ $\frac{1}{4}\vec{a} - \frac{3}{4}\vec{b}$

252 〔상 중 하〕

오른쪽 그림과 같은 삼각형 ABC에서 ∠A의 이등분선과 변 BC의 교점을 D라 하고 $\overline{AB}=4$, $\overline{AC}=3$ 이라고 하자. 이때, $\overrightarrow{AD}=m\overrightarrow{AB}+n\overrightarrow{AC}$를 만족시키는 실수 m, n에 대하여 $m-n$의 값은?

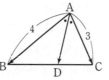

① -1
② $-\dfrac{3}{7}$
③ $-\dfrac{1}{7}$
④ $\dfrac{1}{7}$
⑤ $\dfrac{3}{7}$

253 〔상 중 하〕

삼각형 ABC에 대하여 점 P가 $\overrightarrow{PA}+4\overrightarrow{AB}-3\overrightarrow{AC}=\vec{0}$를 만족시킨다. 삼각형 APB의 넓이가 12일 때, 삼각형 APC의 넓이는?

① 10
② 12
③ 14
④ 16
⑤ 18

254 〔상 중 하〕

좌표평면 위의 점 A(3, 3)과 원 $x^2+y^2=9$ 위를 움직이는 점 P에 대하여 $\left|\dfrac{2}{3}\overrightarrow{OA}+\dfrac{1}{3}\overrightarrow{OP}\right|$의 최댓값은?

(단, O는 원점이다.)

① $2\sqrt{2}$
② 3
③ $1+2\sqrt{2}$
④ $2+2\sqrt{2}$
⑤ 6

255 〔상 중 하〕

오른쪽 그림과 같이 정육각형 OABCDE의 변 BC를 8등분한 점을 차례로 P_1, P_2, $\cdots$, P_7이라고 하자. $\overrightarrow{OA}=\vec{a}$, $\overrightarrow{OE}=\vec{b}$라고 할 때,
$$\overrightarrow{OP_1}+\overrightarrow{OP_2}+\overrightarrow{OP_3}+\cdots$$
$$+\overrightarrow{OP_7}=m\vec{a}+n\vec{b}$$
가 성립한다. 이때, 실수 m, n에 대하여 $m-2n$의 값은?

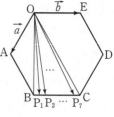

① -10
② -9
③ -8
④ -7
⑤ -6

256 📞최 多 빈출 〔상 중 하〕

오른쪽 그림과 같이 평행사변형 ABCD의 대각선 AC를 3 : 1로 내분하는 점을 P라고 하자. $\overrightarrow{DP}=m\overrightarrow{AB}+n\overrightarrow{AD}$를 만족시키는 실수 m, n에 대하여 $m+n$의 값은?

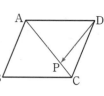

① $\dfrac{1}{4}$
② $\dfrac{1}{2}$
③ $\dfrac{3}{4}$
④ 1
⑤ $\dfrac{5}{4}$

257 〔상 중 하〕

오른쪽 그림과 같은 평행사변형 ABCD에서 변 BC의 중점을 M, 변 CD를 2 : 1로 내분하는 점을 N이라고 하자. $\overrightarrow{AB}=\vec{a}$, $\overrightarrow{AD}=\vec{b}$라고 할 때, $\overrightarrow{MN}=m\vec{a}+n\vec{b}$를 만족시키는 실수 m, n에 대하여 $m+n$의 값을 구하여라.

258 (상 중 하)

오른쪽 그림과 같은 평면 위의 세 점
A, B, C에 대하여 점 P는
$$4\overrightarrow{AP}-3\overrightarrow{PB}-\overrightarrow{PC}=\vec{0}$$
를 만족시킨다. 이때, 점 P가 위치하
는 영역은?

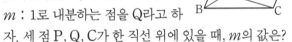

① ㉠　　　　② ㉡　　　　③ ㉢
④ ㉣　　　　⑤ ㉤

259 (상 중 하)

오른쪽 그림과 같이 평행사변형
ABCD에서 변 AB를 2 : 1로 내
분하는 점을 P, 대각선 DB를
m : 1로 내분하는 점을 Q라고 하
자. 세 점 P, Q, C가 한 직선 위에 있을 때, m의 값은?

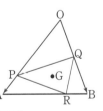

① $\dfrac{3}{2}$　　　　② 2　　　　③ $\dfrac{5}{2}$
④ 3　　　　⑤ $\dfrac{7}{2}$

260 📞 학평 기출 (상 중 하)

오른쪽 그림과 같은 삼각형 OAB
에서 점 P는 선분 OA를 4 : 1로
내분하는 점이고, 점 Q는 선분 OB
의 중점, 점 R은 선분 AB를 3 : 1
로 내분하는 점이다. 점 G는 삼각형
PQR의 무게중심이고 $\overrightarrow{OG}=k\overrightarrow{OA}+l\overrightarrow{OB}$일 때, 실수 k,
l에 대하여 $k+l$의 값은?

① $\dfrac{1}{2}$　　　　② $\dfrac{17}{30}$　　　　③ $\dfrac{19}{30}$
④ $\dfrac{7}{10}$　　　　⑤ $\dfrac{23}{30}$

03 평면벡터의 연산과 크기　　중요도 ▭▭

261 📞 학평 기출 (상 중 하)

두 벡터 $\vec{a}=(3, -1)$, $\vec{b}=(1, 2)$에 대하여 벡터 $\vec{a}+\vec{b}$의
모든 성분의 합은?

① 1　　　　② 2　　　　③ 3
④ 4　　　　⑤ 5

262 (상 중 하)

두 벡터 $\vec{a}=(m-2, 3)$, $\vec{b}=(-1, 4-n)$이 서로 같을
때, 실수 m, n에 대하여 $m+n$의 값을 구하여라.

263 (상 중 하)

세 벡터 $\vec{a}=(-2, 1)$, $\vec{b}=(1, -3)$, $\vec{c}=(2, 1)$에 대하여
벡터 $2\vec{a}-\vec{b}-2\vec{c}$의 크기는?

① $\sqrt{10}$　　　　② $2\sqrt{10}$　　　　③ $3\sqrt{10}$
④ $4\sqrt{10}$　　　　⑤ $5\sqrt{10}$

264 (상 중 하)

오른쪽 그림에서 삼각형 AOB는
$\overline{AB}=6$, $\angle AOB=120°$인 이등
변삼각형이다. $\overrightarrow{AB}=(a, b)$일 때,
$\dfrac{a}{b}$의 값은? (단, O는 원점이다.)

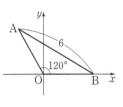

① $-\dfrac{\sqrt{3}}{3}$　　　　② $-\sqrt{3}$　　　　③ 1
④ $\sqrt{3}$　　　　⑤ $3\sqrt{3}$

265 상중하

세 벡터 $\vec{a}=(3,2)$, $\vec{b}=(-2,4)$, $\vec{c}=(12,-8)$에 대하여 $\vec{c}=p\vec{a}+q\vec{b}$를 만족시키는 실수 p, q에 대하여 $p+q$의 값은?

① -2 ② -1 ③ 0
④ 1 ⑤ 2

266 상중하

좌표평면 위의 두 벡터 $\vec{a}=(0,1)$, $\vec{b}=(1,1)$에 대하여 $3\vec{a}-2\vec{x}=2\vec{b}$를 만족시키는 벡터 $\vec{x}$와 같은 방향을 갖는 단위벡터는?

① $\left(\dfrac{\sqrt{3}}{3}, -\dfrac{\sqrt{6}}{3}\right)$ ② $\left(\dfrac{\sqrt{3}}{3}, \dfrac{\sqrt{6}}{3}\right)$

③ $\left(\dfrac{\sqrt{5}}{5}, \dfrac{2\sqrt{5}}{5}\right)$ ④ $\left(\dfrac{2\sqrt{5}}{5}, \dfrac{\sqrt{5}}{5}\right)$

⑤ $\left(-\dfrac{2\sqrt{5}}{5}, \dfrac{\sqrt{5}}{5}\right)$

267 상중하

두 점 $A(x,-1)$, $B(2,x)$에 대하여 $|\overrightarrow{AB}|=\sqrt{17}$이 되게 하는 모든 실수 x의 값의 합을 구하여라.

268 상중하

좌표평면 위의 두 벡터 $\vec{a}, \vec{b}$가 $\vec{a}=(-2,0)$, $\vec{b}=(1,-1)$일 때, 모든 실수 t에 대하여 등식 $\vec{c}=\vec{a}+t\vec{b}$를 만족시키는 $|\vec{c}|$의 최솟값은?

① 1 ② $\sqrt{2}$ ③ $\sqrt{3}$
④ 2 ⑤ $\sqrt{5}$

269 상중하

$-1\leq t\leq 2$일 때, 두 벡터 $\vec{a}=(5,-1)$, $\vec{b}=(-2,3)$에 대하여 $|\vec{a}+t\vec{b}|$의 최댓값을 M, 최솟값을 m이라고 하자. 이때, M^2+m^2의 값은?

① 65 ② 68 ③ 73
④ 78 ⑤ 81

270 최多빈출 상중하

좌표평면 위의 두 점 $A(1,1)$, $B(-1,-2)$와 x축 위의 점 P에 대하여 $|\overrightarrow{PA}+2\overrightarrow{PB}|$의 최솟값은?

① 1 ② 2 ③ 3
④ 4 ⑤ 5

271 상중하

두 벡터 $\overrightarrow{OA}, \overrightarrow{OB}$가 x축의 양의 방향과 이루는 각의 크기가 각각 $45°$, $90°$이고, 벡터 $\overrightarrow{OC}$가 x축의 음의 방향과 이루는 각의 크기가 $45°$이다. $\overrightarrow{OA}$의 y성분은 $2\sqrt{2}$, $|\overrightarrow{OB}|=4$, $|\overrightarrow{OC}|=\sqrt{2}$이고 $\overrightarrow{OC}=m\overrightarrow{OA}+n\overrightarrow{OB}$일 때, 실수 m, n에 대하여 m^2+n^2의 값은? (단, O는 원점이다.)

① $\dfrac{3}{32}$ ② $\dfrac{3}{16}$ ③ $\dfrac{3}{8}$
④ $\dfrac{3}{4}$ ⑤ $\dfrac{3}{2}$

272
(상 중 하)

벡터 $\vec{a}=(2,\ -3)$에 대하여 다음 조건을 만족시키는 벡터 $\vec{b}$의 성분을 $(m,\ n)$이라고 할 때, $m+n$의 값은?

(가) 두 벡터 $\vec{a}, \vec{b}$가 이루는 각의 크기는 $180°$이다.
(나) $|\vec{b}|=13$

① $-2\sqrt{13}$ ② $-\sqrt{13}$ ③ $\sqrt{13}$
④ $2\sqrt{13}$ ⑤ $3\sqrt{13}$

273
(상 중 하)

오른쪽 그림과 같이 가로의 길이와 세로의 길이의 비가 $3:2$인 직사각형 ABCD에서 두 변 AD, CD의 중점을 각각 M, N이라고 하자.
$\overrightarrow{BD}=a\overrightarrow{BM}+b\overrightarrow{BN}$일 때, 실수 a, b에 대하여 ab의 값을 구하여라.

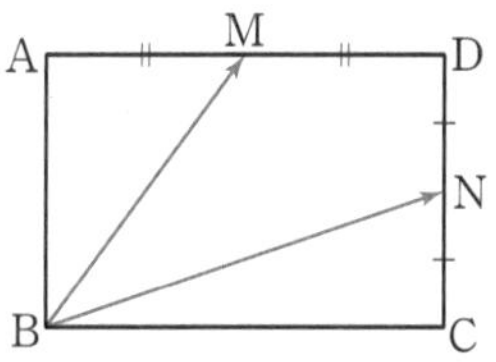

04 자취의 방정식
중요도

274
(상 중 하)

세 점 $A(-2, 4), B(2, 0), C(3, -1)$에 대하여

$$|\overrightarrow{PA}+\overrightarrow{PB}+\overrightarrow{PC}|=3$$

을 만족시키는 점 P가 나타내는 도형의 방정식은?

① $(x+1)^2+(y+1)^2=1$
② $(x+1)^2+(y-1)^2=1$
③ $(x-1)^2+(y+1)^2=1$
④ $(x-1)^2+(y-1)^2=1$
⑤ $(x-1)^2+(y-2)^2=1$

275
(상 중 하)

원 $x^2+y^2=1$ 위의 한 점 A에 대하여 $\overrightarrow{OB}=\dfrac{3\overrightarrow{OA}}{|\overrightarrow{OA}|}$의 종점 B가 나타내는 도형의 길이는?
(단, O는 원점이고, $\overrightarrow{OA}\neq\vec{0}$이다.)

① 2π ② 3π ③ 4π
④ 5π ⑤ 6π

276 풍쌤 비법 ❶
(상 중 하)

오른쪽 그림과 같이 한 변의 길이가 2인 정삼각형 ABC에 대하여 $0\leq m\leq 1, 0\leq n\leq 1$일 때, $\overrightarrow{AP}=m\overrightarrow{AB}+n\overrightarrow{AC}$를 만족시키는 점 P가 나타내는 도형의 넓이는?

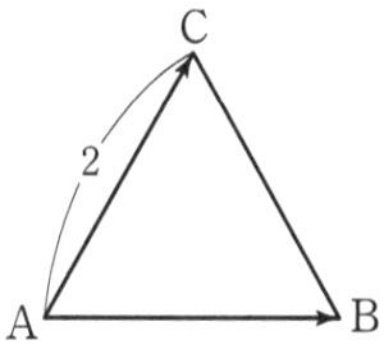

① $\dfrac{\sqrt{3}}{3}$ ② $\sqrt{3}$ ③ 3
④ $2\sqrt{3}$ ⑤ 4

277 최多빈출
(상 중 하)

한 직선 위에 있지 않은 서로 다른 세 점 O, A, B에 대하여 $\overrightarrow{OP}=s\overrightarrow{OA}+t\overrightarrow{OB}$, $s+2t=1$을 만족시키는 점 P가 나타내는 도형은? (단, s, t는 음이 아닌 실수이다.)

① 삼각형 OAB의 내부
② 선분 OA의 중점과 점 B를 잇는 선분
③ 선분 OA의 중점과 선분 OB의 중점을 잇는 선분
④ 점 A와 선분 OB의 중점을 잇는 선분
⑤ 선분 OA의 중점과 선분 OB를 $2:1$로 내분하는 점을 잇는 선분

278

(상 중 하)

한 직선 위에 있지 않은 서로 다른 세 점 O, A, B에 대하여 $|\overrightarrow{OA}|=|\overrightarrow{OB}|=4, \angle AOB=45°$일 때,
$$\overrightarrow{OP}=m\overrightarrow{OA}+n\overrightarrow{OB}, 0\leq m+n\leq 3, m\geq 0, n\geq 0$$
을 만족시키는 점 P가 나타내는 도형의 넓이는?

① $35\sqrt{2}$　　　② 50　　　③ $36\sqrt{2}$

④ 51　　　⑤ $37\sqrt{2}$

---

05 평면벡터의 내적

중요도 ▨▨▨▨

279

(상 중 하)

오른쪽 그림과 같이 한 변의 길이가 2인 정삼각형 ABC에서 $\overrightarrow{AB} \cdot \overrightarrow{BC}$의 값을 구하여라.

280

(상 중 하)

두 벡터 $\vec{a}, \vec{b}$에 대하여 $|\vec{a}|=2, |\vec{b}|=3, |\vec{a}-2\vec{b}|=6$일 때, $\vec{a} \cdot (\vec{a}+\vec{b})$의 값은?

① 1　　　② 2　　　③ 3

④ 4　　　⑤ 5

281　풍쌤 비법 ❷

(상 중 하)

크기가 모두 1인 세 벡터 $\vec{a}, \vec{b}, \vec{c}$에 대하여
$3\vec{a}+2\vec{b}+\vec{c}=\vec{0}$일 때, $\vec{a} \cdot \vec{b}+\vec{b} \cdot \vec{c}+\vec{c} \cdot \vec{a}$의 값은?

① -3　　　② -2　　　③ -1

④ 0　　　⑤ 1

282　학평 기출

(상 중 하)

오른쪽 그림과 같이 $\overline{AB}=15$인 삼각형 ABC에 내접하는 원의 중심을 I라 하고, 점 I에서 변 BC에 내린 수선의 발을 D라고 하자. $\overline{BD}=8$일 때, $\overrightarrow{BA} \cdot \overrightarrow{BI}$의 값을 구하여라.

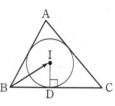

283

(상 중 하)

오른쪽 그림과 같이 좌표평면에서 두 원 $x^2+y^2=1$과 $x^2+y^2=9$ 위의 두 점을 각각 A, B라고 하자. $\overrightarrow{OA} \cdot \overrightarrow{AB}$의 최댓값을 M, 최솟값을 m이라고 할 때, Mm의 값은?(단, O는 원점이다.)

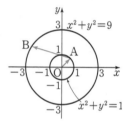

① -2　　　② -4　　　③ -6

④ -8　　　⑤ -10

284

(상 중 하)

오른쪽 그림과 같은 삼각형 AOB에서 $\overline{OA}=4, \overline{OB}=2, \overline{AB}=3$이다. 선분 AB를 1 : 2로 내분하는 점을 P라고 할 때, 두 벡터 $\overrightarrow{OP}$와 $\overrightarrow{AB}$에 대하여 $\overrightarrow{OP} \cdot \overrightarrow{AB}$의 값은?

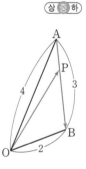

① $-\dfrac{15}{2}$　　　② $-\dfrac{15}{4}$

③ $-\dfrac{17}{8}$　　　④ $\dfrac{15}{4}$

⑤ $\dfrac{15}{2}$

06 성분으로 나타내어진 평면벡터의 내적 중요도 ▨▨▭

285 상 중 하

두 벡터 $\vec{a}=(3, 2)$, $\vec{b}=(3, 4)$의 내적 $\vec{a} \cdot \vec{b}$의 값을 구하여라.

286 최 多 빈출 학평 기출 상 중 하

두 벡터 $\vec{a}=(4, 1)$, $\vec{b}=(-2, k)$에 대하여 $\vec{a} \cdot \vec{b}=0$을 만족시키는 실수 k의 값을 구하여라.

287 상 중 하

두 벡터 $\vec{a}=\left(m, \dfrac{2}{m}\right)$, $\vec{b}=\left(2n, \dfrac{1}{n}\right)$에 대하여 $\vec{a} \cdot \vec{b}$의 최솟값은? (단, $m>0$, $n>0$)

① 1   ② 2   ③ 3
④ 4   ⑤ 5

288 상 중 하

두 벡터 $\vec{a}=(2, -1)$, $\vec{b}=(3-k, 3)$에 대하여 $|2\vec{a}+\vec{b}|$가 최솟값을 가질 때, $\vec{a} \cdot \vec{b}$의 값은?

① -12 ② -11 ③ -10
④ -9 ⑤ -8

289 상 중 하

다음 그림은 $\overline{AB}=2$, $\overline{AD}=4$인 직사각형과 $\overline{CD}$를 지름으로 하는 원을 나타낸 것이다. 이 원 위의 점 P에 대하여 $\overrightarrow{AC} \cdot \overrightarrow{AP}$의 최댓값은?

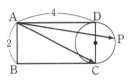

① $18-4\sqrt{5}$ ② $18-2\sqrt{5}$ ③ $18-\sqrt{5}$
④ $18+\sqrt{5}$ ⑤ $18+2\sqrt{5}$

07 두 평면벡터가 이루는 각의 크기 중요도 ▨▨▭

290 최 多 빈출 상 중 하

크기가 1인 두 벡터 $\vec{a}$, $\vec{b}$에 대하여 $\vec{a} \cdot \vec{b}=\dfrac{1}{2}$일 때, $\vec{a}$, $\vec{b}$가 이루는 각의 크기는?

① $30°$ ② $45°$ ③ $60°$
④ $90°$ ⑤ $180°$

291 상 중 하

두 벡터 $\vec{a}$, $\vec{b}$가 이루는 각의 크기가 $120°$이고, $|\vec{a}|=3$, $|\vec{b}|=2$일 때, $|\vec{a}-\vec{b}|$의 값은?

① $\sqrt{19}$ ② $2\sqrt{5}$ ③ $\sqrt{21}$
④ $2\sqrt{6}$ ⑤ $3\sqrt{3}$

292

(상 중 **하**)

두 벡터 $\vec{a}=(-1, 3), \vec{b}=(2, -1)$에 대하여 두 벡터 $\vec{a}+\vec{b}, \vec{a}-\vec{b}$가 이루는 각의 크기를 $\theta°$라고 할 때, $\cos\theta°$의 값은?

① $\dfrac{1}{5}$ ② $\dfrac{\sqrt{2}}{5}$ ③ $\dfrac{\sqrt{3}}{5}$

④ $\dfrac{2}{5}$ ⑤ $\dfrac{\sqrt{5}}{5}$

293

(상 중 **하**)

세 벡터 $\vec{a}=(0, -2), \vec{b}=(-2, 5), \vec{c}=(3, k)$에 대하여 두 벡터 $\vec{a}, \vec{b}+\vec{c}$가 이루는 각의 크기가 $45°$일 때, 상수 k의 값을 구하여라.

294

(상 **중** 하)

두 벡터 $\vec{a}, \vec{b}$에 대하여 $|\vec{a}|=2$, $|\vec{b}|=2\sqrt{2}$, $|\vec{a}+\vec{b}|=2\sqrt{5}$일 때, 두 벡터 $\vec{a}, \vec{b}$가 이루는 각의 크기는?

① $30°$ ② $45°$ ③ $60°$

④ $90°$ ⑤ $180°$

295

(상 **중** 하)

오른쪽 그림과 같이 선분 AB를 지름으로 하는 원 O 위의 한 점 P에 대하여 $\overline{AB}=5, \overline{BP}=4$일 때, $\overrightarrow{AB} \cdot \overrightarrow{AP}$의 값을 구하여라.

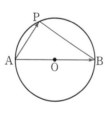

296

🔍 학평 기출

(상 **중** 하)

한 변의 길이가 3인 정삼각형 ABC에서 변 AB를 2 : 1로 내분하는 점을 D라 하고, 변 AC를 3 : 1과 1 : 3으로 내분하는 점을 각각 E, F라고 할 때, $|\overrightarrow{BF}+\overrightarrow{DE}|^2$의 값은?

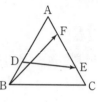

① 17   ② 18   ③ 19

④ 20   ⑤ 21

297

(상 **중** 하)

오른쪽 그림과 같이 $\overline{AB}=1$, $\overline{AD}=2$인 직사각형 ABCD의 꼭짓점 A에서 대각선 BD에 내린 수선의 발을 H라고 할 때, $\overrightarrow{AC} \cdot \overrightarrow{AH}$의 값은?

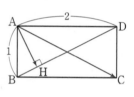

① 1   ② $\dfrac{6}{5}$ ③ $\dfrac{8}{5}$

④ $\dfrac{9}{5}$ ⑤ 2

---

08 평면벡터의 수직과 평행

중요도 ▮▮▯

298

(상 **중** 하)

두 벡터 $\vec{a}=(3, 1), \vec{b}=(1, 2)$에 대하여 $\vec{a}+\vec{b}$와 $2\vec{a}-t\vec{b}$가 서로 수직일 때, 실수 t의 값은?

① 1   ② 2   ③ 3

④ 4   ⑤ 5

299 상 중 하

두 벡터 $\vec{a}=(3t-2,\,t)$, $\vec{b}=\left(-1,\,\dfrac{1}{t}\right)$이 서로 수직일 때, $|\vec{a}+2\vec{b}|$의 값은?

① 2   ② $\sqrt{6}$ ③ $2\sqrt{2}$

④ $\sqrt{10}$ ⑤ $2\sqrt{3}$

300 📞최多빈출 상 중 하

세 벡터 $\overrightarrow{OA}=(1,\,2)$, $\overrightarrow{OB}=(3,\,-4)$, $\overrightarrow{OP}=(x,\,y)$에 대하여 두 벡터 $\overrightarrow{BP}$, $\overrightarrow{OA}$가 서로 평행하고 두 벡터 $\overrightarrow{OP}$, $\overrightarrow{OB}$가 서로 수직일 때, $x+y$의 값은? (단, O는 원점이다.)

① 10   ② 11   ③ 12

④ 13   ⑤ 14

301 상 중 하

세 벡터 $\vec{a}=(1,\,0)$, $\vec{b}=(0,\,2)$, $\vec{c}=(x,\,y)$에 대하여 $\vec{a}+t\vec{b}$와 $\vec{c}+t\vec{a}$가 실수 t의 값에 관계없이 항상 수직일 때, $x+y$의 값은?

① -1 ② $-\dfrac{1}{2}$ ③ 0

④ $\dfrac{1}{2}$ ⑤ 1

302 상 중 하

벡터 $\vec{a}=(1,\,-1)$에 수직이고, 크기가 $\sqrt{2}$인 벡터의 모든 성분의 합의 최댓값은?

① $\sqrt{2}$ ② 2   ③ $\sqrt{6}$

④ $2\sqrt{2}$ ⑤ $2\sqrt{3}$

303 상 중 하

세 벡터 $\vec{a}=(1,\,-1)$, $\vec{b}=(2,\,1-k)$, $\vec{c}=(-1,\,3)$에 대하여 두 벡터 $\vec{a}$, $\vec{b}$가 서로 수직일 때, $\vec{b}$와 $\vec{c}$가 이루는 각의 크기를 $\theta°$라고 하자. 이때, $\cos\theta°$의 값은?

① $\dfrac{\sqrt{5}}{5}$ ② $\dfrac{2\sqrt{5}}{5}$ ③ $\dfrac{3\sqrt{5}}{5}$

④ $\dfrac{4\sqrt{5}}{5}$ ⑤ $\sqrt{5}$

304 📞학평 기출 상 중 하

두 벡터 $\vec{a}$, $\vec{b}$에 대하여 $|\vec{a}|=1$, $|\vec{b}|=3$이고, 두 벡터 $6\vec{a}+\vec{b}$와 $\vec{a}-\vec{b}$가 서로 수직일 때, $\vec{a}\cdot\vec{b}$의 값은?

① $-\dfrac{3}{10}$ ② $-\dfrac{3}{5}$ ③ $-\dfrac{9}{10}$

④ $-\dfrac{6}{5}$ ⑤ $-\dfrac{3}{2}$

305 상 중 하

영벡터가 아닌 두 벡터 $\vec{a}$, $\vec{b}$에 대하여 $2|\vec{a}|=3|\vec{b}|$이고 $\vec{a}-2\vec{b}$, $\vec{a}+\vec{b}$가 서로 수직일 때, 두 벡터 $\vec{a}$와 $\vec{b}$가 이루는 각의 크기를 $\theta°$라고 하자. 이때, $\cos\theta°$의 값은?

① $\dfrac{1}{6}$ ② $\dfrac{1}{3}$ ③ $\dfrac{1}{2}$

④ $\dfrac{2}{3}$ ⑤ $\dfrac{5}{6}$

306 상중하

두 벡터 $\overrightarrow{OA}=(2, 3)$, $\overrightarrow{OB}=(4, 2)$에 대하여 점 A에서 선분 OB에 내린 수선의 발을 $H(m, n)$이라고 하자. 이때, $m+n$의 값은? (단, O는 원점이다.)

① $\dfrac{11}{5}$ ② $\dfrac{14}{5}$ ③ $\dfrac{17}{5}$

④ $\dfrac{21}{5}$ ⑤ $\dfrac{49}{10}$

---

09 평면벡터를 이용한 직선의 방정식 중요도

307 최 多 빈출 상중하

점 $(2, 1)$을 지나고 방향벡터가 $\vec{u}=(1, 2)$인 직선이 점 $(0, a)$를 지날 때, a의 값은?

① -3 ② -5 ③ -7

④ -9 ⑤ -11

308 학평 기출 상중하

좌표평면 위의 점 $(4, 1)$을 지나고 벡터 $\vec{n}=(1, 2)$에 수직인 직선이 x축, y축과 만나는 점의 좌표를 각각 $(a, 0)$, $(0, b)$라고 하자. $a+b$의 값을 구하여라.

309 상중하

점 $(-1, 1)$을 지나고 법선벡터가 $\vec{n}=(-1, -2)$인 직선과 점 $(2, -1)$을 지나고 방향벡터가 $\vec{u}=(1, 2)$인 직선이 점 (a, b)에서 만날 때, $a+b$의 값은?

① $-\dfrac{3}{5}$ ② $-\dfrac{1}{5}$ ③ $\dfrac{4}{5}$

④ $\dfrac{8}{5}$ ⑤ $-\dfrac{11}{5}$

310 상중하

두 점 $A(2, 1)$, $B(-1, 0)$을 지나는 직선에 수직이고 점 A를 지나는 직선의 방정식을 $ax+y+b=0$이라고 할 때, 상수 a, b에 대하여 $a+b$의 값을 구하여라.

311 상중하

두 점 $A(-3, 0)$, $B(1, 2)$를 지나는 직선에 수직이고 점 $(-2, 1)$을 지나는 직선과 x축, y축으로 둘러싸인 도형의 넓이는?

① $\dfrac{1}{2}$ ② 1 ③ $\dfrac{7}{4}$

④ 2 ⑤ $\dfrac{9}{4}$

---

10 두 직선이 이루는 각의 크기 중요도

312 상중하

두 직선 l_1, l_2의 방향벡터 $\vec{u_1}$, $\vec{u_2}$가 다음과 같을 때, 두 직선 c_1, c_2가 이루는 각의 크기 $\theta°$에 대하여 $\cos\theta°$의 값을 구하여라. (단, $0°\le\theta\le90°$)

(1) $\vec{u_1}=(1, 3)$, $\vec{u_2}=(0, 2)$

(2) $\vec{u_1}=(2, 1)$, $\vec{u_2}=(-3, 2)$

313 ☎ 학평 기출 (상 중 하)

좌표평면에서 두 직선 $\dfrac{x+1}{4}=\dfrac{y-1}{3}$, $\dfrac{x+2}{-1}=\dfrac{y+1}{3}$
이 이루는 예각의 크기를 $\theta °$라고 할 때, $\cos\theta °$의 값은?

① $\dfrac{\sqrt6}{10}$ ② $\dfrac{\sqrt7}{10}$ ③ $\dfrac{\sqrt2}{5}$

④ $\dfrac{3}{10}$ ⑤ $\dfrac{\sqrt{10}}{10}$

314 (상 중 하)

두 직선

$$l_1 : \dfrac{x+1}{3}=\dfrac{y}{4},\ l_2 : 1-x=\dfrac{y-2}{2}$$

가 이루는 예각의 크기를 $\theta °$라고 할 때, $\sin\theta °$의 값은?

① $\dfrac{\sqrt5}{5}$ ② $\dfrac{3}{5}$ ③ $\dfrac{4}{5}$

④ $\dfrac{2\sqrt5}{5}$ ⑤ $\dfrac{3\sqrt5}{5}$

11 두 직선의 수직과 평행   중요도 ▭

315 (상 중 하)

두 직선 $x-5=\dfrac{y+2}{3}$, $\dfrac{x+2}{k}=\dfrac{y}{1-k^2}$가 서로 수직일
때, 모든 실수 k의 값의 합은?

① -3 ② $-\dfrac{1}{3}$ ③ 0

④ $\dfrac{1}{3}$ ⑤ 3

316 ☎ 최 多 빈출 (상 중 하)

두 직선 $\dfrac{x-2}{-3}=\dfrac{y+5}{k-1}$, $\dfrac{x+1}{9}=\dfrac{y-2}{-6}$가 서로 평행
할 때, 실수 k의 값은?

① 3 ② 4 ③ 5

④ 6 ⑤ 7

317 (상 중 하)

직선 $\dfrac{x+3}{2}=\dfrac{y-1}{3}$이 직선 $\dfrac{x+1}{4}=\dfrac{y}{a}$와 서로 평행
하고, 직선 $\dfrac{x-2}{b}=\dfrac{1-y}{2}$와 수직일 때, 실수 a, b에 대
하여 $a+b$의 값을 구하여라.

12 평면벡터를 이용한 원의 방정식   중요도 ▭

318 (상 중 하)

두 점 $A(2, 1)$, $B(-2, 3)$에 대하여 $\overrightarrow{AP} \cdot \overrightarrow{BP}=0$을 만
족시키는 점 P의 자취는 중심의 좌표가 (a, b)이고 반지
름의 길이가 r인 원이다. 이때, $a+b+r^2$의 값은?

① 2 ② 5 ③ 7

④ 10 ⑤ 11

319 (상 중 하)

벡터를 이용하여 두 점 $A(4, -3)$, $B(2, -1)$을 지름의
양 끝 점으로 하는 원의 방정식을 구하여라.

내신을 꽉 잡는 서술형

320

두 점 A, B의 위치벡터 $\vec{a}$, $\vec{b}$에 대하여 선분 AB를 $m : 1$ 로 내분하는 점 P의 위치벡터를 $\vec{p}$, 선분 AP를 $3 : 1$로 내 분하는 점 Q의 위치벡터를 $\vec{q}$라고 하자. 점 Q가 선분 AB 의 중점이 되도록 하는 실수 m의 값을 구하여라.

321

좌표평면 위에 중심이 원점이고, 반지름의 길이가 2인 원 위를 움직이는 점 P가 있다. 두 점 A(0, 9), B(12, 0)에 대하여 $|2\overrightarrow{PA} + \overrightarrow{PB}|$의 최솟값을 구하여라.

322

오른쪽 그림과 같은 정팔각형에서 $\overline{A_1A_3} = 2\sqrt{2}$일 때, $(\overrightarrow{A_1O} \cdot \overrightarrow{A_1A_1}) + (\overrightarrow{A_1O} \cdot \overrightarrow{A_1A_2})$ $+ \cdots + (\overrightarrow{A_1O} \cdot \overrightarrow{A_1A_8})$의 값을 구 하여라. (단, O는 정팔각형의 외접 원의 중심이다.)

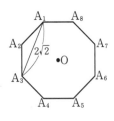

323

$\overline{OA} = \overline{OB} = 4$인 이등변삼각형 OAB에 대하여 $\overrightarrow{OA} = \vec{a}$, $\overrightarrow{OB} = \vec{b}$라고 하자. $|\vec{a} + \vec{b}| = |\vec{a} - \vec{b}|$가 성립할 때, 삼각형 OAB의 넓이를 구하여라.

324

좌표평면 위의 두 점 A(2, 3), B(4, 1)과 직선 $x + y = 1$ 위의 점 P에 대하여 $|\overrightarrow{AP} + \overrightarrow{BP}|$의 최솟값을 구하여라.

325

두 벡터 $\vec{a} = (3t - k, t + 2)$, $\vec{b} = (-t^2, 3t^2 - 2kt + 1)$이 모든 실수 t에 대하여 서로 수직이 되지 않도록 하는 모든 정수 k의 값의 합을 구하여라.

고득점을 향한 도약

326

삼각형 ABC의 내부의 점 P가 $2\overrightarrow{AP}+3\overrightarrow{BP}+4\overrightarrow{CP}=\overrightarrow{0}$ 를 만족시킨다. 선분 CP의 연장선과 선분 AB의 교점을 Q라고 할 때, $\overrightarrow{CQ}=k\overrightarrow{CP}$를 만족시키는 실수 k의 값은?

① $\dfrac{6}{5}$ ② $\dfrac{7}{5}$ ③ $\dfrac{8}{5}$

④ $\dfrac{9}{5}$ ⑤ 2

327

오른쪽 그림과 같은 정육각형 ABCDEF에서 $\overrightarrow{AB}=\vec{a}$, $\overrightarrow{AF}=\vec{b}$라 하고, 대각선 FD를 2 : 1로 내분하는 점을 P, 선분 AP와 대각선 BF의 교점을 Q라고 하자. 대각선 BF의 길이가 18일 때, 선분 BQ의 길이는?

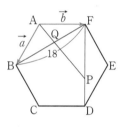

① 6   ② 7   ③ 8

④ 9   ⑤ 10

328

오른쪽 그림과 같이 삼각형 ABC에서 $\overrightarrow{AB}$를 5 : 3으로 내분하는 점을 D, $\overrightarrow{AC}$의 중점을 E, $\overrightarrow{DE}$를 2 : 1로 내분하는 점을 F, $\overrightarrow{AF}$의 연장선과 $\overrightarrow{BC}$가 만나는 점을 G라고 하자.

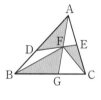

$\dfrac{\triangle ADF + \triangle BGF + \triangle CEF}{\triangle AFE + \triangle BFD + \triangle CFG}=\dfrac{n}{m}$ 일 때, $m+n$의 값을 구하여라. (단, m과 n은 서로소인 자연수이다.)

329

삼각형 ABC의 내부의 한 점 P에 대하여
$$7\overrightarrow{PA}+3\overrightarrow{PB}+4\overrightarrow{PC}=\overrightarrow{0}$$
일 때, $\triangle PAB : \triangle PBC : \triangle PCA = m : n : 3$이다. 자연수 m, n에 대하여 $m+n$의 값은?

① 5   ② 8   ③ 11

④ 14   ⑤ 17

330

오른쪽 그림과 같은 두 삼각형 OBC, OAD에서 $\overline{OC}=2\overline{OA}$, $\overline{OD}=3\overline{OB}$이다. 두 선분 AD, BC의 교점이 E일 때, $\overline{AE} : \overline{ED}=1 : m$, $\overline{BE} : \overline{EC}=n : 3$이다. 자연수 m, n에 대하여 $m+n$의 값은?

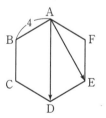

① 2   ② 4   ③ 6

④ 8   ⑤ 10

331

오른쪽 그림과 같이 한 변의 길이가 4인 정육각형 ABCDEF에서
$$|(1-t)\overrightarrow{AD}+t\overrightarrow{AE}|=8\sqrt{3}$$
을 만족시키는 양수 t의 값을 구하여라.

332

오른쪽 그림과 같이 한 변의 길이가 2인 정사각형 ABCD와 정삼각형 ADE에서 점 P가 $\overline{DE}$ 위를 움직일 때, $|\overrightarrow{AD}+\overrightarrow{BP}|^2$의 최솟값은?

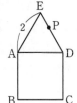

① 1   ② 3

③ 4   ④ 12

⑤ $13+4\sqrt{3}$

333

오른쪽 그림에서 삼각형 ABC의 외접원 O의 반지름의 길이는 1이다. $6\overrightarrow{OA}+4\overrightarrow{OB}+5\overrightarrow{OC}=\vec{0}$일 때, 선분 BC의 길이는?

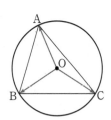

① 1   ② $\dfrac{4}{3}$

③ $\dfrac{3}{2}$ ④ 2

⑤ $\dfrac{5}{2}$

334

오른쪽 그림과 같이 한 변의 길이가 5인 정삼각형 ABC에서 변 BC의 오등분점을 차례로 D, E, F, G라고 할 때, $(\overrightarrow{AB}+\overrightarrow{AF})\cdot(\overrightarrow{GF}-\overrightarrow{CA})$의 값을 구하여라.

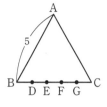

335

반지름의 길이가 1인 원 O 위에 서로 다른 두 점 P, Q와 원 O 위를 움직이는 점 R가 있다. $\overrightarrow{PQ}\cdot\overrightarrow{PR}$의 최솟값은?

① $-\dfrac{3}{2}$ ② $-\dfrac{1}{2}$ ③ 0

④ $\dfrac{1}{2}$ ⑤ $\dfrac{3}{2}$

336 ◖ 100점 도전 ◗

오른쪽 그림과 같이 타원 $C:\dfrac{x^2}{25}+\dfrac{y^2}{9}=1$의 두 초점 F, F'에 대하여 점 F를 중심으로 하고 타원 C에 내접하는 원 C_1이 있다. 또, $\overrightarrow{PF}\cdot\overrightarrow{PF'}=0$을 만족시키

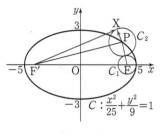

는 타원 C에서 제1사분면 위의 점 P를 중심으로 하고 원 C_1에 외접하는 원 C_2가 있다. 이때, 원 C_2 위의 점 X에 대하여 $|\overrightarrow{F'X}+\overrightarrow{PX}|$의 최댓값을 구하여라.

337

점 C $(-1, 6)$에 대하여 $|\overrightarrow{CP}|=2$를 만족시키는 점 P가 나타내는 도형과 직선 $\dfrac{x+1}{m}=\dfrac{y-6}{n}$의 교점을 각각 A, B라고 하자. 원점 O에 대하여 $|\overrightarrow{OA}+\overrightarrow{OB}|$의 값은?

(단, m, n은 0이 아닌 실수이다.)

① $\sqrt{35}$ ② $\sqrt{37}$ ③ $\sqrt{39}$

④ $2\sqrt{35}$ ⑤ $2\sqrt{37}$

III

공간도형과 공간좌표

05 공간도형

더 자세한 개념은 풍산자 기하 126쪽

1 직선과 평면의 위치 관계

(1) 평면의 결정 조건
① 한 직선 위에 있지 않은 세 점
② 한 직선과 그 직선 위에 있지 않은 한 점
③ 한 점에서 만나는 두 직선
④ 평행한 두 직선

(2) 두 직선의 위치 관계
① 한 점에서 만난다.　② 평행하다.
③ 꼬인 위치에 있다.

└── 한 평면 위에 있다. ──┘　　한 평면 위에 있지 않다.

> 참고　한 평면 위에 있지 않은 두 직선은 한 점에서 만나지도 않고 평행하지도 않다. 이때 두 직선은 꼬인 위치에 있다고 한다.

(3) 직선과 평면의 위치 관계
① 포함된다.　　　② 한 점에서 만난다.
③ 평행하다.

 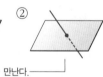

└── 만난다. ──┘　　　만나지 않는다.

(4) 두 평면의 위치 관계
① 만난다.　　　② 평행하다.

한 직선을 공유한다.　　공유하는 점이 없다.

> 참고　서로 다른 두 평면이 만나서 공유하는 직선을 두 평면의 교선이라고 한다.

2 직선과 평면의 평행과 수직

(1) 직선과 평면의 평행 관계
① 두 직선 l, m이 평행할 때, 직선 l을 포함하고 직선 m은 포함하지 않는 평면 α는 직선 m과 평행하다.

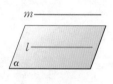

② 직선 l과 평면 α가 평행할 때, 직선 l을 포함하는 평면 β와 평면 α의 교선 m은 직선 l과 평행하다.

> 참고　직선 l과 평면 α가 평행하다고 해서 직선 l이 평면 α 위의 모든 직선과 평행한 것은 아니다. 오른쪽 그림의 두 직선 l, n과 같이 꼬인 위치에 있을 수도 있다.

③ 평행한 두 평면 α, β가 평면 γ와 만날 때 생기는 교선을 각각 l, m이라고 하면 두 직선 l, m은 서로 평행하다.

④ 평면 α 위에 있지 않은 한 점 P를 지나고 평면 α에 평행한 두 직선 l, m에 의해 결정되는 평면 β는 평면 α와 평행하다.

⑤ 서로 다른 세 평면 α, β, γ에 대하여 $\alpha /\!/ \beta$, $\beta /\!/ \gamma$이면 $\alpha /\!/ \gamma$이다.

(2) 꼬인 위치에 있는 두 직선이 이루는 각
두 직선 l, m이 꼬인 위치에 있을 때, 직선 l을 직선 m과 한 점에서 만나도록 평행이동한 직선 l'과 직선 m이 이루는 각 중 크지 않은 것을 두 직선 l, m이 이루는 각이라고 한다.

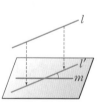

> 참고　두 직선 l, m이 이루는 각의 크기가 90°일 때, 두 직선 l, m은 서로 수직이라 하고, 기호로 $l \perp m$과 같이 나타낸다.

문제 풀 때 유용한 **풍쌤 비법**

❶ 직선과 평면의 수직
직선 l이 평면 α와 점 O에서 만나고, 직선 l이 점 O에서 만나는 평면 α 위의 서로 다른 두 직선 m, n과 각각 수직이면 l과 평면 α는 서로 수직이다.
즉, $l \perp m$, $l \perp n$이면 $l \perp \alpha$이다.

066 Ⅲ. 공간도형과 공간좌표

(3) 직선과 평면의 수직 관계

직선 l이 평면 α와 한 점 O에서 만나고, 점 O를 지나는 평면 α 위의 모든 직선과 수직일 때, 직선 l과 평면 α는 수직이라 하고, 기호로 $l \perp \alpha$와 같이 나타낸다.

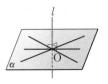

3 삼수선의 정리

평면 α 위에 있지 않은 한 점 P, 평면 α 위의 점 O를 지나지 않는 α 위의 한 직선 l, 직선 l 위의 한 점 H에 대하여 다음이 성립한다.

① $\overline{PO} \perp \alpha$, $\overline{OH} \perp l$이면 $\overline{PH} \perp l$

② $\overline{PO} \perp \alpha$, $\overline{PH} \perp l$이면 $\overline{OH} \perp l$

③ $\overline{PH} \perp l$, $\overline{OH} \perp l$, $\overline{PO} \perp \overline{OH}$이면 $\overline{PO} \perp \alpha$

①
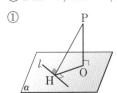

②
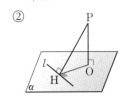

③
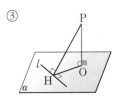

참고 ┌ $\overline{PO} \perp \alpha$이면 $\overline{PO}$는 평면 α 위의 모든 직선과 수직이다.

4 이면각

(1) 직선 l을 공유하는 두 반평면 α, β로 이루어진 도형을 이면각이라 하고, 직선 l을 이면각의 변, 두 반평면 α, β를 각각 이면각의 면이라고 한다.

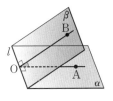

(2) 이면각의 변 l 위의 한 점 O를 지나고 l에 수직인 반직선 OA, OB를 반평면 α, β 위에 각각 그을 때, $\angle AOB$의 크기를 이면각의 크기라고 한다.

(3) 두 평면이 만나면 네 개의 이면각이 생기는데, 이 중 크기가 크지 않은 한 이면각의 크기를 두 평면이 이루는 각의 크기라고 한다.

5 정사영

(1) 정사영

평면 α 위에 있지 않은 한 점 A에서 평면 α에 내린 수선의 발을 A′이라 할 때, 점 A′을 점 A의 평면 α 위로의 정사영이라고 한다.

일반적으로 도형 F에 속하는 각 점의 평면 α 위로의 정사영으로 이루어진 도형 F'을 도형 F의 평면 α 위로의 정사영이라고 한다.

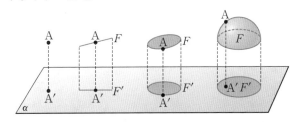

참고 정사영의 형태
(1) 점의 정사영 : 점
(2) 직선의 정사영 : 점 또는 직선
(3) 다각형의 정사영 : 선분 또는 다각형
(4) 구의 정사영 : 원

(2) 정사영의 길이

선분 AB의 평면 α 위로의 정사영을 선분 A′B′, 직선 AB와 평면 α가 이루는 각의 크기를 $\theta°$ $(0° \leq \theta \leq 90°)$라고 하면

$$\overline{A'B'} = \overline{AB} \cos \theta°$$

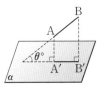

(3) 정사영의 넓이

평면 α 위에 있는 도형의 넓이를 S, 이 도형의 평면 β 위로의 정사영의 넓이를 S'이라 할 때, 두 평면 α, β가 이루는 각의 크기를 $\theta°$ $(0° \leq \theta \leq 90°)$라고 하면

$$S' = S \cos \theta°$$

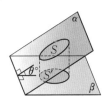

━━ 문제 풀 때 유용한 **풍쌤 비법**

❷ **직선과 평면이 이루는 각**

직선 l이 평면 α와 만나는 점을 O, 직선 l 위의 임의의 점 P에서 평면 α에 내린 수선의 발을 H라고 할 때,

$\angle POH$를 직선 l과 평면 α가 이루는 각이라고 한다.

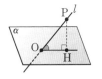

01 평면의 결정 조건   중요도

338   상 **중** 하

공간도형에 대한 다음 설명 중 옳지 <u>않은</u> 것은?

① 평행한 두 직선은 한 평면 위에 있다.

② 한 직선 위에 있지 않은 서로 다른 세 점은 한 평면 위에 있다.

③ 한 점에서 만나는 두 직선은 한 평면 위에 있다.

④ 한 직선과 그 위에 있지 않은 한 점은 한 평면 위에 있다.

⑤ 꼬인 위치에 있는 두 직선은 한 평면 위에 있다.

339   상 **중** 하

오른쪽 그림과 같은 정육면체에서 두 직선 AG, EG와 네 점 B, F, H, D 로 만들 수 있는 서로 다른 평면의 개수는?

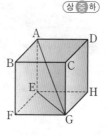

① 5   ② 6

③ 7   ④ 8

⑤ 9

340 📞 최**多**빈출   상 **중** 하

오른쪽 그림과 같은 정육면체에서 꼭 짓점 A, B, C, E, G를 이용하여 만들 수 있는 서로 다른 평면의 개수는?

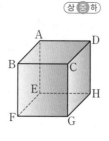

① 5   ② 6

③ 7   ④ 8

⑤ 9

341   상 **중** 하

공간에서 어느 네 점도 한 평면 위에 있지 않고, 어느 세 점도 한 직선 위에 있지 않은 서로 다른 여섯 개의 점으로 만들 수 있는 서로 다른 평면의 개수는?

① 15   ② 18   ③ 20

④ 21   ⑤ 24

342   **상** 중 하

공간에서 직선 l 위에 있는 4개의 점과 직선 l 위에 있지 않고 한 직선 위에 있지 않은 4개의 점으로 만들 수 있는 서로 다른 평면의 최대 개수를 구하여라.

02 입체도형에서의 위치 관계   중요도

343   상 중 **하**

오른쪽 그림과 같이 밑면이 정육각형 인 육각기둥에서 모서리 AG와 평행한 면의 개수를 a, 면 ABHG와 평행한 모서리의 개수를 b라고 할 때, $a+b$의 값은?

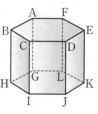

① 9   ② 10   ③ 11

④ 12   ⑤ 13

344

(상 중 **하**)

오른쪽 그림과 같은 직육면체에서 직선 AC와 한 점에서 만나는 면의 개수를 a, 꼬인 위치에 있는 모서리의 개수를 b, 수직인 모서리의 개수를 c 라고 할 때, $a+b+c$의 값은?

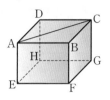

① 10   ② 11   ③ 12
④ 13   ⑤ 14

345

(상 중 **하**)

오른쪽 그림과 같은 직육면체에 대하여 〈보기〉에서 꼬인 위치에 있는 것을 모두 고른 것은?

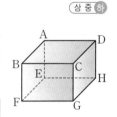

─────── 보기 ●
ㄱ. 직선 CG와 직선 EF
ㄴ. 직선 AE와 직선 BC
ㄷ. 직선 BF와 직선 DH
────────────

① ㄱ   ② ㄴ   ③ ㄱ, ㄴ
④ ㄱ, ㄷ   ⑤ ㄴ, ㄷ

346

(상 중 **하**)

오른쪽 그림과 같은 전개도로 정사면체를 만들 때, 모서리를 연장한 직선 중 직선 AF와 꼬인 위치에 있는 직선을 구하여라.

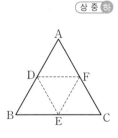

347

(상 **중** 하)

오른쪽 그림과 같이 밑면이 정오각형인 오각기둥에 대한 설명으로 옳지 <u>않은</u> 것은?

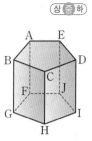

① 직선 GH는 면 CHID와 만난다.
② 직선 CH는 면 AFJE와 평행하다.
③ 두 직선 BG, AE는 꼬인 위치에 있다.
④ 직선 ED와 꼬인 위치에 있는 직선은 8개이다.
⑤ 면 FGHIJ와 한 점에서 만나는 직선은 5개이다.

348 ↘학평 기출   ↘풍쌤 비법 ❶

(상 중 하)

오른쪽 그림은 $\overline{AC}=\overline{AE}=\overline{BE}$ 이고 $\angle DAC=\angle CAB=90°$인 사면체의 전개도이다. 이 전개도로 사면체를 만들 때, 세 점 D, E, F가 합쳐지는 점을 P라고 하자.

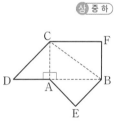

사면체 PABC에 대하여 〈보기〉에서 옳은 것을 모두 고른 것은?

─────── 보기 ●
ㄱ. $\overline{CP}=\sqrt{2}\,\overline{BP}$
ㄴ. 직선 AB와 직선 CP는 꼬인 위치에 있다.
ㄷ. 선분 AB의 중점을 M이라고 할 때, 직선 PM과 직선 BC는 서로 수직이다.
────────────

① ㄱ   ② ㄷ   ③ ㄱ, ㄴ
④ ㄴ, ㄷ   ⑤ ㄱ, ㄴ, ㄷ

349 상 중 하

오른쪽 그림은 한 모서리의 길이가 2인 정사면체의 전개도이다. 이 전개도를 접어서 만들어진 정사면체에서 두 모서리 AB, CD 사이의 거리는?

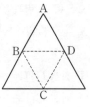

① $\dfrac{\sqrt{2}}{2}$ ② 1

③ $\sqrt{2}$ ④ 2

⑤ $2\sqrt{2}$

---

03 직선과 평면의 위치 관계   중요도 ▮▮▯

350 상 중 하

공간도형에 대한 설명 중 〈보기〉에서 옳은 것을 모두 고른 것은?

─────── 보기

ㄱ. 한 직선과 그 위에 있지 않은 한 점을 포함하는 평면은 단 하나 존재한다.

ㄴ. 한 직선과 평행하고, 그 직선 위에 있지 않은 한 점을 포함하는 평면은 단 하나 존재한다.

ㄷ. 한 직선과 수직이고, 그 직선 위에 있지 않은 한 점을 포함하는 평면은 단 하나 존재한다.

① ㄱ   ② ㄱ, ㄴ   ③ ㄱ, ㄷ

④ ㄴ, ㄷ   ⑤ ㄱ, ㄴ, ㄷ

351 상 중 하

서로 다른 두 직선 l, m과 서로 다른 두 평면 α, β에 대하여 옳은 것은?

① $l /\!/ \alpha, l /\!/ \beta$이면 $\alpha /\!/ \beta$이다.

② $l \perp \alpha, l \perp \beta$이면 $\alpha \perp \beta$이다.

③ $l \perp \alpha, m \perp \alpha$이면 $l \perp m$이다.

④ $l /\!/ \alpha, l \perp \beta$이면 $\alpha \perp \beta$이다.

⑤ $l /\!/ \alpha, \alpha \perp \beta$이면 $l \perp \beta$이다.

---

352 ☎최多빈출 상 중 하

공간에서 서로 다른 세 직선 l, m, n과 서로 다른 두 평면 α, β에 대하여 〈보기〉에서 옳은 것을 모두 고른 것은?

─────── 보기

ㄱ. $l \perp m$이고 $m \perp n$이면 $l /\!/ n$이다.

ㄴ. $l \perp \alpha$이고 $m \perp \alpha$이면 $l /\!/ m$이다.

ㄷ. $l /\!/ \alpha$이고 $\alpha \perp \beta$이면 $l \perp \beta$이다.

① ㄱ   ② ㄴ   ③ ㄷ

④ ㄱ, ㄴ   ⑤ ㄴ, ㄷ

---

04 꼬인 위치에 있는 두 직선이 이루는 각   중요도 ▮▮▮

353 상 중 하

오른쪽 그림과 같은 정육면체에서 두 직선 AC, FG가 이루는 각의 크기를 $\theta_1°$, 두 직선 AC, FH가 이루는 각의 크기를 $\theta_2°$라고 할 때, $\theta_1° + \theta_2°$의 크기는?

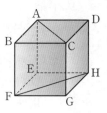

① 60°   ② 90°   ③ 105°

④ 135°   ⑤ 150°

354 최多빈출 상 중 하

오른쪽 그림과 같은 정팔면체에서 두 모서리 AC와 DE가 이루는 각의 크기를 $\theta°$라고 할 때, $\cos\theta°$의 값은?

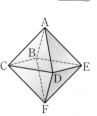

① $\dfrac{1}{3}$ ② $\dfrac{\sqrt{2}}{3}$

③ $\dfrac{1}{2}$ ④ $\dfrac{\sqrt{2}}{2}$

⑤ $\dfrac{\sqrt{3}}{2}$

355

상 중 **하**

오른쪽 그림과 같이 한 모서리의 길이가 3인 정육면체에서 두 모서리 AB, CE가 이루는 각의 크기를 $\theta°$라고 할 때, $\cos\theta°$의 값은?

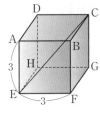

① 0

② $\dfrac{1}{2}$

③ $\dfrac{\sqrt{3}}{3}$

④ $\dfrac{\sqrt{2}}{2}$

⑤ 1

356

상 **중** 하

오른쪽 그림과 같은 정육면체에서 네 모서리 AB, BC, BF, FG의 중점을 각각 I, J, M, N이라고 하자. 두 선분 IJ, MN이 이루는 예각의 크기를 $\theta°$라고 할 때, $\cos\theta°$의 값은?

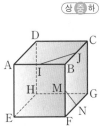

① $\dfrac{1}{3}$

② $\dfrac{1}{2}$

③ $\dfrac{\sqrt{3}}{3}$

④ $\dfrac{\sqrt{2}}{2}$

⑤ $\dfrac{\sqrt{3}}{2}$

357

상 **중** 하

오른쪽 그림과 같이 $\overline{AD}=3$, $\overline{AF}=2$, $\overline{CD}=4$인 직육면체에서 밑면 EFGH의 두 대각선의 교점을 P라 하자. 선분 AP와 선분 DC가 이루는 각의 크기를 $\theta°$라고 할 때, $\tan\theta°$의 값은?

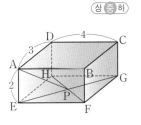

① $\dfrac{1}{2}$

② $\dfrac{2}{3}$

③ $\dfrac{5}{4}$

④ $\dfrac{3}{2}$

⑤ 2

358

상 중 **하**

오른쪽 그림과 같이 밑면은 정사각형이고 옆면은 모두 합동인 이등변삼각형으로 이루어진 정사각뿔이 있다. $\overline{AD}=10$, $\overline{CD}=12$이고, $\overline{BC}$의 중점 F에 대하여 두 직선 AF, BD가 이루는 각의 크기를 $\theta°$라고 할 때, $\sin\theta°$의 값은?

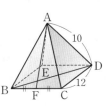

① $\dfrac{3}{4}$

② $\dfrac{\sqrt{10}}{4}$

③ $\dfrac{\sqrt{46}}{8}$

④ $\dfrac{5\sqrt{2}}{8}$

⑤ $\dfrac{\sqrt{15}}{4}$

359

상 중 **하**

오른쪽 그림과 같이 한 모서리의 길이가 2인 정육면체에서 두 직선 AG, CH가 이루는 각의 크기를 구하여라.

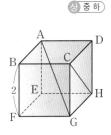

05 삼수선의 정리

중요도 ▮▮▯

360

상 중 **하**

오른쪽 그림과 같이 길이가 6이고 서로 수직으로 만나는 세 선분 OA, OB, OC가 있다. 점 C에서 선분 AB에 내린 수선의 발을 H라 할 때, 선분 OH의 길이는?

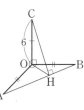

① $3\sqrt{3}$

② $3\sqrt{2}$

③ 4

④ $2\sqrt{3}$

⑤ $2\sqrt{2}$

361 📞 최多 빈출 (상 중 하)

오른쪽 그림과 같이 $\overline{AB}=3$, $\overline{AD}=4$, $\overline{DH}=2$인 직육면체의 꼭짓점 A에서 선분 FH에 내린 수선의 발을 O라고 할 때, 선분 AO의 길이는?

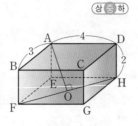

① 3 ② $\sqrt{10}$ ③ $\dfrac{2\sqrt{61}}{5}$

④ $\dfrac{2\sqrt{70}}{5}$ ⑤ $2\sqrt{15}$

364 (상 중 하)

오른쪽 그림과 같이 한 모서리의 길이가 12인 정육면체에서 선분 BD 위의 점 P와 선분 AG 위의 점 Q에 대하여 선분 PQ는 두 선분 BD, AG에 동시에 수직이다. 이때, 선분 PQ의 길이는?

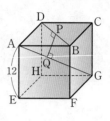

① $\sqrt{6}$ ② $2\sqrt{3}$ ③ $3\sqrt{2}$

④ $2\sqrt{6}$ ⑤ $\sqrt{30}$

362 (상 중 하)

오른쪽 그림과 같이 한 모서리의 길이가 20인 정육면체에서 모서리 AB를 3 : 1로 내분하는 점을 L, 모서리 HG의 중점을 M이라고 하자. 점 M에서 선분 LD에 내린 수선의 발을 N이라고 할 때, 선분 MN의 길이는?

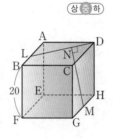

① $12\sqrt{3}$ ② $8\sqrt{7}$ ③ $15\sqrt{2}$

④ $4\sqrt{29}$ ⑤ $4\sqrt{30}$

365 📞 학평 기출 (상 중 하)

평면 α 위에 있는 서로 다른 두 점 A, B를 지나는 직선을 l이라 하고, 평면 α 위에 있지 않은 점 P에서 평면 α에 내린 수선의 발을 H라고 하자. $\overline{AB}=\overline{PA}=\overline{PB}=6$, $\overline{PH}=4$일 때, 점 H와 직선 l 사이의 거리는?

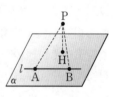

① $\sqrt{11}$ ② $2\sqrt{3}$ ③ $\sqrt{13}$

④ $\sqrt{14}$ ⑤ $\sqrt{15}$

363 (상 중 하)

오른쪽 그림과 같은 직육면체에서 $\overline{AB}=1$, $\overline{AD}=2$, $\overline{AE}=3$일 때, 꼭짓점 D에서 선분 EG에 이르는 최단 거리는?

① $\dfrac{3\sqrt{5}}{5}$ ② $\sqrt{5}$

③ $\dfrac{7\sqrt{5}}{5}$ ④ $\sqrt{10}$

⑤ $2\sqrt{10}$

366 (상 중 하)

오른쪽 그림과 같이 평면 α 위에 $\overline{AB}=\overline{AC}=5$, $\overline{BC}=6$인 이등변삼각형 ABC가 있다. 평면 α 밖의 한 점 P에서 평면 α에 내린 수선의 발이 A이고 $\overline{PA}=4$일 때, 삼각형 PBC의 넓이는?

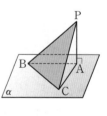

① $10\sqrt{2}$ ② $12\sqrt{2}$ ③ $15\sqrt{2}$

④ 30 ⑤ 40

367 〔상 ❸ 하〕

공간 위의 점 P에서 평면 α까지의 거리가 4이고 점 P에서 평면 α에 내린 수선의 발을 H라고 하자. 평면 α 위의 한 직선 l과 점 P 사이의 거리가 $4\sqrt{2}$일 때, 점 H와 직선 l 사이의 거리는?

① 3 ② $\sqrt{10}$ ③ $2\sqrt{3}$
④ $\sqrt{15}$ ⑤ 4

368 〔상 ❸ 하〕

평면 α 위에 $\angle A = 90°$인 직각이등변삼각형 ABC가 있다. 평면 α 위에 있지 않은 점 P에서 평면 α에 내린 수선의 발이 A이고, 점 P에서 평면 α, 직선 BC까지의 거리가 각각 6, 10일 때, $\overline{BC}$의 길이를 구하여라.

369 〔상 ❸ 하〕

오른쪽 그림과 같이 평면 α 밖의 한 점 P에서 평면 α에 내린 수선의 발을 O, 점 O에서 평면 α 위의 직선 l에 내린 수선의 발을 A라고 하자. $\overline{AO} = \overline{AB}$를 만족시키는 직선 l 위의 점 B에 대하여 $\overline{AP} = 2\overline{OB}$일 때, $\dfrac{\triangle AOB}{\triangle APB}$의 값은?

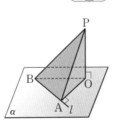

① $\dfrac{1}{4}$ ② $\dfrac{\sqrt{2}}{4}$ ③ $\dfrac{1}{2}$
④ $\dfrac{\sqrt{3}}{3}$ ⑤ $\dfrac{\sqrt{6}}{4}$

370 〔상 ❸ 하〕

오른쪽 그림과 같이 평면 α 밖의 한 점 P에서 평면 α에 내린 수선의 발을 O, 점 O에서 평면 α 위의 선분 AB에 내린 수선을 발을 Q라고 하자. $\overline{PO} = 5$, $\overline{AP} = 7$, $\overline{AQ} = \sqrt{13}$일 때, 선분 OQ의 길이는?

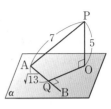

① 3 ② $\sqrt{10}$ ③ $\sqrt{11}$
④ $2\sqrt{3}$ ⑤ $\sqrt{13}$

371 〔상 ❸ 하〕

오른쪽 그림과 같이 직육면체 모양의 건물에서 40 m 떨어진 곳에 직선 도로가 있다. 직선 도로 위의 두 지점 A, B와 건물 꼭대기의 한 지점 C, 건물과 지면이 맞닿은 지점을 H라고 하면 $\overline{AB} = 50$ m, $\angle CAB = 60°$이다. 건물이 지면에 수직이라고 할 때, 건물의 높이는?

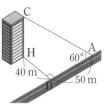

① $30\sqrt{5}$ m ② 70 m ③ $50\sqrt{2}$ m
④ $10\sqrt{55}$ m ⑤ $10\sqrt{59}$ m

06 두 직선이 이루는 각 중요도 ▭▭▭

372 〔상 중 ❸〕

오른쪽 그림과 같이 한 모서리의 길이가 4인 정육면체에서 두 선분 AF, FH가 이루는 각의 크기를 $\theta°$라고 할 때, $\cos\theta°$의 값을 구하여라.

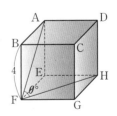

373

오른쪽 그림은 모든 모서리의 길이가 8인 사각뿔이다. 두 모서리 AB, AD의 중점을 각각 M, N이라 하고 두 직선 CM, CN이 이루는 각의 크기를 $\theta°$라고 할 때, $\cos\theta°$의 값은?

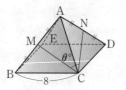

① $\dfrac{1}{3}$ ② $\dfrac{1}{2}$ ③ $\dfrac{\sqrt{3}}{3}$

④ $\dfrac{2}{3}$ ⑤ $\dfrac{\sqrt{2}}{2}$

374

오른쪽 그림과 같이 밑면의 반지름의 길이가 1, 모선의 길이가 3인 원뿔에서 밑면의 지름의 양 끝 점 A, B와 $\overline{OC}=1$을 만족시키는 모선 OB 위의 점 C에 대하여 두 점 A, C 사이의 표면을 지나는 최단 거리는?

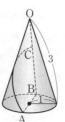

① $\sqrt{7}$ ② $2\sqrt{2}$

③ 3   ④ $\sqrt{10}$

⑤ $2\sqrt{3}$

375

오른쪽 그림에서 두 평면 α, β는 서로 수직이고, 두 직선 l, m은 각각 평면 α, β 위에 있다. 두 직선 l, m이 교선 XY 위의 점 P에서 만나고, 교선 XY와 각각 45°, 60°의 각을 이룬다. 두 직선 l, m이 이루는 각의 크기를 $\theta°$라고 할 때, $\cos^2\theta°$의 값은?

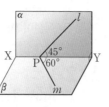

① $\dfrac{1}{2}$ ② $\dfrac{1}{4}$ ③ $\dfrac{1}{6}$

④ $\dfrac{1}{8}$ ⑤ $\dfrac{1}{10}$

07 두 평면이 이루는 각

376

평면 α 밖의 한 점 P에서 평면 α에 내린 수선의 길이가 4이고, 점 P에서 평면 α 위의 직선 l에 내린 수선의 길이가 6일 때, 점 P와 직선 l에 의해 결정되는 평면을 β라고 하자. 두 평면 α, β의 이면각의 크기를 $\theta°$라고 할 때, $\cos\theta°$의 값은?

① $\dfrac{\sqrt{6}}{3}$ ② $\dfrac{\sqrt{5}}{3}$ ③ $\dfrac{2}{3}$

④ $\dfrac{\sqrt{3}}{3}$ ⑤ $\dfrac{\sqrt{2}}{3}$

377 최多빈출

오른쪽 그림과 같은 정사면체에서 두 평면 ABC, DBC가 이루는 각의 크기를 $\theta°$라고 할 때, $\sin\theta°$의 값은?

① $\dfrac{1}{3}$ ② $\dfrac{\sqrt{3}}{3}$

③ $\dfrac{2}{3}$ ④ $\dfrac{\sqrt{6}}{3}$

⑤ $\dfrac{2\sqrt{2}}{3}$

378

오른쪽 그림과 같이 한 모서리의 길이가 2인 정육면체에서 $\overline{AC}$, $\overline{BD}$의 교점을 I라고 하자. 평면 IFG, 평면 EFGH가 이루는 각의 크기를 $\theta°$라고 할 때, $\cos\theta°$의 값을 구하여라.

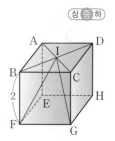

379

상 중 하

오른쪽 그림과 같이 한 변의 길이가 1인 정사각형 모양의 종이 ABCD가 있다. 이 종이를 대각선 AC를 접는 선으로 하여 ∠BCD′=60°가 되도록 접어 올릴 때, 두 평면 ABC, ACD′이 이루는 각의 크기는?

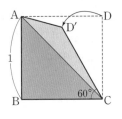

① 15°   ② 30°   ③ 45°
④ 60°   ⑤ 90°

380

상 중 하

오른쪽 그림과 같은 사면체에서 $\overline{AB}=\overline{AC}=7$, $\overline{BD}=\overline{CD}=5$, $\overline{BC}=6$, $\overline{AD}=4$이다. 두 평면 ABC, BCD가 이루는 이면각의 크기를 $\theta°$라고 할 때, $\cos\theta°$의 값은?

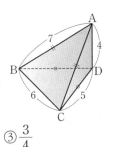

① $\dfrac{\sqrt{2}}{3}$ ② $\dfrac{\sqrt{3}}{3}$ ③ $\dfrac{3}{4}$
④ $\dfrac{\sqrt{10}}{4}$ ⑤ $\dfrac{\sqrt{10}}{3}$

381

상 중 하

오른쪽 그림과 같은 사면체에서 $\overline{CD}=10$, 점 A에서 평면 BCD까지의 거리는 4, 삼각형 ACD의 넓이는 40일 때, 평면 ACD와 평면 BCD가 이루는 각의 크기는?

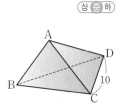

① 15°   ② 30°   ③ 45°
④ 60°   ⑤ 90°

382 ✎ 학평 기출

상 중 하

오른쪽 그림은 한 변의 길이가 4인 두 정사각형이 변 AB를 공유하도록 붙인 것이다. 두 사각형 ABCD, ABEF를 포함하는 평면을 각각 α, β라고 할 때, 두 평면 α, β가 이루는 각의 크기가 60°이다. 두 직선 AF, BD가 이루는 예각의 크기를 $\theta°$라고 할 때, $\cos\theta°$의 값은?

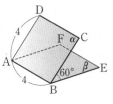

① $\dfrac{\sqrt{2}}{4}$ ② $\dfrac{\sqrt{2}}{6}$ ③ $\dfrac{\sqrt{2}}{8}$
④ $\dfrac{1}{2}$ ⑤ $\dfrac{1}{3}$

---

08 직선과 평면이 이루는 각

중요도 ▮▮▯

383 ✎ 풍쌤 비법 ❷

상 중 하

오른쪽 그림과 같이 한 모서리의 길이가 2인 정사면체에서 모서리 AD와 면 BCD가 이루는 각의 크기를 $\theta°$라고 할 때, $\cos\theta°$의 값은?

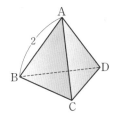

① $\dfrac{\sqrt{3}}{3}$ ② $\dfrac{2\sqrt{3}}{3}$
③ $\sqrt{3}$ ④ $\dfrac{4\sqrt{3}}{3}$
⑤ $\dfrac{5\sqrt{3}}{3}$

384

상 중 하

오른쪽 그림과 같은 정팔면체에서 직선 AC와 평면 BCDE가 이루는 각의 크기를 구하여라.

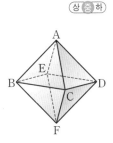

385

상 중 하

오른쪽 그림과 같이 $\overline{AB}=\overline{BF}=1$, $\overline{AD}=2$인 직육면체에서 대각선 AG가 세 평면 ABCD, BFGC, ABFE와 이루는 각의 크기를 각각 $\alpha°$, $\beta°$, $\gamma°$라고 하자. 이때, $\sin\alpha°+\sin\beta°+\sin\gamma°$의 값은?

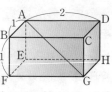

① $\dfrac{\sqrt{6}}{6}$ ② $\dfrac{\sqrt{6}}{3}$ ③ $\dfrac{\sqrt{6}}{2}$

④ $\dfrac{2\sqrt{6}}{3}$ ⑤ $\sqrt{6}$

386

상 중 하

오른쪽 그림과 같이 한 모서리의 길이가 1인 정육면체에서 모서리 AB와 면 AFC가 이루는 각의 크기를 $\theta°$라고 할 때, $\sin\theta°$의 값은?

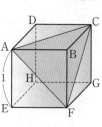

① $\dfrac{\sqrt{2}}{3}$ ② $\dfrac{\sqrt{3}}{3}$

③ $\dfrac{2}{3}$ ④ $\dfrac{\sqrt{5}}{3}$

⑤ $\dfrac{\sqrt{6}}{3}$

387

상 중 하

오른쪽 그림과 같이 $\overline{AB}=2$, $\overline{AD}=3$, $\overline{AE}=4$인 직육면체에서 두 면 AFGD, BEG의 교선과 면 EFGH가 이루는 예각의 크기를 $\theta°$라고 할 때, $\cos\theta°$의 값은?

① $\dfrac{2}{7}$ ② $\dfrac{\sqrt{5}}{7}$

③ $\dfrac{\sqrt{10}}{7}$ ④ $\dfrac{5}{7}$

⑤ $\dfrac{\sqrt{35}}{7}$

388

상 중 하

오른쪽 그림과 같은 정육면체에서 직선 AC와 평면 DEFC가 이루는 각의 크기는?

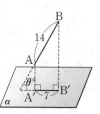

① $15°$ ② $30°$
③ $45°$ ④ $60°$
⑤ $90°$

09 정사영의 길이

중요도

389

상 중 하

오른쪽 그림과 같이 $\overline{AB}$의 평면 α 위로의 정사영 $\overline{A'B'}$에 대하여 $\overline{AB}=14$, $\overline{A'B'}=7$이다. $\overline{AB}$와 평면 α가 이루는 각의 크기를 $\theta°$라고 할 때, $\cos\theta°$의 값은?

① $\dfrac{\sqrt{6}}{2}$ ② $\dfrac{\sqrt{3}}{2}$ ③ $\dfrac{\sqrt{2}}{2}$

④ $\dfrac{1}{2}$ ⑤ $\dfrac{1}{3}$

390

상 중 하

오른쪽 그림과 같이 한 모서리의 길이가 6인 정사면체에서 모서리 AB의 평면 ACD 위로의 정사영의 길이는?

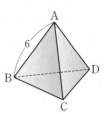

① 2 ② $\sqrt{6}$
③ $2\sqrt{2}$ ④ $\sqrt{10}$
⑤ $2\sqrt{3}$

391 최 多 빈출 (상 중 하)

오른쪽 그림과 같이 한 모서리의 길이가 3인 정육면체에서 대각선 AG와 면 BFGC가 이루는 각의 크기를 $\theta°$라고 할 때, $\cos\theta°$의 값은?

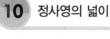

① $\dfrac{\sqrt{2}}{3}$ ② $\dfrac{\sqrt{3}}{3}$

③ $\dfrac{2}{3}$ ④ $\dfrac{\sqrt{5}}{3}$

⑤ $\dfrac{\sqrt{6}}{3}$

392 (상 중 하)

오른쪽 그림과 같이 밑면의 반지름의 길이가 2인 원기둥을 밑면과 45°를 이루는 평면으로 잘랐더니 그 단면이 타원이 되었다. 이때, 타원의 두 초점 사이의 거리는?

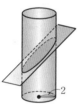

① 4   ② 5

③ $4\sqrt{2}$ ④ $4\sqrt{3}$

⑤ $5\sqrt{2}$

393 📞 학평 기출 (상 중 하)

오른쪽 그림과 같이 $\overline{AB}=9$, $\overline{BC}=12$, $\cos(\angle ABC)=\dfrac{\sqrt{3}}{3}$인 사면체 ABCD에 대하여 점 A의 평면 BCD 위로의 정사영을 P라 하고 점 A에서 선분 BC에 내린 수선의 발을 Q라고 하자. $\cos(\angle AQP)=\dfrac{\sqrt{3}}{6}$일 때, 삼각형 BCP의 넓이는 k이다. k^2의 값을 구하여라.

10 정사영의 넓이

394 (상 중 하)

오른쪽 그림과 같이 밑면의 반지름의 길이가 4인 원기둥을 밑면과 60°의 각을 이루는 평면으로 잘랐을 때 생기는 단면의 넓이는?

① 16π ② 20π

③ 24π ④ 28π

⑤ 32π

395 (상 중 하)

오른쪽 그림과 같이 한 변의 길이가 8인 정삼각형을 밑면으로 하는 삼각기둥을 밑면과 30°의 각을 이루는 평면으로 잘랐을 때, 잘린 단면의 넓이는?

① $8\sqrt{3}$ ② 16

③ $16\sqrt{3}$ ④ 32

⑤ $32\sqrt{3}$

396 (상 중 하)

오른쪽 그림과 같이 모든 모서리의 길이가 2인 사각뿔에서 밑면의 두 대각선 AC, BD의 교점을 M이라고 할 때, 삼각형 MBC의 평면 OBC 위로의 정사영의 넓이는?

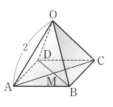

① $\dfrac{\sqrt{6}}{3}$ ② $\dfrac{\sqrt{3}}{3}$ ③ $\dfrac{\sqrt{2}}{3}$

④ $\dfrac{1}{3}$ ⑤ $\dfrac{1}{4}$

397 〔상 중 하〕

오른쪽 그림과 같이 한 모서리의 길이가 2인 정육면체가 있다. 두 선분 FG, EH의 중점을 각각 M, N이라고 할 때, 면 DCGH의 평면 ABMN 위로의 정사영의 넓이는?

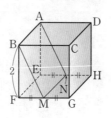

① $\sqrt{5}$ ② $\dfrac{6\sqrt{5}}{5}$ ③ $\dfrac{8\sqrt{5}}{5}$

④ $\dfrac{12\sqrt{5}}{5}$ ⑤ $3\sqrt{5}$

398 〔상 중 하〕

오른쪽 그림과 같이 반지름의 길이가 2인 반구에서 밑면인 원의 중심을 O, 지름의 양 끝 점을 각각 A, B라고 하자. 이 반구를 점 B를 지나고 밑면과 30°의 각을 이루는 평면으로 자를 때 생기는 단면의 밑면 위로의 정사영의 넓이는?

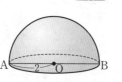

① $\sqrt{3}\pi$ ② $\dfrac{3\sqrt{3}}{2}\pi$ ③ $2\sqrt{3}\pi$

④ $\dfrac{5\sqrt{3}}{2}\pi$ ⑤ $3\sqrt{3}\pi$

11 정사영의 넓이의 활용   중요도 ▨▨▨

399 📞 최 多 빈출 〔상 중 하〕

오른쪽 그림과 같이 밑면은 한 변의 길이가 2인 정사각형이고 옆면은 모두 합동인 이등변삼각형인 정사각뿔이 있다.
한 옆면의 넓이가 4일 때, 두 평면 ABC, BCDE가 이루는 각의 크기를 $\theta°$라고 하자. 이때, $\sin\theta°$의 값은?

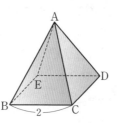

① $\dfrac{\sqrt{14}}{4}$ ② $\dfrac{\sqrt{15}}{4}$ ③ 1

④ $\dfrac{\sqrt{17}}{4}$ ⑤ $\dfrac{3\sqrt{2}}{4}$

400 〔상 중 하〕

오른쪽 그림과 같이 모든 모서리의 길이가 6인 삼각기둥에서 모서리 AD를 2 : 1로 내분하는 점을 P, 모서리 BE의 중점을 Q, 모서리 CF를 1 : 2로 내분하는 점을 R라고 하자. 두 면 PQR, DEF가 이루는 각의 크기를 $\theta°$라고 할 때, $\cos\theta°$의 값은?

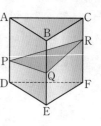

① $\dfrac{\sqrt{5}}{10}$ ② $\dfrac{\sqrt{10}}{10}$ ③ $\dfrac{\sqrt{10}}{5}$

④ $\dfrac{2\sqrt{5}}{5}$ ⑤ $\dfrac{3\sqrt{10}}{10}$

401 📞 학평 기출 〔상 중 하〕

반지름의 길이가 1, 중심이 O인 원을 밑면으로 하고 높이가 $2\sqrt{2}$인 원뿔이 평면 α 위에 놓여 있다. 오른쪽 그림과 같이 태양광선이 평면 α에 수직인 방향으로 비출 때, 원뿔의 밑면에 의해 평면 α에 생기는 그림자의 넓이는? (단, 원뿔의 한 모선이 평면 α에 포함된다.)

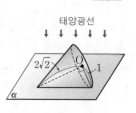

① $\dfrac{\pi}{12}$ ② $\dfrac{\pi}{8}$ ③ $\dfrac{\pi}{4}$

④ $\dfrac{7}{24}\pi$ ⑤ $\dfrac{\pi}{3}$

402 〔상 중 하〕

밑면의 반지름의 길이가 20 cm, 높이가 10 cm인 원기둥 모양의 그릇에 들어 있던 물을 오른쪽 그림과 같이 물이 쏟아지기 직전까지 기울였더니 그릇의 밑면과 지면이 이루는 각의 크기가 45°가 되었다. 수면의 넓이를 구하여라.

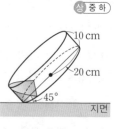

403

오른쪽 그림과 같이 한 모서리의 길이가 1인 정육면체에서 선분 AG와 평면 BDE가 만나는 점을 I라고 할 때, $\overline{AI} : \overline{IG}$를 구하여라.

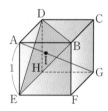

404

오른쪽 그림과 같이 $\overline{AD}\perp\overline{CD}$, $\overline{AD}\perp\overline{BD}, \overline{BC}\perp\overline{CD}$인 사면체 ABCD에서 $\overline{AB}=6, \overline{BC}=4$일 때, 삼각형 ABC의 넓이를 구하여라.

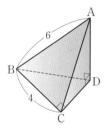

405

오른쪽 그림과 같이 한 모서리의 길이가 12인 정육면체에서 모서리 AD의 중점을 M, 점 M에서 선분 EG에 내린 수선의 발을 N이라고 하자. 이때 선분 EN의 길이를 구하여라.

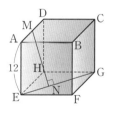

406

오른쪽 그림과 같이 평면 α에 포함되는 선분 BC를 한 변으로 하는 정삼각형 ABC가 있다. 평면 ABC가 평면 α에 수직이고, 평면 α에 포함되는 직선 중 꼭짓점 B를 지나고 $\overline{BC}$와 이루는 각의 크기가 30°인 직선을 l이라고 하자. $\overline{AB}$와 직선 l이 이루는 각의 크기를 θ°라고 할 때, $\sin\theta$°의 값을 구하여라.

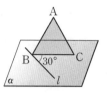

407

오른쪽 그림과 같은 정사면체의 꼭짓점 A에서 모서리 CD에 내린 수선의 발을 M, 모서리 AB와 밑면 BCD가 이루는 각의 크기를 θ_1°, 직선 AM과 밑면 BCD가 이루는 각의 크기를 θ_2°라고 하자. 이때, $\cos\theta_1$°과 $\cos\theta_2$°의 값을 구하여라.

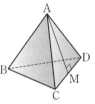

408

오른쪽 그림과 같이 한 모서리의 길이가 $2\sqrt{2}$인 정육면체에서 모서리 AB, BF, FG, GH, HD, DA의 중점을 각각 P, Q, R, S, T, U라고 하자. 평면 PQRSTU와 평면 EFGH가 이루는 예각의 크기를 θ°라고 할 때, $\cos\theta$°의 값을 구하여라.

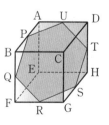

409

오른쪽 그림과 같이 한 모서리의 길이가 3인 정사면체의 꼭짓점 O에서 평면 ABC에 내린 수선의 발을 H, 모서리 OA의 중점을 M이라고 하자. 평면 BCM과 선분 OH의 교점을 P라고 할 때, 선분 MP의 길이는?

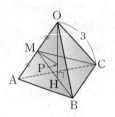

① 1
② $\dfrac{\sqrt{17}}{4}$
③ $\dfrac{3\sqrt{2}}{4}$
④ $\dfrac{\sqrt{19}}{4}$
⑤ $\dfrac{\sqrt{5}}{2}$

410

오른쪽 그림과 같이 한 모서리의 길이가 6인 정육면체의 세 모서리 AB, CD, FE를 1 : 2로 내분한 점을 각각 P, Q, R라고 하자. 점 P에서 선분 QR에 내린 수선의 발을 I라고 할 때, 선분 PI의 길이는?

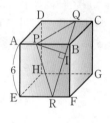

① $2\sqrt{5}$
② $\sqrt{22}$
③ $2\sqrt{6}$
④ $\sqrt{26}$
⑤ $2\sqrt{7}$

411

오른쪽 그림과 같이 정사면체 ABCD에서 네 선분 AB, AC, CD, BD의 중점을 각각 K, L, M, N이라고 하자. 평면 KLMN과 평면 BCD가 이루는 각의 크기를 $\theta°$라고 할 때, $\cos\theta°$의 값을 구하여라.

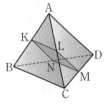

412

오른쪽 그림과 같이 평면 α 위에 밑면의 반지름의 길이가 3인 원기둥이 놓여 있다. 이 원기둥의 옆면 위의 한 점 A에서 접하면서 평면 α와 이루는 각의 크기가 45°인 직선 l이 있다. 원기둥의 밑면의 중심 O와 점 A 사이의 거리가 6일 때, 중심 O와 직선 l 사이의 거리는?

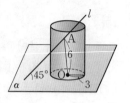

① $\dfrac{3\sqrt{5}}{2}$
② $\dfrac{5\sqrt{2}}{2}$
③ $\dfrac{3\sqrt{7}}{2}$
④ $2\sqrt{5}$
⑤ $\dfrac{3\sqrt{10}}{2}$

413

평면 α 위에 거리가 4인 두 점 A, C와 중심이 C이고 반지름의 길이가 2인 원이 있다. 점 A에서 이 원에 그은 접선의 접점을 B라고 하자. 점 B를 지나고 평면 α와 수직인 직선 위에 $\overline{BP}=2$가 되는 점을 P라고 할 때, 점 C와 직선 AP 사이의 거리를 구하여라.

414

오른쪽 그림과 같이 구 모양의 공이 있다. 햇빛에 의해 지면에 생긴 이 공의 그림자의 모양이 장축의 길이는 26 cm, 단축의 길이는 16 cm인 타원일 때, 그림자의 넓이는?

① $100\pi\,\text{cm}^2$
② $104\pi\,\text{cm}^2$
③ $108\pi\,\text{cm}^2$
④ $112\pi\,\text{cm}^2$
⑤ $116\pi\,\text{cm}^2$

● 정답과 풀이 070쪽

415

오른쪽 그림과 같이 평면 π에 수직인 직선 l을 경계로 하는 세 반평면 α, β, γ에서 α, β가 이루는 각의 크기와 β, γ가 이루는 각의 크기는 모두 $120°$이다. 반지름의 길이가 1인 구가 π, α, β에 동시에 접하고, 반지름의 길이가 2인 구가 π, β, γ에 동시에 접할 때, 두 구의 중심 사이의 거리는?

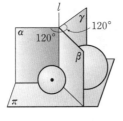

(단, 두 구는 평면 π의 같은 쪽에 있다.)

① $\sqrt{10}$ ② $\dfrac{\sqrt{93}}{3}$ ③ $\dfrac{4\sqrt{6}}{3}$

④ $\sqrt{11}$ ⑤ $\dfrac{\sqrt{112}}{3}$

416

오른쪽 그림과 같이 반지름의 길이가 2이고 높이가 4인 원기둥과 반지름의 길이가 2인 반구가 합쳐진 입체도형이 있다. 이 입체도형의 축을 바닥면에 대하여 $30°$만큼 기울인 후 위에서 태양광선을 비추었을 때, 바닥면에 생기는 그림자의 넓이는 $a\pi + b\sqrt{3}$이다. 이때, $a+b$의 값은?

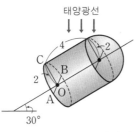

(단, a, b는 정수이다.)

① 8   ② 9   ③ 10

④ 11   ⑤ 12

417

오른쪽 그림과 같이 한 모서리의 길이가 2인 정사면체에서 모서리 OC의 중점을 D, 모서리 OB를 $2:1$로 내분하는 점을 E라고 하자. 이때 삼각형 AED의 평면 ABC 위로의 정사영의 넓이는?

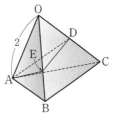

① $\dfrac{4\sqrt{2}}{3}$ ② $\dfrac{2\sqrt{3}}{3}$ ③ $\dfrac{2\sqrt{2}}{3}$

④ $\dfrac{\sqrt{3}}{2}$ ⑤ $\dfrac{\sqrt{3}}{3}$

418

반지름의 길이가 모두 $\sqrt{3}$이고 높이가 서로 다른 세 원기둥이 오른쪽 그림과 같이 서로 외접하며 한 평면 α 위에 놓여 있다. 평면 α와 만나지 않는 세 원기둥의 밑면의 중심을 각각 P, Q, R라고 할 때, 삼각형 PQR는 이등변삼각형이고, 평면 PQR와 평면 α가 이루는 각의 크기는 $60°$이다. 세 원기둥의 높이가 각각 8, a, b일 때, $a+b$의 값을 구하여라. (단, $8 < a < b$)

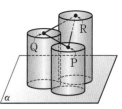

419 〔 100점 도전 〕

오른쪽 그림과 같이 평면 α 위에 점 A가 있고, 평면 α 위에 있지 않은 두 점 B, C가 있다. 평면 α로부터 두 점 B, C까지의 거리가 각각 1, 4이고, 선분 AC를 $1:3$으로 내분하는 점을 P라고 하자. $\overline{PB}=5$이고 삼각형 ABC의 넓이가 12일 때, 삼각형 ABC의 평면 α 위로의 정사영의 넓이를 구하여라.

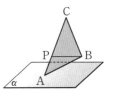

06 공간좌표

더 자세한 개념은 **풍산자 기하 148쪽**

1 공간에서의 점의 좌표

(1) x축과 y축을 포함하는 평면을 xy평면, y축과 z축을 포함하는 평면을 yz평면, z축과 x축을 포함하는 평면을 zx평면이라 하고, 세 평면을 통틀어 좌표평면이라고 한다. 이와 같이 좌표축과 좌표평면이 정해진 공간을 좌표공간이라고 한다.

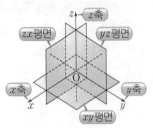

참고 xy평면, yz평면, zx평면은 각각 z축, x축, y축과 수직이다.

(2) 공간의 한 점 P에 대응하는 세 실수의 순서쌍 (a, b, c)를 점 P의 공간좌표라 하고, 기호로 $P(a, b, c)$와 같이 나타낸다. 이때, a, b, c를 차례로 x좌표, y좌표, z좌표라고 한다.

(3) 점 (a, b, c)에서 좌표축 또는 좌표평면에 내린 수선의 발의 좌표는 다음과 같다.

① x축 : $(a, 0, 0)$　　② y축 : $(0, b, 0)$
③ z축 : $(0, 0, c)$　　④ xy평면 : $(a, b, 0)$
⑤ yz평면 : $(0, b, c)$　　⑥ zx평면 : $(a, 0, c)$

(4) 점 (a, b, c)를 좌표축 또는 좌표평면에 대하여 대칭이동한 점의 좌표는 다음과 같다.

① x축 : $(a, -b, -c)$　　② y축 : $(-a, b, -c)$
③ z축 : $(-a, -b, c)$　　④ xy평면 : $(a, b, -c)$
⑤ yz평면 : $(-a, b, c)$　　⑥ zx평면 : $(a, -b, c)$
⑦ 원점 : $(-a, -b, -c)$

2 좌표공간에서 두 점 사이의 거리

좌표공간에서 두 점 $P(x_1, y_1, z_1)$, $Q(x_2, y_2, z_2)$ 사이의 거리는 $\overline{PQ} = \sqrt{(x_2-x_1)^2 + (y_2-y_1)^2 + (z_2-z_1)^2}$
특히, 원점 O와 점 $P(x_1, y_1, z_1)$ 사이의 거리는
$\overline{OP} = \sqrt{x_1^2 + y_1^2 + z_1^2}$

3 선분의 내분점과 외분점

좌표공간에서 두 점 $A(x_1, y_1, z_1)$, $B(x_2, y_2, z_2)$에 대하여 선분 AB를

① $m : n \ (m>0, n>0)$으로 내분하는 점 P의 좌표는
$$\left(\frac{mx_2+nx_1}{m+n}, \frac{my_2+ny_1}{m+n}, \frac{mz_2+nz_1}{m+n} \right)$$

② $m : n \ (m>0, n>0, m \neq n)$으로 외분하는 점 Q의 좌표는
$$\left(\frac{mx_2-nx_1}{m-n}, \frac{my_2-ny_1}{m-n}, \frac{mz_2-nz_1}{m-n} \right)$$

참고 (1) 두 점 $A(x_1, y_1, z_1)$, $B(x_2, y_2, z_2)$에 대하여 선분 AB의 중점 M의 좌표는 $\left(\frac{x_1+x_2}{2}, \frac{y_1+y_2}{2}, \frac{z_1+z_2}{2} \right)$

(2) 세 점 $A(x_1, y_1, z_1)$, $B(x_2, y_2, z_2)$, $C(x_3, y_3, z_3)$을 꼭짓점으로 하는 삼각형 ABC의 무게중심 G의 좌표는
$\left(\frac{x_1+x_2+x_3}{3}, \frac{y_1+y_2+y_3}{3}, \frac{z_1+z_2+z_3}{3} \right)$

4 구의 방정식

(1) 구의 방정식
중심이 $C(a, b, c)$이고 반지름의 길이가 r인 구의 방정식은 $(x-a)^2 + (y-b)^2 + (z-c)^2 = r^2$

참고 (1) 중심이 원점이고 반지름의 길이가 r인 구의 방정식은
$x^2 + y^2 + z^2 = r^2$
(2) 두 점 A, B를 지름의 양 끝 점으로 하는 구의 중심은 $\overline{AB}$의 중점이고, 반지름의 길이는 $\frac{1}{2}\overline{AB}$이다.
(3) 구의 중심과 평면 α 사이의 거리가 d, 구의 반지름의 길이가 r일 때
(i) $d<r$이면 구와 평면 α는 만나서 원이 생긴다.
(ii) $d=r$이면 구와 평면 α는 접한다.
(iii) $d>r$이면 구와 평면 α는 만나지 않는다.

(2) 이차방정식 $x^2+y^2+z^2+Ax+By+Cz+D=0$이 나타내는 도형 (단, $A^2+B^2+C^2-4D>0$)
중심의 좌표가 $\left(-\frac{A}{2}, -\frac{B}{2}, -\frac{C}{2} \right)$이고, 반지름의 길이가 $\frac{\sqrt{A^2+B^2+C^2-4D}}{2}$인 구를 나타낸다.

문제 풀 때 유용한 **풍쌤 비법**

❶ **좌표평면에 접하는 구의 방정식** : 중심이 (a, b, c)일 때
① xy평면에 접하는 구의 방정식 : $(x-a)^2+(y-b)^2+(z-c)^2=c^2$ ◀ |(중심의 z좌표)|=(반지름의 길이)=$|c|$
② yz평면에 접하는 구의 방정식 : $(x-a)^2+(y-b)^2+(z-c)^2=a^2$ ◀ |(중심의 x좌표)|=(반지름의 길이)=$|a|$
③ zx평면에 접하는 구의 방정식 : $(x-a)^2+(y-b)^2+(z-c)^2=b^2$ ◀ |(중심의 y좌표)|=(반지름의 길이)=$|b|$

실력을 기르는 유형

01 공간에서의 점의 좌표

중요도 ▮▮▯

420

상 중 하

점 $A(a, 2, b)$에서 x축에 내린 수선의 발을 $A'(1, 0, c)$, yz평면에 내린 수선의 발을 $A''(d, 2, 3)$이라고 할 때, $a+b+c+d$의 값은?

① 1　　　　② 2　　　　③ 3

④ 4　　　　⑤ 5

421 ☎최多빈출

상 중 하

점 $(6, -1, 4)$와 yz평면에 대하여 대칭인 점의 좌표가 (a, b, c)일 때, $a-3b+2c$의 값은?

① 4　　　　② 5　　　　③ 6

④ 7　　　　⑤ 8

422

상 중 하

점 $P(2, -1, 5)$와 z축에 대하여 대칭인 점을 Q라고 할 때, 점 Q에서 zx평면에 내린 수선의 발의 좌표는?

① $(-5, 0, 2)$　　　　② $(-2, 0, -5)$

③ $(-2, 0, 5)$　　　　④ $(2, 0, -5)$

⑤ $(2, 0, 5)$

423

상 중 하

오른쪽 그림과 같이 좌표공간에 직육면체가 놓여 있다. 꼭짓점 B의 좌표는 $(2, 8, a)$, 꼭짓점 A와 y축에 대하여 대칭인 점의 좌표는 $(b, 0, -4)$일 때, $a+b$의 값을 구하여라.

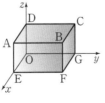

424

상 중 하

오른쪽 그림과 같이 점 $A(1, 2, 3)$에서 xy평면, yz평면, zx평면에 내린 수선의 발을 각각 P, Q, R라고 할 때, 사면체 APQR의 부피는?

① $\dfrac{3}{2}$　　　　② 1

③ $\dfrac{2}{3}$　　　　④ $\dfrac{1}{2}$

⑤ $\dfrac{1}{3}$

425

상 중 하

좌표공간의 점 $P(4, 5, 3)$에서 xy평면에 내린 수선의 발을 H라고 하자. xy평면 위의 한 직선 l과 점 P 사이의 거리가 6일 때, 점 H와 직선 l 사이의 거리는?

① $2\sqrt{6}$　　　　② 5　　　　③ $3\sqrt{3}$

④ $4\sqrt{2}$　　　　⑤ 6

02 두 점 사이의 거리

중요도 ▮▮▮

426 ☎학평 기출

상 중 하

좌표공간의 점 $P(2, 2, 3)$을 yz평면에 대하여 대칭이동한 점을 Q라고 하자. 두 점 P와 Q 사이의 거리는?

① 1　　　　② 2　　　　③ 3

④ 4　　　　⑤ 5

427 (상중하)

점 $(3, -2, 4)$와 zx평면에 대하여 대칭인 점을 P, y축에 대하여 대칭인 점을 Q라고 할 때, 두 점 P, Q 사이의 거리는?

① $2\sqrt{26}$ ② $6\sqrt{3}$ ③ $4\sqrt{7}$
④ $2\sqrt{29}$ ⑤ $2\sqrt{30}$

428 (상중하)

좌표공간의 두 점 $P(2, t, 2-t)$, $Q(1-t, 3, t)$에 대하여 선분 PQ의 길이의 최솟값은?

① $\dfrac{\sqrt{3}}{3}$ ② $\dfrac{\sqrt{2}}{2}$ ③ $\sqrt{2}$
④ $\sqrt{3}$ ⑤ $2\sqrt{2}$

429 (상중하)

좌표공간의 두 점 $A(a, 2, 1)$, $B(-6, a, b)$에 대하여 선분 AB의 길이의 최솟값은?

① $2\sqrt{7}$ ② $4\sqrt{2}$ ③ 6
④ $2\sqrt{10}$ ⑤ $3\sqrt{5}$

430 (상중하)

yz평면 위에 점 $A(0, 1, 1)$을 중심으로 하고 반지름의 길이가 $\sqrt{2}$인 원 C가 있다. 점 $B(2, 3, 3)$과 원 C 위의 점 사이의 거리의 최솟값은?

① 2 ② $\sqrt{5}$ ③ $\sqrt{6}$
④ $\sqrt{7}$ ⑤ $2\sqrt{2}$

431 (상중하)

세 점 $O(0, 0, 0)$, $A(2, -3, 4)$, $B(1-a, a, 2)$를 꼭짓점으로 하는 삼각형 OAB가 선분 AB를 빗변으로 하는 직각삼각형일 때, a의 값은?

① 1 ② 2 ③ 3
④ 4 ⑤ 5

432 🔍 최多빈출 (상중하)

두 점 $A(4, -2, 6)$, $B(3, -5, 4)$에서 같은 거리에 있는 x축 위의 점의 좌표를 $P(a, b, c)$라고 할 때, $a+b+c$의 값은?

① 1 ② 2 ③ 3
④ 4 ⑤ 5

433 (상중하)

좌표공간에서 두 점 $A(-1, 0, 2)$, $B(1, -1, 1)$과 xy평면 위의 점 $C(a, b, c)$에 대하여 삼각형 ABC가 정삼각형일 때, $a+b+c$의 값은? (단, $a \neq 0$)

① -3 ② $-\dfrac{13}{5}$ ③ $-\dfrac{6}{5}$
④ $-\dfrac{1}{5}$ ⑤ 0

434   (상 중 하)

두 점 $A(-2, -3, 0)$, $B(4, -2, 0)$과 x축 위를 움직이는 점 P에 대하여 $\overline{AP}+\overline{PB}$의 최솟값은?

① $\sqrt{58}$ ② $\sqrt{59}$ ③ $2\sqrt{15}$

④ $\sqrt{61}$ ⑤ $\sqrt{62}$

435   (상 중 하)

두 점 $A(4, 0, 2)$, $B(2, 3, a)$와 yz평면 위를 움직이는 점 P에 대하여 $\overline{AP}+\overline{PB}$의 최솟값이 $3\sqrt{6}$일 때, 양수 a의 값은?

① 1   ② 2   ③ 3

④ 4   ⑤ 5

436   (상 중 하)

좌표공간에서 점 $A(4, 5, 0)$에서 x축 위의 점 P를 지나 점 $B(0, 0, 3)$에 이르는 거리의 최솟값을 d라고 할 때, d^2의 값을 구하여라.

03   좌표평면 위로의 정사영   중요도 ▬▬▭

437   ☎ 최多빈출   (상 중 하)

두 점 $A(1, -2, 3)$, $B(2, 1, -2)$에 대하여 직선 AB와 xy평면이 이루는 예각의 크기를 $\theta°$라고 할 때, $\cos\theta°$의 값은?

① $\dfrac{\sqrt{11}}{7}$ ② $\dfrac{2\sqrt{3}}{7}$ ③ $\dfrac{\sqrt{13}}{7}$

④ $\dfrac{\sqrt{14}}{7}$ ⑤ $\dfrac{\sqrt{15}}{7}$

438   (상 중 하)

오른쪽 그림과 같이 좌표공간에 원점 O와 세 점 $A(3, 0, 0)$, $B(0, 3, 0)$, $C(0, 0, 3)$이 있다. 두 면 ABC, OAB가 이루는 각의 크기를 $\theta°$라고 할 때, $\sin\theta°$의 값은?

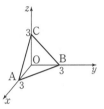

① $\dfrac{\sqrt{2}}{3}$ ② $\dfrac{\sqrt{3}}{3}$ ③ $\dfrac{2}{3}$

④ $\dfrac{\sqrt{5}}{3}$ ⑤ $\dfrac{\sqrt{6}}{3}$

439   (상 중 하)

오른쪽 그림과 같이 좌표공간에 세 점 $A(0, 0, 6)$, $B(10, 8, 0)$, $C(0, 8, 0)$이 있다. 선분 AB 위의 한 점 P에서 선분 BC에 내린 수선의 발을 H라고 하자. $\overline{PH}=6$일 때, 삼각형 PBH의 xy평면 위로의 정사영의 넓이를 구하여라.

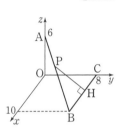

04   선분의 내분점과 외분점   중요도 ▬▬▭

440   ☎ 최多빈출   (상 중 하)

점 $P(-1, 4, 2)$를 xy평면 위로 정사영한 점을 A, zx평면 위로 정사영한 점을 B라고 할 때, 선분 AB의 중점의 좌표는?

① $(-2, 2, 1)$ ② $(-2, 4, 2)$

③ $(-1, 2, 1)$ ④ $(-1, 4, 2)$

⑤ $\left(-\dfrac{1}{2}, -2, -1\right)$

441 ☎ 학평 기출 (상중**하**)

좌표공간의 두 점 $A(1, 6, 4)$, $B(a, 2, -4)$에 대하여 선분 AB를 $1:3$으로 내분하는 점의 좌표가 $(2, 5, 2)$이다. a의 값은?

① 1   ② 3   ③ 5
④ 7   ⑤ 9

442 (상중**하**)

두 점 $A(-1, 2, 2)$, $B(-4, 4, 6)$에 대하여 선분 AB가 xy평면에 의해 $1:k$로 외분될 때, 상수 k의 값은?

(단, $k \neq 1$)

① 1   ② 2   ③ 3
④ 4   ⑤ 5

443 (상**중**하)

점 $P(4, 1, 0)$을 점 $A(-2, -5, 3)$에 대하여 대칭이동한 점이 $P'(a, b, c)$일 때, $a+b+c$의 값은?

① -11 ② -13 ③ -15
④ -17 ⑤ -19

444 (상**중**하)

좌표공간의 두 점 $A(2, a, -5)$, $B(-4, 2, b)$에 대하여 선분 AB를 $2:1$로 외분하는 점이 x축 위에 있을 때, $a+b$의 값은?

① $\dfrac{1}{2}$ ② 1   ③ $\dfrac{3}{2}$
④ 2   ⑤ $\dfrac{5}{2}$

445 (상중**하**)

좌표공간의 두 점 $A(3, 2, 1)$, $B(-3, 2, 4)$에 대하여 선분 AB를 $2:1$로 내분하는 점을 C, $2:1$로 외분하는 점을 D라고 할 때, 선분 CD의 중점의 좌표는?

① $(-5, 2, 5)$ ② $(5, -2, -5)$
③ $(-5, 2, -5)$ ④ $(5, 2, -5)$
⑤ $(5, -2, 5)$

446 ☎ 최 多 빈출 (상**중**하)

두 점 $A(4, 1, 3a)$, $B(1, -2, -3)$에 대하여 선분 AB를 $2:1$로 내분하는 점 P와 $2:1$로 외분하는 점 Q 사이의 거리가 $4\sqrt{6}$이 되도록 하는 양수 a의 값은?

① 1   ② 2   ③ 3
④ 4   ⑤ 5

447 (상**중**하)

좌표공간의 세 점 $A(4, 0, 0)$, $B(0, 4, 0)$, $C(0, 0, 4)$에 대하여 선분 BC를 $3:1$로 내분하는 점을 P, 선분 AC를 $1:3$으로 외분하는 점을 Q라고 하자. 점 P, Q의 xy평면 위로의 정사영을 각각 P', Q'이라고 할 때, 삼각형 $OP'Q'$의 넓이는? (단, O는 원점이다.)

① 1   ② 2   ③ 3
④ 4   ⑤ 5

448 상[중]하

두 점 $A(-2, a, 2a)$, $B(3, -3, b)$에 대하여 선분 AB를 $2:3$으로 내분하는 점은 z축 위에 있고, $2:1$로 외분하는 점은 xy평면 위에 있을 때, 선분 AB의 길이는?

① $2\sqrt{6}$ ② $3\sqrt{3}$ ③ $4\sqrt{3}$

④ $3\sqrt{6}$ ⑤ $4\sqrt{6}$

449 상[중]하

두 점 $A(4, -2, 5)$, $B(-1, 6, 5)$에 대하여 선분 AB가 zx평면과 만나는 점을 P라고 할 때, $\overline{AP}:\overline{BP}=m:n$이다. 이때, $\dfrac{n}{m}$의 값은?

① 1 ② 2 ③ 3

④ 4 ⑤ 5

450 상[중]하

점 $P(-3, 4, 5)$를 zx평면에 대하여 대칭이동한 후 원점에 대하여 대칭이동한 점을 Q라고 하자. 선분 PQ를 $3:1$로 외분하는 점의 좌표를 (a, b, c)라고 할 때, $a+b+c$의 값을 구하여라.

451 상[중]하

네 점 A, B, C, D를 꼭짓점으로 하는 평행사변형 $ABCD$에서 $A(-2, 1, 4)$, $B(-5, -6, -6)$, $C(-1, -3, -5)$일 때, 선분 BD의 길이는?

① $\sqrt{30}$ ② $2\sqrt{30}$ ③ $3\sqrt{30}$

④ $4\sqrt{30}$ ⑤ $5\sqrt{30}$

---

05 삼각형의 무게중심   중요도 ▮▮▯

452 최多빈출 학평 기출 상[중]하

좌표공간에서 세 점 $A(a, 0, 5)$, $B(1, b, -3)$, $C(1, 1, 1)$을 꼭짓점으로 하는 삼각형의 무게중심의 좌표가 $(2, 2, 1)$일 때, $a+b$의 값은?

① 6 ② 7 ③ 8

④ 9 ⑤ 10

453 상중[하]

점 $P(3, -6, 9)$의 xy평면, yz평면, zx평면 위로의 정사영을 각각 A, B, C라고 하자. 삼각형 ABC의 무게중심의 좌표가 (a, b, c)일 때, $a+b+c$의 값은?

① 1 ② 2 ③ 3

④ 4 ⑤ 5

454 상[중]하

오른쪽 그림과 같이 좌표공간에서 점 $A(4, 3, 5)$를 한 꼭짓점으로 하고 세 면이 xy평면, yz평면, zx평면 위에 있는 직육면체가 있다. 삼각형 BDE의 무게중심을 G라고 할 때, 선분 AG의 길이는?

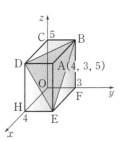

① $\dfrac{\sqrt{2}}{3}$ ② $\dfrac{2\sqrt{2}}{3}$ ③ $\sqrt{2}$

④ $\dfrac{4\sqrt{2}}{3}$ ⑤ $\dfrac{5\sqrt{2}}{3}$

455 (상 중 하)

세 점 $A(3, -4, 5), B(-2, 1, -1), C(0, 3, 2)$에 대하여 선분 AB, BC, CA를 각각 $1 : 2$로 내분하는 점을 각각 P, Q, R라고 할 때, 삼각형 PQR의 무게중심의 좌표는?

① $(-2, 0, 1)$ ② $\left(\dfrac{1}{3}, 0, 2\right)$ ③ $\left(1, -\dfrac{2}{3}, 3\right)$

④ $(-3, 1, 0)$ ⑤ $\left(\dfrac{4}{3}, 1, -\dfrac{1}{3}\right)$

456 (상 중 하)

세 점 $A(n, 0, 1), B(1, n, 0), C(0, 1, n)$을 꼭짓점으로 하는 삼각형 ABC의 무게중심과 원점 O 사이의 거리를 a_n이라고 할 때, $a_1 + a_2 + a_3 + \cdots + a_9$의 값은?

(단, n은 자연수이다.)

① 18   ② $18\sqrt{3}$ ③ $19\sqrt{3}$

④ $20\sqrt{3}$ ⑤ $22\sqrt{3}$

457 (상 중 하)

오른쪽 그림과 같은 정육면체의 대각선 HB를 $1 : m$으로 내분하는 점 P가 삼각형 DEG의 무게중심일 때, m의 값은?

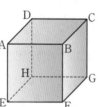

① 1   ② 2

③ 3   ④ 4

⑤ 5

06 구의 방정식

458 (상 중 하)

구 $x^2 + y^2 + z^2 + 6x - 2y - 4z + 5 = 0$의 중심의 좌표가 (a, b, c)이고 반지름의 길이가 r일 때, $a + b + c + r$의 값은?

① -1 ② 0   ③ 1

④ 2   ⑤ 3

459 (상 중 하)

두 점 $A(2, -3, 5), B(-1, 0, -1)$에 대하여 선분 AB를 $1 : 2$로 내분하는 점과 $1 : 2$로 외분하는 점을 지름의 양 끝 점으로 하는 구의 방정식은?

① $(x+3)^2 + (y-4)^2 + (z-7)^2 = 12$
② $(x+3)^2 + (y+4)^2 + (z-7)^2 = 24$
③ $(x-3)^2 + (y-4)^2 + (z+7)^2 = 12$
④ $(x-3)^2 + (y+4)^2 + (z+7)^2 = 24$
⑤ $(x-3)^2 + (y+4)^2 + (z-7)^2 = 24$

460 (상 중 하)

구 $x^2 + y^2 + z^2 - 4x - 2y - 2z = 8$ 위의 점 $A(3, 4, -1)$과 구의 중심을 지나는 직선이 구와 만나는 다른 한 점을 $B(a, b, c)$라고 할 때, $a + b + c$의 값은?

① -2 ② -1 ③ 0

④ 1   ⑤ 2

461 상 중 하

반지름의 길이가 2인 구가 x축, y축, z축에 동시에 접할 때, 원점과 구의 중심 사이의 거리는?

① $\sqrt{2}$ ② $\sqrt{3}$ ③ 2

④ $\sqrt{5}$ ⑤ $\sqrt{6}$

462 풍쌤 비법 ❶ 상 중 하

구 $x^2+y^2+z^2-2x-6y-2az+b=0$이 점 $(3, 4, 1)$을 지나고 xy평면에 접할 때, 상수 a, b에 대하여 ab의 값은?

① 20   ② 30   ③ 40

④ 50   ⑤ 60

463 상 중 하

xy평면, yz평면, zx평면에 동시에 접하고 점 $(1, 4, -3)$을 지나는 구는 2개이다. 두 구의 중심 사이의 거리는?

① 4   ② 5   ③ 6

④ 7   ⑤ 8

464 상 중 하

구 S: $x^2+y^2+z^2-4x+8y-8z+27=0$에 대한 〈보기〉의 설명 중 옳은 것을 모두 고른 것은?

┌─────────────── 보기 ●
ㄱ. 구 S는 yz평면과 만난다.
ㄴ. 구 S는 zx평면과 만나지 않는다.
ㄷ. 중심이 원점이고 구 S와 내접하는 구의 반지름의 길이는 6이다.
└──────────────────

① ㄱ   ② ㄴ   ③ ㄱ, ㄴ

④ ㄱ, ㄷ   ⑤ ㄱ, ㄴ, ㄷ

465 상 중 하

구 $x^2+y^2+z^2=9$ 위의 점 A와 점 B$(-2, 4, 6)$에 대하여 선분 AB의 중점이 그리는 도형은 구이다. 이 구의 겉넓이는?

① $\dfrac{3}{4}\pi$ ② $\dfrac{3}{2}\pi$ ③ 3π

④ 9π ⑤ 18π

466 상 중 하

원점 O와 점 A$(6, 0, 0)$에 대하여 $\overline{OP} : \overline{AP}=2 : 1$을 만족시키는 점 P가 있다. ∠POA가 최대일 때의 각의 크기를 $\theta°$라고 할 때, $\sin\theta°$의 값은?

① $\dfrac{1}{2}$ ② $\dfrac{\sqrt{2}}{2}$ ③ $\dfrac{\sqrt{3}}{2}$

④ $\dfrac{3}{4}$ ⑤ 1

07 구에 그은 접선의 길이   중요도 ▮▮▯

467 최多빈출 상 중 하

원점 O에서 구 $x^2+y^2+z^2+4x-6y-8z+25=0$에 그은 접선의 길이는?

① 5   ② $5\sqrt{2}$ ③ $5\sqrt{3}$

④ 10   ⑤ $10\sqrt{2}$

468
상중**하**

점 $A(2, 3, 1)$에서 중심이 $C(1, -1, 0)$인 구에 그은 접선의 길이가 3일 때, 이 구의 반지름의 길이는?

① $\sqrt{3}$ ② 3   ③ $3\sqrt{3}$

④ $4\sqrt{3}$ ⑤ 9

469
상**중**하

점 $A(-1, 2, 1)$에서 구 $(x-5)^2+(y+4)^2+(z-4)^2=36$에 접선을 그을 때, 그 접선의 접점을 P라고 하면 점 P의 자취는 원이다. 이 원의 넓이를 구하여라.

---

08 구와 공간좌표 -교선, 교점   중요도 ▰▰▱

470
상중**하**

구 $(x-2)^2+(y-6)^2+(z-8)^2=89$와 z축이 서로 다른 두 점 A, B에서 만날 때, 선분 AB의 길이는?

① 14   ② 15   ③ 16

④ 17   ⑤ 18

471
상**중**하

구 $x^2+y^2+z^2-4x-2y-8z+k=0$이 y축과 만나는 두 점 사이의 거리가 6일 때, 상수 k의 값은?

① -8 ② -5 ③ -1

④ 1   ⑤ 4

472
상중**하**

구 $x^2+y^2+z^2-4x-6y-2kz+14=0$이 yz평면과 만나서 생기는 원의 넓이를 S, zx평면과 만나서 생기는 원의 넓이를 S'이라고 하자. $S : S' = 3 : 2$일 때, 상수 k에 대하여 k^2의 값은?

① 20   ② 30   ③ 40

④ 50   ⑤ 60

473
상**중**하

반지름의 길이가 4인 구가 yz평면과 만나서 생기는 원의 방정식이 $(y+1)^2+(z+4)^2=9$이다. 이 구의 중심을 $C(a, b, c)$라고 할 때, $a^2+b^2+c^2$의 값은?

① 24   ② 25   ③ 26

④ 27   ⑤ 28

474
상**중**하

오른쪽 그림과 같이 나무판자에 원 모양의 구멍을 뚫어 볼링공을 보관한다고 하자. 볼링공을 나타내는 구의 방정식이  $x^2+y^2+z^2-24x-40y-16z+508=0$이고, 나무판자를 xy평면이라고 할 때, 원 모양의 구멍의 넓이는?

(단, 나무판자의 두께는 생각하지 않는다.)

① 20π ② 24π ③ 28π

④ 32π ⑤ 36π

475 (상 중 하)

구 $(x-2)^2+(y-1)^2+(z-1)^2=5$가 xy평면과 만나서 생기는 원을 C라고 할 때, 원 C 위의 점 P와 점 $Q(-1, 5, 4)$ 사이의 거리의 최솟값은?

① 4   ② 5   ③ 6

④ 7   ⑤ 8

476 (상 중 하)

구 $(x-5)^2+(y-8)^2+(z-10)^2=144$에 내접하고 밑면이 xy평면 위에 있는 원기둥의 부피는?

① 800π ② 820π ③ 840π

④ 860π ⑤ 880π

477 📞 학평 기출 (상 중 하)

좌표공간에서 중심의 x좌표, y좌표, z좌표가 모두 양수인 구 S가 x축과 y축에 각각 접하고 z축과 서로 다른 두 점에서 만난다. 구 S가 xy평면과 만나서 생기는 원의 넓이가 64π이고 z축과 만나는 두 점 사이의 거리가 8일 때, 구 S의 반지름의 길이는?

① 11   ② 12   ③ 13

④ 14   ⑤ 15

---

09 두 구의 위치 관계   중요도

478 (상 중 하)

구 $x^2+(y-1)^2+z^2=4$와 외접하고 중심의 좌표가 $(-3, 1, 4)$인 구의 반지름의 길이를 구하여라.

479 📞 최多빈출 (상 중 하)

두 구

$$x^2+y^2+z^2=1, \quad x^2+y^2+z^2+4x+2y-4z+k=0$$

이 외접할 때, 상수 k의 값은?

① 5   ② 6   ③ 7

④ 8   ⑤ 9

480 (상 중 하)

두 구

$$C_1 : x^2+y^2+z^2=5,$$
$$C_2 : x^2+y^2+z^2-10x-4y+8z+k=0$$

에 대하여 구 C_1이 구 C_2의 밖에 있을 때, 자연수 k의 개수는?

① 18   ② 19   ③ 20

④ 21   ⑤ 22

481 (상 중 하)

두 구

$$x^2+y^2+z^2-2x-4y-8z+12=0,$$
$$x^2+y^2+z^2-2x+2y=a$$

가 내접할 때, 두 구의 반지름의 길이의 곱은? (단, $a>-2$)

① 20   ② 21   ③ 22

④ 23   ⑤ 24

482

(상 중 하)

두 구 $(x+1)^2+(y-2)^2+(z+3)^2=a$,
$(x+1)^2+(y+2)^2+z^2=1$에 대하여 〈보기〉에서 옳은
것을 모두 고른 것은?

---• 보기 •---
ㄱ. $a=16$이면 두 구는 내접한다.
ㄴ. $a=20$이면 두 구는 외접한다.
ㄷ. $a>36$이면 두 구는 만나지 않는다.
-----

① ㄱ   ② ㄴ   ③ ㄷ
④ ㄱ, ㄷ   ⑤ ㄴ, ㄷ

483

(상 중 하)

두 구
$$x^2+y^2+z^2=8,$$
$$x^2+y^2+z^2-6x-8y+10z+32=0$$
이 점 $\mathrm{P}(a,b,c)$에서 접할 때, $a+b+c$의 값은?

① -2 ② $-\dfrac{3}{5}$ ③ $\dfrac{4}{5}$
④ 2   ⑤ $\dfrac{11}{5}$

484 📞 학평 기출

(상 중 하)

오른쪽 그림과 같이 반지름의 길
이가 각각 6, 12, 24인 세 구가 서
로 외접하며 평면 α 위에 놓여 있
다. 이 세 구의 중심을 각각 A, B,
C라고 할 때, 삼각형 ABC의 무게중심과 평면 α 사이의
거리는?

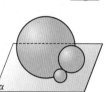

① 10   ② 11   ③ 12
④ 13   ⑤ 14

485

(상 중 하)

두 구
$$x^2+y^2+z^2=4,$$
$$(x-2)^2+(y-2)^2+(z-2)^2=8$$
이 만나서 생기는 원의 둘레의 길이는?

① $\dfrac{2\sqrt{3}}{3}\pi$ ② $\dfrac{2\sqrt{6}}{3}\pi$ ③ $\dfrac{4\sqrt{3}}{3}\pi$
④ $\dfrac{4\sqrt{6}}{3}\pi$ ⑤ $2\sqrt{6}\pi$

486

(상 중 하)

좌표공간에서 두 집합
$$A=\{(x,y,z)\,|\,x^2+y^2+z^2=9\},$$
$$B=\{(x,y,z)\,|\,(x-a)^2+(y-b)^2+(z-c)^2=1\}$$
에 대하여 $A\cap B\neq\varnothing$이 되도록 하는 점 (a,b,c) 전체의
집합이 나타내는 도형의 부피는?

① $\dfrac{212}{3}\pi$ ② $\dfrac{215}{3}\pi$ ③ $\dfrac{218}{3}\pi$
④ $\dfrac{221}{3}\pi$ ⑤ $\dfrac{224}{3}\pi$

487

(상 중 하)

두 구
$$x^2+y^2+z^2-4x-8y+8=0,$$
$$x^2+y^2+z^2-6x-4y+4=0$$
의 교선을 포함하고 원점을 지나는 구의 반지름의 길이는?

① 1   ② 2   ③ 3
④ 4   ⑤ 5

488
상<중>하

오른쪽 그림과 같이 좌표공간에서 한 모서리의 길이가 4인 정육면체를 한 모서리의 길이가 2인 8개의 정육면체로 나누었다. 세 정육면체 $A, B,$ C 안에 반지름의 길이가 1인 구가 각각 내접할 때, 3개의 구의 중심을 연결한 삼각형을 xy평면으로 정사영한 도형의 넓이는?

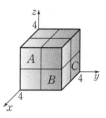

① 1 　　② $\sqrt{2}$ 　　③ 2

④ $2\sqrt{2}$ 　　⑤ 4

---

10 점과 구 사이의 거리
중요도 ▮▮▯

489 📞최多빈출
상<중>하

두 점 $A(1, 2, 1), B(5, 6, 3)$을 지름의 양 끝 점으로 하는 구에 대하여 점 $P(-1, -4, 1)$에서 구 위의 점까지의 거리의 최솟값은?

① 4 　　② 5 　　③ 6

④ 7 　　⑤ 8

490
상<중>하

좌표공간에서 구 $(x-1)^2+(y-3)^2+(z-8)^2=64$ 위를 움직이는 점 P와 xy평면 위의 원 $(x-1)^2+(y-3)^2=36$ 위를 움직이는 점 Q에 대하여 두 점 P, Q 사이의 거리의 최댓값은?

① 15 　　② 16 　　③ 17

④ 18 　　⑤ 19

491
상<중>하

구 $x^2+y^2+z^2=1$ 위를 움직이는 점 P와 구 $(x-1)^2+(y-2)^2+(z-2)^2=1$ 위를 움직이는 점 Q에 대하여 $\overline{PQ}$의 최솟값은?

① 1 　　② $\sqrt{2}$ 　　③ 2

④ $2\sqrt{2}$ 　　⑤ 4

492
상<중>하

두 구
$$C_1: (x+1)^2+(y-1)^2+(z+1)^2=1,$$
$$C_2: x^2+(y-1)^2+(z-2)^2=4$$
에 대하여 두 구 C_1, C_2 위의 임의의 점을 각각 P, Q라 하자. 선분 PQ의 길이의 최댓값을 M, 최솟값을 m이라고 할 때, $M+m$의 값을 구하여라.

493
상<중>하

두 점 $A(0, 1, -2), B(2, 5, -4)$에 대하여 $\angle APB=90°$를 만족시키는 삼각형 ABP가 있다. 원점 O에서 점 P까지의 거리의 최댓값을 M, 최솟값을 m이라고 할 때, Mm의 값은?

① 5 　　② 6 　　③ 9

④ 13 　　⑤ 16

494
상<중>하

구 $(x-6)^2+(y+8)^2+z^2=9$ 위의 임의의 점 $P(a, b, c)$에 대하여 $a^2+b^2+c^2$의 최솟값은?

① 47 　　② 48 　　③ 49

④ 50 　　⑤ 51

내신을 꽉 잡는 서술형

495
네 점 $A(2, 1, 0)$, $B(3, 5, 9)$, $C(11, 2, a)$, $D(6, b, 1)$ 을 꼭짓점으로 하는 사면체 ABCD가 정사면체일 때, a, b의 값을 구하여라.

496
두 점 $A(-3, 3, 5)$, $B(a, b, c)$에 대하여 선분 AB가 zx 평면에 의해 $3 : 2$로 내분되고, y축에 의해 $2 : 1$로 외분될 때, $a+b+c$의 값을 구하여라.

497
점 $A(2, a, b)$에서 x축에 내린 수선의 발을 B, y축에 내린 수선의 발을 C, 점 A와 zx평면에 대하여 대칭인 점을 D라고 할 때, 사면체 ABCD의 부피는 24이다. 원점과 점 A 사이의 거리의 최솟값을 구하여라. (단, $a>0, b>0$)

498
오른쪽 그림과 같은 직육면체에서 $\overline{AB}=3$, $\overline{AD}=2$, $\overline{AE}=1$이다. 삼각형 CDF의 무게중심을 I라 하고, 사각형 EFGH의 내부의 한 점을 P라고 할 때, $\overline{AP}+\overline{PI}$의 최솟값을 구하여라.

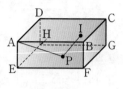

499
두 점 $A(10, 2, 5)$, $B(-6, 10, 11)$에 대하여 $\angle APB=90°$를 만족시키는 점 P가 그리는 도형에 의해 잘린 z축의 길이를 구하여라.

500
반지름의 길이가 3이고 yz평면과의 교선의 방정식이 $(y-2)^2+(z-1)^2=8$인 구는 두 개가 있다. 이 두 구의 중심 사이의 거리를 구하여라.

고득점을 향한 도약

501

좌표공간의 두 점 $O(0, 0, 0)$, $A(8, 0, 0)$과 점 $P(x, y, z)$에 대하여 삼각형 OAP의 넓이가 40 이하일 때, 점 P가 존재하는 영역의 부피는? (단, $0 \leq x \leq 8$)

① 480π ② 560π ③ 640π
④ 720π ⑤ 800π

502

구 $x^2 + y^2 + z^2 - 6x - 10y - 2kz + 20 = 0$이 yz평면, zx평면과 각각 만나서 생기는 원의 넓이의 비가 2 : 1일 때, 양수 k의 값은?

① 1   ② $\sqrt{3}$ ③ $2\sqrt{3}$
④ $3\sqrt{3}$ ⑤ 9

503

세 점 $A(6, 2, 10)$, $B(4, 2, 6)$, $C(8, 8, 6)$과 zx평면 위의 임의의 점 P, xy평면 위의 임의의 점 Q에 대하여 $\overline{AP} + \overline{PB} + \overline{BQ} + \overline{QC}$의 최솟값은?

① 18   ② 20   ③ 22
④ 24   ⑤ 26

504 ❰ 100점 도전 ❱

좌표공간에 한 직선 위에 있지 않은 세 점 A, B, C가 있다. 다음 조건을 만족시키는 평면 α에 대하여 각 점 A, B, C와 평면 α 사이의 거리 중에서 가장 작은 값을 $d(\alpha)$라고 하자.

> (가) 평면 α는 선분 AC와 만나고 선분 BC와도 만난다.
> (나) 평면 α는 선분 AB와 만나지 않는다.

위의 조건을 만족시키는 평면 α 중에서 $d(\alpha)$가 최대가 되는 평면을 β라고 할 때, 〈보기〉에서 옳은 것을 모두 고른 것은?

> ──────── ● 보기 ●
> ㄱ. 평면 β는 세 점 A, B, C를 지나는 평면과 수직이다.
> ㄴ. 평면 β는 선분 AC의 중점 또는 선분 BC의 중점을 지난다.
> ㄷ. 세 점이 $A(2, 3, 0)$, $B(1, 0, 1)$, $C(2, -1, 0)$일 때, $d(\beta)$는 점 B와 평면 β 사이의 거리와 같다.

① ㄱ   ② ㄷ   ③ ㄱ, ㄴ
④ ㄱ, ㄷ   ⑤ ㄱ, ㄴ, ㄷ

505

오른쪽 그림과 같이 좌표공간에서 세 점 $A(1, 0, 0)$, $B(0, 2, 0)$, $C(0, 0, 3)$을 지나는 평면을 α라고 하자. 평면 α와 xy평면의 이면각 중에서 예각인 것을 이등분하면서 선분 AB를 포함하는 평면을 β라고 할 때, 평면 β가 z축과 만나는 점의 좌표는?

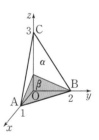

① $\left(0, 0, \dfrac{5}{3}\right)$ ② $\left(0, 0, \dfrac{4}{3}\right)$ ③ $(0, 0, 1)$
④ $\left(0, 0, \dfrac{2}{3}\right)$ ⑤ $\left(0, 0, \dfrac{1}{3}\right)$

506

오른쪽 그림과 같이 좌표공간에 밑면인 원이 xy평면 위에서 원점 O를 지나는 원뿔이 있다. 모선 OA 위의 점 B(2, 4, 4)에 대하여 $4\overline{OB}=3\overline{OA}$이고 꼭짓점 A의 좌표를 (a, b, c)라고 할 때, $a+b+c$의 값을 구하여라.

507

오른쪽 그림과 같이 한 모서리의 길이가 1인 정육면체에서 점 P와 점 Q가 매초 1의 속력으로 각각 꼭짓점 C, G에서 동시에 출발하여 점 P는 C → D → A → B → C, 점 Q는 G → F → E → H → G로 각각 한 번씩 회전한다. 선분 PQ의 중점을 R라고 할 때, 점 R가 움직인 거리는?

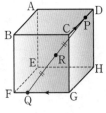

① $\sqrt{2}$ ② $2\sqrt{2}$ ③ π

④ $\sqrt{2}\pi$ ⑤ 2π

508

반지름의 길이가 4인 구 C가 두 구 $x^2+y^2+z^2=4$, $(x-4)^2+(y-2)^2+(z-4)^2=16$에 동시에 외접할 때, 구 C의 중심 C가 나타내는 도형의 넓이를 구하여라.

509 ◖100점 도전◗

좌표공간에서 xy평면과 접하는 구 $x^2+y^2+z^2+Ax+By+Cz+D=0$이 있다. yz평면과 구 위의 점까지의 거리의 최솟값이 2이고, zx평면과 구 위의 점까지의 거리의 최솟값이 3, 구와 xy평면이 만나는 접점에서 구 위의 점 사이의 거리의 최댓값이 4이다. 이때, D의 값은? (단, $A<0$, $B<0$, $C<0$)

① 40   ② 41   ③ 42

④ 43   ⑤ 44

510

오른쪽 그림과 같이 좌표공간에 원점 O를 한 꼭짓점으로 하고, 한 모서리의 길이가 14인 정육면체가 있다. 다음 조건을 만족시키는 세 구 C_1, C_2, C_3의 중심을 꼭짓점으로 하는 삼각형의 무게중심의 x좌표가 a 또는 b일 때, ab의 값은?

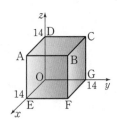

(가) 구 C_1은 정육면체에 내접한다.

(나) 구 C_2는 면 ABCD와 yz평면, zx평면에 접하고 반지름의 길이가 4이다.

(다) 구 C_3은 면 AEFB와 xy평면, zx평면에 접하고 반지름의 길이가 2이다.

① 27   ② 36   ③ 45

④ 58   ⑤ 69

I 이차곡선

001 풀이 참조 **002** ③ **003** ⑤ **004** ②

005 ② **006** ④ **007** 1 **008** ② **009** ①

010 ②

011 (1) 초점의 좌표 : $\left(\dfrac{15}{4},\ -3\right)$, 준선의 방정식 : $x=\dfrac{17}{4}$

(2) 초점의 좌표 : $\left(3,\ -\dfrac{9}{2}\right)$, 준선의 방정식 : $y=-\dfrac{15}{2}$

012 ③ **013** ③ **014** ④

015 (1) $(1,\ -3)$ (2) $(2,\ -3)$ (3) $x=0$ **016** ③ **017** ⑤

018 ④ **019** ① **020** ① **021** ① **022** ②

023 ⑤ **024** ④ **025** ① **026** ⑤ **027** ④

028 ③ **029** ④ **030** 20 **031** ⑤

032 (1) $\dfrac{x^2}{25}+\dfrac{y^2}{16}=1$ (2) $\dfrac{x^2}{24}+\dfrac{y^2}{49}=1$ **033** 풀이 참조

034 ⑤ **035** ④ **036** ③ **037** ④ **038** ⑤

039 ② **040** ④ **041** ④ **042** ③ **043** ④

044 ⑤ **045** ① **046** 풀이 참조 **047** ①

048 ④ **049** ① **050** ⑤ **051** ① **052** ②

053 ⑤ **054** ② **055** ① **056** ① **057** ④

058 ② **059** 103 **060** (1) $x^2-\dfrac{y^2}{3}=1$ (2) $\dfrac{x^2}{9}-\dfrac{y^2}{16}=-1$

061 풀이 참조 **062** 18 **063** ⑤ **064** ④

065 ① **066** ⑤ **067** ⑤ **068** ⑤ **069** ③

070 ③ **071** ③ **072** 풀이 참조

073 (1) $(1,\ 1)$ (2) $(1\pm\sqrt{5},\ 1)$ (3) $y=\dfrac{1}{2}x+\dfrac{1}{2}$, $y=-\dfrac{1}{2}x+\dfrac{3}{2}$

074 ⑤ **075** ① **076** ① **077** ②

078 $-\sqrt{3}\leq m\leq\sqrt{3}$ **079** ⑤ **080** ① **081** ③

082 7 **083** ④ **084** ③ **085** ④ **086** ②

087 ① **088** $8\sqrt{2}$ **089** ⑤ **090** ② **091** $\dfrac{15}{2}$

092 2 **093** ④ **094** ② **095** $\dfrac{x^2}{9}-\dfrac{y^2}{72}=1$

096 ② **097** $\dfrac{x^2}{24}+\dfrac{y^2}{25}=1$ **098** ⑤ **099** ②

100 ⑤ **101** ⑤ **102** ② **103** $\dfrac{4\sqrt{3}}{7}$ **104** 14

105 3 **106** 2 **107** 풀이 참조 **108** 116

109 ⑤ **110** ② **111** ⑤ **112** ①

113 (1) $k<2$ (2) $k=2$ (3) $k>2$

114 (1) 서로 다른 두 점에서 만난다. (2) 만나지 않는다.

(3) 한 점에서 만난다. (접한다.)

115 ② **116** ③ **117** ④ **118** ④ **119** ④

120 ⑤ **121** ⑤ **122** ③

123 (1) $y=2x+1$ (2) $y=3x-9$ **124** ③ **125** ②

126 ② **127** ③ **128** 64 **129** ②

130 (1) $y=x+1$ (2) $y=x-2$ **131** ② **132** ①

133 ④ **134** ① **135** ② **136** ① **137** ⑤

138 ③ **139** ③ **140** ② **141** ④ **142** ②

143 ② **144** (1) $y=2x\pm\sqrt{14}$ (2) $y=-2x\pm2\sqrt{6}$ **145** ④

146 ① **147** ⑤ **148** ① **149** ③ **150** ④

151 ② **152** ② **153** ④ **154** ② **155** ④

156 ② **157** $\dfrac{3}{2}$ **158** 3 **159** 14 **160** ④

161 (1) $y=2x\pm\sqrt{11}$ (2) $y=-x\pm\sqrt{6}$ **162** ② **163** ④

164 ④ **165** ② **166** ③ **167** ① **168** $\dfrac{21}{2}$

169 ① **170** -52 **171** ② **172** ⑤ **173** ③

174 ② **175** 52 **176** ④

177 $x=-1$ 또는 $5x+2y+3=0$ **178** -15 **179** ②

180 ④ **181** 4 **182** $x=-2\ (y>1)$ **183** 32

184 $\mathrm{P}(6,\ 6)$ **185** 2 **186** 32 **187** 27 **188** ⑤

189 ③ **190** ③ **191** ③ **192** ④ **193** ⑤

194 ⑤ **195** ④

II 평면벡터

196 ② 197 ② 198 ⑤ 199 ㄱ, ㄷ

200 (1) $\vec{b}$와 $\vec{i}$, $\vec{d}$와 $\vec{h}$ (2) $\vec{a}$와 $\vec{j}$, $\vec{g}$와 $\vec{f}$　201 ①　202 ①

203 ①　204 ⑤　205 $-\vec{a}-\vec{b}$　206 ①　207 ②

208 (1) $-\vec{a}+9\vec{b}$ (2) $\frac{1}{6}\vec{a}+\frac{1}{6}\vec{b}-\vec{c}$　209 ③　210 $\frac{14}{5}$

211 ③　212 ①　213 ④　214 ②　215 ⑤

216 ④　217 ③　218 ④　219 ⑤　220 ②

221 ②　222 ④　223 ①　224 ④　225 ④

226 ①　227 ③　228 ②　229 ⑤　230 ②

231 ③　232 ④　233 ②　234 ③

235 $-4\vec{a}+3\vec{b}$　236 3　237 정사각형 238 $\frac{\pi}{3}$

239 1　240 직선 AD　241 ①　242 ⑤

243 ①　244 ④　245 ③　246 $\vec{b}-\vec{a}$　247 ②

248 ④　249 ②　250 ①　251 ③　252 ③

253 ④　254 ③　255 ④　256 ②　257 $-\frac{1}{6}$

258 ④　259 ④　260 ⑤　261 ⑤　262 2

263 ③　264 ②　265 ②　266 ⑤　267 1

268 ②　269 ④　270 ③　271 ③　272 ③

273 $\frac{4}{9}$　274 ④　275 ⑤　276 ④　277 ④

278 ③　279 -2　280 ⑤　281 ③　282 120

283 ④　284 ①　285 17　286 8　287 ④

288 ②　289 ⑤　290 ③　291 ①　292 ⑤

293 -6　294 ②　295 9　296 ③　297 ③

298 ③　299 ④　300 ⑤　301 ②　302 ②

303 ①　304 ②　305 ①　306 ④　307 ①

308 9　309 ④　310 -4　311 ⑤

312 (1) $\frac{3\sqrt{10}}{10}$ (2) $\frac{4\sqrt{65}}{65}$　313 ⑤　314 ④　315 ④

316 ①　317 9　318 ③　319 $(x-3)^2+(y+2)^2=2$

320 2　321 $6\sqrt{13}-6$　322 32　323 8　324 $4\sqrt{2}$

325 0　326 ④　327 ⑤　328 624　329 ③

330 ③　331 4　332 ⑤　333 ③　334 $\frac{69}{2}$

335 ②　336 $13-\sqrt{7}$　337 ⑤

III 공간도형과 공간좌표

338 ⑤　339 ③　340 ③　341 ③　342 32

343 ②　344 ③　345 ③　346 직선 DE　347 ④

348 ⑤　349 ③　350 ③　351 ④　352 ②

353 ④　354 ③　355 ③　356 ②　357 ③

358 ③　359 90°　360 ②　361 ③　362 ④

363 ③　364 ④　365 ①　366 ②　367 ⑤

368 16　369 ②　370 ③　371 ⑤　372 $\frac{1}{2}$

373 ④　374 ①　375 ④　376 ②　377 ⑤

378 $\frac{\sqrt{5}}{5}$　379 ⑤　380 ④　381 ②　382 ①

383 ①　384 45°　385 ④　386 ②　387 ⑤

388 ②　389 ④　390 ⑤　391 ⑤　392 ①

393 162　394 ⑤　395 ④　396 ②　397 ③

398 ②　399 ②　400 ⑤　401 ⑤

402 $\left(\frac{400}{3}\sqrt{2}\pi-100\sqrt{6}\right)\text{cm}^2$　403 $1:2$　404 $4\sqrt{5}$　405 $3\sqrt{2}$

406 $\frac{\sqrt{13}}{4}$　407 $\cos\theta_1°=\frac{\sqrt{3}}{3}$, $\cos\theta_2°=\frac{1}{3}$　408 $\frac{\sqrt{3}}{3}$

409 ③　410 ②　411 $\frac{\sqrt{3}}{3}$　412 ⑤　413 $\sqrt{7}$

414 ②　415 ②　416 ④　417 ④　418 25

419 $2\sqrt{11}$　420 ④　421 ②　422 ③　423 2

424 ②　425 ③　426 ④　427 ④　428 ⑤

429 ②　430 ③　431 ②　432 ③　433 ②

434 ④　435 ⑤　436 80　437 ④　438 ⑤

439 $\frac{72}{5}$　440 ③　441 ③　442 ③　443 ②

444 ③　445 ①　446 ①　447 ③　448 ④

449 ③　450 0　451 ③　452 ④　453 ④

454 ⑤　455 ②　456 ②　457 ②　458 ⑤

459 ⑤　460 ⑤　461 ⑤　462 ②　463 ③

464 ③　465 ④　466 ①　467 ①　468 ②

469 20π　470 ①　471 ①　472 ①　473 ①

474 ⑤　475 ②　476 ⑤　477 ②　478 3

479 ①　480 ②　481 ⑤　482 ③　483 ③

484 ⑤　485 ④　486 ⑤　487 ④　488 ③

489 ③　490 ④　491 ①　492 $2\sqrt{10}$　493 ④

494 ③　495 $a=4$, $b=10$　496 -1　497 $2\sqrt{19}$

498 $\frac{\sqrt{77}}{3}$　499 14　500 2　501 ⑤　502 ④

503 ②　504 ⑤　505 ④　506 $\frac{40}{3}$　507 ②

508 $\frac{320}{9}\pi$　509 ②　510 ⑤

고등 풍산자와 함께하면
개념부터 ~ 고난도 문제까지!
어떤 시험 문제도 익숙해집니다!

고등 풍산자 1등급 로드맵

고등 풍산자 교재	하	중하	중	상	최상
개념 기본서 1위 — 풍산자 수학(상)	필수 문제로 개념 정복, 개념 학습 완성				
기초 반복 훈련서 — 풍산자 반복수학 수학(상)	개념 및 기본 연산 정복, 기본 실력 완성				
단기 특강서 — 풍산자 라이트 고등 수학(상)		개념 및 기본 체크, 단기 실력 점검			
유형서 만족도 1위 — 풍산자 필수유형 수학(상)			기출 문제로 유형 정복, 시험 준비 완료		
상위권 필독서 — 풍산자 일등급 유형 수학(상)			내신과 수능 1등급 도전, 상위권 실력 완성		

Coming Soon!
풍산자 라인업 확대!

신간 1 풍산자 문제 기본서

유형별 원리 분석과
유사-변형-실력 문제로 완성하는
풍산자 문제 비법서!

신간 2 풍산자 필수유형 라이트

기본 유형을 마스터하여
실전 유형까지 풀 수 있는
풍산자 유형 학습서!

엄선된 유형을 한 권에 가득!

풍산자 필수유형

정답과 풀이

기하

지학사

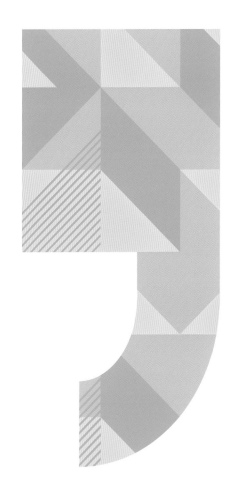

풍산자
필수유형

기하 정답과 풀이

I 이차곡선

01 이차곡선

001

(1) $y^2=2x=4 \times \dfrac{1}{2} \times x=4px$에서

$p=\dfrac{1}{2}$

따라서 초점의 좌표는 $\left(\dfrac{1}{2}, 0\right)$,

준선의 방정식은 $x=-\dfrac{1}{2}$이고

그 그래프는 오른쪽 그림과 같다.

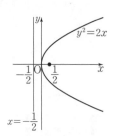

(2) $x^2=-4y=4 \times (-1) \times y=4py$

에서 $p=-1$

따라서 초점의 좌표는 $(0, -1)$,

준선의 방정식은 $y=1$이고

그 그래프는 오른쪽 그림과 같다.

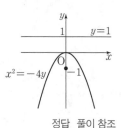

정답_ 풀이 참조

002

초점이 $F(0, -2)$이고 준선의 방정식이 $y=2$이므로 구하는 포물선의 방정식은

$x^2=4 \times (-2) \times y$ $\therefore x^2=-8y$ 정답_ ③

003

점 $P(x, y)$는 초점이 $F(3, 0)$이고 준선의 방정식이 $x=-3$인 포물선 위의 점이므로 구하는 도형의 방정식은

$y^2=4 \times 3 \times x$ $\therefore y^2=12x$ 정답_ ⑤

다른 풀이

점 $P(x, y)$에서 점 $F(3, 0)$과 직선 $x=-3$에 이르는 거리가 같으므로

$\sqrt{(x-3)^2+y^2}=|x+3|$

양변을 제곱하면

$(x-3)^2+y^2=(x+3)^2$ $\therefore y^2=12x$

004

원점을 꼭짓점으로 하고 준선의 방정식이 $x=2$인 포물선의 방정식은

$y^2=4 \times (-2) \times x$ $\therefore y^2=-8x$

이 포물선이 점 $(a, 8)$을 지나므로

$8^2=-8a$ $\therefore a=-8$ 정답_ ②

005

초점이 y축 위에 있고 이 초점에서 준선까지 수직으로 그은 선분의 중점, 즉 꼭짓점이 원점인 포물선의 방정식을

$x^2=4py \ (p \neq 0)$

로 놓으면 이 포물선이 점 $(\sqrt{3}, \sqrt{3})$을 지나므로

$(\sqrt{3})^2=4p\sqrt{3}$ $\therefore p=\dfrac{\sqrt{3}}{4}$

따라서 구하는 포물선의 방정식은

$x^2=4 \times \dfrac{\sqrt{3}}{4} \times y$ $\therefore x^2=\sqrt{3}y$ 정답_ ②

006

$y^2=4x=4 \times 1 \times x$의 초점의 좌표는 $(1, 0)$

준선의 방정식은 $x=-1$

따라서 주어진 원은 중심의 좌표가 $(1, 0)$이고 직선 $x=-1$에 접하므로 반지름의 길이는

$1+1=2$

$\therefore$ (원의 넓이)$=\pi \times 2^2=4\pi$

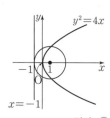

정답_ ④

007

점 $P(b, \sqrt{15})$는 포물선 $y^2=4ax$ 위의 점이므로

$15=4ab$

$\therefore ab=\dfrac{15}{4}$ ……㉠

포물선 $y^2=4ax$에서 준선의 방정식은 $x=-a$이고, 점 $P(b, \sqrt{15})$에서 이 준선에 이르는 거리가 4이므로

$a+b=4$ ……㉡

㉠, ㉡을 연립하여 풀면

$a=\dfrac{3}{2}, b=\dfrac{5}{2}$ 또는 $a=\dfrac{5}{2}, b=\dfrac{3}{2}$

$\therefore |a-b|=1$ 정답_ 1

008

원점을 꼭짓점으로 하고 y축 위에 초점이 있는 포물선의 방정식을

$x^2=4py \ (p \neq 0)$ ……㉠

로 놓으면 포물선 ㉠이 점 $P\left(2, \dfrac{1}{2}\right)$을 지나므로

$2^2=4 \times p \times \dfrac{1}{2}$ $\therefore p=2$

즉, 주어진 포물선의 방정식은

$x^2=4\times2\times y=8y$

이므로 준선의 방정식은

$y=-2$

오른쪽 그림과 같이 점 P에서 이 포물선의 준선에 내린 수선의 발을 H라고 하면

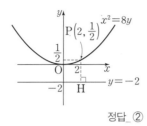

$\overline{PH}=\dfrac{1}{2}-(-2)=\dfrac{5}{2}$

이므로 구하는 거리는 $\dfrac{5}{2}$이다.

정답_②

009

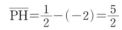

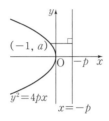

오른쪽 그림과 같이 꼭짓점이 원점이고 x축에 대하여 대칭인 포물선의 방정식을

$y^2=4px\ (p\neq0)$

로 놓으면 점 $(-1,\ a)$가 이 포물선 위의 점이므로 $a^2=-4p>0$에서

$p<0$

점 $(-1,\ a)$에서 준선 $x=-p$까지의 거리가 4이므로

$|-p+1|=4,\ -p+1=4\ (\because\ -p+1>0)$

$\therefore p=-3$

따라서 구하는 포물선의 준선의 방정식은 $x=3$, 초점의 좌표는 $(-3,\ 0)$

정답_①

010

$y^2=kx=4\times\dfrac{k}{4}\times x$이므로 이 포물선의 준선의 방정식은

$x=-\dfrac{k}{4}$

$\overline{PH_1}+\overline{QH_2}=10$이므로 오른쪽 그림에서

$\left(2+\dfrac{k}{4}\right)+\left(3+\dfrac{k}{4}\right)=10$

$\dfrac{k}{2}=5\qquad\therefore k=10$

따라서 주어진 포물선의 방정식은

$y^2=10x=4\times\dfrac{5}{2}\times x$

이므로 구하는 초점의 x좌표는 $\dfrac{5}{2}$이다.

정답_②

011

(1) 포물선 $(y+3)^2=-(x-4)$는 포물선 $y^2=-x$를 x축의 방향으로 4만큼, y축의 방향으로 -3만큼 평행이동한 것이다.

이때, $y^2=-x$의 초점의 좌표는 $\left(-\dfrac{1}{4},\ 0\right)$, 준선의 방정식은

$x=\dfrac{1}{4}$이므로 주어진 포물선의 초점의 좌표는 $\left(\dfrac{15}{4},\ -3\right)$,

준선의 방정식은 $x=\dfrac{17}{4}$이다.

(2) 포물선 $(x-3)^2=6(y+6)$은 포물선 $x^2=6y$를 x축의 방향으로 3만큼, y축의 방향으로 -6만큼 평행이동한 것이다.

이때, $x^2=6y$의 초점의 좌표는 $\left(0,\ \dfrac{3}{2}\right)$, 준선의 방정식은

$y=-\dfrac{3}{2}$이므로 주어진 포물선의 초점의 좌표는 $\left(3,\ -\dfrac{9}{2}\right)$, 준선의 방정식은 $y=-\dfrac{15}{2}$이다.

정답_(1) 초점의 좌표 : $\left(\dfrac{15}{4},\ -3\right)$, 준선의 방정식 : $x=\dfrac{17}{4}$
(2) 초점의 좌표 : $\left(3,\ -\dfrac{9}{2}\right)$, 준선의 방정식 : $y=-\dfrac{15}{2}$

012

포물선 $(x+2)^2=8(y-1)$은 포물선 $x^2=8y$를 x축의 방향으로 -2만큼, y축의 방향으로 1만큼 평행이동한 것이다.

이때, $x^2=8y$의 초점의 좌표는 $(0,\ 2)$, 준선의 방정식은 $y=-2$이므로 주어진 포물선의 초점의 좌표는 $(-2,\ 3)$, 준선의 방정식은 $y=-1$이다.

따라서 $a=-2, b=3, c=-1$이므로

$a+b+c=0$

정답_③

013

포물선 $(y-1)^2=4p(x-2)$는 포물선 $y^2=4px$를 x축의 방향으로 2만큼, y축의 방향으로 1만큼 평행이동한 것이다.

이때, $y^2=4px$의 초점의 좌표는 $(p,\ 0)$, 준선의 방정식은 $x=-p$이므로 주어진 포물선의 초점의 좌표는 $(p+2,\ 1)$, 준선의 방정식은 $x=-p+2$이다.

주어진 포물선의 초점의 좌표가 $(0,\ 1)$이므로

$p+2=0\qquad\therefore p=-2$

따라서 구하는 포물선의 준선의 방정식은

$x=-p+2=-(-2)+2=4$

정답_③

014

포물선 위의 임의의 점을 $P(x,\ y)$, 점 P에서 직선 $x=1$에 내린 수선의 발을 H라고 하면 $\overline{PF}=\overline{PH}$이므로

$\sqrt{(x-3)^2+(y-1)^2}=|x-1|$

양변을 제곱하면

$(x-3)^2+(y-1)^2=(x-1)^2$

$\therefore (y-1)^2=4(x-2)$

정답_④

다른 풀이

초점이 $F(3,\ 1)$이고, 준선이 $x=1$이므로 이 포물선의 꼭짓점의 좌표는 $\left(\dfrac{3+1}{2},\ 1\right)$, 즉 $(2,\ 1)$이다.

따라서 주어진 포물선은 초점의 좌표가 $(1, 0)$이고 준선이 $x=-1$인 포물선 $y^2=4x$를 x축의 방향으로 2만큼, y축의 방향으로 1만큼 평행이동한 것이므로

$(y-1)^2=4(x-2)$

015

$y^2+6y-4x+13=0$에서

$y^2+6y+9-4x+4=0$

$(y+3)^2-4(x-1)=0$

$\therefore (y+3)^2=4(x-1)$

따라서 포물선 $y^2+6y-4x+13=0$은 포물선 $y^2=4x$를 x축의 방향으로 1만큼, y축의 방향으로 -3만큼 평행이동한 것이다.

이때, 포물선 $y^2=4x$의 꼭짓점의 좌표는 $(0, 0)$, 초점의 좌표는 $(1, 0)$, 준선의 방정식은 $x=-1$이므로 포물선 $(y+3)^2=4(x-1)$에 대하여

(1) 꼭짓점의 좌표는 $(1, -3)$

(2) 초점의 좌표는 $(2, -3)$

(3) 준선의 방정식은 $x=0$

정답_ (1) $(1, -3)$ (2) $(2, -3)$ (3) $x=0$

016

$x^2-8y-4x+20=0$에서

$x^2-4x+4=8y-16$

$\therefore (x-2)^2=8(y-2)$ ...... ㉠

따라서 포물선 ㉠은 포물선 $x^2=8y$를 x축의 방향으로 2만큼, y축의 방향으로 2만큼 평행이동한 것이므로 포물선 ㉠의 초점의 좌표는

$(0+2, 2+2)$ $\therefore (2, 4)$

준선의 방정식은

$y-2=-2$ $\therefore y=0$

따라서 $a=2, b=4, c=0$이므로

$a+b+c=6$ 정답_ ③

017

$y^2-4x-4y+12k=0$에서

$y^2-4y+4=4x-12k+4$

$\therefore (y-2)^2=4(x-3k+1)$ ...... ㉠

포물선 ㉠은 포물선 $y^2=4x$를 x축의 방향으로 $3k-1$만큼, y의 방향으로 2만큼 평행이동한 것이므로 포물선 ㉠의 초점의 좌표는

$(1+3k-1, 0+2)$ $\therefore (3k, 2)$

이 점이 직선 $y=2x-16$ 위에 있으므로

$2=2\times 3k-16$

$\therefore k=3$ 정답_ ⑤

018

포물선 $(y-m)^2=x-n$이 두 점 $(-1, 2)$, $(-1, 3)$을 지나므로 포물선의 꼭짓점의 y좌표 m은

$m=\dfrac{2+3}{2}=\dfrac{5}{2}$

또 포물선 $\left(y-\dfrac{5}{2}\right)^2=x-n$이 점 $(1, 1)$을 지나므로

$\left(1-\dfrac{5}{2}\right)^2=1-n, \dfrac{9}{4}=1-n$ $\therefore n=-\dfrac{5}{4}$

$\therefore m+n=\dfrac{5}{2}+\left(-\dfrac{5}{4}\right)=\dfrac{5}{4}$ 정답_ ④

다른 풀이

축이 x축에 평행하므로 구하는 포물선의 방정식을

$y^2+ax+by+c=0$ (a, b, c는 상수, $a\neq 0$)

으로 놓자.

이 포물선이 세 점 $(-1, 2)$, $(-1, 3)$, $(1, 1)$을 지나므로

$4-a+2b+c=0$ ...... ㉠

$9-a+3b+c=0$ ...... ㉡

$1+a+b+c=0$ ...... ㉢

㉠, ㉡, ㉢을 연립하여 풀면

$a=-1, b=-5, c=5$

이므로 주어진 포물선의 방정식은

$y^2-x-5y+5=0$ $\therefore \left(y-\dfrac{5}{2}\right)^2=x+\dfrac{5}{4}$

따라서 $m=\dfrac{5}{2}, n=-\dfrac{5}{4}$이므로

$m+n=\dfrac{5}{4}$

019

평면 위의 한 점 $F(6, 1)$과 한 직선 $x=-4$에 이르는 거리가 같은 점은 오른쪽 그림과 같은 포물선 위의 점이다.

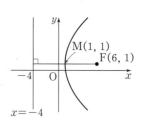

이 중에서 직선 $x=-4$와의 거리가 최소일 때의 점 M은 포물선의 꼭짓점이므로 $M(1, 1)$

따라서 점 $M(1, 1)$과 직선 $x=-4$ 사이의 거리는

$|-4-1|=5$ 정답_ ①

020

$x^2=-8y=4\times(-2)\times y$이므로 초점 F의 좌표는 $(0, -2)$이고, 준선의 방정식은 $y=2$이다.

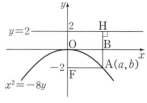

점 $A(a, b)$에서 준선에 내린 수선의 발을 H, 이 수선이 x축과 만나는 점을 B라고 하면 포물선 위의 한 점에서 초점까지의

거리는 준선까지의 거리와 같으므로
$\overline{AF} = \overline{AH}$
$\overline{AF} = 4$이고 $\overline{AH} = \overline{AB} + \overline{BH}$이므로
$4 = -b + 2$ $\therefore b = -2$
또, 점 A(a, b)가 포물선 $x^2 = -8y$ 위의 점이므로
$a^2 = -8b = -8 \times (-2) = 16$
$\therefore a^2 b = 16 \times (-2) = -32$ 정답_①

021

$y^2 = 12x = 4 \times 3 \times x$이므로 초점은 F$(3, 0)$, 준선 l의 방정식은
$x = -3$이다.
이때, $\overline{AC} = 4$이므로 점 A의 x좌표는 1이다.
$\therefore$ A$(1, 2\sqrt{3})$
두 점 A$(1, 2\sqrt{3})$, F$(3, 0)$을 지나는 직선의 방정식은
$y - 0 = \dfrac{2\sqrt{3} - 0}{1 - 3}(x - 3)$
$\therefore y = -\sqrt{3}(x - 3)$
점 B는 직선 $y = -\sqrt{3}(x-3)$과 포물선 $y^2 = 12x$의 교점이므로
점 B의 x좌표는 방정식
$\{-\sqrt{3}(x-3)\}^2 = 12x$
의 근이다.
점 B의 x좌표를 $a\ (a > 1)$라고 하면
$\{-\sqrt{3}(a-3)\}^2 = 12a, 3(a-3)^2 = 12a$
$(a-3)^2 = 4a, a^2 - 10a + 9 = 0$
$(a-1)(a-9) = 0$ $\therefore a = 9\ (\because a > 1)$
$\therefore \overline{BD} = 9 - (-3) = 12$ 정답_①

022

포물선 $y^2 = 8x = 4 \times 2 \times x$
의 초점을 F라고 하면
F$(2, 0)$이고, 준선의 방
정식은 $x = -2$이다.
포물선의 정의에 의해
$\overline{PH} = \overline{PF}$이므로
$\overline{PH} - \overline{PQ} = \overline{PF} - \overline{PQ}$
$\qquad = \overline{QF} = \sqrt{3}\ (\because$ 원의 반지름의 길이$)$ 정답_②

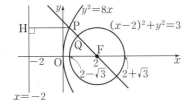

023

$y^2 = 16x = 4 \times 4 \times x$이므로 초점은 F$(4, 0)$, 준선의 방정식은
$x = -4$이다.
세 점 A, B, C의 x좌표를 각각 a, b, c라고 하면
$\dfrac{a+b+c}{3} = 4$
$\therefore a + b + c = 12$ $\cdots\cdots$ ㉠

오른쪽 그림과 같이 세 점 A, B, C에서
포물선 $y^2 = 16x$의 준선 $x = -4$에 내린
수선의 발을 각각 A′, B′, C′이라고 하면
$\overline{AF} + \overline{BF} + \overline{CF}$
$= \overline{AA'} + \overline{BB'} + \overline{CC'}$
$= (a+4) + (b+4) + (c+4)$
$= (a+b+c) + 12$
$= 12 + 12 = 24\ (\because$ ㉠$)$ 정답_⑤

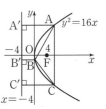

024

$y^2 = 8x - 16 = 4 \times 2(x - 2)$이므로 주어진 포물선의 꼭짓점은
$(2, 0)$, 초점은 $(4, 0)$이고, 준선은 y축이다.
$\overline{KP} = \overline{OF} + \overline{FH} = \overline{PF}$이므로 정삼각형 PFA의 한 변의 길이를
a라고 하면
$\overline{OH} = 4 + \dfrac{a}{2} = a$ $\therefore a = 8$
$\therefore \overline{PH} = \dfrac{\sqrt{3}}{2} \cdot 8 = 4\sqrt{3}$
따라서 사각형 OFPK의 넓이는
$\dfrac{1}{2} \times (\overline{PK} + \overline{FO}) \times \overline{PH} = \dfrac{1}{2} \times (8+4) \times 4\sqrt{3}$
$\qquad\qquad = 24\sqrt{3}$ 정답_④

참고

한 변의 길이가 a인 정삼각형에서
(1) 높이 : $\dfrac{\sqrt{3}}{2}a$ (2) 넓이 : $\dfrac{\sqrt{3}}{4}a^2$

025

오른쪽 그림과 같이 점 P_1, P_2, P_3에서
y축에 내린 수선의 발을 각각 $H_1, H_2,$
H_3이라고 하면 포물선의 정의에 의해
$\overline{FP_1} = \overline{H_1 P_1} + \overline{FO}$
$\overline{FP_2} = \overline{H_2 P_2} + \overline{FO}$
$\overline{FP_3} = \overline{H_3 P_3} + \overline{FO}$
점 P_1, P_2, P_3은 모두 포물선 $y^2 = x$ 위의 점이고, y좌표가 각각 1,
$\sqrt{2}, \sqrt{3}$이므로
$1^2 = x$ $\therefore x = 1$ $\therefore P_1(1, 1)$
$\sqrt{2}^2 = x$ $\therefore x = 2$ $\therefore P_2(2, \sqrt{2})$
$\sqrt{3}^2 = x$ $\therefore x = 3$ $\therefore P_3(3, \sqrt{3})$
$\overline{H_1 P_1} = 1, \overline{H_2 P_2} = 2, \overline{H_3 P_3} = 3, \overline{FO} = \dfrac{1}{4}$이므로
$\overline{FP_1} + \overline{FP_2} + \overline{FP_3} = \overline{H_1 P_1} + \overline{H_2 P_2} + \overline{H_3 P_3} + 3\overline{FO}$
$\qquad\qquad = 1 + 2 + 3 + 3\overline{FO}$
$\qquad\qquad = 6 + 3\overline{FO} = \dfrac{27}{4}$
따라서 $a = 27, b = 4$이므로 $a + b = 31$ 정답_①

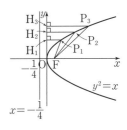

026

$x^2=12y=4\times3\times y$이므로 점 A$(0,3)$은 이 포물선의 초점이고, 준선의 방정식은 $y=-3$이다.

오른쪽 그림과 같이 두 점 P, B에서 준선 $y=-3$에 내린 수선의 발을 각각 H, H'이라고 하면 $\overline{PA}=\overline{PH}$이므로

$\overline{PA}+\overline{PB}=\overline{PH}+\overline{PB}\geq\overline{BH'}$

따라서 $\overline{PA}+\overline{PB}$의 최솟값은

$5-(-3)=8$

정답_ ⑤

027

포물선의 정의에 의해

$\overline{AH}=\overline{AF}, \overline{BH'}=\overline{BF}$

$\therefore \overline{AH}+\overline{BH'}=\overline{AF}+\overline{BF}=\overline{AB}=10$

사각형 AHH'B의 넓이가 40이므로

$\frac{1}{2}(\overline{AH}+\overline{BH'})\times\overline{HH'}=40$

$\frac{1}{2}\times10\times\overline{HH'}=40$ $\therefore \overline{HH'}=8$

정답_ ④

028

포물선의 정의에 의해

$\overline{AF}=\overline{AP}, \overline{BF}=\overline{BR}$

$\therefore \overline{AP}+\overline{BR}=\overline{AF}+\overline{BF}=\overline{AB}=20$

이때, $\overline{AP}/\!/\overline{MQ}/\!/\overline{BR}$이고, 점 M이 $\overline{AB}$의 중점이므로 삼각형의 두 변의 중점을 연결한 선분의 성질에 의해 점 Q는 $\overline{PR}$의 중점이다.

$\therefore \overline{MQ}=\frac{1}{2}(\overline{AP}+\overline{BR})$

$=\frac{1}{2}\times20=10$

정답_ ③

참고

(1) 삼각형의 두 변의 중점을 연결한 선분

① △ABC에서

$\overline{AM}=\overline{MB}, \overline{AN}=\overline{NC}$이면

$\overline{MN}/\!/\overline{BC}, \overline{MN}=\frac{1}{2}\overline{BC}$

② △ABC에서

$\overline{AM}=\overline{MB}, \overline{MN}/\!/\overline{BC}$이면 $\overline{AN}=\overline{NC}$

(2) 삼각형의 두 변의 중점을 연결한 선분의 활용

$\overline{AD}/\!/\overline{BC}$인 사다리꼴 ABCD에서

$\overline{AB}, \overline{DC}$의 중점을 각각 M, N이라고 하면

① $\overline{AD}/\!/\overline{MN}/\!/\overline{BC}$

② $\overline{MN}=\frac{1}{2}(\overline{AD}+\overline{BC})$

③ $\overline{PQ}=\frac{1}{2}(\overline{BC}-\overline{AD})$ (단, $\overline{BC}>\overline{AD}$)

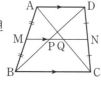

029

두 점 A, B의 x좌표를 각각 a, b라고 하면 $\overline{AC}+\overline{BD}=6$이므로

$a+b=6$ ······ ㉠

포물선 $y^2=12x=4\times3\times x$의 초점을 F라고 하면 F$(3,0)$이고 준선의 방정식은 $x=-3$이므로

$\overline{AF}=a+3, \overline{BF}=b+3$

$\therefore \overline{AB}=\overline{AF}+\overline{BF}$

$=(a+3)+(b+3)$

$=a+b+6$

$=6+6=12$ ($\because$ ㉠)

정답_ ④

030

오른쪽 그림과 같이 포물선의 준선을 l'이라 하고, 세 점 Q, F, R에서 준선에 내린 수선의 발을 각각 H_1, H_2, H_3이라고 하자.

포물선의 정의에 의해

$\overline{QF}=\overline{QH_1}, \overline{RF}=\overline{RH_3}$

이므로

$\overline{PQ}+\overline{QR}+\overline{RS}=\overline{PQ}+\overline{QF}+\overline{FR}+\overline{RS}$

$=\overline{PQ}+\overline{QH_1}+\overline{RH_3}+\overline{RS}$

$=\overline{PH_1}+\overline{SH_3}$

$=2\overline{TH_2}$

$=2(\overline{TF}+\overline{AF}+\overline{AH_2})$ ($\because$ $\overline{AH_2}=\overline{AF}$)

$=2(6+2+2)=20$

정답_ 20

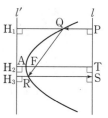

031

$x^2=24y=4\times6\times y$이므로 초점은 F$(0,6)$, 준선의 방정식은 $y=-6$이다.

오른쪽 그림과 같이 두 점 P, A에서 준선에 내린 수선의 발을 각각 H, H'이라고 하면 $\overline{PF}=\overline{PH}$이므로

$\overline{PF}+\overline{PA}=\overline{PH}+\overline{PA}$

$\geq\overline{AH'}$

$=7-(-6)=13$

이때, $\overline{FA}=\sqrt{\{0-(-4)\}^2+(6-7)^2}=\sqrt{17}$이므로

$\overline{AP}+\overline{PF}+\overline{FA}\geq\overline{AH'}+\overline{FA}$

$=13+\sqrt{17}$

따라서 삼각형 APF의 둘레의 길이의 최솟값은 $13+\sqrt{17}$이다.

정답_ ⑤

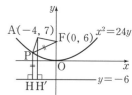

032

(1) 구하는 타원의 방정식을 $\frac{x^2}{a^2}+\frac{y^2}{b^2}=1$ $(a>b>0)$이라고 하면

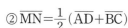

$2a=10$에서 $a=5$

$a^2-b^2=3^2$에서 $b^2=5^2-3^2=16$

$\therefore \dfrac{x^2}{25}+\dfrac{y^2}{16}=1$

(2) 구하는 타원의 방정식을 $\dfrac{x^2}{a^2}+\dfrac{y^2}{b^2}=1\,(b>a>0)$이라고 하면

$2b=14$에서 $b=7$

$b^2-a^2=5^2$에서 $a^2=7^2-5^2=24$

$\therefore \dfrac{x^2}{24}+\dfrac{y^2}{49}=1$

정답_ (1) $\dfrac{x^2}{25}+\dfrac{y^2}{16}=1$ (2) $\dfrac{x^2}{24}+\dfrac{y^2}{49}=1$

033

(1) 타원 $\dfrac{x^2}{64}+\dfrac{y^2}{16}=1$의 장축의 길이는 $2\times 8=16$

단축의 길이는 $2\times 4=8$

$\sqrt{64-16}=4\sqrt{3}$이므로 초점의 좌표는 $(4\sqrt{3},\,0),\,(-4\sqrt{3},\,0)$

따라서 타원 $\dfrac{x^2}{64}+\dfrac{y^2}{16}=1$의 그래프는 오른쪽 그림과 같다.

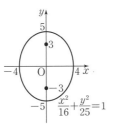

(2) 타원 $\dfrac{x^2}{16}+\dfrac{y^2}{25}=1$의 장축의 길이는 $2\times 5=10$

단축의 길이는 $2\times 4=8$

$\sqrt{25-16}=3$이므로 초점의 좌표는 $(0,\,3),\,(0,\,-3)$

따라서 타원 $\dfrac{x^2}{16}+\dfrac{y^2}{25}=1$의 그래프는 오른쪽 그림과 같다.

정답_ 풀이 참조

034

$\dfrac{x^2}{8}+\dfrac{y^2}{4}=1$에서 $\dfrac{x^2}{(2\sqrt{2})^2}+\dfrac{y^2}{2^2}=1$이므로 타원의

장축의 길이는 $a=2\times 2\sqrt{2}=4\sqrt{2}$

단축의 길이는 $b=2\times 2=4$

또, $\sqrt{(2\sqrt{2})^2-2^2}=\sqrt{8-4}=2$이므로 초점의 좌표는

$(\pm 2,\,0)$ $\therefore c=2\,(\because c>0)$

$\therefore a+b+c=4\sqrt{2}+4+2=6+4\sqrt{2}$

정답_ ⑤

035

타원 $4x^2+9y^2=36$, 즉 $\dfrac{x^2}{9}+\dfrac{y^2}{4}=1$의 초점의 좌표는

$(\sqrt{5},\,0),\,(-\sqrt{5},\,0)$

타원 $9x^2+4y^2=36$, 즉 $\dfrac{x^2}{4}+\dfrac{y^2}{9}=1$의 초점의 좌표는

$(0,\,\sqrt{5}),\,(0,\,-\sqrt{5})$

네 점 $(\sqrt{5},\,0),\,(-\sqrt{5},\,0),\,(0,\,\sqrt{5}),$ $(0,\,-\sqrt{5})$를 꼭짓점으로 하는 사각형은 오른쪽 그림과 같으므로 그 넓이는

$2\left(\dfrac{1}{2}\times 2\sqrt{5}\times \sqrt{5}\right)=10$

정답_ ④

036

타원 $\dfrac{x^2}{a^2}+\dfrac{y^2}{b^2}=1$은 y축 위의 두 초점 $\mathrm{F}(0,\,3)$과 $\mathrm{F}'(0,\,-3)$

에서의 거리의 합이 10이므로

$2b=10$ $\therefore b=5$

$\therefore a^2=b^2-3^2=5^2-3^2=16$

$\therefore a^2+b^2=16+25=41$

정답_ ③

037

$9x^2+4y^2=36$에서 $\dfrac{x^2}{4}+\dfrac{y^2}{9}=1$이므로 이 타원의 초점의 좌표는

$(0,\,\pm\sqrt{9-4}\,)$, 즉 $(0,\,\pm\sqrt{5}\,)$

타원 $\dfrac{x^2}{a^2}+\dfrac{y^2}{b^2}=1$의 초점의 좌표가 $(0,\,\pm\sqrt{5}\,)$이므로

$b^2-a^2=5$ $\therefore b^2=a^2+5$ ······ ㉠

또, 이 타원이 점 $(2,\,3)$을 지나므로

$\dfrac{4}{a^2}+\dfrac{9}{b^2}=1$ ······ ㉡

㉠을 ㉡에 대입하면

$\dfrac{4}{a^2}+\dfrac{9}{a^2+5}=1$

$4(a^2+5)+9a^2=a^2(a^2+5)$

$a^4-8a^2-20=0,\ (a^2-10)(a^2+2)=0$

$\therefore a^2=10\,(\because a^2>0)$

이것을 ㉠에 대입하면 $b^2=15$

$\therefore a^2b^2=150$

정답_ ④

038

타원 $\dfrac{x^2}{a^2}+\dfrac{y^2}{b^2}=1$의 두 초점이 모두 x축 위에 있고 원점과의

거리가 모두 $\sqrt{6}$이므로 두 초점의 좌표는

$(\sqrt{6},\,0),\,(-\sqrt{6},\,0)$

$a>b>0$이고, 장축의 길이가 8이므로

$2a=8$ $\therefore a=4$

따라서 $b^2=4^2-(\sqrt{6})^2=10$이므로

$b=\sqrt{10}\,(\because b>0)$

$\therefore ab=4\sqrt{10}$

정답_ ⑤

039

타원의 방정식을 $\dfrac{x^2}{a^2}+\dfrac{y^2}{b^2}=1\ (a>b>0)$이라고 하면 장축의

길이가 $2a$, 단축의 길이가 $2b$이므로

$2a-2b=4$　　$\therefore a-b=2$　　　　　　……㉠

초점의 좌표가 $(4,\ 0),\ (-4,\ 0)$이므로

$a^2-b^2=4^2$

$(a+b)(a-b)=16$

$\therefore a+b=8\ (\because ㉠)$　　　　　　……㉡

㉠, ㉡을 연립하여 풀면

$a=5, b=3$

따라서 구하는 타원의 장축의 길이는

$2a=10$　　　　　　　　　　　　　　정답_ ②

040

타원 $\dfrac{x^2}{a^2}+\dfrac{y^2}{b^2}=1\ (a>b>0)$에서

$\overline{OA}=a, \overline{OB}=b, \overline{OF}=c$

$c^2=a^2-b^2$　　　　　　　　　　　　……㉠

직각삼각형 OFB에서

$\overline{OF}=\dfrac{\overline{OB}}{\tan 60°}=\dfrac{b}{\sqrt{3}}$　　$\therefore c=\dfrac{b}{\sqrt{3}}$　　……㉡

㉡을 ㉠에 대입하면

$\left(\dfrac{b}{\sqrt{3}}\right)^2=a^2-b^2, \dfrac{b^2}{3}=a^2-b^2, a^2=\dfrac{4}{3}b^2$

$\therefore a=\dfrac{2b}{\sqrt{3}}\ (\because a>0, b>0)$

이때, 삼각형 AFB의 넓이가 $6\sqrt{3}$이므로

$\dfrac{1}{2}\times\overline{AF}\times\overline{OB}=6\sqrt{3}, \dfrac{1}{2}\times(a+c)\times b=6\sqrt{3}$

$\dfrac{1}{2}\times\left(\dfrac{2b}{\sqrt{3}}+\dfrac{b}{\sqrt{3}}\right)\times b=6\sqrt{3}, \dfrac{3b^2}{2\sqrt{3}}=6\sqrt{3}$　　$\therefore b^2=12$

$\therefore a^2=\dfrac{4}{3}b^2=16$

$\therefore a^2+b^2=16+12=28$　　　　　　정답_ ④

다른 풀이

직각삼각형 OFB에서 $\overline{OF}=c$이고

$\angle AFB=60°$이므로

$\overline{OB}=\sqrt{3}c, \overline{FB}=2c$

타원 $\dfrac{x^2}{a^2}+\dfrac{y^2}{b^2}=1\ (a>b>0)$에서

$\overline{OB}=b$이므로　$b=\sqrt{3}c$

한편, $c^2=a^2-b^2$이므로

$a^2=b^2+c^2=(\sqrt{3}c)^2+c^2=4c^2$

$\therefore a=2c\ (\because a>0)$

이때, 삼각형 AFB의 넓이가 $6\sqrt{3}$이므로

$\dfrac{1}{2}\times\overline{AF}\times\overline{OB}=6\sqrt{3}, \dfrac{1}{2}\times(2c+c)\times\sqrt{3}c=6\sqrt{3}$

$\dfrac{3\sqrt{3}}{2}c^2=6\sqrt{3}$　　$\therefore c^2=4$

$\therefore a^2+b^2=(2c)^2+(\sqrt{3}c)^2=7c^2=7\times 4=28$

041

타원의 방정식을 $\dfrac{x^2}{a^2}+\dfrac{y^2}{b^2}=1\ (a>b>0)$이라고 하면

$A(0,\ -b), F(\sqrt{a^2-b^2},\ 0)$

직선 $y=\dfrac{1}{3}x-1$의 y절편은 -1이므로

$b=1$

직선 $y=\dfrac{1}{3}x-1$의 x절편은 3이므로

$\sqrt{a^2-1^2}=3, a^2-1=9, a^2=10$

$\therefore a=\sqrt{10}\ (\because a>0)$

따라서 구하는 장축의 길이는 $2\sqrt{10}$이다.　　정답_ ④

다른 풀이

직선 $y=\dfrac{1}{3}x-1$이 x축, y축과 만나는 점은 각각

$F(3,\ 0), A(0,\ -1)$

따라서 타원의 다른 한 초점을 F'이라고 하면 $F'(-3,\ 0)$이므로

타원의 정의에 의해

(장축의 길이)$=\overline{AF}+\overline{AF'}=2\overline{AF}$

　　　　　　　$=2\sqrt{3^2+1^2}=2\sqrt{10}$

042

타원의 정의에 의해

$\overline{AF}+\overline{AF'}=2a=6+2=8$

$\therefore a=4$

초점의 좌표를 $F(c,\ 0), F'(-c,\ 0)\ (c>0)$으로 놓으면 직각삼

각형 $AF'F$에서 $\overline{FF'}^2=\overline{AF'}^2+\overline{AF}^2$이므로

$4c^2=6^2+2^2=40$　　$\therefore c^2=10$

$b^2=a^2-c^2=16-10=6$에서

$b=\sqrt{6}\ (\because b>0)$

따라서 구하는 단축의 길이는

$2b=2\sqrt{6}$　　　　　　　　　　　　　정답_ ③

043

$\triangle ABF$의 둘레의 길이는

$\overline{AB}+\overline{BF}+\overline{AF}=(\overline{AF'}+\overline{BF'})+(\overline{BF}+\overline{AF})$

　　　　　　　　　　$=(\overline{AF'}+\overline{AF})+(\overline{BF'}+\overline{BF})$

　　　　　　　　　　$=2\times 2a=12$

$\therefore a=3$

두 초점이 $F(2,\ 0), F'(-2,\ 0)$이므로

$b^2=3^2-2^2=5$

$\therefore a^2+b^2=9+5=14$　　　　　　　정답_ ④

044

오른쪽 그림과 같이 타원의 중심을 좌표
평면의 원점 O 위에 놓고 장축과 단축을
각각 x축, y축 위에 놓으면
$\overline{FF'}=8-2=6$
따라서 $\overline{OF}=3$이므로
$F(3, 0), F'(-3, 0)$
한편, $\overline{AB}=8+2=10$이므로
$A(5, 0), B(-5, 0)$
이때, 타원이 y축과 만나는 한 점을 $C(0, b)$ $(b>0)$라고 하면
$5^2-b^2=3^2, b^2=16$ $\therefore b=4$ $(\because b>0)$
따라서 구하는 단축의 길이는
$2b=2\times 4=8$

정답_ ⑤

045

타원의 방정식을 $\dfrac{x^2}{a^2}+\dfrac{y^2}{b^2}=1$ $(a>b>0)$이
라고 하면 장축의 길이가 $2a$이고, 장축이 원기
둥의 밑면인 원의 지름과 이루는 각의 크기가
$30°$이므로
$2a\cos 30°=6$ $\therefore a=2\sqrt{3}$
단축의 길이는 $2b$이므로
$2b=6$ $\therefore b=3$
$\sqrt{(2\sqrt{3})^2-3^2}=\sqrt{3}$이므로 구하는 두 초점 사이의 거리는 $2\sqrt{3}$이
다.
정답_ ①

046

(1) 타원 $\dfrac{(x-2)^2}{9}+\dfrac{(y+3)^2}{4}=1$은 타원 $\dfrac{x^2}{9}+\dfrac{y^2}{4}=1$을 x축

의 방향으로 2만큼, y축의 방향으로 -3만큼 평행이동한 것이
다.

이때, $\dfrac{x^2}{9}+\dfrac{y^2}{4}=1$에서 $\sqrt{9-4}=\sqrt{5}$이므로 이 타원의

초점의 좌표는 $(\sqrt{5}, 0), (-\sqrt{5}, 0)$

꼭짓점의 좌표는 $(3, 0), (-3, 0), (0, 2), (0, -2)$

따라서 구하는 타원의 초점의 좌표는

$(2+\sqrt{5}, -3), (2-\sqrt{5}, -3)$

꼭짓점의 좌표는

$(5, -3), (-1, -3), (2, -1), (2, -5)$

(2) $5(x+1)^2+4(y-1)^2=20$에서 $\dfrac{(x+1)^2}{4}+\dfrac{(y-1)^2}{5}=1$이

므로 타원 $5(x+1)^2+4(y-1)^2=20$은 타원 $\dfrac{x^2}{4}+\dfrac{y^2}{5}=1$을

x축의 방향으로 -1만큼, y축의 방향으로 1만큼 평행이동한

것이다.

이때, $\dfrac{x^2}{4}+\dfrac{y^2}{5}=1$에서 $\sqrt{5-4}=1$이므로 이 타원의

초점의 좌표는 $(0, 1), (0, -1)$

꼭짓점의 좌표는 $(2, 0), (-2, 0), (0, \sqrt{5}), (0, -\sqrt{5})$

따라서 구하는 타원의 초점의 좌표는

$(-1, 2), (-1, 0)$

꼭짓점의 좌표는

$(1, 1), (-3, 1), (-1, 1+\sqrt{5}), (-1, 1-\sqrt{5})$

정답_ 풀이 참조

047

타원 $\dfrac{(x-2)^2}{a}+\dfrac{(y-2)^2}{4}=1$은 타원 $\dfrac{x^2}{a}+\dfrac{y^2}{4}=1$을 x축의

방향으로 2만큼, y축의 방향으로 2만큼 평행이동한 것이다.

타원 $\dfrac{(x-2)^2}{a}+\dfrac{(y-2)^2}{4}=1$의 두 초점의 좌표가 $(6, b)$,

$(-2, b)$이므로 타원 $\dfrac{x^2}{a}+\dfrac{y^2}{4}=1$의 두 초점은 x축 위에 있다.

타원 $\dfrac{x^2}{a}+\dfrac{y^2}{4}=1$의 두 초점의 좌표는 $(-\sqrt{a-4}, 0)$,

$(\sqrt{a-4}, 0)$이므로 타원 $\dfrac{(x-2)^2}{a}+\dfrac{(y-2)^2}{4}=1$의 두 초점의

좌표는

$(-\sqrt{a-4}+2, 2), (\sqrt{a-4}+2, 2)$

즉, $-\sqrt{a-4}+2=-2, 2=b, \sqrt{a-4}+2=6$이므로

$a=20, b=2$ $\therefore ab=40$

정답_ ①

048

$3x^2+2y^2-6x-8y+5=0$에서
$3(x^2-2x+1)+2(y^2-4y+4)-6=0$
$\therefore 3(x-1)^2+2(y-2)^2=6$
따라서 주어진 타원 $3(x-1)^2+2(y-2)^2=6$을 x축의 방향으
로 -1만큼, y축의 방향으로 -2만큼 평행이동하면
$3x^2+2y^2=6$과 일치하므로
$m=1, n=-2, k=6$
$\therefore m^2+n^2+k^2=1+4+36=41$

정답_ ④

049

$x^2+2y^2+2x-16y+25=0$에서
$(x^2+2x+1)+2(y^2-8y+16)=8$
$(x+1)^2+2(y-4)^2=8$ $\therefore \dfrac{(x+1)^2}{8}+\dfrac{(y-4)^2}{4}=1$

즉, 주어진 타원은 타원 $\dfrac{x^2}{8}+\dfrac{y^2}{4}=1$을 x축의 방향으로 -1만

큼, y축의 방향으로 4만큼 평행이동한 것이다.

타원 $\dfrac{x^2}{8}+\dfrac{y^2}{4}=1$의

두 초점의 좌표가

$(2,0),(-2,0)$이므

로 주어진 타원의 두

초점의 좌표가

$(1,4),(-3,4)$이다.

따라서 $\overline{FF'}=4$이므로 삼각형 OFF'의 넓이는

$\dfrac{1}{2}\times 4\times 4=8$

정답_①

050

타원 $x^2+3y^2+2x-12y+7=0$에서

$(x+1)^2+3(y-2)^2=6$ $\quad\therefore\ \dfrac{(x+1)^2}{6}+\dfrac{(y-2)^2}{2}=1$

타원 $\dfrac{(x+1)^2}{6}+\dfrac{(y-2)^2}{2}=1$은 타원 $\dfrac{x^2}{6}+\dfrac{y^2}{2}=1$을 x축의

방향으로 -1만큼, y축의 방향으로 2만큼 평행이동한 것이므로

타원 $\dfrac{(x+1)^2}{6}+\dfrac{(y-2)^2}{2}=1$의 초점은 타원 $\dfrac{x^2}{6}+\dfrac{y^2}{2}=1$의

초점 $(2,0),(-2,0)$을 x축의 방향으로 -1만큼, y축의 방향으

로 2만큼 평행이동한 점 $(1,2),(-3,2)$이다.

따라서 x좌표가 음수인 초점 F의 좌표는 $(-3,2)$이고 점 F와

직선 $3x+4y-5=0$ 사이의 거리는

$\dfrac{|3\times(-3)+4\times 2-5|}{\sqrt{3^2+4^2}}=\dfrac{6}{5}$

정답_⑤

051

타원의 정의에 의해 $\overline{PF}+\overline{PF'}=2\times 5=10$

이때, $\overline{PF}:\overline{PF'}=1:4$이므로

$\overline{PF}=10\times\dfrac{1}{1+4}=2$

$\dfrac{x^2}{25}+\dfrac{y^2}{9}=1$에서 $\sqrt{25-9}=4$이므로 주어진 타원의 두 초점

의 좌표는 $(4,0),(-4,0)$ $\quad\therefore\ \overline{FF'}=8$

$\therefore\ \overline{PF}\times\overline{FF'}=2\times 8=16$

정답_①

052

$\dfrac{x^2}{100}+\dfrac{y^2}{36}=1$에서 $\sqrt{100-36}=8$이므로 주어진 타원의 두 초

점의 좌표를 $F(8,0),F'(-8,0)$이라고 하자.

오른쪽 그림에서 $\overline{PF'}$은 원의 반지

름이므로 $\overline{PF'}=3$

타원의 정의에 의해

$\overline{PF'}+\overline{PF}=20$

$3+\overline{PF}=20,\ \overline{PF}=17$

$\therefore\ |\overline{PF}-\overline{PF'}|=14$

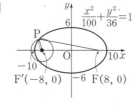

정답_②

053

오른쪽 그림과 같이 $\overline{FP}$의 중점을 H

라고 하면 삼각형 OFP는 한 변의 길

이가 6인 정삼각형이므로 $\overline{OH}$는 $\overline{FP}$

와 수직이고

$\overline{OH}=\dfrac{\sqrt{3}}{2}\times 6=3\sqrt{3}$

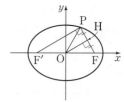

삼각형 $F'FP$에서 $\overline{FO}=\overline{OF'},\ \overline{FH}=\overline{HP}$이므로

$\overline{OH}=\dfrac{1}{2}\overline{F'P}$

$\therefore\ \overline{F'P}=2\overline{OH}=2\times 3\sqrt{3}=6\sqrt{3}$

$\therefore\ \overline{FP}+\overline{F'P}=6+6\sqrt{3}$

따라서 구하는 타원의 장축의 길이는 $6+6\sqrt{3}$

정답_⑤

054

$\dfrac{x^2}{25}+\dfrac{y^2}{9}=1$에서 $\sqrt{25-9}=4$이므로 주어진 타원의 두 초점의

좌표는 $F(4,0),F'(-4,0)$

타원의 정의에 의해

$\overline{PF}+\overline{PF'}=2\times 5=10$ ······ ㉠

오른쪽 그림에서 $\overline{OP}=\overline{OF}=\overline{OF'}$

이므로 세 점 P,F,F'은 중심이 원

점이고 반지름의 길이가 4인 원 위

의 점이다.

따라서 삼각형 $PF'F$는

$\angle F'PF=90°$인 직각삼각형이므로

$\overline{PF}^2+\overline{PF'}^2=\overline{FF'}^2=8^2=64$ ······ ㉡

$(\overline{PF}+\overline{PF'})^2=\overline{PF}^2+\overline{PF'}^2+2\overline{PF}\times\overline{PF'}$이므로

$100=64+2\overline{PF}\times\overline{PF'}$ ($\because$ ㉠, ㉡)

$\therefore\ \overline{PF}\times\overline{PF'}=18$

정답_②

055

$\overline{F'Q}+\overline{FQ}=7,\ \overline{FQ}=3$이므로

$\overline{F'Q}=4$

$\overline{FQ}=3,\overline{F'Q}=4,\overline{FF'}=5$이므로 삼각형 FQF'은

$\angle FQF'=90°$인 직각삼각형이다.

$\overline{F'P}+\overline{FP}=8,\overline{F'Q}=4$이므로

$\overline{PQ}+\overline{FP}=4$

$(\overline{F'Q}+\overline{PQ})+\overline{FP}=8$에서

$\overline{FP}=x$라고 하면

$\overline{PQ}=4-x$

직각삼각형 FPQ에서 $\overline{PF}^2=\overline{PQ}^2+\overline{QF}^2$

$x^2=(4-x)^2+3^2,\ 8x=25$ $\quad\therefore\ x=\dfrac{25}{8}$

따라서 선분 FP의 길이는 $\dfrac{25}{8}$이다.

정답_①

056

타원 $\dfrac{x^2}{36}+\dfrac{y^2}{27}=1$은 두 초점이 $F(-3, 0)$, $G(3, 0)$이고, 두 초점으로부터의 거리의 합이 12인 타원이므로

$\overline{A_1F}+\overline{A_1G}=12$, $\overline{A_2F}+\overline{A_2G}=12$, $\overline{A_3F}+\overline{A_3G}=12$,

$\overline{A_4F}+\overline{A_4G}=12$, $\overline{A_5F}+\overline{A_5G}=12$

$\therefore (\overline{A_1F}+\overline{A_2F}+\cdots+\overline{A_5F})+(\overline{A_1G}+\overline{A_2G}+\cdots+\overline{A_5G})$
$\qquad =5\times12=60$

$\overline{A_1F}+\overline{A_2F}+\cdots+\overline{A_5F}=40$이므로

$\overline{A_1G}+\overline{A_2G}+\cdots+\overline{A_5G}=20$

정답_ ①

057

$\dfrac{x^2}{4}+\dfrac{y^2}{3}=1$에서 $\sqrt{4-3}=1$이므로 주어진 타원의 두 초점의

좌표는 $F(1, 0)$, $F'(-1, 0)$

점 $A(0, \sqrt{3})$이므로

$\overline{AF}=\overline{AF'}=\overline{FF'}=2$

즉, 삼각형 $AF'F$는 정삼각형이고 $\overline{AB}$와 $\overline{AC}$는 y축에 대하여 대칭이므로 삼각형 ABC는 정삼각형이다.

직선 AF'의 방정식은

$y=\sqrt{3}x+\sqrt{3}$ ...... ㉠

㉠을 $\dfrac{x^2}{4}+\dfrac{y^2}{3}=1$에 대입하면

$\dfrac{x^2}{4}+x^2+2x+1=1$, $5x^2+8x=0$

$x(5x+8)=0$ $\quad \therefore x=0$ 또는 $x=-\dfrac{8}{5}$

따라서 점 B의 좌표는 $\left(-\dfrac{8}{5}, -\dfrac{3\sqrt{3}}{5}\right)$이므로

$\overline{AB}=\sqrt{\left(\dfrac{8}{5}\right)^2+\left(\sqrt{3}+\dfrac{3\sqrt{3}}{5}\right)^2}=\dfrac{16}{5}$

$\therefore \triangle ABC=\dfrac{\sqrt{3}}{4}\times\overline{AB}^2=\dfrac{\sqrt{3}}{4}\times\dfrac{256}{25}=\dfrac{64\sqrt{3}}{25}$

정답_ ④

058

$4x^2+9y^2=36$에서 $\dfrac{x^2}{9}+\dfrac{y^2}{4}=1$이므로 타원의 정의에 의해

$\overline{PF}+\overline{PF'}=2\times3=6$

이때, $\overline{PF}=a$, $\overline{PF'}=b$라고 하면

$a+b=6$

$\therefore \overline{PF}^2+\overline{PF'}^2=a^2+b^2=(a+b)^2-2ab$
$\qquad\qquad\qquad =36-2ab$

한편, $a>0$, $b>0$이므로 산술평균과 기하평균의 관계에 의해

$\dfrac{a+b}{2}\geq\sqrt{ab}$ (단, 등호는 $a=b$일 때 성립한다.)

$\dfrac{6}{2}\geq\sqrt{ab}$ $(\because a+b=6)$

$\therefore ab\leq9$

$\therefore \overline{PF}^2+\overline{PF'}^2=36-2ab\geq36-2\times9=18$

따라서 $\overline{PF}^2+\overline{PF'}^2$의 최솟값은 18이다.

정답_ ②

059

$\overline{PF}=a$, $\overline{PF'}=b$라고 하면 타원의 장축의 길이가 10이므로 타원의 정의에 의해

$a+b=10$ ...... ㉠

$\overline{PQ}$와 x축의 교점을 C라고 하면

$\overline{PC}=\dfrac{1}{2}\overline{PQ}=\dfrac{1}{2}\times2\sqrt{10}=\sqrt{10}$

점 F'을 지나고 x축에 수직인 직선을 l이라고 하면 직선 l은 포물선의 준선이므로 점 P에서 준선 l에 내린 수선의 발을 H라고 하면 포물선의 정의에 의해

$\overline{PH}=\overline{PF}=a$ $\quad \therefore \overline{CF'}=\overline{PH}=a$

직각삼각형 $PF'C$에서 피타고라스 정리에 의해

$b^2=a^2+(\sqrt{10})^2=a^2+10$ ...... ㉡

㉠, ㉡을 연립하여 풀면

$a=\dfrac{9}{2}$, $b=\dfrac{11}{2}$

$\therefore \overline{PF}\times\overline{PF'}=\dfrac{9}{2}\times\dfrac{11}{2}=\dfrac{99}{4}$

따라서 $p=4$, $q=99$이므로

$p+q=103$

정답_ 103

060

(1) 구하는 쌍곡선의 방정식을 $\dfrac{x^2}{a^2}-\dfrac{y^2}{b^2}=1$ $(a>0, b>0)$이라고 하면 두 초점으로부터의 거리의 차가 2이므로

$2a=2$ $\quad \therefore a=1$

또, 한 초점의 x좌표가 2이므로

$a^2+b^2=2^2$ $\quad \therefore b^2=2^2-1^2=3$

따라서 구하는 쌍곡선의 방정식은

$x^2-\dfrac{y^2}{3}=1$

(2) 구하는 쌍곡선의 방정식을 $\dfrac{x^2}{a^2}-\dfrac{y^2}{b^2}=-1$ $(a>0, b>0)$이라고 하면 두 초점으로부터의 거리의 차가 8이므로

$2b=8$ $\quad \therefore b=4$

또, 한 초점의 y좌표가 5이므로

$a^2+b^2=5^2$ $\quad \therefore a^2=5^2-4^2=9$

따라서 구하는 쌍곡선의 방정식은

$\dfrac{x^2}{9}-\dfrac{y^2}{16}=-1$

정답_ (1) $x^2-\dfrac{y^2}{3}=1$ (2) $\dfrac{x^2}{9}-\dfrac{y^2}{16}=-1$

061

(1) 쌍곡선 $\dfrac{x^2}{36}-\dfrac{y^2}{64}=1$의 꼭짓점의 좌표는 $(6,0),(-6,0)$

주축의 길이는 $2\times6=12$

$\sqrt{36+64}=10$이므로 초점의 좌표는 $(10,0),(-10,0)$

점근선의 방정식은 $y=\pm\dfrac{4}{3}x$

따라서 쌍곡선 $\dfrac{x^2}{36}-\dfrac{y^2}{64}=1$의 그래프는 오른쪽 그림과 같다.

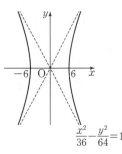

(2) 쌍곡선 $\dfrac{x^2}{9}-\dfrac{y^2}{16}=-1$의 꼭짓점의 좌표는 $(0,4),(0,-4)$

주축의 길이는 $2\times4=8$

$\sqrt{9+16}=5$이므로 초점의 좌표는 $(0,5),(0,-5)$

점근선의 방정식은 $y=\pm\dfrac{4}{3}x$

따라서 쌍곡선 $\dfrac{x^2}{9}-\dfrac{y^2}{16}=-1$의 그래프는 오른쪽 그림과 같다.

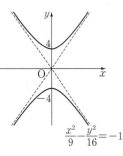

정답_ 풀이 참조

062

$\dfrac{x^2}{16}-\dfrac{y^2}{9}=1$에서 $\sqrt{16+9}=5$이므로 주어진 쌍곡선의

두 초점의 좌표는 $(5,0),(-5,0)$

주축의 길이는 $2\times4=8$

$\therefore x_1-x_2+l=5-(-5)+8=18$

정답_ 18

063

$\dfrac{x^2}{a^2}-\dfrac{y^2}{b^2}=1\ (a>0,b>0)$에서 주어진 쌍곡선의 한 초점의

x좌표가 3이므로

$\sqrt{a^2+b^2}=3$ $\therefore a^2+b^2=9$ ······ ㉠

점근선의 방정식이 $y=\pm\dfrac{\sqrt3}{3}x$이므로

$\dfrac{b}{a}=\dfrac{\sqrt3}{3}$ $\therefore b=\dfrac{\sqrt3}{3}a$ ······ ㉡

㉠, ㉡을 연립하여 풀면

$a=\dfrac{3\sqrt3}{2},b=\dfrac{3}{2}\ (\because a>0,b>0)$

$\therefore ab=\dfrac{9\sqrt3}{4}$

정답_ ⑤

064

쌍곡선 $\dfrac{x^2}{a^2}-\dfrac{y^2}{9}=1$의 두 꼭짓점의 좌표는

$(a,0),(-a,0)$

따라서 타원 $\dfrac{x^2}{13}+\dfrac{y^2}{b^2}=1$의 두 초점의 좌표가 $(a,0)$, $(-a,0)$이므로

$13-b^2=a^2$ $\therefore a^2+b^2=13$

정답_ ④

065

쌍곡선의 방정식이 $\dfrac{x^2}{a^2}-\dfrac{y^2}{b^2}=-1$이므로 두 꼭짓점은 y축 위에 있고, 주축의 길이가 $2\sqrt6$이므로

$2b=2\sqrt6$ $\therefore b=\sqrt6$

두 초점 사이의 거리가 $2\sqrt{13}$이므로 두 초점의 좌표는

$(0,\sqrt{13}),(0,-\sqrt{13})$

$a^2+b^2=(\sqrt{13})^2$에서 $a^2=13-6=7$

$\therefore a^2b^2=7\times6=42$

정답_ ①

066

$\dfrac{x^2}{25}+\dfrac{y^2}{16}=1$에서 $\sqrt{5^2-4^2}=3$이므로 주어진 타원의 두 초점의

좌표는 $(3,0),(-3,0)$

쌍곡선의 방정식을 $\dfrac{x^2}{a^2}-\dfrac{y^2}{b^2}=1\ (a>0,b>0)$이라고 하면 초점의 좌표가 $(3,0),(-3,0)$이므로

$\sqrt{a^2+b^2}=3$ $\therefore a^2+b^2=9$ ······ ㉠

쌍곡선의 한 점근선의 방정식이 $y=2\sqrt2x$이므로

$\dfrac{b}{a}=2\sqrt2$ $\therefore b=2\sqrt2a$ ······ ㉡

㉡을 ㉠에 대입하면

$a^2+8a^2=9,9a^2=9$ $\therefore a=1\ (\because a>0)$

따라서 쌍곡선의 주축의 길이는 $2a=2$

정답_ ⑤

067

오른쪽 그림에서 주축의 길이가 8이므로 쌍곡선의 중심 O에서 쌍곡선의 꼭짓점 A까지의 거리는 $\overline{AO}=4$

두 점근선이 서로 수직이므로

$\angle OBA=\angle BOA=45°$

$\therefore \overline{BO}=4\sqrt2$

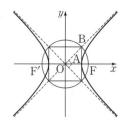

따라서 쌍곡선의 중심 O에서 초점 F까지의 거리는 $4\sqrt2$이므로

두 초점 사이의 거리는 $8\sqrt2$이다.

정답_ ⑤

068

두 점 $(0,\sqrt3),(0,-\sqrt3)$이 쌍곡선의 초점이므로 쌍곡선의 방정식을 $\dfrac{x^2}{a^2}-\dfrac{y^2}{b^2}=-1\ (a>0,b>0)$이라고 하자.

이때, $a^2+b^2=(\sqrt{3})^2=3$이므로

$b^2=3-a^2$ ...... ㉠

쌍곡선 $\dfrac{x^2}{a^2}-\dfrac{y^2}{b^2}=-1$이 점 $(3, 2\sqrt{5})$를 지나므로

$\dfrac{9}{a^2}-\dfrac{20}{b^2}=-1$ $\therefore 9b^2-20a^2=-a^2b^2$ ...... ㉡

㉠을 ㉡에 대입하면

$9(3-a^2)-20a^2=-a^2(3-a^2)$, $a^4+26a^2-27=0$

$(a^2+27)(a^2-1)=0$ $\therefore a^2=1 \; (\because a^2>0)$

이것을 ㉠에 대입하면 $b^2=2$

따라서 주어진 쌍곡선의 방정식은 $x^2-\dfrac{y^2}{2}=-1$이므로 주축의

길이는 $2\times\sqrt{2}=2\sqrt{2}$ 정답_ ⑤

069

쌍곡선 $x^2-3y^2=9$에서 $\dfrac{x^2}{9}-\dfrac{y^2}{3}=1$

따라서 주어진 쌍곡선의 점근선의 방정식은

$y=\pm\dfrac{\sqrt{3}}{3}x$

점근선 $y=\dfrac{\sqrt{3}}{3}x$가 x축의 양의 방향과

이루는 예각의 크기를 $a°$라고 하면

$\tan a°=\dfrac{\sqrt{3}}{3}$ $\therefore a=30$

따라서 두 점근선이 이루는 예각의 크기
는 $60°$이므로 $\theta=60$

$\therefore \cos\theta°=\cos 60°=\dfrac{1}{2}$ 정답_ ③

070

쌍곡선 $\dfrac{x^2}{a^2}-\dfrac{y^2}{b^2}=-1$의 두 점근선의 방정식은 $y=\pm\dfrac{b}{a}x$

두 점근선이 서로 수직이므로

$\dfrac{b}{a}\times\left(-\dfrac{b}{a}\right)=-1$ $\therefore a^2=b^2$

또, 쌍곡선 $\dfrac{x^2}{a^2}-\dfrac{y^2}{a^2}=-1$이 점 $(2, 4)$를 지나므로

$\dfrac{4}{a^2}-\dfrac{16}{a^2}=-1$ $\therefore a^2=12$

$\therefore a^2+b^2=2a^2=2\times 12=24$ 정답_ ③

071

원 $x^2+y^2=8$과 쌍곡선 $\dfrac{x^2}{a^2}-\dfrac{y^2}{b^2}=1$이 만나는 서로 다른 네

점이 원의 둘레를 4등분하므로 쌍곡선은 점 $(2, 2)$를 지난다.

$\therefore \dfrac{4}{a^2}-\dfrac{4}{b^2}=1$ ...... ㉠

한편, 쌍곡선의 한 점근선의 방정식이 $y=\sqrt{2}x$이므로

$\pm\dfrac{b}{a}=\pm\sqrt{2}$ $\therefore b^2=2a^2$ ...... ㉡

㉠, ㉡을 연립하여 풀면 $a^2=2, b^2=4$

$\therefore a^2+b^2=6$ 정답_ ③

보충 설명

쌍곡선 $\dfrac{x^2}{a^2}-\dfrac{y^2}{b^2}=1$은 y축에 대하여 대칭이고 원 $x^2+y^2=8$과

쌍곡선 $\dfrac{x^2}{a^2}-\dfrac{y^2}{b^2}=1$이 만나는 서로 다른 네 점이 원의 둘레를

4등분하므로 쌍곡선은 원 $x^2+y^2=8$과 직선 $y=x, y=-x$가 만
나는 네 점 $(2, 2), (2, -2), (-2, 2), (-2, -2)$를 지난다.

072

(1) 쌍곡선 $\dfrac{(x-2)^2}{4}-\dfrac{(y+3)^2}{9}=1$은 쌍곡선 $\dfrac{x^2}{4}-\dfrac{y^2}{9}=1$을

x축의 방향으로 2만큼, y축의 방향으로 -3만큼 평행이동한
것이다.

이때, $\dfrac{x^2}{4}-\dfrac{y^2}{9}=1$에서 $\sqrt{4+9}=\sqrt{13}$이므로 이 쌍곡선의

초점의 좌표는 $(\sqrt{13}, 0), (-\sqrt{13}, 0)$

꼭짓점의 좌표는 $(2, 0), (-2, 0)$

따라서 구하는 쌍곡선의 초점의 좌표는

$(2+\sqrt{13}, -3), (2-\sqrt{13}, -3)$

꼭짓점의 좌표는 $(4, -3), (0, -3)$

(2) 쌍곡선 $(x+1)^2-4y^2=-16$에서 $\dfrac{(x+1)^2}{16}-\dfrac{y^2}{4}=-1$이

므로 쌍곡선 $(x+1)^2-4y^2=-16$은 $\dfrac{x^2}{16}-\dfrac{y^2}{4}=-1$을 x축

의 방향으로 -1만큼 평행이동한 것이다.

이때, $\dfrac{x^2}{16}-\dfrac{y^2}{4}=-1$에서 $\sqrt{16+4}=2\sqrt{5}$이므로 이 쌍곡선의

초점의 좌표는 $(0, 2\sqrt{5}), (0, -2\sqrt{5})$

꼭짓점의 좌표는 $(0, 2), (0, -2)$

따라서 구하는 쌍곡선의 초점의 좌표는

$(-1, 2\sqrt{5}), (-1, -2\sqrt{5})$

꼭짓점의 좌표는 $(-1, 2), (-1, -2)$ 정답_ 풀이 참조

073

$x^2-4y^2-2x+8y-7=0$에서

$(x^2-2x+1)-4(y^2-2y+1)=4$

$(x-1)^2-4(y-1)^2=4$ $\therefore \dfrac{(x-1)^2}{4}-(y-1)^2=1$

따라서 쌍곡선 $x^2-4y^2-2x+8y-7=0$은 쌍곡선

$\dfrac{x^2}{4}-y^2=1$을 x축의 방향으로 1만큼, y축의 방향으로 1만큼 평
행이동한 것이다.

이때, 쌍곡선 $\dfrac{x^2}{4}-y^2=1$의 중심의 좌표는 $(0,\ 0)$, 초점의 좌표

는 $(\pm\sqrt{5},\ 0)$, 점근선의 방정식은 $y=\pm\dfrac{1}{2}x$이므로 쌍곡선

$\dfrac{(x-1)^2}{4}-(y-1)^2=1$에 대하여

(1) 중심의 좌표는 $(1,\ 1)$

(2) 초점의 좌표는 $(1\pm\sqrt{5},\ 1)$

(3) 점근선의 방정식은 $y-1=\pm\dfrac{1}{2}(x-1)$

$\therefore y=\dfrac{1}{2}x+\dfrac{1}{2},\ y=-\dfrac{1}{2}x+\dfrac{3}{2}$

정답_ (1) $(1,\ 1)$ (2) $(1\pm\sqrt{5},\ 1)$

(3) $y=\dfrac{1}{2}x+\dfrac{1}{2},\ y=-\dfrac{1}{2}x+\dfrac{3}{2}$

074

$25x^2-4y^2-100x=0$에서

$25(x^2-4x+4)-4y^2=100$

$25(x-2)^2-4y^2=100$

$\therefore \dfrac{(x-2)^2}{4}-\dfrac{y^2}{25}=1$

따라서 쌍곡선 $25x^2-4y^2-100x=0$은 쌍곡선 $\dfrac{x^2}{4}-\dfrac{y^2}{25}=1$

을 x축의 방향으로 2만큼 평행이동한 것이다.

이때, $\dfrac{x^2}{4}-\dfrac{y^2}{25}=1$에서 $\sqrt{4+25}=\sqrt{29}$이므로 이 쌍곡선의 두

초점의 좌표는 $(\sqrt{29},\ 0),\ (-\sqrt{29},\ 0)$

따라서 주어진 쌍곡선의 두 초점의 좌표는

$(2+\sqrt{29},\ 0),\ (2-\sqrt{29},\ 0)$

이므로 구하는 두 초점 사이의 거리는

$|(2+\sqrt{29})-(2-\sqrt{29})|=2\sqrt{29}$ 정답_ ⑤

다른 풀이

평행이동을 하여도 두 초점 사이의 거리는 변하지 않으므로 평행

이동하기 전의 쌍곡선 $\dfrac{x^2}{4}-\dfrac{y^2}{25}=1$의 두 초점 $(\sqrt{29},\ 0)$,

$(-\sqrt{29},\ 0)$ 사이의 거리를 구해도 결과는 $2\sqrt{29}$로 같다.

075

쌍곡선 $\dfrac{(x-1)^2}{k^2}-\dfrac{(y-2)^2}{25}=-1$은 쌍곡선 $\dfrac{x^2}{k^2}-\dfrac{y^2}{25}=-1$

을 x축의 방향으로 1만큼, y축의 방향으로 2만큼 평행이동한 것

이다.

$\dfrac{x^2}{k^2}-\dfrac{y^2}{25}=-1$에서 두 초점 사이의 거리가 $10\sqrt{2}$이므로

$2\sqrt{k^2+25}=10\sqrt{2},\ 4(k^2+25)=200$ $\therefore k^2=25$

$\therefore \dfrac{x^2}{25}-\dfrac{y^2}{25}=-1$

쌍곡선 $\dfrac{x^2}{25}-\dfrac{y^2}{25}=-1$에서 두 점근선의 방정식은 $y=\pm x$이므로

쌍곡선 $\dfrac{(x-1)^2}{25}-\dfrac{(y-2)^2}{25}=-1$의 두 점근선의 방정식은

$y-2=\pm(x-1)$ $\therefore y=x+1,\ y=-x+3$

따라서 기울기가 양수인 점근선의 방정식은

$y=x+1$ 정답_ ①

076

$x^2-y^2+2y+a=0$에서

$x^2-(y^2-2y+1)+a+1=0$

$\therefore x^2-(y-1)^2=-a-1$

이것이 x축에 평행한 주축을 갖는 쌍곡선이 되려면

$-a-1>0$ $\therefore a<-1$ 정답_ ①

077

$4x^2-9y^2-8x-36y-68=0$에서

$4(x^2-2x+1)-9(y^2+4y+4)=36$

$4(x-1)^2-9(y+2)^2=36$

$\therefore \dfrac{(x-1)^2}{9}-\dfrac{(y+2)^2}{4}=1$ …… ㉠

쌍곡선 ㉠은 쌍곡선 $\dfrac{x^2}{9}-\dfrac{y^2}{4}=1$을 x축의 방향으로 1만큼, y

축의 방향으로 -2만큼 평행이동한 것이다.

따라서 쌍곡선 ㉠의 점근선은 쌍곡선 $\dfrac{x^2}{9}-\dfrac{y^2}{4}=1$의 점근선

$y=\pm\dfrac{2}{3}x$를 x축의 방향으로 1만큼, y축의 방향으로 -2만큼 평

행이동한 것이므로 $y+2=\pm\dfrac{2}{3}(x-1)$

$\therefore y=\dfrac{2}{3}x-\dfrac{8}{3},\ y=-\dfrac{2}{3}x-\dfrac{4}{3}$

오른쪽 그림과 같이 두 점근선이 y

축과 만나는 점은 각각 $\left(0,\ -\dfrac{8}{3}\right)$,

$\left(0,\ -\dfrac{4}{3}\right)$이고, 두 점근선의 교점은

$(1,\ -2)$이므로 구하는 넓이는

$\dfrac{1}{2}\times\dfrac{4}{3}\times1=\dfrac{2}{3}$ 정답_ ②

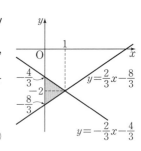

078

$3x^2-y^2+6y=0$에서

$3x^2-(y^2-6y+9)=-9$

$3x^2-(y-3)^2=-9$

$\therefore \dfrac{x^2}{3}-\dfrac{(y-3)^2}{9}=-1$

이 쌍곡선의 점근선의 방정식은

$y-3=\pm\sqrt{3}x$ $\therefore y=\pm\sqrt{3}x+3$

따라서 점 $(0, 3)$을 지나고 기울기가 m인 직선이 쌍곡선과 만나지 않아야 하므로
$$-\sqrt{3} \le m \le \sqrt{3}$$
정답_ $-\sqrt{3} \le m \le \sqrt{3}$

다른 풀이

점 $(0, 3)$을 지나고 기울기가 m인 직선의 방정식은
$$y-3=m(x-0) \qquad \therefore y=mx+3$$
이 식을 주어진 쌍곡선의 방정식에 대입하면
$$3x^2-(mx+3)^2+6(mx+3)=0$$
$$(3-m^2)x^2+9=0 \qquad \cdots\cdots \text{㉠}$$
x에 대한 방정식 ㉠이 실근을 갖지 않으면 직선과 쌍곡선이 만나지 않는다.

(i) $3-m^2=0$일 때, 즉 $m=\pm\sqrt{3}$일 때 ㉠의 실근은 존재하지 않는다.

(ii) $3-m^2 \ne 0$일 때, 방정식 ㉠의 판별식 D에 대하여
$$D=-4 \times (3-m^2) \times 9 < 0, \; m^2-3 < 0$$
$$\therefore -\sqrt{3} < m < \sqrt{3}$$

(i), (ii)에서 $-\sqrt{3} \le m \le \sqrt{3}$

079

$\overline{PF}=\overline{PA}$, $\overline{AF'}=8$이므로
$$\overline{AF'}=\overline{PF'}-\overline{PA}=\overline{PF'}-\overline{PF}=8$$
따라서 쌍곡선 위의 점 P에서 두 초점 F, F'에 이르는 거리의 차가 8이므로 $2a=8, a=4$ $\quad \therefore a^2=16$

즉, 주어진 쌍곡선의 방정식은 $\dfrac{x^2}{16}-\dfrac{y^2}{12}=1$
$$\therefore c^2=16+12=28$$
정답_ ⑤

080

쌍곡선의 주축의 길이가 3이므로 쌍곡선의 정의에 의해
$$\overline{PF'}-\overline{PF}=3$$
그런데 $\overline{PF'}=4\overline{PF}$이므로
$$4\overline{PF}-\overline{PF}=3, \; 3\overline{PF}=3$$
$$\therefore \overline{PF}=1$$
정답_ ①

081

쌍곡선 $8x^2-y^2=8$, 즉 $x^2-\dfrac{y^2}{8}=1$에서
$\sqrt{1+8}=3$이므로 두 초점의 좌표는 $(3, 0), (-3, 0)$
$$\therefore \overline{FF'}=6$$
쌍곡선의 정의에 의해
$$|\overline{PF}-\overline{PF'}|=2 \times 1=2 \qquad \cdots\cdots \text{㉠}$$
$$\overline{PF} : \overline{PF'}=2 : 1에서 \overline{PF}=2\overline{PF'} \qquad \cdots\cdots \text{㉡}$$
㉠, ㉡에서 $\overline{PF}=4, \overline{PF'}=2$
따라서 삼각형 PFF'의 둘레의 길이는
$$\overline{PF}+\overline{FF'}+\overline{F'P}=4+6+2=12$$
정답_ ③

082

$\dfrac{x^2}{9}-\dfrac{y^2}{16}=1$에서 $\sqrt{9+16}=5$이므로
$F(5, 0), F'(-5, 0)$ $\quad \therefore \overline{FF'}=10$
이것을 $2\overline{FF'}=\overline{PF}+\overline{PF'}$에 대입하면
$$\overline{PF}+\overline{PF'}=20 \qquad \cdots\cdots \text{㉠}$$
점 P는 제1사분면 위의 점이므로 $\overline{PF'} > \overline{PF}$이고, 쌍곡선의 정의에 의해 $\overline{PF'}-\overline{PF}$는 주축의 길이와 같다.
$$\therefore \overline{PF'}-\overline{PF}=2 \times 3=6 \qquad \cdots\cdots \text{㉡}$$
㉠-㉡을 하면
$$2\overline{PF}=14 \qquad \therefore \overline{PF}=7$$
정답_ 7

083

$5x^2-4y^2=20$, 즉 $\dfrac{x^2}{4}-\dfrac{y^2}{5}=1$에서 $\sqrt{4+5}=3$이므로 쌍곡선의 초점의 좌표는 $B(-3, 0), C(3, 0)$

쌍곡선의 정의에 의해
$$\overline{AB}-\overline{AC}=(주축의 길이)$$
$$=2 \times 2=4$$
이때, $\overline{AC}$는 원 $(x-3)^2+y^2=4$의 반지름이므로
$$\overline{AC}=2$$
$$\therefore \overline{AB}=4+\overline{AC}=4+2=6$$

정답_ ④

084

쌍곡선 $\dfrac{x^2}{16}-\dfrac{y^2}{9}=1$의 주축의 길이는 $2 \times 4=8$
$\overline{PF'}-\overline{PF}=8, \overline{QF}-\overline{QF'}=8$이므로 두 식을 변끼리 더하면
$$(\overline{PF'}-\overline{QF'})+(\overline{QF}-\overline{PF})=16$$
이때, $\overline{PF'}-\overline{QF'}=1$이므로
$$1+(\overline{QF}-\overline{PF})=16$$
$$\therefore \overline{QF}-\overline{PF}=16-1=15$$
정답_ ③

085

쌍곡선 $\dfrac{x^2}{9}-\dfrac{y^2}{4}=1$ 위의 점은 두 초점으로부터의 거리의 차가 $2 \times 3=6$이므로
$$\overline{F'A}-\overline{FA}=6, \overline{F'B}-\overline{FB}=6$$
두 식을 변끼리 더하면
$$(\overline{F'A}-\overline{FA})+(\overline{F'B}-\overline{FB})=12$$
$$\therefore (\overline{F'A}+\overline{F'B})-(\overline{FA}+\overline{FB})=12$$
이때, $\overline{AB}=\overline{FA}+\overline{FB}=10$이므로
$$\overline{F'A}+\overline{F'B}=22$$
따라서 삼각형 AF'B의 둘레의 길이는
$$\overline{F'A}+\overline{F'B}+\overline{FA}+\overline{FB}=22+10=32$$
정답_ ④

086

$\dfrac{x^2}{4}-\dfrac{y^2}{21}=1$에서

$\sqrt{4+21}=5$이므로

$F(5,0),F'(-5,0)$

$\therefore \overline{FF'}=10$

$\overline{PF}=a,\overline{PF'}=b\ (a>b>0)$

로 놓으면 주축의 길이가 $2\times 2=4$이므로 $a-b=4$

또, 삼각형 $PF'F$는 $\angle FPF'=90°$인 직각삼각형이고, $\overline{FF'}=10$

이므로 피타고라스 정리에 의해

$a^2+b^2=10^2$

$a^2+b^2=(a-b)^2+2ab$이므로

$10^2=4^2+2ab$ $\therefore ab=42$

$\therefore \triangle PF'F=\dfrac{1}{2}ab=21$

정답_ ②

087

쌍곡선 $\dfrac{4x^2}{9}-\dfrac{y^2}{40}=1$, 즉 $\dfrac{x^2}{\frac{9}{4}}-\dfrac{y^2}{40}=1$에서

$\sqrt{\dfrac{9}{4}+40}=\sqrt{\dfrac{169}{4}}=\dfrac{13}{2}$이므로

$F\left(\dfrac{13}{2},0\right),F'\left(-\dfrac{13}{2},0\right)$

쌍곡선의 꼭짓점의 좌표가 $\left(\dfrac{3}{2},0\right),\left(-\dfrac{3}{2},0\right)$이므로 원 C는 쌍

곡선과 점 $\left(\dfrac{3}{2},0\right)$에서 접한다.

따라서 원 C는 점 $F\left(\dfrac{13}{2},0\right)$을 중심으로 하고 반지름의 길이가

$\dfrac{13}{2}-\dfrac{3}{2}=5$인 원이다.

직각삼각형 PFQ에서

$\overline{PF}=\sqrt{12^2+5^2}=13$

쌍곡선의 정의에 의해

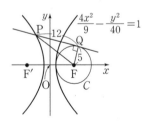

$\overline{PF}-\overline{PF'}=2\times\dfrac{3}{2}=3$이므로

$\overline{PF'}=\overline{PF}-3$

$\quad\quad =13-3=10$

정답_ ①

088

$\dfrac{x^2}{4}-\dfrac{y^2}{2}=-1$에서

$\sqrt{4+2}=\sqrt{6}$이므로 두 초점의 좌표는

$(0,\sqrt{6}),(0,-\sqrt{6})$

따라서 두 초점을 지름의 양 끝 점으

로 하는 원의 방정식은

$x^2+y^2=6$ ······ ㉠

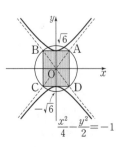

또, 쌍곡선의 점근선의 방정식 $y=\pm\dfrac{\sqrt{2}}{2}x$의 양변을 제곱하면

$y^2=\dfrac{1}{2}x^2$ ······ ㉡

㉡을 ㉠에 대입하면 $x^2+\dfrac{x^2}{2}=6,\ x^2=4$

$\therefore x=2,y=\pm\sqrt{2}$ 또는 $x=-2,y=\pm\sqrt{2}$

즉, 원이 쌍곡선의 두 점근선과 만나는 네 점의 좌표는 각각

$A(2,\sqrt{2}),B(-2,\sqrt{2}),C(-2,-\sqrt{2}),D(2,-\sqrt{2})$

따라서 구하는 사각형 $ABCD$의 넓이는

$\{2-(-2)\}\{\sqrt{2}-(-\sqrt{2})\}=4\times 2\sqrt{2}=8\sqrt{2}$ 정답_ $8\sqrt{2}$

089

$\overline{PA}$가 $\angle F'PF$의 이등분선이므로

$\overline{PF'}:\overline{PF}=\overline{F'A}:\overline{FA}=2:1$

$\overline{PF}=k\ (k>0)$로 놓으면 $\overline{PF'}=2k$이므로

$\overline{PF'}-\overline{PF}=k=2\sqrt{6}$

$\therefore \overline{PF'}=4\sqrt{6},\overline{PF}=2\sqrt{6}$

한편, $\dfrac{x^2}{6}-\dfrac{y^2}{3}=1$에서 $\sqrt{6+3}=3$이므로 쌍곡선의 초점의 좌표

는 $F(3,0),F'(-3,0)$ $\therefore \overline{FF'}=6$

따라서 삼각형 $PF'F$의 둘레의 길이는

$6+2\sqrt{6}+4\sqrt{6}=6+6\sqrt{6}$

이므로 $m=6,n=6$

$\therefore mn=36$

정답_ ⑤

> **참고**
>
> 삼각형 ABC에서 $\angle A$의 이등분선과 변 BC
> 의 교점을 D라고 할 때,
> $a:b=c:d$

090

쌍곡선 $\dfrac{x^2}{4}-\dfrac{y^2}{a}=1\ (a>0)$의 점근선의 방정식은

$y=\pm\dfrac{\sqrt{a}}{2}x$

쌍곡선의 한 꼭짓점 $(2,0)$을 지나고 x축에 수직인 직선이 이 쌍

곡선의 점근선과 만나는 제1사분면 위의 점 P의 좌표는

$(2,\sqrt{a})$

따라서 중심이 원점이고, 점 $P(2,\sqrt{a})$를 지나는 원의 방정식은

$x^2+y^2=4+a$

이 원이 x축과 만나는 한 점의 x좌표는

$\sqrt{4+a}\ (\because x>0)$

따라서 $\sqrt{4+a}=3$이므로

$4+a=9$ $\therefore a=5$

정답_ ②

091

주어진 타원의 초점의 좌표는 $(4, 3)$, $(-4, 3)$이므로 주어진 쌍

곡선의 점근선의 방정식은 $y = \pm \dfrac{3}{4}x$

$\therefore \dfrac{b^2}{a^2} = \dfrac{3^2}{4^2}$ $\qquad$ ……㉠

또, 타원의 장축 위의 양 끝 점의 좌표가 $(5, 3)$, $(-5, 3)$이므로

$\dfrac{5^2}{a^2} - \dfrac{3^2}{b^2} = 1$ $\qquad$ ……㉡

㉠, ㉡을 연립하여 풀면

$a^2 = 9$, $b^2 = \dfrac{81}{16}$

$\dfrac{x^2}{a^2} - \dfrac{y^2}{b^2} = 1$에서 $\sqrt{a^2 + b^2} = \sqrt{9 + \dfrac{81}{16}} = \dfrac{15}{4}$이므로 쌍곡선의

초점은 $F\left(\dfrac{15}{4}, 0\right)$, $F'\left(-\dfrac{15}{4}, 0\right)$

$\therefore \overline{FF'} = 2 \times \dfrac{15}{4} = \dfrac{15}{2}$ $\qquad$ 정답_ $\dfrac{15}{2}$

092

$F(0, 3)$, $F'(0, -3)$, $P(2, 3)$이므로

$\overline{FF'} = 3 - (-3) = 6$, $\overline{PF} = 2$

직각삼각형 PFF'에서

$\overline{PF'} = \sqrt{2^2 + 6^2} = \sqrt{40} = 2\sqrt{10}$

$\therefore \overline{PF} + \overline{PF'} = 2 + 2\sqrt{10}$, $\overline{PF'} - \overline{PF} = 2\sqrt{10} - 2$

타원의 정의에 의해

$\overline{OA} = \dfrac{1}{2}(\overline{PF} + \overline{PF'}) = \dfrac{1}{2}(2 + 2\sqrt{10}) = 1 + \sqrt{10}$

쌍곡선의 정의에 의해

$\overline{OB} = \dfrac{1}{2}(\overline{PF'} - \overline{PF}) = \dfrac{1}{2}(2\sqrt{10} - 2) = \sqrt{10} - 1$

$\therefore \overline{AB} = \overline{OA} - \overline{OB} = 2$

따라서 삼각형 ABP의 넓이는

$\dfrac{1}{2} \times \overline{AB} \times \overline{PF} = \dfrac{1}{2} \times 2 \times 2 = 2$ $\qquad$ 정답_ 2

093

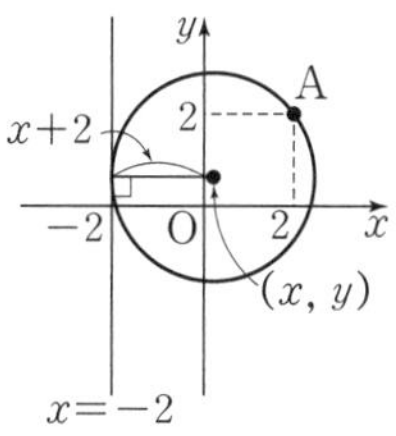

오른쪽 그림과 같이 구하는 원의 중심의

좌표를 (x, y)라고 하면 원의 반지름의

길이는

$|x - (-2)| = |x + 2|$

이므로

$\sqrt{(x-2)^2 + (y-2)^2} = |x + 2|$

양변을 제곱하면

$(x-2)^2 + (y-2)^2 = (x+2)^2$

$\therefore (y-2)^2 = 8x$

따라서 원의 중심 (x, y)가 나타내는 도형은 ④와 같다. 정답_ ④

094

주어진 원은 점 $A(4, 0)$을 지나고 y축에 접하므로

$\sqrt{(x-4)^2 + y^2} = |x|$

양변을 제곱하면

$(x-4)^2 + y^2 = x^2$ $\qquad \therefore y^2 = 8x - 16$

따라서 $a = 8$, $b = -16$이므로

$a + b = -8$ $\qquad$ 정답_ ②

095

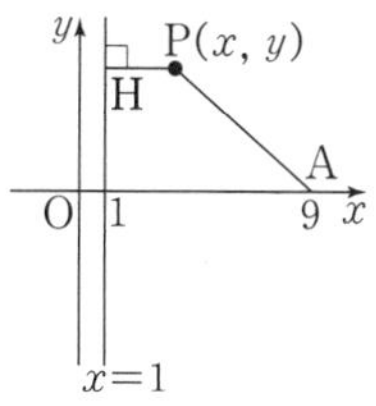

오른쪽 그림과 같이 점 $P(x, y)$에서 직선

$x = 1$에 내린 수선의 발을 H라고 하면

$\overline{PH} = |x - 1|$

$\overline{PA} = \sqrt{(x-9)^2 + y^2}$

$\overline{PA} : \overline{PH} = 3 : 1$에서

$\overline{PA} = 3\overline{PH}$이므로

$\sqrt{(x-9)^2 + y^2} = 3|x - 1|$

양변을 제곱하면

$x^2 - 18x + 81 + y^2 = 9x^2 - 18x + 9$

$\therefore \dfrac{x^2}{9} - \dfrac{y^2}{72} = 1$ $\qquad$ 정답_ $\dfrac{x^2}{9} - \dfrac{y^2}{72} = 1$

096

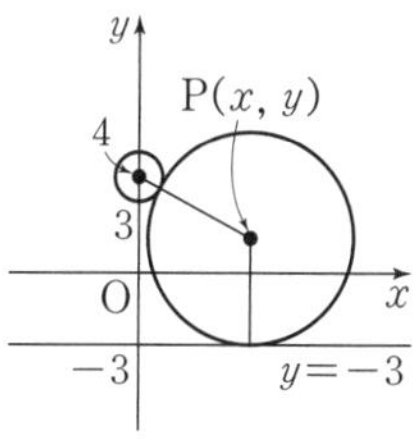

오른쪽 그림과 같이 구하는 원의 중심을

$P(x, y)$라고 하면 원의 반지름의 길이는

$|y - (-3)| = y + 3$

이므로 두 점 $(0, 4)$, $P(x, y)$ 사이의 거

리는

$\sqrt{x^2 + (y-4)^2} = (y+3) + 1$

양변을 제곱하면

$x^2 + (y-4)^2 = (y+4)^2$

$\therefore x^2 = 16y$ $\qquad$ 정답_ ②

097

두 원 $C_1 : x^2 + (y+1)^2 = 9$, $C_2 : x^2 + (y-1)^2 = 49$의 중심을

각각 A, B라고 하면 $A(0, -1)$, $B(0, 1)$

중심이 점 P인 원의 반지름의 길이를 r라고 하면

$\overline{AP} = 3 + r$, $\overline{BP} = 7 - r$

$\therefore \overline{AP} + \overline{BP} = 10$

따라서 점 P의 자취는 두 점 A, B를 초점으로 하고 장축의 길이

가 10인 타원이므로 구하는 자취의 방정식은

$\dfrac{x^2}{24} + \dfrac{y^2}{25} = 1$ $\qquad$ 정답_ $\dfrac{x^2}{24} + \dfrac{y^2}{25} = 1$

참고

두 원의 반지름의 길이를 각각 r, r', 중심 사이의 거리를 d라고

할 때, 두 원이 내접하면 $d = |r - r'|$, 외접하면 $d = r + r'$이다.

098

원 P의 반지름의 길이를 r라고 하자.

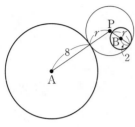

[그림 1] [그림 2]

(i) [그림 1]과 같이 원 P가 원 A와 외접하고 원 B와 내접할 때,
$$\overline{PA}=r+8, \overline{PB}=r-2 \quad \therefore \overline{PA}-\overline{PB}=10$$
(ii) [그림 2]와 같이 원 P가 원 A와 내접하고 원 B와 외접할 때,
$$\overline{PA}=r-8, \overline{PB}=r+2 \quad \therefore \overline{PA}-\overline{PB}=-10$$
(i), (ii)에서 $|\overline{PA}-\overline{PB}|=10$이므로 점 P는 두 점 A, B를 초점으로 하고 주축의 길이가 10인 쌍곡선이다.   정답_ ⑤

099

$5x^2+ky^2-k+3=0$에서 $5x^2+ky^2=k-3$
이 이차곡선이 타원이 되려면
$$k>0, k\neq5, k-3>0$$
$$\therefore 3<k<5 \text{ 또는 } k>5$$
따라서 실수 k의 값이 될 수 없는 것은 ② 5이다.   정답_ ②

100

이차곡선 $(2-k)x^2+(4-3k)y^2+3x+y=0$이 포물선이 되려면 $2-k=0$ 또는 $4-3k=0$
$$\therefore k=2 \text{ 또는 } k=\frac{4}{3}$$
따라서 구하는 모든 실수 k의 값의 합은
$$2+\frac{4}{3}=\frac{10}{3} \quad\quad\quad 정답\_ ⑤$$

101

방정식 $(k-4)x^2+(2k+4)y^2+2x-3=0$이 나타내는 도형이 쌍곡선이 되려면
$$(k-4)(2k+4)<0, 2(k-4)(k+2)<0$$
$$\therefore -2<k<4$$
따라서 정수 k는 $-1, 0, 1, 2, 3$의 5개이다.   정답_ ⑤

102

주어진 이차곡선은 두 점 A$(4, -3)$, B$(0, -3)$을 초점으로 하고 장축이 x축에 평행하고 장축의 길이가 $2\sqrt{5}$인 타원이다.
$\overline{AB}=4$이므로 주어진 타원은 두 점 $(2, 0)$, $(-2, 0)$을 초점으로 하고 장축의 길이가 $2\sqrt{5}$인 타원을 x축의 방향으로 2만큼, y축의 방향으로 -3만큼 평행이동한 것이다.

따라서 타원의 방정식을
$$\frac{(x-2)^2}{m^2}+\frac{(y+3)^2}{n^2}=1 \ (m>n>0)$$이라고 하면
$$2m=2\sqrt{5} \quad \therefore m=\sqrt{5}$$
$m^2-n^2=2^2$에서
$$n^2=(\sqrt{5})^2-2^2=1 \quad \therefore n=1 \ (\because n>0)$$
따라서 타원의 방정식은
$$\frac{(x-2)^2}{5}+(y+3)^2=1, (x-2)^2+5(y+3)^2=5$$
$$\therefore x^2+5y^2-4x+30y+44=0$$
즉, $a=-4, b=30, c=44$이므로
$$a-b+c=-4-30+44=10 \quad\quad 정답\_ ②$$

103

오른쪽 그림과 같이 두 점 A, B에서 주어진 포물선의 준선에 내린 수선의 발을 각각 A′, B′이라 하고, 점 A에서 선분 BB′에 내린 수선의 발을 H라고 하자.

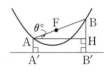

$\overline{AF}:\overline{BF}=3:4$이므로 $\overline{AF}=3k$,
$\overline{BF}=4k \ (k>0)$로 놓으면 포물선의 정의에 의해
$$\overline{AA'}=\overline{AF}=3k, \overline{BB'}=\overline{BF}=4k \cdots ❶$$
$$\therefore \overline{BH}=\overline{BB'}-\overline{HB'}=\overline{BB'}-\overline{AA'}=4k-3k=k$$
직각삼각형 AHB에서
$$\overline{AH}=\sqrt{(3k+4k)^2-k^2}=4\sqrt{3}k \ (\because k>0) \cdots ❷$$
$$\therefore \cos\theta°=\frac{\overline{AH}}{\overline{AB}}=\frac{4\sqrt{3}k}{7k}=\frac{4\sqrt{3}}{7} \cdots ❸$$
정답_ $\dfrac{4\sqrt{3}}{7}$

단계	채점 기준	비율
❶	$\overline{AF}=3k, \overline{BF}=4k$로 놓고 $\overline{AA'}, \overline{BB'}$의 길이를 k로 나타내기	40%
❷	$\overline{BH}, \overline{AH}$의 길이를 k로 나타내기	30%
❸	$\cos\theta°$의 값 구하기	30%

104

원의 반지름의 길이를 r라고 하면 타원의 장축과 단축의 길이는 각각 $2(10-r), 2(6-r)$이므로 타원의 방정식은
$$\frac{x^2}{(10-r)^2}+\frac{y^2}{(6-r)^2}=1 \cdots ❶$$
타원의 두 초점 사이의 거리가 $4\sqrt{10}$이므로
$$2\sqrt{(10-r)^2-(6-r)^2}=4\sqrt{10}$$
$$(10-r)^2-(6-r)^2=(2\sqrt{10})^2 \quad \therefore r=3 \cdots ❷$$
따라서 타원의 장축의 길이는 $2(10-3)=14$이다.   ❸
정답_ 14

단계	채점 기준	비율
❶	원의 반지름의 길이를 r라고 할 때, 타원의 방정식 나타내기	40%
❷	r의 값 구하기	40%
❸	타원의 장축의 길이 구하기	20%

105

타원의 나머지 한 초점을 F'이라고 하자.

삼각형 FPF'에서

$\overline{FM}=\overline{MP}, \overline{FO}=\overline{OF'}$이므로

$\overline{OM}=\dfrac{1}{2}\overline{PF'}$ ······ ❶

타원 위의 점에서 두 초점까지의 거리의

합이 8이므로

$\overline{PF}+\overline{PF'}=8$ ······ ❷

$\overline{PF}=2$이므로 $\overline{PF'}=6$

$\therefore \overline{OM}=\dfrac{1}{2}\overline{PF'}=3$ ······ ❸

정답_ 3

단계	채점 기준	비율
❶	타원의 초점 F'에 대하여 $\overline{OM}$과 $\overline{PF'}$ 사이의 관계식 구하기	40%
❷	$\overline{PF}+\overline{PF'}$의 값 구하기	20%
❸	$\overline{OM}$의 길이 구하기	40%

106

타원 $\dfrac{x^2}{36}+\dfrac{y^2}{16}=1$에서 $\sqrt{36-16}=2\sqrt{5}$이므로 타원의 초점의

좌표는 $(2\sqrt{5},\,0),(-2\sqrt{5},\,0)$

또, 타원의 장축의 길이는 $2\times6=12$ ······ ❶

주어진 쌍곡선의 방정식을 $\dfrac{x^2}{a^2}-\dfrac{y^2}{b^2}=1\,(a>0,\,b>0)$이라

고 하면 타원과 초점을 공유하므로

$a^2+b^2=20$ ······ ㉠

한편, 타원의 장축의 길이를 쌍곡선이 3등분하므로 쌍곡선의 주

축의 길이는 $\dfrac{1}{3}\times12=4$

즉, $a=2$이므로 이것을 ㉠에 대입하면

$2^2+b^2=20, b^2=16 \quad \therefore b=4\,(\because b>0)$

따라서 쌍곡선의 방정식은 $\dfrac{x^2}{4}-\dfrac{y^2}{16}=1$이므로 점근선의 방정

식은 $y=\pm2x$ ······ ❷

이때, 기울기가 양수인 점근선은 $y=2x$이므로

$\tan\theta°=2$ ······ ❸

정답_ 2

단계	채점 기준	비율
❶	타원의 초점의 좌표와 장축의 길이 구하기	30%
❷	쌍곡선의 방정식과 점근선의 방정식 구하기	40%
❸	$\tan\theta°$의 값 구하기	30%

107

쌍곡선 $\dfrac{x^2}{a^2}-\dfrac{y^2}{b^2}=1$의 점근선의 방정식은

$y=\pm\dfrac{b}{a}x$ ······ ❶

쌍곡선 위의 임의의 점 P의 좌표를 (x_1, y_1)이라고 하면

$\dfrac{x_1{}^2}{a^2}-\dfrac{y_1{}^2}{b^2}=1$ ······ ㉠ ❷

점 Q, R의 좌표는 각각 $Q\left(x_1,\dfrac{b}{a}x_1\right), R\left(x_1,-\dfrac{b}{a}x_1\right)$

또는 $Q\left(x_1,-\dfrac{b}{a}x_1\right), R\left(x_1,\dfrac{b}{a}x_1\right)$이므로

$\overline{PQ}\times\overline{PR}=\left(\dfrac{b}{a}x_1-y_1\right)\left(-\dfrac{b}{a}x_1-y_1\right)$

$=-\dfrac{b^2}{a^2}x_1{}^2+y_1{}^2$

$=-b^2\left(\dfrac{x_1{}^2}{a^2}-\dfrac{y_1{}^2}{b^2}\right)$

$=b^2\,(\because ㉠)$

따라서 $\overline{PQ}\times\overline{PR}$는 b^2으로 일정하다. ······ ❸

정답_ 풀이 참조

단계	채점 기준	비율
❶	점근선의 방정식 구하기	20%
❷	점 P가 쌍곡선 위에 있을 조건 구하기	30%
❸	$\overline{PQ}\times\overline{PR}$가 일정함을 보이기	50%

108

쌍곡선 $\dfrac{x^2}{8}-\dfrac{y^2}{17}=1$의 주축의 길

이가 $2\times2\sqrt{2}=4\sqrt{2}$이므로

$\overline{FP}-\overline{F'P}=4\sqrt{2}$ ······ ㉠ ❶

원 C의 중심을 C, 직선 FP와 원 C의

접점을 R라고 하면

$\overline{PQ}=\overline{PR}, \angle CQF'=\angle CRF=90°$

또, $\triangle CQF'\equiv\triangle CRF$ (RHS합동)이므로

$\overline{FR}=\overline{F'Q}=5\sqrt{2}$ ······ ❷

$\therefore \overline{FP}+\overline{F'P}=(\overline{PR}+\overline{FR})+\overline{F'P}$

$=\overline{PQ}+\overline{FR}+\overline{F'P}$

$=(\overline{PQ}+\overline{F'P})+\overline{FR}$

$=\overline{F'Q}+\overline{FR}$

$=5\sqrt{2}+5\sqrt{2}=10\sqrt{2}$ ······ ㉡ ❸

㉠, ㉡을 연립하여 풀면

$\overline{FP}=7\sqrt{2}, \overline{F'P}=3\sqrt{2}$

$\therefore \overline{FP}^2+\overline{F'P}^2=(7\sqrt{2})^2+(3\sqrt{2})^2=116$ ······ ❹

정답_ 116

단계	채점 기준	비율
❶	$\overline{FP}-\overline{F'P}$의 값 구하기	30%
❷	$\overline{FR}$의 길이 구하기	25%
❸	$\overline{FP}+\overline{F'P}$의 값 구하기	25%
❹	$\overline{FP}^2+\overline{F'P}^2$의 값 구하기	20%

109

포물선 $y^2=-12x=4\times(-3)x$의 초점은 $\mathrm{F}(-3,\,0)$, 준선의

방정식은 $x=3$이고 포물선 $y^2=12x=4\times3x$의 초점은

$\mathrm{F}'(3,\,0)$, 준선의 방정식은 $x=-3$이다.

$\therefore \overline{\mathrm{FF}'}=6$

$\mathrm{Q}(a,\,b)\,(a>0,b>0)$라고 하면 $\mathrm{P}(-a,\,b)$이므로

$\overline{\mathrm{PQ}}=2a$

포물선의 정의에 의해

$\overline{\mathrm{PF}}=\overline{\mathrm{QF}'}=a+3$

이때, 사다리꼴 $\mathrm{PFF}'\mathrm{Q}$의 둘레의 길이가 16이므로

$2a+6+2(a+3)=16$ $\qquad \therefore a=1$

점 $\mathrm{Q}(a,\,b)$가 포물선 $y^2=12x$ 위의 점이므로

$b^2=12a=12$ $\qquad \therefore b=2\sqrt{3}\,(\because b>0)$

따라서 사다리꼴 $\mathrm{PFF}'\mathrm{Q}$의 넓이는

$\dfrac{1}{2}\times(2+6)\times2\sqrt{3}=8\sqrt{3}$ $\qquad\qquad$ 정답_⑤

110

원의 반지름의 길이를 r라고 하면 타원의 네 꼭짓점의 좌표는 각

각 $(2+r,\,0),\,(-2-r,\,0),\,(5+r,\,0),\,(-5-r,\,0)$이므로

타원의 방정식은

$\dfrac{x^2}{(2+r)^2}+\dfrac{y^2}{(5+r)^2}=1$

이때, 타원의 두 초점 사이의 거리가 10이므로

$(5+r)^2-(2+r)^2=\left(\dfrac{10}{2}\right)^2$

$6r=4$ $\qquad \therefore r=\dfrac{2}{3}$

따라서 타원의 장축의 길이는

$a=2(5+r)=2\left(5+\dfrac{2}{3}\right)=\dfrac{34}{3}$

단축의 길이는

$b=2(2+r)=2\left(2+\dfrac{2}{3}\right)=\dfrac{16}{3}$

$\therefore a-b=\dfrac{34}{3}-\dfrac{16}{3}=6$ $\qquad\qquad$ 정답_②

111

오른쪽 그림과 같이 원뿔의

꼭짓점을 O, 두 구의 중심을

각각 O', O''이라 하고, 주어

진 타원의 초점을 F, F'이라

고 하자.

밑면의 원주 위의 한 점 A에

대하여 선분 OA와 두 구의

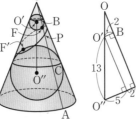

접점을 각각 B, C라 하고, 주어진 타원과의 교점을 P라고 하면

$\overline{\mathrm{PF}}=\overline{\mathrm{PB}}$, $\overline{\mathrm{PF}'}=\overline{\mathrm{PC}}$

$\therefore \overline{\mathrm{PF}}+\overline{\mathrm{PF}'}=\overline{\mathrm{PB}}+\overline{\mathrm{PC}}$

$\qquad\qquad\quad =\overline{\mathrm{BC}}$

$\qquad\qquad\quad =\sqrt{13^2-5^2}=12$

따라서 구하는 타원의 장축의 길이는 12이다. $\qquad$ 정답_⑤

112

쌍곡선 $\dfrac{x^2}{10^2}-\dfrac{y^2}{n^2}=-1$의 기울기가 양수인 점근선의 방정식은

$y=\dfrac{n}{10}x$

ㄱ은 옳다.

$n=1$일 때, 쌍곡선 $\dfrac{x^2}{10^2}-y^2=-1$의 기울기가 양수인 점근선

의 방정식은 $y=\dfrac{1}{10}x$이다.

오른쪽 그림과 같이 직선

$y=x+1$과 점근선의 기울기

가 다르므로 쌍곡선과 직선

$y=x+1$이 만나는 교점의 개

수는 2이다.

$\therefore f(1)=2$

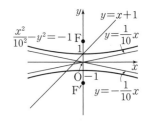

$n=2$일 때, 쌍곡선 $\dfrac{x^2}{10^2}-\dfrac{y^2}{2^2}=-1$의 기울기가 양수인 점근

선의 방정식은 $y=\dfrac{1}{5}x$이다.

같은 방법으로 직선 $y=x+2$와 점근선의 기울기가 다르므로

쌍곡선과 직선 $y=x+2$가 만나는 교점의 개수는 2이다.

$\therefore f(2)=2$

$\therefore f(1)+f(2)=4$

ㄴ은 옳지 않다.

모든 자연수 n에 대하여 직선 $y=x+n$은 항상 쌍곡선

$\dfrac{x^2}{10^2}-\dfrac{y^2}{n^2}=-1$의 꼭짓점 $(0,\,n)$을 지나므로

$f(n)\neq0$

ㄷ도 옳지 않다.

$n=10$일 때, 쌍곡선 $\dfrac{x^2}{10^2}-\dfrac{y^2}{10^2}=-1$의 기울기가 양수인 점

근선의 방정식은 $y=x$이다.

직선 $y=x+10$의 기울기와 점근선의 기울기가 같으므로 만

나는 교점의 개수는 1이다.

그런데 $n>10$일 때, 쌍곡선 $\dfrac{x^2}{10^2}-\dfrac{y^2}{n^2}=-1$의 기울기가 양

수인 점근선의 기울기는 직선의 기울기 1보다 크므로 만나는

교점의 개수는 2이다.

따라서 옳은 것은 ㄱ이다. $\qquad\qquad$ 정답_①

113

$y=x+k$를 $y^2=8x$에 대입하면

$(x+k)^2=8x$ $\therefore x^2+2(k-4)x+k^2=0$

이 이차방정식의 판별식을 D라고 하면

$\dfrac{D}{4}=(k-4)^2-k^2=-8k+16$

(1) 서로 다른 두 점에서 만나려면 $\dfrac{D}{4}>0$이어야 하므로

$-8k+16>0$ $\therefore k<2$

(2) 접하려면 $\dfrac{D}{4}=0$이어야 하므로

$-8k+16=0$ $\therefore k=2$

(3) 만나지 않으려면 $\dfrac{D}{4}<0$이어야 하므로

$-8k+16<0$ $\therefore k>2$

정답_ (1) $k<2$ (2) $k=2$ (3) $k>2$

114

(1) $x-y=1$에서 $y=x-1$

이것을 $4x^2+y^2=12$에 대입하면

$4x^2+(x-1)^2=12$ $\therefore 5x^2-2x-11=0$

이 이차방정식의 판별식을 D라고 하면

$\dfrac{D}{4}=(-1)^2-5\times(-11)=56>0$

따라서 타원 $4x^2+y^2=12$와 직선 $x-y=1$은 서로 다른 두 점에서 만난다.

(2) $x+y-4=0$에서 $y=4-x$

이것을 $4x^2+y^2=12$에 대입하면

$4x^2+(4-x)^2=12$ $\therefore 5x^2-8x+4=0$

이 이차방정식의 판별식을 D라고 하면

$\dfrac{D}{4}=(-4)^2-5\times4=-4<0$

따라서 타원 $4x^2+y^2=12$와 직선 $x+y-4=0$은 만나지 않는다.

(3) $y=2x+2\sqrt{6}$을 $4x^2+y^2=12$에 대입하면

$4x^2+(2x+2\sqrt{6})^2=12, 8x^2+8\sqrt{6}x+12=0$

$\therefore 2x^2+2\sqrt{6}x+3=0$

이 이차방정식의 판별식을 D라고 하면

$\dfrac{D}{4}=(\sqrt{6})^2-2\times3=0$

따라서 타원 $4x^2+y^2=12$와 직선 $y=2x+2\sqrt{6}$은 한 점에서 만난다. (접한다.)

정답_ (1) 서로 다른 두 점에서 만난다.

(2) 만나지 않는다.

(3) 한 점에서 만난다. (접한다.)

115

$y=mx+1$을 $x^2-4y^2=12$에 대입하면

$x^2-4(mx+1)^2=12$

$\therefore (4m^2-1)x^2+8mx+16=0$

이 이차방정식의 판별식을 D라고 하면

$\dfrac{D}{4}=(4m)^2-(4m^2-1)\times16=-48m^2+16=0$

$m^2=\dfrac{1}{3}$ $\therefore m=\pm\dfrac{1}{\sqrt{3}}=\pm\dfrac{\sqrt{3}}{3}$

따라서 모든 상수 m의 값의 곱은

$-\dfrac{\sqrt{3}}{3}\times\dfrac{\sqrt{3}}{3}=-\dfrac{1}{3}$

정답_ ②

116

$n(A\cap B)=2$이므로 포물선 $(x-2)^2=3y$와 직선 $y=x+k$는 서로 다른 두 점에서 만난다.

$y=x+k$를 $(x-2)^2=3y$에 대입하면

$(x-2)^2=3(x+k)$

$\therefore x^2-7x+4-3k=0$

이 이차방정식의 판별식을 D라고 하면

$D=7^2-4(4-3k)=12k+33>0$

$12k>-33$ $\therefore k>-\dfrac{11}{4}$

따라서 음의 정수 k는 $-2, -1$이므로 그 합은 -3이다.

정답_ ③

117

쌍곡선 $\dfrac{x^2}{4}-\dfrac{y^2}{9}=1$의 점근선의 방정식은 $y=\pm\dfrac{3}{2}x$

쌍곡선 $\dfrac{x^2}{4}-\dfrac{y^2}{9}=1$과 직선 $y=ax+b$가 실수 b의 값에 관계없이 교점을 가지므로

$-\dfrac{3}{2}<a<\dfrac{3}{2}$

따라서 보기에서 실수 a의 값이 될 수 있는 것은

ㄴ, ㄷ, ㄹ

정답_ ④

118

$3x-y=k$라고 하면 점 (x, y)가 타원 $\dfrac{x^2}{3}+\dfrac{y^2}{4}=1$ 위의 점이므로 타원 $\dfrac{x^2}{3}+\dfrac{y^2}{4}=1$과 직선 $3x-y=k$가 만나야 한다.

$3x-y=k$에서 $y=3x-k$

이것을 $\dfrac{x^2}{3}+\dfrac{y^2}{4}=1$에 대입하면

$\dfrac{x^2}{3}+\dfrac{(3x-k)^2}{4}=1$

$\therefore 31x^2-18kx+3k^2-12=0$

이 이차방정식의 판별식을 D라고 하면

$\dfrac{D}{4}=(-9k)^2-31(3k^2-12)=-12k^2+372\geq0$

$k^2-31\leq0, (k+\sqrt{31})(k-\sqrt{31})\leq0$

$\therefore -\sqrt{31}\leq k\leq\sqrt{31}$

따라서 정수 k는 $-5, -4, -3, \cdots, 5$의 11개이다.　　　정답_④

119

$y=3x+5$를 $\dfrac{x^2}{a}-\dfrac{y^2}{2}=1$에 대입하면

$\dfrac{x^2}{a}-\dfrac{(3x+5)^2}{2}=1$

$\therefore (9a-2)x^2+30ax+27a=0$

이 이차방정식의 판별식을 D라고 하면

$\dfrac{D}{4}=(15a)^2-(9a-2)\times27a=-18a^2+54a=0$

$a^2-3a=0, a(a-3)=0$　　$\therefore a=3\ (\because a\neq0)$

즉, 쌍곡선의 방정식은 $\dfrac{x^2}{3}-\dfrac{y^2}{2}=1$이므로 $\sqrt{3+2}=\sqrt{5}$에서

초점의 좌표는 $(\sqrt{5}, 0), (-\sqrt{5}, 0)$

따라서 두 초점 사이의 거리는

$|\sqrt{5}-(-\sqrt{5})|=2\sqrt{5}$　　　정답_④

다른 풀이

직선 $y=3x+5$가 쌍곡선 $\dfrac{x^2}{a}-\dfrac{y^2}{2}=1$에 접하므로 기울기가

3인 접선의 방정식을 구하면

$y=3x\pm\sqrt{a\times3^2-2}=3x\pm\sqrt{9a-2}$

$\sqrt{9a-2}=5$이므로　$9a-2=25$　　$\therefore a=3$

즉, 쌍곡선의 방정식은 $\dfrac{x^2}{3}-\dfrac{y^2}{2}=1$이므로 $\sqrt{3+2}=\sqrt{5}$에서

초점의 좌표는　$(\sqrt{5}, 0), (-\sqrt{5}, 0)$

따라서 두 초점 사이의 거리는 $2\sqrt{5}$

120

직선 $y=-x$를 x축에 대하여 대칭이동하면

$-y=-x$　　$\therefore y=x$

이것을 y축의 방향으로 k만큼 평행이동하면

$y-k=x$　　$\therefore y=x+k$

이것을 $x^2+4y^2=4$에 대입하면

$x^2+4(x+k)^2=4$　　$\therefore 5x^2+8kx+4k^2-4=0$

이 이차방정식의 판별식을 D라고 하면

$\dfrac{D}{4}=(4k)^2-5(4k^2-4)=-4k^2+20=0$

$4k^2=20, k^2=5$　　$\therefore k=\sqrt{5}\ (\because k>0)$　　　정답_⑤

참고

방정식 $f(x, y)=0$이 나타내는 도형을

① x축에 대하여 대칭이동한 도형의 방정식은

　$f(x, -y)=0$

② y축에 대하여 대칭이동한 도형의 방정식은

　$f(-x, y)=0$

③ 원점에 대하여 대칭이동한 도형의 방정식은

　$f(-x, -y)=0$

④ 직선 $y=x$에 대하여 대칭이동한 도형의 방정식은

　$f(y, x)=0$

⑤ 직선 $y=-x$에 대하여 대칭이동한 도형의 방정식은

　$f(-y, -x)=0$

121

$y=x+k$를 $x^2=16y$에 대입하면

$x^2=16(x+k)$　　$\therefore x^2-16x-16k=0$　　　$\cdots\cdots$ ㉠

두 점 A, B의 좌표를 각각 $(\alpha, \alpha+k), (\beta, \beta+k)$라고 하면 α, β는 이차방정식 ㉠의 두 근이다.

따라서 근과 계수의 관계에 의해

$\alpha+\beta=16, \alpha\beta=-16k$　　　$\cdots\cdots$ ㉡

$\therefore \overline{AB}=\sqrt{(\beta-\alpha)^2+\{(\beta+k)-(\alpha+k)\}^2}$

$\qquad=\sqrt{2(\beta-\alpha)^2}=\sqrt{2\{(\alpha+\beta)^2-4\alpha\beta\}}$

$\qquad=\sqrt{2\{16^2-4\times(-16k)\}}\ (\because ㉡)$

$\qquad=8\sqrt{2(4+k)}$

이때, $\overline{AB}=32$이므로

$8\sqrt{2(4+k)}=32, \sqrt{2(4+k)}=4$

양변을 제곱하면

$2(4+k)=16, 4+k=8$　　$\therefore k=4$　　　정답_⑤

122

기울기가 m이고 점 $(2, 1)$을 지나는 직선의 방정식은

$y=m(x-2)+1$

이것을 $x^2=2y+1$에 대입하면

$x^2=2\{m(x-2)+1\}+1$

$\therefore x^2-2mx+4m-3=0$

이 이차방정식의 판별식을 D라고 하면

$\dfrac{D}{4}=m^2-(4m-3)=m^2-4m+3=(m-1)(m-3)$

(ⅰ) $\dfrac{D}{4}>0$일 때,

　$(m-1)(m-3)>0$이므로 $m<1$ 또는 $m>3$

(ⅱ) $\dfrac{D}{4}=0$일 때,

　$(m-1)(m-3)=0$이므로 $m=1$ 또는 $m=3$

(ⅲ) $\dfrac{D}{4}<0$일 때,

　$(m-1)(m-3)<0$이므로 $1<m<3$

(ⅰ), (ⅱ), (ⅲ)에서

$a_1=1, a_2=0, a_3=1, a_4=2$

$\therefore a_1+2a_2+3a_3+4a_4=1+2\times0+3\times1+4\times2$

$\qquad\qquad\qquad\qquad\quad=12$　　　정답_③

123

(1) $y^2=8x=4\times2x$에서 $p=2$

따라서 구하는 직선의 방정식은

$$y=2x+\frac{2}{2} \quad \therefore y=2x+1$$

(2) 기울기가 3이므로 구하는 직선의 방정식을 $y=3x+b$라고 하자. $y=3x+b$를 $x^2=4y$에 대입하면

$$x^2=4(3x+b) \quad \therefore x^2-12x-4b=0$$

이 이차방정식의 판별식을 D라고 하면

$$\frac{D}{4}=(-6)^2-(-4b)=36+4b=0 \quad \therefore b=-9$$

따라서 구하는 직선의 방정식은

$$y=3x-9 \qquad \text{정답\_(1) } y=2x+1 \ (2) y=3x-9$$

참고

포물선 $x^2=4py$에 접하고 기울기가 m인 접선의 방정식은

$$y=mx-pm^2$$

124

$x^2=\frac{1}{2}y=4\times\frac{1}{8}y$에서 $p=\frac{1}{8}$이므로 기울기가 -1인 접선의 방정식은

$$y=-x-\frac{1}{8}\times(-1)^2, \ y=-x-\frac{1}{8}$$

$$\therefore 8x+8y+1=0$$

따라서 $a=8, b=8$이므로 $a-b=0$ 　　　　　　정답_③

125

x축의 양의 방향과 이루는 각의 크기가 $60°$이므로 접선의 기울기는 $\tan60°=\sqrt{3}$

또, $y^2=x=4\times\frac{1}{4}x$에서 $p=\frac{1}{4}$이므로 포물선 $y^2=x$에 접하고 x축의 양의 방향과 이루는 각의 크기가 $60°$인 직선의 방정식은

$$y=\sqrt{3}x+\frac{\frac{1}{4}}{\sqrt{3}} \quad \therefore y=\sqrt{3}x+\frac{\sqrt{3}}{12}$$

따라서 이 직선의 x절편은 $\sqrt{3}x+\frac{\sqrt{3}}{12}=0$에서

$$x=-\frac{1}{12} \qquad\qquad\qquad \text{정답\_②}$$

126

직선 $x+3y+5=0$의 기울기는 $-\frac{1}{3}$이므로 이 직선에 수직인 직선의 기울기는 3이다.

또, $y^2=4x=4\times1\times x$에서 $p=1$이므로 구하는 직선의 방정식은

$$y=3x+\frac{1}{3} \qquad\qquad\qquad \text{정답\_②}$$

127

직선 $4x+2y-1=0$의 기울기가 -2이므로 구하는 직선의 기울기는 -2이다.

$y^2=-12x=4\times(-3)x$에서 $p=-3$이므로 포물선 $y^2=-12x$에 접하고 기울기가 -2인 접선의 방정식은

$$y=-2x+\frac{-3}{-2} \quad \therefore y=-2x+\frac{3}{2}$$

이 직선이 점 $\left(-\frac{1}{4}, a\right)$를 지나므로

$$a=-2\times\left(-\frac{1}{4}\right)+\frac{3}{2}=\frac{1}{2}+\frac{3}{2}=2 \qquad \text{정답\_③}$$

128

$y^2=16x=4\times4x$에서 $p=4$

따라서 기울기가 $\frac{1}{2}$인 접선의 방정식은

$$y=\frac{1}{2}x+\frac{4}{\frac{1}{2}} \quad \therefore y=\frac{1}{2}x+8$$

직선 $y=\frac{1}{2}x+8$이 x축과 만나는 점의 좌표는 $(-16, 0)$이고, y축과 만나는 점의 좌표는 $(0, 8)$이므로 구하는 삼각형의 넓이는 $\frac{1}{2}\times16\times8=64$ 　　　　　정답_64

129

$x-y-k=0$에서 $y=x-k$

초점이 $\mathrm{F}(2, 0)$이고 준선의 방정식이 $x=-2$인 포물선의 방정식은 $y^2=4\times2\times x$이므로 $p=2$

이 포물선에 접하고 기울기가 1인 직선의 방정식은 $y=x+2$

이것이 $y=x-k$와 일치하므로 $k=-2$ 　　　　정답_②

130

(1) $y^2=4x=4\times1\times x$이므로 $p=1$이므로 포물선 위의 점 $(1, 2)$에서의 접선의 방정식은

$$2y=2\times1\times(x+1) \quad \therefore y=x+1$$

(2) $x^2=8y=4\times2\times y$에서 $p=2$이므로 포물선 위의 점 $(4, 2)$에서의 접선의 방정식은

$$4x=2\times2\times(y+2), \ x=y+2 \quad \therefore y=x-2$$

정답_(1) $y=x+1$ (2) $y=x-2$

다른 풀이

음함수의 미분법을 이용하여 접선의 방정식을 구할 수도 있다.

(1) $y^2=4x$의 양변을 x에 대하여 미분하면

$$2y\times\frac{dy}{dx}=4 \quad \therefore \frac{dy}{dx}=\frac{2}{y}$$

점 $(1, 2)$에서의 접선의 기울기는 $\frac{2}{2}=1$이므로 접선의 방정식은

$$y-2=x-1 \quad \therefore y=x+1$$

(2) $x^2=8y$의 양변을 x에 대하여 미분하면

$$2x=8\times\frac{dy}{dx} \qquad \therefore \frac{dy}{dx}=\frac{x}{4}$$

점 $(4,\,2)$에서의 접선의 기울기는 $\frac{4}{4}=1$이므로 접선의 방정식은

$$y-2=x-4 \qquad \therefore y=x-2$$

131

$y^2=4x=4\times1\times x$에서 $p=1$이므로 포물선 위의 점 $(1,\,-2)$에서의 접선의 방정식은

$$-2y=2\times1\times(x+1) \qquad \therefore y=-x-1$$

따라서 구하는 접선의 y절편은 -1이다.   정답_②

132

$y^2=3x=4\times\frac{3}{4}\times x$에서 $p=\frac{3}{4}$이므로 초점의 좌표는 $\left(\frac{3}{4},\,0\right)$

포물선 위의 점 $(12,6)$에서의 접선의 방정식은

$$6y=2\times\frac{3}{4}\times(x+12) \qquad \therefore y=\frac{1}{4}x+3$$

기울기가 $\frac{1}{4}$이고, 점 $\left(\frac{3}{4},\,0\right)$을 지나는 직선의 방정식은

$$y=\frac{1}{4}\left(x-\frac{3}{4}\right) \qquad \therefore y=\frac{1}{4}x-\frac{3}{16}$$

따라서 $m=\frac{1}{4}, n=-\frac{3}{16}$이므로 $m+n=\frac{1}{16}$ 정답_①

133

포물선 $y^2=4px$의 준선의 방정식은 $x=-p$이므로 점 $\mathrm{P}(p,\,2p)$에서 준선까지의 거리는

$$2p=6 \qquad \therefore p=3$$

즉, 포물선의 방정식은 $y^2=12x$이고, 이 포물선 위의 점 $\mathrm{P}(3,\,6)$에서의 접선의 방정식은

$$6y=2\times3\times(x+3) \qquad \therefore y=x+3$$

직선 $y=x+3$이 점 $(4,a)$를 지나므로

$$a=4+3=7$$ 정답_④

134

$x^2=4y=4\times1\times y$에서 $p=1$이므로 포물선 위의 점 $\mathrm{A}(-2,1)$에서의 접선의 방정식은

$$-2x=2\times1\times(y+1) \qquad \therefore y=-x-1 \qquad \cdots\cdots\text{㉠}$$

포물선 위의 점 $\mathrm{B}(4,\,4)$에서의 접선의 방정식은

$$4x=2\times1\times(y+4) \qquad \therefore y=2x-4 \qquad \cdots\cdots\text{㉡}$$

㉠, ㉡을 연립하여 풀면 $x=1, y=-2$

즉, 두 접선의 교점의 좌표는 $(1,\,-2)$이므로

$$a=1, b=-2 \qquad \therefore ab=-2$$ 정답_①

135

$y^2=4x=4\times1\times x$에서 $p=1$이므로 초점의 좌표는 $\mathrm{F}(1,\,0)$이고, 포물선 위의 점 $\mathrm{P}(1,\,2)$에서의 접선의 방정식은

$$2y=2\times1\times(x+1) \qquad \therefore y=x+1$$

이 접선의 x절편이 -1이므로 $\mathrm{A}(-1,\,0)$

따라서 삼각형 PAF의 넓이는

$$\frac{1}{2}\times\{1-(-1)\}\times2=2$$ 정답_②

136

$y^2=x=4\times\frac{1}{4}\times x$에서 $p=\frac{1}{4}$이므로 포물선 위의 점 $(a,\,b)$에서의 접선의 방정식은

$$by=2\times\frac{1}{4}\times(x+a) \qquad \therefore y=\frac{1}{2b}x+\frac{a}{2b} \qquad \cdots\cdots\text{㉠}$$

접선 ㉠이 직선 $y=x+1$과 만나지 않으려면 기울기가 같아야 하므로

$$\frac{1}{2b}=1 \qquad \therefore b=\frac{1}{2}$$

한편, 점 $(a,\,b)$가 포물선 $y^2=x$ 위의 점이므로

$$b^2=a \qquad \therefore a=\left(\frac{1}{2}\right)^2=\frac{1}{4}$$

$$\therefore ab=\frac{1}{4}\times\frac{1}{2}=\frac{1}{8}$$ 정답_①

137

$y^2=12x=4\times3\times x$에서 $p=3$이므로 포물선 위의 점 $(a,\,b)$에서의 접선의 방정식은

$$by=2\times3\times(x+a) \qquad \therefore y=\frac{6}{b}x+\frac{6a}{b}$$

이 접선이 x축의 양의 방향과 이루는 각의 크기가 $30°$이므로

$$\frac{6}{b}=\tan30°,\ \frac{6}{b}=\frac{\sqrt{3}}{3} \qquad \therefore b=6\sqrt{3}$$

한편, 점 $(a,\,b)$가 포물선 $y^2=12x$ 위의 점이므로

$$b^2=12a, 108=12a \qquad \therefore a=9$$

$$\therefore ab=54\sqrt{3}$$ 정답_⑤

138

$y^2=4x=4\times1\times x$에서 $p=1$이므로 포물선 위의 점 $\mathrm{A}(4,\,4)$에서의 접선의 방정식은

$$4y=2(x+4) \qquad \therefore y=\frac{1}{2}x+2 \qquad \cdots\cdots\text{㉠}$$

직선 ㉠이 x축과 만나는 점은 $\mathrm{C}(-4,\,0)$

포물선 $y^2=4x$의 준선의 방정식은 $x=-1$이므로 준선 $x=-1$과 직선 ㉠과의 교점은 $\mathrm{B}\left(-1,\,\frac{3}{2}\right)$

준선 $x=-1$과 x축과의 교점은 $\mathrm{D}(-1,\,0)$

따라서 삼각형 BCD의 넓이는

$$\frac{1}{2}\times\{-1-(-4)\}\times\frac{3}{2}=\frac{9}{4}$$ 정답_③

139

점 P의 좌표를 (x_1, y_1)이라고 하면 $H(0, y_1)$

$x^2 = 4y = 4 \times 1 \times y$에서 $p = 1$이므로 포물선 위의 점 (x_1, y_1)에서의 접선의 방정식은

$$x_1 x = 2 \times 1 \times (y + y_1) \qquad \therefore y = \frac{x_1}{2}x - y_1$$

이 직선의 y절편은 $-y_1$이므로 점 Q의 좌표는 $(0, -y_1)$

$$\therefore \frac{\overline{QO}}{\overline{OH}} = \frac{y_1}{y_1} = 1$$

정답_ ③

140

포물선 위의 점 (a, b)에서 직선 $x - y - 2 = 0$까지의 거리가 최소인 경우는 점 (a, b)에서의 접선이 직선 $x - y - 2 = 0$과 평행할 때이다.

$y^2 = -x = 4 \times \left(-\frac{1}{4}\right) \times x$에서 $p = -\frac{1}{4}$이므로 포물선 위의 점 (a, b)에서의 접선의 방정식은

$$by = 2 \times \left(-\frac{1}{4}\right) \times (x + a) \qquad \therefore y = -\frac{1}{2b}x - \frac{a}{2b} \quad \cdots\cdots \ \text{㉠}$$

접선 ㉠이 직선 $x - y - 2 = 0$, 즉 $y = x - 2$와 평행해야 하므로

$$-\frac{1}{2b} = 1 \qquad \therefore b = -\frac{1}{2}$$

한편, 점 (a, b)가 포물선 $y^2 = -x$ 위의 점이므로

$$b^2 = -a, \ -a = \frac{1}{4} \qquad \therefore a = -\frac{1}{4}$$

$$\therefore a + b = -\frac{1}{4} - \frac{1}{2} = -\frac{3}{4}$$

정답_ ②

141

접점의 좌표를 (a, b)라고 하자.

$y^2 = -4x = 4 \times (-1) \times x$에서 $p = -1$이므로 포물선 위의 점 (a, b)에서의 접선의 방정식은

$$by = 2 \times (-1) \times (x + a) \qquad \therefore y = -\frac{2}{b}x - \frac{2a}{b}$$

이 접선이 점 $(2, -1)$을 지나므로

$$-1 = -\frac{4}{b} - \frac{2a}{b} \qquad \therefore b = 2a + 4 \quad \cdots\cdots \ \text{㉠}$$

한편, 점 (a, b)가 포물선 $y^2 = -4x$ 위의 점이므로

$$b^2 = -4a \quad \cdots\cdots \ \text{㉡}$$

㉠을 ㉡에 대입하면

$$(2a + 4)^2 = -4a, \ 4a^2 + 20a + 16 = 0$$

$$a^2 + 5a + 4 = 0, \ (a + 1)(a + 4) = 0$$

$$\therefore a = -1 \ \text{또는} \ a = -4$$

㉠에 의해 $a = -1$일 때 $b = 2$, $a = -4$일 때 $b = -4$이므로 접선의 기울기는 -1 또는 $\frac{1}{2}$이다.

따라서 모든 직선의 기울기의 합은

$$-1 + \frac{1}{2} = -\frac{1}{2}$$

정답_ ④

다른 풀이

$y^2 = -4x = 4 \times (-1) \times x$에서 $p = -1$이므로 접선의 기울기를 m이라고 하면 접선의 방정식은

$$y = mx - \frac{1}{m} \quad \cdots\cdots \ \text{㉠}$$

직선 ㉠이 점 $(2, -1)$을 지나므로

$$-1 = 2m - \frac{1}{m}$$

양변에 m을 곱하여 정리하면

$$2m^2 + m - 1 = 0, \ (m + 1)(2m - 1) = 0$$

$$\therefore m = -1 \ \text{또는} \ m = \frac{1}{2}$$

따라서 모든 직선의 기울기의 합은

$$-1 + \frac{1}{2} = -\frac{1}{2}$$

142

접점의 좌표를 (a, b)라고 하자.

$y^2 = 6x = 4 \times \frac{3}{2} \times x$에서 $p = \frac{3}{2}$이므로 포물선 위의 점 (a, b)에서의 접선의 방정식은

$$by = 2 \times \frac{3}{2} \times (x + a) \qquad \therefore y = \frac{3}{b}x + \frac{3a}{b}$$

이 접선이 점 $(-2, 2)$를 지나므로

$$2 = -\frac{6}{b} + \frac{3a}{b}, \ 2b = 3a - 6$$

$$\therefore b = \frac{3a - 6}{2} \quad \cdots\cdots \ \text{㉠}$$

한편, 점 (a, b)가 포물선 $y^2 = 6x$ 위의 점이므로

$$b^2 = 6a \quad \cdots\cdots \ \text{㉡}$$

㉠을 ㉡에 대입하면

$$\left(\frac{3a - 6}{2}\right)^2 = 6a, \ \frac{9a^2 - 36a + 36}{4} = 6a$$

$$9a^2 - 60a + 36 = 0, \ 3a^2 - 20a + 12 = 0, \ (a - 6)(3a - 2) = 0$$

$$\therefore a = 6 \ \text{또는} \ a = \frac{2}{3}$$

㉠에 의해 $a = 6$일 때 $b = 6$, $a = \frac{2}{3}$일 때 $b = -2$이므로

세 점 $P(-2, 2)$, $A(6, 6)$, $B\left(\frac{2}{3}, -2\right)$에 대하여 삼각형 PAB의 넓이는 오른쪽 그림에서 알 수 있듯이 사각형의 넓이에서 세 개의 삼각형의 넓이를 뺀 것과 같다.

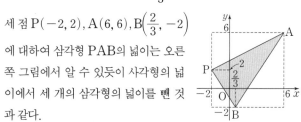

따라서 구하는 넓이는

$$8 \times 8 - \left(\frac{1}{2} \times 8 \times 4 + \frac{1}{2} \times \frac{8}{3} \times 4 + \frac{1}{2} \times 8 \times \frac{16}{3}\right)$$

$$= 64 - \left(16 + \frac{16}{3} + \frac{64}{3}\right)$$

$$= \frac{64}{3}$$

정답_ ②

143

$y^2=8x=4\times 2x$에서 $p=2$이므로 접선의 기울기를 m이라고 하면 접선의 방정식은

$$y=mx+\frac{2}{m} \qquad \cdots\cdots ㉠$$

이 직선이 점 $(a,\ 4)$를 지나므로

$$4=ma+\frac{2}{m}$$

양변에 m을 곱하여 정리하면

$$am^2-4m+2=0$$

이 m에 대한 이차방정식의 두 근이 두 접선의 기울기이고 두 접선은 서로 수직이므로 근과 계수의 관계에 의해

$$\frac{2}{a}=-1 \qquad \therefore a=-2 \qquad\qquad 정답\_②$$

참고

포물선 $y^2=4px$ 밖의 한 점 P에서 포물선에 그은 두 접선이 수직일 때, 점 P는 포물선의 준선 $x=-p$ 위에 있다.

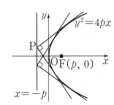

144

(1) $a^2=3,\ b^2=2$이므로 기울기가 2인 접선의 방정식은
$$y=2x\pm\sqrt{3\times 2^2+2} \qquad \therefore y=2x\pm\sqrt{14}$$

(2) $4x^2+y^2=12$에서 $\dfrac{x^2}{3}+\dfrac{y^2}{12}=1$

따라서 $a^2=3,\ b^2=12$이므로 기울기가 -2인 접선의 방정식은 $y=-2x\pm\sqrt{3\times(-2)^2+12}$
$$\therefore y=-2x\pm 2\sqrt{6}$$

정답_(1) $y=2x\pm\sqrt{14}$ (2) $y=-2x\pm 2\sqrt{6}$

145

$x^2+4y^2=5$에서 $\dfrac{x^2}{5}+\dfrac{y^2}{\frac{5}{4}}=1$

따라서 $a^2=5,\ b^2=\dfrac{5}{4}$이므로 기울기가 -1인 접선의 방정식은

$$y=-x\pm\sqrt{5\times(-1)^2+\frac{5}{4}},\ y=-x\pm\frac{5}{2}$$

$$\therefore 2x+2y\pm 5=0$$

따라서 $m=2,\ n=2$이므로 $mn=4$ 정답_④

146

x축의 양의 방향과 이루는 각의 크기가 $45°$인 직선의 기울기는 $\tan 45°=1$

$x^2+2y^2=8$에서 $\dfrac{x^2}{8}+\dfrac{y^2}{4}=1$

즉, $a^2=8,\ b^2=4$이므로 기울기가 1인 접선의 방정식은

$$y=x\pm\sqrt{8\times 1^2+4} \qquad \therefore y=x\pm 2\sqrt{3}$$

따라서 두 접선의 y절편은 각각 $-2\sqrt{3},\ 2\sqrt{3}$이므로 그 곱은
$$(-2\sqrt{3})\times(2\sqrt{3})=-12 \qquad\qquad 정답\_①$$

147

$4x^2+9y^2=36$에서 $\dfrac{x^2}{9}+\dfrac{y^2}{4}=1$

즉, $a^2=9,\ b^2=4$이므로 기울기가 m인 접선의 방정식은
$$y=mx\pm\sqrt{9m^2+4}$$
$$\therefore A\left(\mp\frac{\sqrt{9m^2+4}}{m},\ 0\right),\ B(0,\ \pm\sqrt{9m^2+4})\ (복호동순)$$

따라서 선분 AB의 길이는

$$\sqrt{\left\{0-\left(\mp\frac{\sqrt{9m^2+4}}{m}\right)\right\}^2+(\pm\sqrt{9m^2+4}-0)^2}$$
$$=\sqrt{\frac{9m^2+4}{m^2}+(9m^2+4)}$$
$$=\sqrt{9m^2+\frac{4}{m^2}+13}$$

이때, $9m^2>0,\ \dfrac{4}{m^2}>0$이므로 산술평균과 기하평균의 관계에 의해

$$9m^2+\frac{4}{m^2}+13\geq 2\sqrt{9m^2\times\frac{4}{m^2}}+13=25$$

$$\left(단,\ 등호는\ 9m^2=\frac{4}{m^2},\ 즉\ m^2=\frac{2}{3}일\ 때\ 성립한다.\right)$$

$$\therefore \overline{AB}=\sqrt{9m^2+\frac{4}{m^2}+13}\geq\sqrt{25}=5$$

따라서 선분 AB의 길이의 최솟값은 5이다. 정답_⑤

참고

산술평균과 기하평균의 관계

$a>0,\ b>0$일 때, $\dfrac{a+b}{2}\geq\sqrt{ab}$

(단, 등호는 $a=b$일 때 성립한다.)

148

$a^2=3,\ b^2=6$이므로 기울기가 1인 접선의 방정식은
$$y=x\pm\sqrt{3\times 1^2+6}$$
$$\therefore y=x\pm 3$$

오른쪽 그림에서 알 수 있듯이 구하는 최솟값은 평행한 두 직선 $y=x+5$와 $y=x+3$ 사이의 거리와 같다.

따라서 직선 $y=x+3$ 위의 점 $(0,\ 3)$에서 직선 $y=x+5$, 즉 $x-y+5=0$ 사이의 거리를 구하면

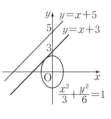

$$\frac{|-3+5|}{\sqrt{1^2+(-1)^2}}=\frac{2}{\sqrt{2}}=\sqrt{2} \qquad\qquad 정답\_①$$

타원 $\dfrac{x^2}{3}+\dfrac{y^2}{6}=1$ 위의 점과 직선

$y=x+5$ 사이의 거리의 최댓값은 두 직
선 $y=x+5$와 $y=x-3$ 사이의 거리와
같다.

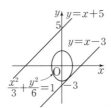

평행한 두 직선 사이의 거리는 한 직선 위의 점과 나머지 한 직선
사이의 거리와 같다.

149

타원 $\dfrac{x^2}{12}+\dfrac{y^2}{4}=1$ 위의 점 $(3, 1)$에서의 접선의 방정식은

$\dfrac{3x}{12}+\dfrac{y}{4}=1, x+y=4$ $\therefore y=-x+4$ 정답_ ③

음함수의 미분법을 이용하여 접선의 방정식을 구할 수도 있다.

$\dfrac{x^2}{12}+\dfrac{y^2}{4}=1$의 양변을 x에 대하여 미분하면

$\dfrac{1}{6}x+\dfrac{1}{2}y\times\dfrac{dy}{dx}=0$ $\therefore \dfrac{dy}{dx}=-\dfrac{x}{3y}$

따라서 타원 위의 점 $(3, 1)$에서의 접선의 기울기는

$-\dfrac{3}{3\times 1}=-1$이므로 구하는 접선의 방정식은

$y-1=-(x-3)$ $\therefore y=-x+4$

150

점 $(2, 2)$가 타원 $\dfrac{x^2}{k}+\dfrac{y^2}{2k}=1$ 위의 점이므로

$\dfrac{4}{k}+\dfrac{4}{2k}=1, \dfrac{12}{2k}=1$ $\therefore k=6$

즉, 주어진 타원은 $\dfrac{x^2}{6}+\dfrac{y^2}{12}=1$이므로 이 타원 위의 점 $(2, 2)$

에서의 접선의 방정식은

$\dfrac{2x}{6}+\dfrac{2y}{12}=1, 2x+y=6$ $\therefore y=-2x+6$

따라서 $a=-2, b=6$이므로 $a+b=4$ 정답_ ④

151

타원 $\dfrac{x^2}{4}+\dfrac{y^2}{6}=1$ 위의 점 $(\sqrt{2}, \sqrt{3})$에서의 접선의 방정식은

$\dfrac{\sqrt{2}x}{4}+\dfrac{\sqrt{3}y}{6}=1$

이 접선의 x절편은 $2\sqrt{2}$, y절편은 $2\sqrt{3}$이므로 구하는 삼각형의 넓
이는

$\dfrac{1}{2}\times 2\sqrt{2}\times 2\sqrt{3}=2\sqrt{6}$ 정답_ ②

152

주어진 조건을 그림으로 나타내면
오른쪽 그림과 같다.

점 $\left(\dfrac{8}{5}, b\right)$가 타원 $\dfrac{x^2}{4}+\dfrac{y^2}{25}=1$

위의 점이므로

$\dfrac{\left(\dfrac{8}{5}\right)^2}{4}+\dfrac{b^2}{25}=1, \dfrac{16}{25}+\dfrac{b^2}{25}=1$

$b^2=9$ $\therefore b=-3 \ (\because b<0)$

타원 $\dfrac{x^2}{4}+\dfrac{y^2}{25}=1$ 위의 점 $\left(\dfrac{8}{5}, -3\right)$에서의 접선의 방정식은

$\dfrac{\dfrac{8}{5}x}{4}+\dfrac{-3y}{25}=1, \dfrac{2}{5}x-\dfrac{3}{25}y=1$

$\therefore y=\dfrac{10}{3}x-\dfrac{25}{3}$

이 접선이 점 $(a, 5)$를 지나므로

$5=\dfrac{10}{3}a-\dfrac{25}{3}, 10a=40$ $\therefore a=4$

$\therefore a+b=4+(-3)=1$ 정답_ ②

153

타원 $4x^2+y^2=20$ 즉, $\dfrac{x^2}{5}+\dfrac{y^2}{20}=1$ 위의 두 점 $(-1, 4)$,

$(-1, -4)$에서 그은 접선의 방정식은 각각

$-\dfrac{x}{5}+\dfrac{4y}{20}=1, \dfrac{-x}{5}-\dfrac{4y}{20}=1$에서

$\therefore y=x+5, y=-x-5$

위의 두 식을 연립하여 풀면 $x=-5, y=0$이므로 두 직선의 교
점의 좌표는 $\mathrm{P}(-5, 0)$

한편, 두 직선 $y=x+5, y=-x-5$의 y절편은 각각 $5, -5$이므
로 $\mathrm{A}(0, 5), \mathrm{B}(0, -5)$

따라서 삼각형 ABP의 넓이는

$\dfrac{1}{2}\times 5\times\{5-(-5)\}=25$ 정답_ ④

154

타원 $\dfrac{x^2}{16}+\dfrac{y^2}{12}=1$에서 $a^2=16, b^2=12$이므로

$\mathrm{F}(c, 0), \mathrm{F}'(-c, 0) \ (c>0)$으로 놓으면

$c^2=a^2-b^2=16-12=4$ $\therefore c=2 \ (\because c>0)$

즉, 초점의 좌표는 $\mathrm{F}(2, 0), \mathrm{F}'(-2, 0)$

타원 위의 점 $(2, 3)$에서의 접선의 방정식은

$\dfrac{2x}{16}+\dfrac{3y}{12}=1$ $\therefore x+2y-8=0$

점 $\mathrm{F}(2, 0)$에서 직선 $x+2y-8=0$에 이르는 거리는

$d_1=\dfrac{|1\times 2+2\times 0-8|}{\sqrt{1^2+2^2}}=\dfrac{6}{\sqrt{5}}=\dfrac{6\sqrt{5}}{5}$

점 $F'(-2, 0)$에서 직선 $x+2y-8=0$에 이르는 거리는

$$d_2 = \frac{|1 \times (-2) + 2 \times 0 - 8|}{\sqrt{1^2 + 2^2}} = \frac{10}{\sqrt{5}} = 2\sqrt{5}$$

$$\therefore d_1 + d_2 = \frac{6\sqrt{5}}{5} + 2\sqrt{5} = \frac{16\sqrt{5}}{5}$$

따라서 $p = 16$, $q = 5$이므로 $p + q = 21$ 정답_ ②

참고

타원 $\dfrac{x^2}{a^2} + \dfrac{y^2}{b^2} = 1$ $(a > b > 0)$에서 $c^2 = a^2 - b^2$ $(c > 0)$이고

초점의 좌표는 $F(c, 0)$, $F'(-c, 0)$이다.

155

점 P의 좌표를 (x_1, y_1) $(x_1 > 0, y_1 > 0)$이라고 하면

$H(x_1, 0)$ $\therefore \overline{OH} = x_1$

타원 위의 점 $P(x_1, y_1)$에서의 접선의 방정식은

$$\frac{x_1 x}{25} + \frac{y_1 y}{9} = 1$$

이 접선의 x절편은 $x = \dfrac{25}{x_1}$이므로 $\overline{OQ} = \dfrac{25}{x_1}$

$$\therefore \overline{OH} \times \overline{OQ} = x_1 \times \frac{25}{x_1} = 25$$ 정답_ ④

156

주어진 타원의 중심의 좌표가 $(1, -2)$이므로 중심이 원점이 되도록 x축의 방향으로 -1만큼, y축의 방향으로 2만큼 평행이동하면

$$2x^2 + y^2 = 3 \qquad \cdots\cdots \text{㉠}$$

이때, 점 $(2, -1)$도 같은 방법으로 평행이동하면

$(2-1, -1+2)$, 즉 $(1, 1)$이고, 이 점이 타원 ㉠ 위의 점이므로

접선의 방정식은 $\dfrac{2x}{3} + \dfrac{y}{3} = 1$, 즉

$$2x + y = 3 \qquad \cdots\cdots \text{㉡}$$

구하는 직선은 접선 ㉡을 x축의 방향으로 1만큼, y축의 방향으로 -2만큼 평행이동한 것이므로

$2(x-1) + (y+2) = 3 \qquad \therefore y = -2x + 3$

따라서 y절편은 3이다.   정답_ ②

157

접점의 좌표를 (x_1, y_1)이라고 하면 이 점에서의 접선의 방정식은

$$3x_1 x + 4y_1 y = 16 \qquad \therefore y = -\frac{3x_1}{4y_1} x + \frac{4}{y_1}$$

이 접선이 점 $(4, 2)$를 지나므로

$$2 = -\frac{3x_1}{4y_1} \times 4 + \frac{4}{y_1}, \ 2y_1 = 4 - 3x_1$$

$$\therefore y_1 = -\frac{3}{2} x_1 + 2 \qquad \cdots\cdots \text{㉠}$$

한편, 점 (x_1, y_1)이 타원 $3x^2 + 4y^2 = 16$ 위의 점이므로

$$3x_1^2 + 4y_1^2 = 16 \qquad \cdots\cdots \text{㉡}$$

㉠을 ㉡에 대입하면

$$3x_1^2 + 4\left(-\frac{3}{2} x_1 + 2\right)^2 = 16$$

$$3x_1^2 + 9x_1^2 - 24x_1 + 16 = 16$$

$$12x_1(x_1 - 2) = 0 \qquad \therefore x_1 = 0 \ \text{또는} \ x_1 = 2$$

$x_1 = 0$일 때 $y_1 = 2$, $x_1 = 2$일 때 $y_1 = -1$이므로 접선의 방정식은

$$y = 2 \ \text{또는} \ y = \frac{3}{2} x - 4$$

따라서 두 접선의 기울기의 합은

$$0 + \frac{3}{2} = \frac{3}{2}$$ 정답_ $\dfrac{3}{2}$

다른 풀이

$3x^2 + 4y^2 = 16$에서 $\dfrac{x^2}{\frac{16}{3}} + \dfrac{y^2}{4} = 1$

$a^2 = \dfrac{16}{3}$, $b^2 = 4$이므로 접선의 기울기를 m이라고 하면 접선의

방정식은 $y = mx \pm \sqrt{\dfrac{16}{3} m^2 + 4}$

이 직선이 점 $(4, 2)$를 지나므로

$$2 = 4m \pm \sqrt{\frac{16}{3} m^2 + 4}, \ 2 - 4m = \pm \sqrt{\frac{16}{3} m^2 + 4}$$

양변을 제곱하면

$$4 - 16m + 16m^2 = \frac{16}{3} m^2 + 4, \ \frac{32}{3} m^2 - 16m = 0$$

$$2m^2 - 3m = 0, \ m(2m - 3) = 0$$

$$\therefore m = 0 \ \text{또는} \ m = \frac{3}{2}$$

따라서 두 접선의 기울기의 합은 $\dfrac{3}{2}$이다.

158

점 $(-2, 0)$에서 타원 $\dfrac{x^2}{2} + y^2 = 1$에 그은 접선의 기울기를 m

이라고 하면 접선의 방정식은

$$y = mx \pm \sqrt{2m^2 + 1}$$

이 직선이 점 $(-2, 0)$을 지나므로

$$0 = -2m \pm \sqrt{2m^2 + 1}, \ 2m = \pm \sqrt{2m^2 + 1}$$

양변을 제곱하면

$$4m^2 = 2m^2 + 1, \ m^2 = \frac{1}{2} \qquad \therefore m = \pm \frac{\sqrt{2}}{2}$$

따라서 구하는 접선의 방정식은

$$y = \pm \frac{\sqrt{2}}{2} x \pm \sqrt{2} \ \text{(복호동순)}$$

$$\therefore \pm x - \sqrt{2} y \pm 2 = 0$$

이 직선이 직선 $ax + by + 2 = 0$과 일치하므로

$$a = \pm 1, b = -\sqrt{2}$$

$$\therefore a^2 + b^2 = (\pm 1)^2 + (-\sqrt{2})^2 = 3$$ 정답_ 3

159

점 $P(a, b)$에서 타원 $\dfrac{x^2}{5}+\dfrac{y^2}{9}=1$에 그은 접선의 기울기를 m

이라고 하면 접선의 방정식은

$y=mx\pm\sqrt{5m^2+9}$

이 직선이 점 $P(a, b)$를 지나므로

$b=ma\pm\sqrt{5m^2+9}, b-ma=\pm\sqrt{5m^2+9}$

양변을 제곱하면

$b^2-2abm+a^2m^2=5m^2+9$

$\therefore (a^2-5)m^2-2abm+b^2-9=0$

이 m에 대한 이차방정식의 두 근이 두 접선의 기울기이다.

이때, 두 접선이 서로 수직이므로 근과 계수의 관계에 의해

$\dfrac{b^2-9}{a^2-5}=-1 \qquad \therefore a^2+b^2=14$

정답_ 14

160

오른쪽 그림과 같이 점 $A(0, 4)$

에서 타원 $\dfrac{x^2}{5}+y^2=1$에 그은

두 접선의 접점을 각각 P_1, P_2라

하고 직선 AP_1, AP_2가 원

$x^2+(y-3)^2=1$과 만나는 A가

아닌 점을 각각 Q_1, Q_2라고 하자.

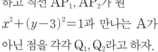

그러면 점 P가 타원 위를 움직일 때, 점 Q는 원 위의 점 Q_1에서

점 Q_2까지 움직인다.

점 $A(0, 4)$에서 타원 $\dfrac{x^2}{5}+y^2=1$에 그은 접선의 기울기를 m

이라고 하면 접선의 방정식은

$y=mx\pm\sqrt{5m^2+1}$

이 직선이 점 $A(0, 4)$를 지나므로 $4=\pm\sqrt{5m^2+1}$

양변을 제곱하면

$16=5m^2+1, m^2=3 \qquad \therefore m=\pm\sqrt{3}$

즉, 두 접선의 방정식은 $y=\sqrt{3}x+4$, $y=-\sqrt{3}x+4$

이때, 직선 $y=\sqrt{3}x+4$가 x축의 양의 방향과 이루는 각의 크기

는 $60°$이고 두 직선 $y=\sqrt{3}x+4$와 $y=-\sqrt{3}x+4$는 y축에 대하

여 대칭이므로

$\angle AP_2P_1=\angle AP_1P_2=60°$

$\therefore \angle P_2AP_1=180°-(60°+60°)=60°$

원 $x^2+(y-3)^2=1$의 중심을 C라고 하면

$\angle Q_2CQ_1=2\angle Q_2AQ_1=2\times60°=120°$

이므로 점 Q가 나타내는 도형의 길이는 반지름의 길이가 1이고

중심각의 크기가 $120°$인 부채꼴의 호의 길이이므로

$2\pi\times1\times\dfrac{120°}{360°}=\dfrac{2}{3}\pi$

정답_ ④

참고

한 원에서 한 호에 대한 원주각의 크기는 일정

하고 그 크기는 중심각의 크기의 $\dfrac{1}{2}$이다.

즉, $\angle APB=\angle AQB=\angle ARB$이고

$\angle APB=\dfrac{1}{2}\angle AOB$이다.

161

(1) $a^2=5$, $b^2=9$이므로 기울기가 2인 접선의 방정식은

$y=2x\pm\sqrt{5\times2^2-9} \qquad \therefore y=2x\pm\sqrt{11}$

(2) $x^2-2y^2-12=0$에서 $x^2-2y^2=12$

$\qquad \therefore \dfrac{x^2}{12}-\dfrac{y^2}{6}=1$

따라서 $a^2=12$, $b^2=6$이므로 기울기가 -1인 접선의 방정식은

$y=-x\pm\sqrt{12+(-1)^2-6}$

$\qquad \therefore y=-x\pm\sqrt{6}$

정답_ (1) $y=2x\pm\sqrt{11}$ (2) $y=-x\pm\sqrt{6}$

162

$a^2=1$, $b^2=k$이므로 기울기가 2인 접선의 방정식은

$y=2x\pm\sqrt{1\times2^2-k} \qquad \therefore y=2x\pm\sqrt{4-k}$

이 직선이 점 $(2, 3)$을 지나므로

$3=4\pm\sqrt{4-k}, -1=\pm\sqrt{4-k}$

양변을 제곱하면

$1=4-k \qquad \therefore k=3$

정답_ ②

163

x축의 양의 방향과 이루는 각의 크기가 $60°$인 직선의 기울기는

$\tan60°=\sqrt{3}$

$4x^2-3y^2=12$에서 $\dfrac{x^2}{3}-\dfrac{y^2}{4}=1$

$a^2=3$, $b^2=4$이므로 기울기가 $\sqrt{3}$인 접선의 방정식은

$y=\sqrt{3}x\pm\sqrt{3\times(\sqrt{3})^2-4}$

$\qquad \therefore y=\sqrt{3}x\pm\sqrt{5}$

따라서 $m=\sqrt{3}$, $k=\pm\sqrt{5}$이므로

$m^2+k^2=(\sqrt{3})^2+(\pm\sqrt{5})^2=8$

정답_ ④

164

$a^2=9$, $b^2=4$이므로 기울기가 1인 접선의 방정식은

$y=x\pm\sqrt{9\times1^2-4} \qquad \therefore y=x\pm\sqrt{5}$

따라서 두 직선 $y=x-\sqrt{5}$와 $y=x+\sqrt{5}$ 사이의 거리는 직선

$y=x-\sqrt{5}$ 위의 한 점 $(0, -\sqrt{5})$에서 직선 $y=x+\sqrt{5}$, 즉

$x-y+\sqrt{5}=0$까지의 거리와 같으므로

$\dfrac{|1\times0-1\times(-\sqrt{5})+\sqrt{5}|}{\sqrt{1^2+(-1)^2}}=\dfrac{2\sqrt{5}}{\sqrt{2}}=\sqrt{10}$

정답_ ④

165

쌍곡선 $\dfrac{x^2}{2}-y^2=1$ 위의 점 $(2,1)$에서의 접선의 방정식은

$\dfrac{2x}{2}-y=1$ $\therefore y=x-1$

따라서 구하는 y절편은 -1이다.   정답_②

다른 풀이

음함수의 미분법을 이용하여 접선의 방정식을 구할 수도 있다.

$\dfrac{x^2}{2}-y^2=1$의 양변을 x에 대하여 미분하면

$x-2y\times\dfrac{dy}{dx}=0$ $\therefore \dfrac{dy}{dx}=\dfrac{x}{2y}$

쌍곡선 $\dfrac{x^2}{2}-y^2=1$ 위의 점 $(2,1)$에서의 접선의 기울기는

$\dfrac{2}{2\times 1}=1$이므로 접선의 방정식은

$y-1=x-2$ $\therefore y=x-1$

따라서 구하는 y절편은 -1이다.

166

쌍곡선 $ax^2-by^2=16$ 위의 점 $(2,4)$에서의 접선의 방정식은

$2ax-4by=16$ $\therefore y=\dfrac{a}{2b}x-\dfrac{4}{b}$

이 접선의 기울기가 3이므로

$\dfrac{a}{2b}=3$ $\therefore a=6b$ ……㉠

한편, 점 $(2,4)$가 쌍곡선 위의 점이므로

$4a-16b=16$ ……㉡

㉠, ㉡을 연립하여 풀면

$a=12, b=2$

$\therefore ab=24$ 정답_③

167

쌍곡선 $\dfrac{x^2}{10}-\dfrac{y^2}{10}=1$ 위의 점 $(\sqrt{a}, \sqrt{b})$에서의 접선의 방정식은

$\dfrac{\sqrt{a}x}{10}-\dfrac{\sqrt{b}y}{10}=1$

이 접선이 점 $(5,5)$를 지나므로

$\dfrac{\sqrt{a}}{2}-\dfrac{\sqrt{b}}{2}=1$ $\therefore \sqrt{a}-\sqrt{b}=2$ ……㉠

한편, 점 $(\sqrt{a}, \sqrt{b})$는 쌍곡선 $\dfrac{x^2}{10}-\dfrac{y^2}{10}=1$ 위의 점이므로

$\dfrac{a}{10}-\dfrac{b}{10}=1$ $\therefore a-b=10$ ……㉡

㉠, ㉡에서

$a-b=(\sqrt{a}+\sqrt{b})(\sqrt{a}-\sqrt{b})=2(\sqrt{a}+\sqrt{b})=10$

$\therefore \sqrt{a}+\sqrt{b}=5$ 정답_①

168

쌍곡선 $3x^2-2y^2=1$ 위의 점 $(1,1)$에서의 접선의 방정식은

$3x-2y=1$ $\therefore y=\dfrac{3}{2}x-\dfrac{1}{2}$

이 접선에 수직인 직선의 기울기는 $-\dfrac{2}{3}$이므로 이 직선의 방정식

을 $y=-\dfrac{2}{3}x+k$ (k는 상수)로 놓자.

이 직선이 점 $(3,5)$를 지나므로

$5=-2+k$ $\therefore k=7$

따라서 구하는 직선의 방정식은 $y=-\dfrac{2}{3}x+7$이므로 x절편을

구하면

$\dfrac{2}{3}x=7$ $\therefore x=\dfrac{21}{2}$ 정답_$\dfrac{21}{2}$

169

쌍곡선 $\dfrac{x^2}{9}-\dfrac{y^2}{18}=-1$ 위의 점 $(-3,6)$에서의 접선의 방정식은

$\dfrac{-3x}{9}-\dfrac{6y}{18}=-1$ $\therefore y=-x+3$

두 직선의 방정식 $y=-x+3, y=3x+7$을 연립하여 풀면

$x=-1, y=4$

즉, 교점의 좌표가 $(-1,4)$이므로 $p=-1, q=4$

$\therefore p+q=3$ 정답_①

170

쌍곡선 $4x^2-y^2=a$의 점근선의 방정식은 $y=\pm 2x$

점 $(1, b)$는 쌍곡선 $4x^2-y^2=a$ 위의 점이므로

$4-b^2=a$ ……㉠

쌍곡선 $4x^2-y^2=a$ 위의 점 $(1, b)$에서의 접선의 방정식은

$4x-by=a$ $\therefore y=\dfrac{4}{b}x-\dfrac{a}{b}$

이 직선이 한 점근선과 수직이고 $b>0$이므로 직선 $y=\dfrac{4}{b}x-\dfrac{a}{b}$

는 점근선 $y=-2x$와 수직이다.

즉, $\dfrac{4}{b}\times(-2)=-1$이므로 $b=8$

이것을 ㉠에 대입하면

$a=4-8^2=-60$

$\therefore a+b=-52$ 정답_-52

171

쌍곡선 $\dfrac{x^2}{8}-y^2=1$ 위의 점 $A(4, 1)$에서의 접선의 방정식은

$\dfrac{4x}{8}-y=1$ $\therefore y=\dfrac{1}{2}x-1$

$\therefore B(2, 0)$

$\sqrt{8+1}=3$이므로 쌍곡선 $\dfrac{x^2}{8}-y^2=1$의 두 초점의 좌표는

$(3,\ 0),\ (-3,\ 0)$ $\therefore F(3,\ 0)$

$A(4,\ 1),\ B(2,\ 0),\ F(3,\ 0)$에 대하여

따라서 삼각형 FAB의 넓이는

$\dfrac{1}{2}\times(3-2)\times1=\dfrac{1}{2}$ 정답_ ②

172

쌍곡선 $\dfrac{x^2}{25}-\dfrac{y^2}{16}=1$ 위의 점 $P(5\sqrt{2},\ 4)$에서의 접선의 방정식

은 $\dfrac{5\sqrt{2}x}{25}-\dfrac{4y}{16}=1$ $\therefore y=\dfrac{4\sqrt{2}}{5}x-4$

이 접선의 x절편을 구하면

$\dfrac{4\sqrt{2}}{5}x=4$ $\therefore x=\dfrac{5\sqrt{2}}{2}$

즉, 점 Q의 좌표는 $\left(\dfrac{5\sqrt{2}}{2},\ 0\right)$이므로 삼각형 POQ의 넓이는

$\dfrac{1}{2}\times\dfrac{5}{2}\sqrt{2}\times4=5\sqrt{2}$ 정답_ ⑤

173

쌍곡선 $\dfrac{x^2}{12}-\dfrac{y^2}{16}=-1$ 위의 점 $(a,\ b)$에서의 접선의 방정식은

$\dfrac{ax}{12}-\dfrac{by}{16}=-1$ $\therefore 4ax-3by=-48$

이 접선의 x절편, y절편은 각각 $-\dfrac{12}{a},\ \dfrac{16}{b}$이므로 접선과 x축 및

y축으로 둘러싸인 도형은 밑변의 길이가 $\dfrac{12}{a}$, 높이가 $\dfrac{16}{b}$인 삼

각형이다.

이 삼각형의 넓이가 12이므로

$\dfrac{1}{2}\times\dfrac{12}{a}\times\dfrac{16}{b}=12$

$\therefore ab=8$ 정답_ ③

174

쌍곡선 $x^2-y^2=-3$ 위의 점 $(1,\ -2)$에서의 접선의 방정식은

$x+2y=-3$ $\therefore y=-\dfrac{1}{2}x-\dfrac{3}{2}$

쌍곡선 $x^2-y^2=-3$, 즉 $\dfrac{x^2}{3}-\dfrac{y^2}{3}=-1$의 점근선의 방정식은

$y=\pm x$

접선 $y=-\dfrac{1}{2}x-\dfrac{3}{2}$과 두 점근선 $y=x,\ y=-x$의 교점의 좌표

는 각각 $(-1,\ -1),\ (3,\ -3)$이다.

따라서 선분 AB의 길이는

$\sqrt{\{3-(-1)\}^2+\{-3-(-1)\}^2}=\sqrt{20}=2\sqrt{5}$ 정답_ ②

175

쌍곡선 $\dfrac{x^2}{12}-\dfrac{y^2}{8}=1$ 위의 점 $(a,\ b)$에서의 접선의 방정식은

$\dfrac{ax}{12}-\dfrac{by}{8}=1$ ······ ㉠

직선 ㉠이 타원 $\dfrac{(x-2)^2}{4}+y^2=1$의 넓이를 이등분하므로 직선

㉠이 타원의 중심 $(2,\ 0)$을 지난다.

즉, $\dfrac{2a}{12}-\dfrac{b\times0}{8}=1$이므로

$\dfrac{a}{6}=1$ $\therefore a=6$

한편, 점 $(a,\ b)$, 즉 점 $(6,\ b)$는 쌍곡선 $\dfrac{x^2}{12}-\dfrac{y^2}{8}=1$ 위의 점이

므로

$\dfrac{6^2}{12}-\dfrac{b^2}{8}=1,\ 3-\dfrac{b^2}{8}=1,\ \dfrac{b^2}{8}=2$ $\therefore b^2=16$

$\therefore a^2+b^2=36+16=52$ 정답_52

176

오른쪽 그림과 같이 원의 반지름의
길이를 r, 한 접점의 좌표를
$(a,\ b)\ (b>0)$라고 하면
쌍곡선 $2x^2-y^2=1$ 위의 점
$(a,\ b)$에서의 접선의 방정식은
$2ax-by=1$

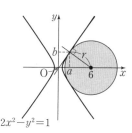

$\therefore y=\dfrac{2a}{b}x-\dfrac{1}{b}$

한편, 이 접선에 수직이고 점 $(a,\ b)$를 지나는 직선의 방정식은

$y-b=-\dfrac{b}{2a}(x-a)$ $\therefore y=-\dfrac{b}{2a}x+\dfrac{3}{2}b$

이 직선이 점 $(6,\ 0)$을 지나므로

$0=-\dfrac{3b}{a}+\dfrac{3}{2}b,\ \dfrac{3}{a}b=\dfrac{3}{2}b$ $\therefore a=2\ (\because b>0)$

또한, 점 $(a,\ b)$, 즉 점 $(2,\ b)$가 쌍곡선 $2x^2-y^2=1$ 위의 점이므

로

$8-b^2=1,\ b^2=7$ $\therefore b=\sqrt{7}\ (\because b>0)$

즉, 접점의 좌표는 $(2,\ \sqrt{7})$이고 반지름의 길이는 두 점 $(2,\ \sqrt{7})$,

$(6,\ 0)$ 사이의 거리와 같으므로

$\sqrt{(6-2)^2+(0-\sqrt{7})^2}=\sqrt{23}$

따라서 원의 넓이는 $\pi\times(\sqrt{23})^2=23\pi$ 정답_ ④

177

접점의 좌표를 $(a,\ b)$라고 하면 접선의 방정식은

$4ax-by=4$ ······ ㉠

이 직선이 점 $(-1,\ 1)$을 지나므로

$-4a-b=4$ $\therefore b=-4a-4$ ······ ㉡

또, 점 (a, b)는 쌍곡선 $4x^2 - y^2 = 4$ 위의 점이므로
$$4a^2 - b^2 = 4 \qquad\qquad \cdots\cdots ㉢$$
㉡을 ㉢에 대입하면
$$4a^2 - (-4a - 4)^2 = 4, \ 12a^2 + 32a + 20 = 0$$
$$3a^2 + 8a + 5 = 0, \ (a+1)(3a+5) = 0$$
$$\therefore a = -1 \ \text{또는} \ a = -\frac{5}{3}$$
㉡에 의해
$$a = -1 \text{일 때} \ b = 0, \ a = -\frac{5}{3} \text{일 때} \ b = \frac{8}{3}$$
이것을 ㉠에 대입하면 접선의 방정식은
$$-4x = 4 \ \text{또는} \ 4 \times \left(-\frac{5}{3}\right)x - \frac{8}{3}y = 4$$
$$\therefore x = -1 \ \text{또는} \ 5x + 2y + 3 = 0$$
정답_ $x = -1$ 또는 $5x + 2y + 3 = 0$

178

접점의 좌표를 (a, b)라고 하면 접선의 방정식은
$$ax - by = 4$$
이 직선이 점 $(-1, 1)$을 지나므로
$$-a - b = 4 \qquad \therefore a + b = -4 \qquad\qquad \cdots\cdots ㉠$$
또, 점 (a, b)는 쌍곡선 $x^2 - y^2 = 4$ 위의 점이므로
$$a^2 - b^2 = 4, \ (a+b)(a-b) = 4$$
$$-4(a-b) = 4 \ (\because ㉠) \qquad \therefore a - b = -1 \qquad\qquad \cdots\cdots ㉡$$
㉠, ㉡을 연립하여 풀면
$$a = -\frac{5}{2}, \ b = -\frac{3}{2}$$
따라서 구하는 접선의 방정식은
$$-\frac{5}{2}x + \frac{3}{2}y = 4$$
$$\therefore 5x - 3y + 8 = 0$$
이 직선이 직선 $mx + ny + 8 = 0$과 일치하므로
$$m = 5, \ n = -3 \qquad \therefore mn = -15 \qquad\qquad \text{정답_} -15$$

179

접선의 기울기를 m이라고 하면 접선의 방정식은
$$y = mx \pm \sqrt{5m^2 - 4}$$
이 직선이 점 $\text{P}(a, b)$를 지나므로
$$b = am \pm \sqrt{5m^2 - 4}$$
$$b - am = \pm \sqrt{5m^2 - 4}$$
양변을 제곱하면
$$b^2 - 2abm + a^2 m^2 = 5m^2 - 4$$
$$\therefore (a^2 - 5)m^2 - 2abm + b^2 + 4 = 0$$
이 m에 대한 이차방정식의 두 근이 두 접선의 기울기이고 두 접선은 서로 수직이므로 근과 계수의 관계에 의해
$$\frac{b^2 + 4}{a^2 - 5} = -1 \qquad \therefore a^2 + b^2 = 1$$

따라서 점 $\text{P}(a, b)$가 나타내는 도형은 중심이 원점이고 반지름의 길이가 1인 원이므로 그 넓이는
$$\pi \times 1^2 = \pi \qquad\qquad \text{정답_} ②$$

180

$x^2 - 8y^2 = 8$에서 $\dfrac{x^2}{8} - y^2 = 1$

접선의 기울기를 m이라고 하면 접선의 방정식은
$$y = mx \pm \sqrt{8m^2 - 1}$$
이 직선이 점 $(2, 2)$를 지나므로
$$2 = 2m \pm \sqrt{8m^2 - 1}, \ 2 - 2m = \pm \sqrt{8m^2 - 1}$$
양변을 제곱하면
$$4 - 8m + 4m^2 = 8m^2 - 1 \qquad \therefore 4m^2 + 8m - 5 = 0$$
접선의 기울기 m_1과 m_2는 이 이차방정식의 두 근이므로 근과 계수의 관계에 의해
$$m_1 + m_2 = -\frac{8}{4} = -2, \ m_1 m_2 = -\frac{5}{4}$$
$$\therefore m_1^2 + m_2^2 = (m_1 + m_2)^2 - 2m_1 m_2$$
$$= (-2)^2 - 2 \times \left(-\frac{5}{4}\right) = \frac{13}{2}$$
정답_ ④

181

두 접점 P, Q의 좌표를 각각 $(x_1, y_1), (x_2, y_2)$라고 하면 두 점 P, Q에서의 접선의 방정식은 각각
$$2x_1 x - y_1 y = 4, \ 2x_2 x - y_2 y = 4$$
이 두 직선이 모두 점 $(1, 1)$을 지나므로
$$2x_1 - y_1 = 4, \ 2x_2 - y_2 = 4$$
위 두 식에서 두 점 P, Q를 지나는 직선의 방정식은
$$2x - y = 4$$
임을 알 수 있다.
따라서 $\text{A}(2, 0), \text{B}(0, -4)$이므로 삼각형 OAB의 넓이는
$$\frac{1}{2} \times 2 \times 4 = 4 \qquad\qquad \text{정답_} 4$$

182

기울기가 -1인 직선의 방정식을 $y = -x + k \ (k$는 상수$)$로 놓고 $x^2 = 4y$에 대입하면
$$x^2 = 4(-x + k) \qquad \therefore x^2 + 4x - 4k = 0 \qquad\qquad \cdots\cdots ㉠$$
이 이차방정식의 판별식을 D라고 하면
$$\frac{D}{4} = 2^2 - (-4k) = 4 + 4k > 0$$
$$\therefore k > -1 \ \cdots\cdots\cdots\cdots\cdots\cdots\cdots\cdots\cdots\cdots\cdots\cdots\cdots ❶$$
두 점 A, B의 좌표를 각각 $(a, -a+k), (b, -b+k)$라고 하면 a, b는 이차방정식 ㉠의 두 근이므로 근과 계수의 관계에 의해
$$a + b = -4 \ \cdots\cdots\cdots\cdots\cdots\cdots\cdots\cdots\cdots\cdots\cdots\cdots\cdots ❷$$

따라서 선분 AB의 중점의 좌표를 (x, y)라고 하면

$x = \dfrac{a+b}{2} = \dfrac{-4}{2} = -2, \ y = \dfrac{-(a+b)+2k}{2} = 2+k$

이때, $k > -1$이므로

$y = 2+k > 1$

따라서 선분 AB의 중점의 자취의 방정식은

$x = -2 \ (y > 1)$ ────────────────────── ❸

정답_ $x = -2 \ (y > 1)$

단계	채점 기준	비율
❶	직선의 방정식을 $y = -x + k$로 놓고 상수 k의 값의 범위 구하기	40%
❷	$a+b$의 값 구하기	20%
❸	선분 AB의 중점의 자취의 방정식 구하기	40%

183

$y^2 = 4x = 4 \times 1 \times x$에서 $p = 1$이므로 포물선 $y^2 = 4x$ 위의 점

$P(a, b)$에서의 접선의 방정식은

$by = 2 \times 1 \times (x+a)$ $\therefore y = \dfrac{2}{b}x + \dfrac{2a}{b}$ ────── ❶

이 접선의 x절편을 구하면

$\dfrac{2}{b}x = -\dfrac{2a}{b}$ $\therefore x = -a \ (\because b > 0)$

즉, 점 Q의 좌표는 $(-a, 0)$이다.

$\overline{PQ} = 4\sqrt{5}$이므로

$\sqrt{(a+a)^2 + (b-0)^2} = 4\sqrt{5}, \ \sqrt{4a^2 + b^2} = 4\sqrt{5}$

양변을 제곱하면

$4a^2 + b^2 = 80$ ───────────────────── ㉠

한편, 점 (a, b)가 포물선 $y^2 = 4x$ 위의 점이므로

$b^2 = 4a$ ─────────────────────────── ㉡

㉡을 ㉠에 대입하면

$4a^2 + 4a - 80 = 0, \ a^2 + a - 20 = 0$

$(a-4)(a+5) = 0$ $\therefore a = 4 \ (\because a > 0)$

$a = 4$를 ㉡에 대입하면

$b^2 = 16$ $\therefore b = 4 \ (\because b > 0)$ ─────── ❷

$\therefore a^2 + b^2 = 16 + 16 = 32$ ──────────── ❸

정답_ 32

단계	채점 기준	비율
❶	포물선 $y^2 = 4x$ 위의 점 $P(a, b)$에서의 접선의 방정식 구하기	30%
❷	a, b의 값 구하기	60%
❸	$a^2 + b^2$의 값 구하기	10%

184

$y^2 = 6x = 4 \times \dfrac{3}{2} \times x$에서 $p = \dfrac{3}{2}$이므로 초점의 좌표는 $\left(\dfrac{3}{2}, 0\right)$

──────────────────────────────── ❶

포물선 $y^2 = 6x$ 위의 점 (a, b)에서의 접선의 방정식은

$by = 2 \times \dfrac{3}{2} \times (x+a)$

$\therefore 3x - by + 3a = 0$ ────────────────── ㉠

──────────────────────────────── ❷

접선 ㉠과 이 접선에 평행하고 초점 $\left(\dfrac{3}{2}, 0\right)$을 지나는 직선 사이

의 거리가 $\dfrac{3\sqrt{5}}{2}$이므로

$\dfrac{\left|3 \times \dfrac{3}{2} - b \times 0 + 3a\right|}{\sqrt{3^2 + (-b)^2}} = \dfrac{3\sqrt{5}}{2}, \ \dfrac{\dfrac{9}{2} + 3a}{\sqrt{9+b^2}} = \dfrac{3\sqrt{5}}{2} \ (\because a > 0)$

$2a + 3 = \sqrt{5}\sqrt{9+b^2}$ ─────────────── ㉡

한편, 점 (a, b)가 포물선 $y^2 = 6x$ 위의 점이므로

$b^2 = 6a$ ─────────────────────────── ㉢

㉢을 ㉡에 대입하면

$2a + 3 = \sqrt{5}\sqrt{9+6a}$

양변을 제곱하면

$4a^2 + 12a + 9 = 45 + 30a, \ 4a^2 - 18a - 36 = 0$

$2a^2 - 9a - 18 = 0, \ (a-6)(2a+3) = 0$

$\therefore a = 6 \ (\because a > 0)$

$a = 6$을 ㉢에 대입하면

$b^2 = 36$ $\therefore b = 6 \ (\because b > 0)$ ─────── ❸

따라서 점 P의 좌표는 $(6, 6)$이다. ──────────── ❹

정답_ $P(6, 6)$

단계	채점 기준	비율
❶	포물선 $y^2 = 6x$의 초점의 좌표 구하기	10%
❷	포물선 $y^2 = 6x$ 위의 점 (a, b)에서의 접선의 방정식 구하기	30%
❸	a, b의 값 구하기	50%
❹	점 P의 좌표 구하기	10%

185

오른쪽 그림과 같이 접점의 좌표
를 $P(a, b)$라고 하면 타원 위의
점 (a, b)에서의 접선의 방정식

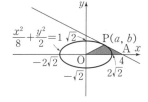

$\dfrac{ax}{8} + \dfrac{by}{2} = 1$

$\therefore y = -\dfrac{a}{4b}x + \dfrac{2}{b}$ ────────────────── ❶

이 접선이 점 $(4, 0)$을 지나므로

$\dfrac{a}{b} = \dfrac{2}{b}$ $\therefore a = 2 \ (\because b > 0)$

한편, 점 (a, b), 즉 점 $(2, b)$가 타원 $\dfrac{x^2}{8} + \dfrac{y^2}{2} = 1$ 위의 점이므로

$\dfrac{1}{2} + \dfrac{b^2}{2} = 1, \ b^2 = 1$ $\therefore b = 1 \ (\because b > 0)$

$\therefore P(2, 1)$ ─────────────────────── ❷

따라서 삼각형 OAP의 넓이는

$\dfrac{1}{2} \times 4 \times 1 = 2$ ──────────────────── ❸

정답_ 2

단계	채점 기준	비율
❶	타원 위의 점 P에서의 접선의 방정식 구하기	30%
❷	점 P의 좌표 구하기	50%
❸	삼각형 OAP의 넓이 구하기	20%

186

쌍곡선 $x^2-y^2=32$ 위의 점 $\mathrm{P}(-6, 2)$에서의 접선의 방정식은

$-6x-2y=32$ $\therefore y=-3x-16$ ······ ㉠

— ❶

직선 OH는 접선 ㉠에 수직이므로 기울기는 $\dfrac{1}{3}$이고, 원점을 지나

므로 직선 OH의 방정식은 $y=\dfrac{1}{3}x$ ······ ㉡

이때, $\overline{\mathrm{OH}}$의 길이는 원점과 직선 $y=-3x-16$, 즉

$3x+y+16=0$ 사이의 거리와 같으므로

$\overline{\mathrm{OH}}=\dfrac{|3\times0+1\times0+16|}{\sqrt{3^2+1^2}}=\dfrac{16}{\sqrt{10}}$ ······ ❷

한편, 점 Q의 좌표를 구하기 위하여 $y=\dfrac{1}{3}x$를 $x^2-y^2=32$에 대

입하면

$x^2-\dfrac{1}{9}x^2=32, \dfrac{8}{9}x^2=32, x^2=36$

$\therefore x=6\ (\because x>0)$

$x=6$을 ㉡에 대입하면 $y=2$

즉, 점 Q의 좌표는 $(6, 2)$이므로

$\overline{\mathrm{OQ}}=\sqrt{6^2+2^2}=2\sqrt{10}$ ······ ❸

$\therefore \overline{\mathrm{OH}}\times\overline{\mathrm{OQ}}=\dfrac{16}{\sqrt{10}}\times2\sqrt{10}=32$ ······ ❹

정답_ 32

단계	채점 기준	비율
❶	점 P에서의 접선의 방정식 구하기	10%
❷	$\overline{\mathrm{OH}}$의 길이 구하기	40%
❸	$\overline{\mathrm{OQ}}$의 길이 구하기	40%
❹	$\overline{\mathrm{OH}}\times\overline{\mathrm{OQ}}$의 값 구하기	10%

187

타원 $\dfrac{x^2}{16}+\dfrac{y^2}{4}=1$ 위의 점 $(2\sqrt{3}, 1)$에서의 접선의 방정식은

$\dfrac{2\sqrt{3}x}{16}+\dfrac{y}{4}=1$ $\therefore y=-\dfrac{\sqrt{3}}{2}x+4$ ······ ㉠

— ❶

쌍곡선 $\dfrac{x^2}{a}-\dfrac{y^2}{b}=1$ 위의 점 $(2\sqrt{3}, 1)$에서의 접선의 방정식은

$\dfrac{2\sqrt{3}x}{a}-\dfrac{y}{b}=1$ $\therefore y=\dfrac{2b\sqrt{3}}{a}x-b$ ······ ㉡

— ❷

두 직선 ㉠, ㉡이 서로 수직이므로

$\left(-\dfrac{\sqrt{3}}{2}\right)\times\left(\dfrac{2b\sqrt{3}}{a}\right)=-1$ $\therefore a=3b$ ······ ㉢

한편, 점 $\mathrm{P}(2\sqrt{3}, 1)$은 쌍곡선 $\dfrac{x^2}{a}-\dfrac{y^2}{b}=1$ 위의 점이므로

$\dfrac{(2\sqrt{3})^2}{a}-\dfrac{1^2}{b}=1$ $\therefore \dfrac{12}{a}-\dfrac{1}{b}=1$ ······ ㉣

㉢, ㉣을 연립하여 풀면 $a=9, b=3$ ❸

$\therefore ab=27$ ❹

정답_ 27

단계	채점 기준	비율
❶	타원 위의 점에서의 접선의 방정식 구하기	20%
❷	쌍곡선 위의 점에서의 접선의 방정식 구하기	20%
❸	a, b의 값 구하기	50%
❹	ab의 값 구하기	10%

188

ㄱ은 옳다.

$y^2=4x=4\times1\times x$에서 $p=1$이므로 $\mathrm{F}(1, 0)$

포물선 위의 점 $\mathrm{P}(x_1, y_1)$에서의 접선의 방정식은

$y_1y=2\times1\times(x+x_1)$ $\therefore y=\dfrac{2}{y_1}x+\dfrac{2x_1}{y_1}$

이 접선의 x절편을 구하면

$\dfrac{2}{y_1}x=-\dfrac{2x_1}{y_1}$ $\therefore x=-x_1\ (\because y_1>0)$

즉, 점 T의 좌표는 $(-x_1, 0)$이므로 $\overline{\mathrm{TF}}=1+x_1$

한편, 선분 PF의 길이는 점 P에서 준선 $x=-1$까지의 거리

와 같으므로 $\overline{\mathrm{PF}}=1+x_1$

$\therefore \overline{\mathrm{TF}}=\overline{\mathrm{PF}}$

ㄴ도 옳다.

$\angle\mathrm{PTF}=\theta°$이고, $\overline{\mathrm{TF}}=\overline{\mathrm{PF}}$이므로

$\angle\mathrm{FPT}=\angle\mathrm{PTF}=\theta°$

ㄷ도 옳다.

점 $\mathrm{P}(x_1, y_1)$이 포물선 $y^2=4x$ 위의 점이므로

$y_1{}^2=4x_1$

점 P에서 x축에 내린 수선의 발을 H라고 하면 $\mathrm{H}(x_1, 0)$

$\overline{\mathrm{PH}}=y_1=\sqrt{4x_1}=2\sqrt{x_1}$, $\overline{\mathrm{TH}}=\overline{\mathrm{TO}}+\overline{\mathrm{OH}}=2x_1$이므로

$\tan\theta°=\dfrac{\overline{\mathrm{PH}}}{\overline{\mathrm{TH}}}=\dfrac{2\sqrt{x_1}}{2x_1}=\dfrac{1}{\sqrt{x_1}}$

따라서 옳은 것은 ㄱ, ㄴ, ㄷ이다.   정답_ ⑤

다른 풀이

ㄷ은 옳다.

$\tan\theta°$는 접선의 기울기이므로 ㄱ에서

$\tan\theta°=\dfrac{2}{y_1}$

한편, $y_1{}^2=4x_1$이므로 $y_1=2\sqrt{x_1}\ (\because x_1>0, y_1>0)$

$\therefore \tan\theta°=\dfrac{2}{2\sqrt{x_1}}=\dfrac{1}{\sqrt{x_1}}$

189

꼭짓점이 원점이고 초점의 좌표가 $\left(\frac{1}{2}a_n, 0\right)$인 포물선의 방정식은

$y^2=4\times\frac{1}{2}a_n x$ $\therefore y^2=2a_n x$

이 포물선 위의 점 (x_1, y_1)에서의 접선의 방정식은

$y_1 y=2\times\frac{1}{2}a_n(x+x_1)$ $\therefore y=\frac{a_n}{y_1}x+\frac{a_n x_1}{y_1}$ ······ ㉠

직선 ㉠이 직선 $y=2nx+n+1$과 일치해야 하므로

$\frac{a_n}{y_1}=2n$에서 $y_1=\frac{a_n}{2n}$ ······ ㉡

$\frac{a_n x_1}{y_1}=n+1$에서 $x_1=\frac{n+1}{a_n}y_1$ ······ ㉢

㉡을 ㉢에 대입하면 $x_1=\frac{1}{2}+\frac{1}{2n}$ ······ ㉣

점 (x_1, y_1)이 포물선 $y^2=2a_n x$ 위의 점이므로 $y_1^2=2a_n x_1$

이 식에 ㉡, ㉣을 대입하면

$\left(\frac{a_n}{2n}\right)^2=2a_n\left(\frac{1}{2}+\frac{1}{2n}\right)$, $\frac{a_n^2}{4n^2}=a_n\left(1+\frac{1}{n}\right)$

포물선의 꼭짓점이 원점이므로 $\frac{1}{2}a_n\neq0$, 즉 $a_n\neq0$이므로

$\frac{a_n}{4n^2}=1+\frac{1}{n}$ $\therefore a_n=4n^2+4n$

$\therefore a_1+a_2+a_3=(4\times1^2+4\times1)+(4\times2^2+4\times2)+(4\times3^2+4\times3)$

$=8+24+48=80$ 정답_ ③

190

접점의 좌표를 (a, b)라고 하면 $x^2=4y=4\times1\times y$에서 $p=1$이므로 포물선 위의 점 (a, b)에서의 접선의 방정식은

$ax=2\times1\times(y+b)$ $\therefore y=\frac{a}{2}x-b$

이 접선이 점 $P(-1, -2)$를 지나므로

$-2=-\frac{a}{2}-b$ $\therefore a+2b=4$ ······ ㉠

한편, 점 (a, b)가 포물선 $x^2=4y$ 위의 점이므로

$a^2=4b$ $\therefore b=\frac{a^2}{4}$ ······ ㉡

㉡을 ㉠에 대입하면

$a+\frac{a^2}{2}=4$, $a^2+2a-8=0$, $(a+4)(a-2)=0$

$\therefore a=-4$ 또는 $a=2$

㉡에 의해 $a=-4$일 때 $b=4$, $a=2$일 때 $b=1$이므로 접점의 좌표는 $(-4, 4)$, $(2, 1)$이다.

따라서 삼각형 APB의 무게중심 G의 좌표는

$\left(\frac{-1-4+2}{3}, \frac{-2+4+1}{3}\right)$ $\therefore G(-1, 1)$

즉, $m=-1$, $n=1$이므로 $m+n=0$ 정답_ ③

191

접점의 좌표를 (x_1, y_1)이라고 하면 이 점에서의 접선의 방정식은

$9x_1 x+5y_1 y=45$ ······ ㉠

이 접선이 점 $(1, 3)$을 지나므로

$9x_1+15y_1=45$ $\therefore y_1=-\frac{3}{5}x_1+3$ ······ ㉡

한편, 점 (x_1, y_1)이 타원 $9x^2+5y^2=45$ 위의 점이므로

$9x_1^2+5y_1^2=45$ ······ ㉢

㉡, ㉢을 연립하여 풀면

$x_1=0, y_1=3$ 또는 $x_1=\frac{5}{3}, y_1=2$

즉, 접점의 좌표가 $(0, 3)$, $\left(\frac{5}{3}, 2\right)$이므로 ㉠에 대입하면 접선의 방정식은 $y=3$ 또는 $y=-\frac{3}{2}x+\frac{9}{2}$

오른쪽 그림과 같이 직선

$y=-\frac{3}{2}x+\frac{9}{2}$와 x축의 교점을 A라

하고 점 A에서 직선 $y=3$에 내린 수선의 발을 H라고 하면 $A(3, 0)$, $H(3, 3)$

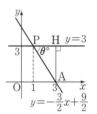

따라서 직각삼각형 AHP에서

$\tan\theta°=\frac{\overline{AH}}{\overline{PH}}=\frac{3}{3-1}=\frac{3}{2}$ 정답_ ③

192

$\sqrt{12-4}=\sqrt{8}=2\sqrt{2}$이므로 두 초점을 $F(2\sqrt{2}, 0)$, $F'(-2\sqrt{2}, 0)$으로 놓자.

타원 위의 점 $(3, 1)$에서의 접선 l의 방정식은

$\frac{3x}{12}+\frac{y}{4}=1$ $\therefore y=-x+4$

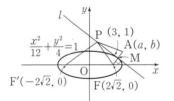

$\overline{PF}+\overline{PF'}$의 최솟값을 구하기 위하여 위의 그림과 같이 초점 F의 직선 l에 대한 대칭점을 $A(a, b)$라 하고, $\overline{AF}$의 중점을 M이라고 하면 점 M의 좌표는 $\left(\frac{2\sqrt{2}+a}{2}, \frac{b}{2}\right)$

이때, 점 M이 직선 l 위의 점이므로

$\frac{b}{2}=-\frac{2\sqrt{2}+a}{2}+4$ $\therefore a+b=8-2\sqrt{2}$ ······ ㉠

또한, 직선 AF의 기울기는 $\frac{b}{a-2\sqrt{2}}$이고, 직선 AF는 직선 l과 수직이므로

$\frac{b}{a-2\sqrt{2}}=1$ $\therefore a-b=2\sqrt{2}$ ······ ㉡

㉠, ㉡을 연립하여 풀면 $a=4, b=4-2\sqrt{2}$

$$\therefore A(4, 4-2\sqrt{2})$$
$$\therefore \overline{PF}+\overline{PF'}=\overline{PA}+\overline{PF'}\ (\because \overline{PF}=\overline{PA})$$
$$\geq\overline{AF'}=\sqrt{(4+2\sqrt{2})^2+(4-2\sqrt{2})^2}=4\sqrt{3}$$

따라서 구하는 최솟값은 $4\sqrt{3}$이다.   정답_ ④

참고

점 P를 직선 l에 대하여 대칭이동한 점을 P′이라 고 하면

① 선분 PP′의 중점은 직선 l 위에 있다.

② 직선 PP′은 직선 l과 수직이다.

193

타원 $\dfrac{x^2}{6}+\dfrac{y^2}{2}=1$ 위의 점 $(\sqrt{3}, 1)$에서의 접선의 방정식은

$$\dfrac{\sqrt{3}x}{6}+\dfrac{y}{2}=1 \quad \therefore \sqrt{3}x+3y-6=0$$

$\sqrt{6-2}=2$에서 $F(2, 0), F'(-2, 0)$이므로

$$\overline{AF}=\dfrac{|\sqrt{3}\times2+3\times0-6|}{\sqrt{(\sqrt{3})^2+3^2}}=\dfrac{6-2\sqrt{3}}{2\sqrt{3}}=\sqrt{3}-1$$

$$\overline{BF'}=\dfrac{|\sqrt{3}\times(-2)+3\times0-6|}{\sqrt{(\sqrt{3})^2+3^2}}=\dfrac{6+2\sqrt{3}}{2\sqrt{3}}=\sqrt{3}+1$$

한편, $\overline{AC}=\overline{FF'}=4$이고, $\overline{CF'}=\overline{AF}$이므로

$$\overline{BC}=\overline{BF'}-\overline{CF'}=\overline{BF'}-\overline{AF}=(\sqrt{3}+1)-(\sqrt{3}-1)=2$$

직각삼각형 ABC에서 $\overline{AB}=\sqrt{4^2-2^2}=2\sqrt{3}$

따라서 삼각형 ABC의 둘레의 길이는

$$4+2+2\sqrt{3}=6+2\sqrt{3}$$ 정답_ ⑤

194

점 P의 좌표를 $(a, b)\ (a<0, b>0)$라고 하면 점 P는 타원 $\dfrac{x^2}{9}+\dfrac{y^2}{4}=1$ 위의 점이므로

$$\dfrac{a^2}{9}+\dfrac{b^2}{4}=1$$ ······ ㉠

타원 $\dfrac{x^2}{9}+\dfrac{y^2}{4}=1$ 위의 점 (a, b)에서의 접선의 방정식은

$$\dfrac{ax}{9}+\dfrac{by}{4}=1$$

이 직선이 점 $(0, 3)$을 지나므로 $\dfrac{3}{4}b=1 \quad \therefore b=\dfrac{4}{3}$

이것을 ㉠에 대입하면

$$\dfrac{a^2}{9}+\dfrac{1}{4}\times\left(\dfrac{4}{3}\right)^2=1, a^2=5 \quad \therefore a=-\sqrt{5}\ (\because a<0)$$

즉, $P\left(-\sqrt{5}, \dfrac{4}{3}\right)$이고 점 Q는 점 P와 y축에 대하여 대칭이므로

$$Q\left(\sqrt{5}, \dfrac{4}{3}\right)$$

$$\therefore \overline{PQ}=|\sqrt{5}-(-\sqrt{5})|=2\sqrt{5}$$

한편, 타원 $\dfrac{x^2}{9}+\dfrac{y^2}{4}=1$에서 점 F가 아닌 다른 한 초점을 F′이라 고 하면 타원의 정의에 의해

$$\overline{PF}+\overline{PF'}=\overline{QF}+\overline{QF'}=2\times3=6$$

따라서 삼각형 PFQ의 둘레의 길이는

$$\overline{PF}+\overline{PQ}+\overline{QF}=\overline{PF}+\overline{PQ}+\overline{PF'}\ (\because \overline{PF'}=\overline{QF})$$
$$=(\overline{PF}+\overline{PF'})+\overline{PQ}$$
$$=6+2\sqrt{5}$$ 정답_ ⑤

195

$bx-ay=0$에서 $y=\dfrac{b}{a}x$이므로 이것을

$$\dfrac{x_0x}{a^2}+\dfrac{y_0x}{b^2}=1$$ ······ ㉠

㉠에 대입하면 $\dfrac{x_0x}{a^2}-\dfrac{y_0x}{ab}=1$

$$\therefore x_1=x=\boxed{\underset{\text{(가)}}{\dfrac{a^2b}{bx_0-ay_0}}}, y_1=y=\dfrac{ab^2}{bx_0-ay_0}$$

또한, $bx+ay=0$에서 $y=-\dfrac{b}{a}x$이므로 이것을 ㉠에 대입하면

$$\dfrac{x_0x}{a^2}+\dfrac{y_0x}{ab}=1$$

$$\therefore x_2=x=\dfrac{a^2b}{bx_0+ay_0}, y_2=y=\boxed{\underset{\text{(나)}}{-\dfrac{ab^2}{bx_0+ay_0}}}$$

따라서 삼각형 ORQ의 넓이 S는

$$S=\dfrac{1}{2}|x_1y_2-x_2y_1|$$
$$=\dfrac{1}{2}\left|\dfrac{a^2b}{bx_0-ay_0}\times\left(-\dfrac{ab^2}{bx_0+ay_0}\right)-\dfrac{a^2b}{bx_0+ay_0}\times\dfrac{ab^2}{bx_0-ay_0}\right|$$
$$=\dfrac{a^3b^3}{b^2x_0{}^2-a^2y_0{}^2}$$
$$=\boxed{\underset{\text{(다)}}{ab}}\ (\because b^2x_0{}^2-a^2y_0{}^2=a^2b^2)$$

로 일정하다.   정답_ ④

참고

좌표평면 위의 세 점 $O(0, 0)$, $A(x_1, y_1)$, $B(x_2, y_2)$의 좌표 를 알 때 삼각형 AOB의 넓이 S는 다음과 같은 방법으로 구한다.

삼각형 AOB에서 변 OB의 길이는

$$\overline{OB}=\sqrt{x_2{}^2+y_2{}^2}$$

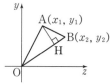

점 A에서 변 OB에 내린 수선의 발을 H라고 하자. 직선 OB의 방정식이

$$y=\dfrac{y_2}{x_2}x, 즉 y_2x-x_2y=0$$이므로

점과 직선 사이의 거리를 이용하여 선분 AH의 길이를 구하면

$$\overline{AH}=\dfrac{|x_1y_2-x_2y_1|}{\sqrt{y_2{}^2+x_2{}^2}}$$

따라서 삼각형 AOB의 넓이 S는

$$S=\dfrac{1}{2}\times\overline{OB}\times\overline{AH}=\dfrac{1}{2}|x_1y_2-x_2y_1|$$

03 벡터의 연산

196

$\overline{AC}=\sqrt{1^2+1^2}=\sqrt{2}$이므로 $|\overrightarrow{AC}|=\overline{AC}=\sqrt{2}$ 정답_ ②

197

정육각형의 한 내각의 크기는 $\dfrac{180°(6-2)}{6}=120°$

△CDE에서 $\angle DCE=\dfrac{1}{2}(180°-120°)=30°$

오른쪽 그림과 같이 점 D에서 선분 CE
에 내린 수선의 발을 H라고 하면

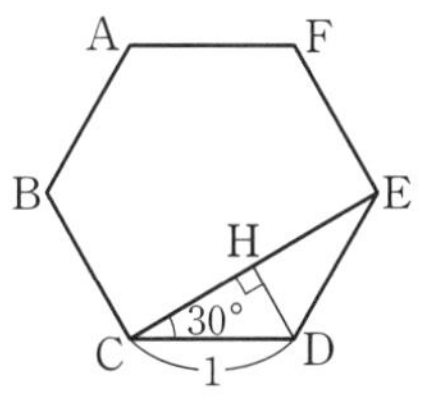

$|\overrightarrow{CE}|=2|\overrightarrow{CH}|$

$=2\times\overline{CD}\cos 30°$

$=2\times 1\times\dfrac{\sqrt{3}}{2}=\sqrt{3}$

따라서 $k=\sqrt{3}$이므로

$k^2=3$ 정답_ ②

참고

정n각형의 한 내각의 크기는 $\dfrac{180°(n-2)}{n}$

198

오른쪽 그림과 같이 $\overline{BF}$, $\overline{CE}$와 $\overline{AD}$의 교
점을 각각 G, H라고 하면

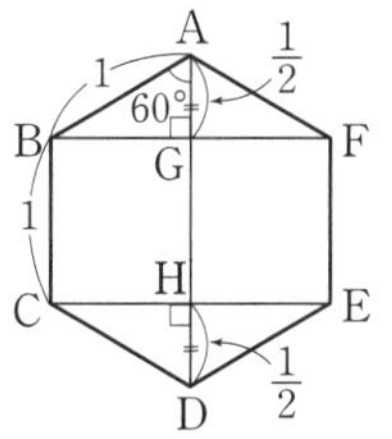

$\overline{AG}=\overline{DH}=\overline{AB}\times\cos 60°$

$=1\times\dfrac{1}{2}=\dfrac{1}{2}$

$\therefore \overline{AD}=\overline{AG}+\overline{GH}+\overline{DH}$

$=\dfrac{1}{2}+1+\dfrac{1}{2}=2$

따라서 크기가 2인 벡터는 $\overrightarrow{AD}$, $\overrightarrow{DA}$, $\overrightarrow{BE}$, $\overrightarrow{EB}$, $\overrightarrow{CF}$, $\overrightarrow{FC}$의 6개
이다. 정답_ ⑤

199

ㄱ은 옳다.

$\overrightarrow{DE}=\overrightarrow{FC}=\dfrac{1}{2}\overline{AC}=2$이므로 $|\overrightarrow{DE}|=|\overrightarrow{FC}|=2$

ㄴ은 옳지 않다.

$\overrightarrow{DF}$와 크기와 방향이 같은 벡터는 $\overrightarrow{BE}$, $\overrightarrow{EC}$의 2개이다.

ㄷ도 옳다.

$\overrightarrow{CF}$와 크기는 같고 방향이 반대인 벡터는 $\overrightarrow{AF}$, $\overrightarrow{FC}$, $\overrightarrow{DE}$의 3
개이다.

따라서 옳은 것은 ㄱ, ㄷ이다. 정답_ ㄱ, ㄷ

200

(1) 크기와 방향이 모두 같아야 하므로 서로 같은 벡터는

$\vec{b}$와 $\vec{i}$, $\vec{d}$와 $\vec{h}$

정답_ (1) $\vec{b}$와 $\vec{i}$, $\vec{d}$와 $\vec{h}$ (2) $\vec{a}$와 $\vec{j}$, $\vec{g}$와 $\vec{f}$

201

$\overrightarrow{OE}$와 크기와 방향이 모두 같은 벡터는

$\overrightarrow{AF}$, $\overrightarrow{BO}$, $\overrightarrow{CD}$이므로 $a=3$

$\overrightarrow{OE}$와 크기는 같고 방향이 반대인 벡터는

$\overrightarrow{EO}$, $\overrightarrow{FA}$, $\overrightarrow{OB}$, $\overrightarrow{DC}$이므로 $b=4$

$\therefore a+b=7$ 정답_ ①

202

$\overrightarrow{AB}$와 서로 같은 벡터는 $\overrightarrow{FO}$, $\overrightarrow{OC}$, $\overrightarrow{ED}$

$\overrightarrow{BC}$와 서로 같은 벡터는 $\overrightarrow{AO}$, $\overrightarrow{OD}$, $\overrightarrow{FE}$

$\overrightarrow{CD}$와 서로 같은 벡터는 $\overrightarrow{BO}$, $\overrightarrow{OE}$, $\overrightarrow{AF}$

이때 세 벡터 $\overrightarrow{AB}$, $\overrightarrow{BC}$, $\overrightarrow{CD}$는 크기가 1인 단위벡터이고, 각각에
대하여 크기가 같고 방향이 반대인 단위벡터는 $\overrightarrow{BA}$, $\overrightarrow{CB}$, $\overrightarrow{DC}$이
므로 서로 다른 단위벡터의 개수는 6이다. 정답_ ①

203

$\overrightarrow{BC}+\overrightarrow{DB}+\overrightarrow{AB}+\overrightarrow{CD}=\overrightarrow{AB}+\overrightarrow{BC}+\overrightarrow{CD}+\overrightarrow{DB}$

$=(\overrightarrow{AB}+\overrightarrow{BC})+\overrightarrow{CD}+\overrightarrow{DB}$

$=\overrightarrow{AC}+\overrightarrow{CD}+\overrightarrow{DB}$

$=(\overrightarrow{AC}+\overrightarrow{CD})+\overrightarrow{DB}$

$=\overrightarrow{AD}+\overrightarrow{DB}=\overrightarrow{AB}$ 정답_ ①

204

① 은 옳지 않다.

$\overrightarrow{AB}+\overrightarrow{AA}-\overrightarrow{BA}=\overrightarrow{AB}+\vec{0}+\overrightarrow{AB}=2\overrightarrow{AB}$

② 도 옳지 않다.

$\overrightarrow{AB}+\overrightarrow{AC}-\overrightarrow{BC}=\overrightarrow{AB}+\overrightarrow{AC}+\overrightarrow{CB}=\overrightarrow{AB}+\overrightarrow{AB}=2\overrightarrow{AB}$

③ 도 옳지 않다.

$\overrightarrow{AB}+\overrightarrow{BC}-\overrightarrow{CA}=\overrightarrow{AC}+\overrightarrow{AC}=2\overrightarrow{AC}$

④ 도 옳지 않다.

$\overrightarrow{AB}-\overrightarrow{AC}-\overrightarrow{BC}=\overrightarrow{AB}+\overrightarrow{CA}+\overrightarrow{CB}=\overrightarrow{CA}+\overrightarrow{AB}+\overrightarrow{CB}$

$=\overrightarrow{CB}+\overrightarrow{CB}=2\overrightarrow{CB}$

⑤ 는 옳다.

$\overrightarrow{AB}-\overrightarrow{CB}-\overrightarrow{AC}=\overrightarrow{AB}+\overrightarrow{BC}+\overrightarrow{CA}=\overrightarrow{AC}+\overrightarrow{CA}$

$=\overrightarrow{AA}=\vec{0}$

정답_ ⑤

205

$$\overrightarrow{AD}=\overrightarrow{AO}+\overrightarrow{OD}=\overrightarrow{OD}-\overrightarrow{OA}=-\overrightarrow{OB}-\overrightarrow{OA}$$
$$=-\vec{b}-\vec{a}=-\vec{a}-\vec{b}$$

정답_ $-\vec{a}-\vec{b}$

206

오른쪽 그림과 같이 정육각형의 세 대각선
의 교점을 O라고 하면

$$\begin{aligned}\vec{a}-\vec{b}+\vec{c}&=\overrightarrow{AB}-\overrightarrow{BC}+\overrightarrow{CD}\\&=\overrightarrow{AB}+\overrightarrow{CB}+\overrightarrow{BO}\\&=\overrightarrow{AB}+\overrightarrow{CO}\\&=\overrightarrow{AB}-\overrightarrow{AB}=\vec{0}\end{aligned}$$

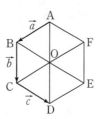

정답_ ①

207

$\overrightarrow{OA}+\overrightarrow{OC}=\overrightarrow{OB}+\overrightarrow{OD}$에서
$\overrightarrow{OA}-\overrightarrow{OB}=\overrightarrow{OD}-\overrightarrow{OC}$ $\therefore \overrightarrow{BA}=\overrightarrow{CD}$

즉, 오른쪽 그림과 같이 선분 BA와 선분 CD는
서로 길이가 같고 평행하다.

이때, 네 점 A, B, C, D는 서로 다른 점이고, 한
쌍의 대변이 평행하고 그 길이가 같으므로 사각
형 ABCD는 평행사변형이다.

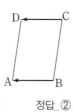

정답_ ②

208

(1) $3(\vec{a}+\vec{b})-2(2\vec{a}-3\vec{b})=3\vec{a}+3\vec{b}-4\vec{a}+6\vec{b}$
$\qquad\qquad\qquad\qquad\quad=-\vec{a}+9\vec{b}$

(2) $\dfrac{1}{2}(-5\vec{a}-\vec{b}+2\vec{c})+\dfrac{2}{3}(4\vec{a}+\vec{b}-3\vec{c})$

$=-\dfrac{5}{2}\vec{a}-\dfrac{1}{2}\vec{b}+\vec{c}+\dfrac{8}{3}\vec{a}+\dfrac{2}{3}\vec{b}-2\vec{c}$

$=\dfrac{1}{6}\vec{a}+\dfrac{1}{6}\vec{b}-\vec{c}$

정답_(1) $-\vec{a}+9\vec{b}$ (2) $\dfrac{1}{6}\vec{a}+\dfrac{1}{6}\vec{b}-\vec{c}$

209

$3(\vec{a}-\vec{x})+2(\vec{b}-2\vec{a})=-4\vec{x}$에서
$3\vec{a}-3\vec{x}+2\vec{b}-4\vec{a}=-4\vec{x}$ $\therefore \vec{x}=\vec{a}-2\vec{b}$

따라서 $m=1, n=-2$이므로 $m+n=-1$

정답_ ③

210

오른쪽 그림과 같이 $\vec{a}, \vec{b}$를 정하면
$\overrightarrow{AB}=-\vec{a}+\vec{b},\ \overrightarrow{AC}=3\vec{a}+2\vec{b},$
$\overrightarrow{AD}=2\vec{a}+4\vec{b}$

이므로 $\overrightarrow{AD}=m\overrightarrow{AB}+n\overrightarrow{AC}$에서
$2\vec{a}+4\vec{b}=m(-\vec{a}+\vec{b})+n(3\vec{a}+2\vec{b})$
$\qquad\qquad=(-m+3n)\vec{a}+(m+2n)\vec{b}$

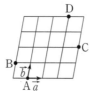

즉, $-m+3n=2, m+2n=4$이므로 두 식을 연립하여 풀면

$m=\dfrac{8}{5}, n=\dfrac{6}{5}$ $\therefore m+n=\dfrac{14}{5}$

정답_ $\dfrac{14}{5}$

211

오른쪽 그림과 같은 삼각형 ABC에서

$$\overrightarrow{AD}=\dfrac{1}{2}(\overrightarrow{AB}+\overrightarrow{AC})=\dfrac{1}{2}(\vec{a}+\vec{b})$$

$$\therefore \overrightarrow{AG}=\dfrac{2}{3}\overrightarrow{AD}=\dfrac{1}{3}(\vec{a}+\vec{b})$$

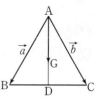

정답_ ③

> **참고**
>
> 삼각형의 무게중심
>
> • 삼각형의 세 중선의 교점을 무게중심이라고 한다.
> • 삼각형의 무게중심은 세 중선의 길이를 각 꼭짓점으로부터 각
>   각 2 : 1로 나눈다.

212

$2\overrightarrow{OA}+\overrightarrow{OB}=3\overrightarrow{OC}$에서 $3\overrightarrow{OA}+(\overrightarrow{OB}-\overrightarrow{OA})=3\overrightarrow{OC}$
$\overrightarrow{OB}-\overrightarrow{OA}=3\overrightarrow{OC}-3\overrightarrow{OA}=3(\overrightarrow{OC}-\overrightarrow{OA})$

$\therefore \overrightarrow{AB}=3\overrightarrow{AC}$

$\overrightarrow{CA}=3\vec{a}+2\vec{b}$에서 $\overrightarrow{AC}=-3\vec{a}-2\vec{b}$
$\overrightarrow{AB}=3\overrightarrow{AC}$에서 $k\vec{a}+l\vec{b}=3(-3\vec{a}-2\vec{b})=-9\vec{a}-6\vec{b}$

따라서 $k=-9, l=-6$이므로

$k+l=-9-6=-15$

정답_ ①

213

$\overrightarrow{OA}+\overrightarrow{OC}=\overrightarrow{OB}+\overrightarrow{OD}$에서
$\overrightarrow{OA}-\overrightarrow{OD}=\overrightarrow{OB}-\overrightarrow{OC}$ $\therefore \overrightarrow{DA}=\overrightarrow{CB}$

즉, 두 선분 DA, CB는 서로 평행하고
그 길이가 같으므로 사각형 ABCD는
평행사변형이다.

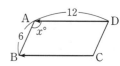

$\angle BAD=x^\circ$라고 하면 사각형 ABCD의 넓이는
$\overline{AB}\times\overline{AD}\times\sin x^\circ$

이므로 최대가 될 때에는 $x=90$일 때이다.

따라서 구하는 최댓값은

$6\times12\times\sin 90^\circ=72$

정답_ ④

214

$\overrightarrow{AB}=\overrightarrow{PB}-\overrightarrow{PA}$이므로
$\overrightarrow{PA}+\overrightarrow{PB}+\overrightarrow{PC}=\overrightarrow{AB}$에서
$\overrightarrow{PA}+\overrightarrow{PB}+\overrightarrow{PC}=\overrightarrow{PB}-\overrightarrow{PA}$

$\therefore \overrightarrow{PC}=-2\overrightarrow{PA}$

즉, $|\overrightarrow{PC}|=2|\overrightarrow{PA}|$이므로 점 P는 선분
AC를 1 : 2로 내분하는 점이다.

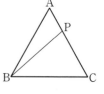

$\therefore \triangle ABP : \triangle CBP=\overline{PA} : \overline{PC}=1 : 2$

정답_ ②

215

ㄱ은 옳다.

$\overrightarrow{PA}+\overrightarrow{PB}+\overrightarrow{PC}+\overrightarrow{PD}=\overrightarrow{CA}$에서

$\overrightarrow{PA}+\overrightarrow{PB}+\overrightarrow{PC}+\overrightarrow{PD}=\overrightarrow{PA}-\overrightarrow{PC}$

$\overrightarrow{PB}+\overrightarrow{PD}=-2\overrightarrow{PC}=2\overrightarrow{CP}$

ㄴ도 옳다.

ㄱ에서

$$\frac{\overrightarrow{PB}+\overrightarrow{PD}}{2}=\overrightarrow{CP} \qquad \cdots\cdots \text{㉠}$$

직사각형 ABCD의 두 대각선의 교점을 E라고 하면 점 E는 대각선 BD의 중점이므로 ㉠에 의하여

$\overrightarrow{PE}=\overrightarrow{CP}$

즉, 오른쪽 그림과 같이 점 P는 $\overline{CE}$의 중점이다.

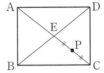

$\therefore \overrightarrow{AP}=\frac{3}{4}\overrightarrow{AC}$

ㄷ도 옳다.

ㄴ에 의해 $\overrightarrow{AP}=\frac{3}{4}\overrightarrow{AC}$이므로

$\triangle ADP=\frac{3}{4}\triangle ADC$

이때, 삼각형 ADP의 넓이가 3이므로

$\triangle ADC=\frac{4}{3}\triangle ADP=\frac{4}{3}\times 3=4$

그러므로 직사각형 ABCD의 넓이는

$2\triangle ADC=2\times 4=8$

따라서 옳은 것은 ㄱ, ㄴ, ㄷ이다.

정답_ ⑤

216

정사각형 ABCD의 한 변의 길이를 a라고 하면

① $|\overrightarrow{AB}|=a$

② $\overrightarrow{AO}+\overrightarrow{BO}=\overrightarrow{AO}+\overrightarrow{OD}=\overrightarrow{AD}$이므로

   $|\overrightarrow{AO}+\overrightarrow{BO}|=a$

③ $\overrightarrow{AD}+\overrightarrow{CA}=\overrightarrow{CA}+\overrightarrow{AD}=\overrightarrow{CD}$이므로

   $|\overrightarrow{AD}+\overrightarrow{CA}|=a$

④ $\overrightarrow{CO}+\overrightarrow{AB}=\overrightarrow{CO}+\overrightarrow{DC}=\overrightarrow{DC}+\overrightarrow{CO}=\overrightarrow{DO}$이므로

   $|\overrightarrow{CO}+\overrightarrow{AB}|=|\overrightarrow{DO}|=\frac{\sqrt{2}}{2}a$

⑤ $\overrightarrow{AD}+\overrightarrow{OC}+\overrightarrow{OA}=\overrightarrow{AD}+\overrightarrow{AO}+\overrightarrow{OA}=\overrightarrow{AD}+\vec{0}=\overrightarrow{AD}$이므로

   $|\overrightarrow{AD}+\overrightarrow{OC}+\overrightarrow{OA}|=a$

따라서 크기가 나머지 넷과 다른 하나는 ④이다.

정답_ ④

217

$\overrightarrow{AB}+\overrightarrow{AC}+\overrightarrow{AD}=(\overrightarrow{AB}+\overrightarrow{AD})+\overrightarrow{AC}$

$\qquad\qquad\qquad =\overrightarrow{AC}+\overrightarrow{AC}=2\overrightarrow{AC}$

$\overrightarrow{AB}=x$로 놓으면 $\overrightarrow{AC}=\sqrt{2}x$이므로

$|\overrightarrow{AB}+\overrightarrow{AC}+\overrightarrow{AD}|=|2\overrightarrow{AC}|=2\sqrt{2}x=16\sqrt{2}$

$2x=16 \quad \therefore x=8$

따라서 정사각형의 한 변의 길이는 8이다.

정답_ ③

218

오른쪽 그림에서

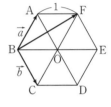

$\overrightarrow{AB}-\overrightarrow{BC}+\overrightarrow{CA}$

$=(\overrightarrow{CA}+\overrightarrow{AB})-\overrightarrow{BC}$

$=\overrightarrow{CB}+\overrightarrow{CB}=2\overrightarrow{CB}$

$\therefore |\overrightarrow{AB}-\overrightarrow{BC}+\overrightarrow{CA}|=|2\overrightarrow{CB}|$

$\qquad\qquad\qquad\qquad =2|\overrightarrow{CB}|=2$

정답_ ④

219

오른쪽 그림과 같이 정육각형의 세 대각선의 교점을 O라고 하면

$\vec{a}=\overrightarrow{CO}=\overrightarrow{OF}$

$\therefore 2\vec{a}=\overrightarrow{CF}$

$\therefore 2\vec{a}+\vec{b}=\overrightarrow{CF}+\overrightarrow{BC}$

$\qquad\qquad =\overrightarrow{BC}+\overrightarrow{CF}$

$\qquad\qquad =\overrightarrow{BF}$

이때, $\overrightarrow{BF}$의 길이는 한 변의 길이가 1인 정삼각형의 높이의 2배이므로

$\overrightarrow{BF}=2\times\frac{\sqrt{3}}{2}=\sqrt{3}$

즉, $|2\vec{a}+\vec{b}|=|\overrightarrow{BF}|=\sqrt{3}$이므로

$|6\vec{a}+3\vec{b}|=3|2\vec{a}+\vec{b}|=3\sqrt{3}$

정답_ ⑤

220

$\overrightarrow{CP}-\overrightarrow{CB}+\overrightarrow{AM}+\overrightarrow{BA}=\overrightarrow{BP}+\overrightarrow{AM}-\overrightarrow{AB}$

$\qquad\qquad\qquad\qquad\qquad =\overrightarrow{BP}+\overrightarrow{BM}$

이고, 점 M이 변 BC의 중점이므로 오른쪽 그림과 같이 벡터 $\overrightarrow{BP}+\overrightarrow{BM}$의 크기는 변 AB 위의 점 P가 점 A에 위치할 때 최대가 된다. 이때 사각형 ABMD가 평행사변형이 되도록 점 D를 잡으면 $\overrightarrow{BP}+\overrightarrow{BM}=\overrightarrow{BD}$이고,

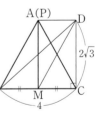

$\overrightarrow{AD}=\overrightarrow{BM}=\overrightarrow{MC}$이므로 직각삼각형 BCD에서

$\overline{BC}=4, \overline{CD}=\overline{AM}=\frac{\sqrt{3}}{2}\times 4=2\sqrt{3}$

따라서

$\overline{BD}=\sqrt{4^2+(2\sqrt{3})^2}=\sqrt{16+12}=\sqrt{28}=2\sqrt{7}$

이므로

$|\overrightarrow{BD}|=\overline{BD}=2\sqrt{7}$

정답_ ②

221

오른쪽 그림과 같이 네 원 C_1, C_2, C_3, C_4의 중심을 각각 O_1, O_2, O_3, O_4라 하고, 두 원 C_3, C_4의 접점을 B라고 하자.

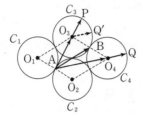

이때 사각형 $O_1O_2O_4O_3$은 한 변의 길이가 2인 마름모이고 두 점 A, B는 각각 $\overline{O_1O_2}$, $\overline{O_3O_4}$의 중점이다.

$\therefore \overrightarrow{AO_3}+\overrightarrow{AO_4}=2\overrightarrow{AB}=2\overrightarrow{O_1O_3}$

벡터 $\overrightarrow{O_4Q}$의 시점이 O_3이 되도록 평행이동했을 때의 종점을 Q′이라고 하면

$\overrightarrow{O_3P}+\overrightarrow{O_4Q}=\overrightarrow{O_3P}+\overrightarrow{O_3Q'}$

이므로

$\overrightarrow{AP}+\overrightarrow{AQ}=(\overrightarrow{AO_3}+\overrightarrow{O_3P})+(\overrightarrow{AO_4}+\overrightarrow{O_4Q})$
$=(\overrightarrow{AO_3}+\overrightarrow{AO_4})+(\overrightarrow{O_3P}+\overrightarrow{O_4Q})$
$=2\overrightarrow{O_1O_3}+\overrightarrow{O_3P}+\overrightarrow{O_3Q'}$

$\therefore |\overrightarrow{AP}+\overrightarrow{AQ}|\leq2|\overrightarrow{O_1O_3}|+|\overrightarrow{O_3P}|+|\overrightarrow{O_3Q'}|$
$=2\times2+1+1=6$

따라서 구하는 최댓값은 6이다.　　　　　정답_ ②

222

$(x+2y)\vec{a}+(x-y+1)\vec{b}=3\vec{a}-2\vec{b}$에서 $\vec{a}$, $\vec{b}$가 서로 평행하지 않으므로 $x+2y=3$, $x-y+1=-2$
두 식을 연립하여 풀면 $x=-1$, $y=2$

$\therefore x+y=-1+2=1$　　　　　정답_ ④

223

$\vec{c}=3\vec{b}$이므로

$\dfrac{1}{3}(8\vec{a}+\vec{b}+\vec{c})-\dfrac{2}{3}\left(\vec{a}+\dfrac{1}{2}\vec{b}+\dfrac{3}{2}\vec{c}\right)$

$=\dfrac{1}{3}(8\vec{a}+\vec{b}+3\vec{b})-\dfrac{2}{3}\left(\vec{a}+\dfrac{1}{2}\vec{b}+\dfrac{9}{2}\vec{b}\right)$

$=\dfrac{1}{3}(8\vec{a}+4\vec{b})-\dfrac{2}{3}(\vec{a}+5\vec{b})$

$=\dfrac{8}{3}\vec{a}+\dfrac{4}{3}\vec{b}-\dfrac{2}{3}\vec{a}-\dfrac{10}{3}\vec{b}=2\vec{a}-2\vec{b}$

$\therefore k=-2$　　　　　정답_ ①

224

$\vec{x}+\vec{y}=\vec{a}+2\vec{b}$　　　　　……　㉠
$\vec{x}-\vec{y}=2\vec{a}-\vec{b}$　　　　　……　㉡
㉠＋㉡을 하면 $2\vec{x}=3\vec{a}+\vec{b}$
㉠－㉡을 하면 $2\vec{y}=-\vec{a}+3\vec{b}$

$\therefore 2\vec{x}+4\vec{y}=(3\vec{a}+\vec{b})+2(-\vec{a}+3\vec{b})$
$=3\vec{a}+\vec{b}-2\vec{a}+6\vec{b}=\vec{a}+7\vec{b}$

따라서 $p=1$, $q=7$이므로 $p+q=8$　　　　정답_ ④

225

$\overrightarrow{AC}=\overrightarrow{OC}-\overrightarrow{OA}=(3\vec{a}-k\vec{b})-\vec{a}=2\vec{a}-k\vec{b}$
$\overrightarrow{BA}=\overrightarrow{OA}-\overrightarrow{OB}=\vec{a}-\vec{b}$
이므로 $m\overrightarrow{AC}=6\overrightarrow{BA}$에서
$m(2\vec{a}-k\vec{b})=6(\vec{a}-\vec{b})$, $2m\vec{a}-km\vec{b}=6\vec{a}-6\vec{b}$
두 벡터 $\vec{a}$, $\vec{b}$가 서로 평행하지 않고 영벡터가 아니므로
$2m=6$, $km=6$

$\therefore m=3$, $k=2$　　　　　정답_ ④

226

두 벡터 $\vec{a}-2\vec{b}$와 $4\vec{a}+m\vec{b}$가 서로 평행하므로
$4\vec{a}+m\vec{b}=t(\vec{a}-2\vec{b})$ ($t\neq0$인 실수)로 놓으면
$4\vec{a}+m\vec{b}=t\vec{a}-2t\vec{b}$
$\vec{a}$, $\vec{b}$가 서로 평행하지 않고 영벡터가 아니므로
$4=t$, $m=-2t$

$\therefore m=-8$　　　　　정답_ ①

227

$|\vec{a}+\vec{b}|=|\vec{a}|+|\vec{b}|$가 성립하려면 오른쪽 그림과 같이 $\vec{a}$, $\vec{b}$가 같은 방향이어야 하므로
$\vec{b}=|k|\vec{a}$　　　　　정답_ ③

228

$\vec{p}+\vec{q}=(\vec{a}-2\vec{b})+(2\vec{a}+\vec{b})=3\vec{a}-\vec{b}$
$\vec{q}-\vec{r}=(2\vec{a}+\vec{b})-(3\vec{a}-k\vec{b})=-\vec{a}+(k+1)\vec{b}$
$\vec{p}+\vec{q}$와 $\vec{q}-\vec{r}$가 서로 평행하려면
$m(\vec{p}+\vec{q})=\vec{q}-\vec{r}$
를 만족시키는 0이 아닌 실수 m이 존재해야 한다.
$m(3\vec{a}-\vec{b})=-\vec{a}+(k+1)\vec{b}$에서
$3m\vec{a}-m\vec{b}=-\vec{a}+(k+1)\vec{b}$
두 벡터 $\vec{a}$, $\vec{b}$가 서로 평행하지 않고 영벡터가 아니므로
$3m=-1$, $-m=k+1$

$\therefore m=-\dfrac{1}{3}$, $k=-\dfrac{2}{3}$　　　　정답_ ②

229

$\overrightarrow{AB}=\dfrac{1}{3}\overrightarrow{CD}$에서 $\overrightarrow{CD}=3\overrightarrow{AB}$

$3(\overrightarrow{AB}-\overrightarrow{CD})+\overrightarrow{EF}-2\overrightarrow{CD}=3(\overrightarrow{EF}+2\overrightarrow{AB})$에서
$3(\overrightarrow{AB}-3\overrightarrow{AB})+\overrightarrow{EF}-2(3\overrightarrow{AB})=3\overrightarrow{EF}+6\overrightarrow{AB}$
$3\overrightarrow{AB}-9\overrightarrow{AB}+\overrightarrow{EF}-6\overrightarrow{AB}=3\overrightarrow{EF}+6\overrightarrow{AB}$
$-12\overrightarrow{AB}+\overrightarrow{EF}=3\overrightarrow{EF}+6\overrightarrow{AB}$

$\therefore \overrightarrow{EF}=-9\overrightarrow{AB}$

$\therefore |\overrightarrow{EF}|=|-9\overrightarrow{AB}|=9|\overrightarrow{AB}|=9\times3=27$　　　정답_ ⑤

230

$\overrightarrow{AB}=\overrightarrow{OB}-\overrightarrow{OA}=\vec{b}-\vec{a}$,

$\overrightarrow{AC}=\overrightarrow{OC}-\overrightarrow{OA}=2\vec{a}+m\vec{b}-\vec{a}=\vec{a}+m\vec{b}$

세 점 A, B, C가 한 직선 위에 있으려면

$\overrightarrow{AC}=k\overrightarrow{AB}$ ($k\neq0$인 실수)가 성립해야 하므로

$\vec{a}+m\vec{b}=k(\vec{b}-\vec{a})=-k\vec{a}+k\vec{b}$

두 벡터 $\vec{a}$, $\vec{b}$가 서로 평행하지 않고 영벡터가 아니므로

$1=-k, m=k$

$\therefore k=-1, m=-1$ 정답_②

231

오른쪽 그림과 같이 정사각형 AOBD를
생각하면 세 점 O, C, D가 한 직선 위에
있으므로

$\overrightarrow{OC}=k\overrightarrow{OD}$ ($k\neq0$인 실수)

로 놓을 수 있다.

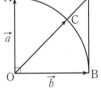

이때, $\overrightarrow{OD}=\overrightarrow{OA}+\overrightarrow{OB}=\vec{a}+\vec{b}$이고

$|\overrightarrow{OD}|:|\overrightarrow{OC}|=\sqrt{2}:1$이므로

$\overrightarrow{OC}=\dfrac{1}{\sqrt{2}}\overrightarrow{OD}=\dfrac{\sqrt{2}}{2}(\vec{a}+\vec{b})$ 정답_③

232

$\overrightarrow{BC}=\vec{a}, \overrightarrow{CD}=\vec{b}$라고 하면

$\overrightarrow{CM}=\dfrac{1}{2}\vec{b}, \overrightarrow{CA}=-\vec{a}+\vec{b}$

이때, $\overline{AN}:\overline{NC}=k:1$이므로

$\overline{AC}:\overline{NC}=(k+1):1$

$\therefore \overrightarrow{CN}=\dfrac{1}{k+1}\overrightarrow{CA}=\dfrac{1}{k+1}(-\vec{a}+\vec{b})$

세 점 B, N, M이 한 직선 위에 있으려면

$\overrightarrow{BN}=m\overrightarrow{BM}$

을 만족시키는 0이 아닌 실수 m이 존재해야 한다.

이때

$\overrightarrow{BN}=\overrightarrow{BC}+\overrightarrow{CN}=\vec{a}+\dfrac{1}{k+1}(-\vec{a}+\vec{b})$

$\qquad=\dfrac{k}{k+1}\vec{a}+\dfrac{1}{k+1}\vec{b}$

$\overrightarrow{BM}=\overrightarrow{BC}+\overrightarrow{CM}=\vec{a}+\dfrac{1}{2}\vec{b}$

이므로 $\overrightarrow{BN}=m\overrightarrow{BM}$에서

$\dfrac{k}{k+1}\vec{a}+\dfrac{1}{k+1}\vec{b}=m\left(\vec{a}+\dfrac{1}{2}\vec{b}\right)$

$\dfrac{k}{k+1}\vec{a}+\dfrac{1}{k+1}\vec{b}=m\vec{a}+\dfrac{1}{2}m\vec{b}$

두 벡터 $\vec{a}$, $\vec{b}$가 서로 평행하지 않고 영벡터가 아니므로

$\dfrac{k}{k+1}=m, \dfrac{1}{k+1}=\dfrac{1}{2}m$

$\therefore \dfrac{k}{k+1}=\dfrac{2}{k+1}$ $\qquad \therefore k=2 (\because k\neq-1)$ 정답_④

233

$\overrightarrow{AB}=\vec{a}, \overrightarrow{AC}=\vec{b}$라고 하면

$\overrightarrow{AM}=\dfrac{1}{2}(\overrightarrow{AB}+\overrightarrow{AC})=\dfrac{1}{2}(\vec{a}+\vec{b})=\dfrac{1}{2}\vec{a}+\dfrac{1}{2}\vec{b}$

$\overrightarrow{AN}=\dfrac{1}{3}\overrightarrow{AC}=\dfrac{1}{3}\vec{b}$

세 점 A, P, M이 한 직선 위에 있으므로

$\overrightarrow{AP}=t\overrightarrow{AM}$ ($t\neq0$인 실수)으로 놓으면

$\overrightarrow{AP}=\dfrac{1}{2}t\vec{a}+\dfrac{1}{2}t\vec{b}$ ······ ㉠

또, 세 점 B, P, N이 한 직선 위에 있으므로

$\overrightarrow{AP}=(1-s)\overrightarrow{AB}+s\overrightarrow{AN}$ ($s\neq0$인 실수)으로 놓으면

$\overrightarrow{AP}=(1-s)\vec{a}+\dfrac{1}{3}s\vec{b}$ ······ ㉡

㉠, ㉡에서 두 벡터 $\vec{a}$, $\vec{b}$가 서로 평행하지 않고 영벡터가 아니므로

$\dfrac{1}{2}t=1-s, \dfrac{1}{2}t=\dfrac{1}{3}s$

위의 두 식을 연립하여 풀면

$s=\dfrac{3}{4}, t=\dfrac{1}{2}$

따라서 $\overrightarrow{AP}=\dfrac{1}{4}\vec{a}+\dfrac{1}{4}\vec{b}$이므로

$m=\dfrac{1}{4}, n=\dfrac{1}{4}$

$\therefore m+n=\dfrac{1}{2}$ 정답_②

234

점 C가 직선 AB 위에 있다고 가정하고

$\overrightarrow{OC}=m\vec{a}+n\vec{b}$ (m, n은 실수)로 놓으면

$\overrightarrow{AB}=\overrightarrow{OB}-\overrightarrow{OA}=\vec{b}-\vec{a}$

$\overrightarrow{AC}=\overrightarrow{OC}-\overrightarrow{OA}=m\vec{a}+n\vec{b}-\vec{a}=(m-1)\vec{a}+n\vec{b}$

이때, $\overrightarrow{AB}/\!/\overrightarrow{AC}$이므로 $\overrightarrow{AC}=k\overrightarrow{AB}$ ($k\neq0$인 실수)에서

$(m-1)\vec{a}+n\vec{b}=k(\vec{b}-\vec{a})$

$(m-1)\vec{a}+n\vec{b}=-k\vec{a}+k\vec{b}$

$m-1=-k, n=k$에서

$m-1=-n$ $\qquad \therefore m+n=1$

ㄱ. $\overrightarrow{OP}=\dfrac{3\vec{a}+\vec{b}}{4}=\dfrac{3}{4}\vec{a}+\dfrac{1}{4}\vec{b}$에서

$\dfrac{3}{4}+\dfrac{1}{4}=1$이므로 점 P는 직선 AB 위에 있다.

ㄴ. $\overrightarrow{OQ}=\dfrac{\vec{a}-2\vec{b}}{3}=\dfrac{1}{3}\vec{a}-\dfrac{2}{3}\vec{b}$에서

$\dfrac{1}{3}-\dfrac{2}{3}=-\dfrac{1}{3}$이므로 점 Q는 직선 AB 위에 있지 않다.

ㄷ. $\overrightarrow{OR}=\dfrac{-\vec{a}+3\vec{b}}{2}=-\dfrac{1}{2}\vec{a}+\dfrac{3}{2}\vec{b}$에서

$-\dfrac{1}{2}+\dfrac{3}{2}=1$이므로 점 R는 직선 AB 위에 있다.

따라서 종점이 직선 AB 위에 있는 벡터는 ㄱ, ㄷ이다.

정답_ ③

235

오른쪽 그림과 같이 $\overline{BH},\overline{CJ}$를 그으 면 ······· ❶

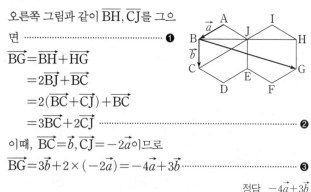

$\begin{aligned}\overrightarrow{BG}&=\overrightarrow{BH}+\overrightarrow{HG}\\&=2\overrightarrow{BJ}+\overrightarrow{BC}\\&=2(\overrightarrow{BC}+\overrightarrow{CJ})+\overrightarrow{BC}\\&=3\overrightarrow{BC}+2\overrightarrow{CJ} \cdots\cdots ❷\end{aligned}$

이때, $\overrightarrow{BC}=\vec{b}, \overrightarrow{CJ}=-2\vec{a}$이므로

$\overrightarrow{BG}=3\vec{b}+2\times(-2\vec{a})=-4\vec{a}+3\vec{b}$ ······· ❸

정답_ $-4\vec{a}+3\vec{b}$

단계	채점 기준	비율
❶	주어진 그림에서 필요한 선을 긋기	20%
❷	$\overrightarrow{BG}=3\overrightarrow{BC}+2\overrightarrow{CJ}$임을 알기	40%
❸	$\overrightarrow{BG}$를 $\vec{a}, \vec{b}$로 나타내기	40%

236

원의 중심을 $C(\sqrt{2},\sqrt{2})$라고 하면

$\overline{OC}=\sqrt{(\sqrt{2})^2+(\sqrt{2})^2}=2$

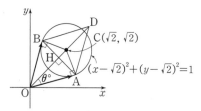

위 그림의 직각삼각형 OAC에서

$\overline{OA}=\sqrt{\overline{OC}^2-\overline{AC}^2}=\sqrt{2^2-1^2}=\sqrt{3}$ ······· ❶

$\angle AOC=\theta°$로 놓으면

$\cos\theta°=\dfrac{\overline{OA}}{\overline{OC}}=\dfrac{\sqrt{3}}{2}$ ······· ❷

이때, 두 선분 OA, OB를 이웃하는 두 변으로 하는 평행사변형 OADB를 잡으면 $\overline{OA}=\overline{OB}$이므로 사각형 OADB는 마름모이다.

즉, $\overline{AB}\perp\overline{OD}$이므로 $\overline{AB}$와 $\overline{OD}$의 교점을 H라고 하면

$\overline{OH}=\dfrac{1}{2}\overline{OD}$

$\overline{OH}=\overline{OA}\cos\theta°=\sqrt{3}\times\dfrac{\sqrt{3}}{2}=\dfrac{3}{2}$

$\therefore |\overrightarrow{OA}+\overrightarrow{OB}|=|\overrightarrow{OD}|=2\overline{OH}=3$ ······· ❸

정답_ 3

단계	채점 기준	비율
❶	원의 중심을 C로 놓고 $\overline{OA}, \overline{OC}$의 길이 구하기	30%
❷	$\angle AOC=\theta°$로 놓고 $\cos\theta°$의 값 구하기	20%
❸	$|\overrightarrow{OA}+\overrightarrow{OB}|$의 값 구하기	50%

참고

여러 가지 사각형의 대각선의 성질

• 평행사변형 : 서로 다른 것을 이등분한다.

• 직사각형 : 길이가 같고, 서로 다른 것을 이등분한다.

• 마름모 : 서로 다른 것을 수직이등분한다.

• 정사각형 : 길이가 같고, 서로 다른 것을 수직이등분한다.

• 등변사다리꼴 : 길이가 같다.

237

조건 (개)에서 $\vec{c}=\vec{a}+\vec{b}$이므로

$\vec{c}-\vec{a}=\vec{b}$

즉, $\overrightarrow{OC}-\overrightarrow{OA}=\overrightarrow{OB}$이므로

$\overrightarrow{AC}=\overrightarrow{OB}$ $\therefore \overrightarrow{AC}/\!/\overrightarrow{OB}$ ······ ㉠

또, $\vec{c}-\vec{b}=\vec{a}$에서 $\overrightarrow{OC}-\overrightarrow{OB}=\overrightarrow{OA}$이므로

$\overrightarrow{BC}=\overrightarrow{OA}$ $\therefore \overrightarrow{BC}/\!/\overrightarrow{OA}$ ······ ㉡

㉠, ㉡에서 두 쌍의 대변이 각각 평행하므로 사각형 OACB는 평행사변형이다. ······· ❶

조건 (내)에서 $|\vec{c}|=|\vec{b}-\vec{a}|$이므로

$|\overrightarrow{OC}|=|\overrightarrow{OB}-\overrightarrow{OA}|=|\overrightarrow{AB}|$ $\therefore \overline{OC}=\overline{AB}$

즉, 평행사변형 OACB의 두 대각선의 길이가 같으므로 사각형 OACB는 직사각형이다. ······· ❷

조건 (대)에서 $|\vec{b}|=|\vec{c}-\vec{b}|$이므로

$|\overrightarrow{OB}|=|\overrightarrow{OC}-\overrightarrow{OB}|=|\overrightarrow{BC}|$ $\therefore \overline{OB}=\overline{BC}$

이때, 이웃하는 두 변의 길이가 서로 같은 직사각형은 정사각형이 므로 사각형 OACB는 정사각형이다. ······· ❸

정답_ 정사각형

단계	채점 기준	비율
❶	조건 (개)를 이용하여 사각형 OACB가 평행사변형임을 보이기	40%
❷	조건 (내)를 이용하여 사각형 OACB가 직사각형임을 보이기	30%
❸	조건 (대)를 이용하여 사각형 OACB가 정사각형임을 보이기	30%

238

$\overrightarrow{OX}=\dfrac{\overrightarrow{OP}}{|\overrightarrow{OP}|}$에서 $\dfrac{1}{|\overrightarrow{OP}|}>0$이므로 $\overrightarrow{OX}$는 $\overrightarrow{OP}$와 방향이 같고

그 크기는 1인 단위벡터이다. ······· ❶

점 P가 변 AB 위를 꼭짓점 A에서 꼭짓 점 B까지 움직이고 삼각형 OAB가 정삼 각형이므로 벡터 $\overrightarrow{OX}$의 종점 X가 그리 는 도형은 중심각의 크기가 60°, 반지름 의 길이가 1인 부채꼴의 호이다. ······· ❷

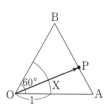

따라서 벡터 $\overrightarrow{OX}$의 종점 X가 그리는 도형의 길이는

$$2\pi \times 1 \times \frac{60°}{360°} = \frac{\pi}{3}$$ ─────────────── ❸

정답_ $\frac{\pi}{3}$

단계	채점 기준	비율
❶	$\overrightarrow{OX}$가 $\overrightarrow{OP}$와 방향이 같고 크기가 1인 단위벡터임을 알기	40%
❷	벡터 $\overrightarrow{OX}$의 종점 X가 그리는 도형 구하기	40%
❸	벡터 $\overrightarrow{OX}$의 종점 X가 그리는 도형의 길이 구하기	20%

239

$\overrightarrow{AB} = \overrightarrow{OB} - \overrightarrow{OA} = \vec{b} - \vec{a} = -\vec{a} + \vec{b}$
$\overrightarrow{CD} = \overrightarrow{OD} - \overrightarrow{OC} = (3\vec{a} - \vec{b}) - (\vec{a} + k\vec{b})$
$\quad = 2\vec{a} - (k+1)\vec{b}$ ─────────────── ❶

두 벡터 $\overrightarrow{AB}$와 $\overrightarrow{CD}$가 서로 평행하므로
$\overrightarrow{CD} = m\overrightarrow{AB}$ ($m \neq 0$인 실수)로 놓으면
$2\vec{a} - (k+1)\vec{b} = -m\vec{a} + m\vec{b}$ ─────────────── ❷

두 벡터 $\vec{a}, \vec{b}$가 평행하지 않고 영벡터가 아니므로
$2 = -m, \ -k - 1 = m$
따라서 $m = -2$이므로 $k = 1$ ─────────────── ❸

정답_ 1

단계	채점 기준	비율
❶	$\overrightarrow{AB}, \overrightarrow{CD}$를 $\vec{a}, \vec{b}$로 나타내기	40%
❷	$\overrightarrow{CD} = m\overrightarrow{AB}$의 꼴로 나타내기	30%
❸	k의 값 구하기	30%

240

$\overrightarrow{CA} = \vec{a}, \overrightarrow{CF} = \vec{b}, \overrightarrow{CE} = \vec{c}$이므로
$\overrightarrow{AP} = k(\vec{c} - \vec{b} - \vec{a})$
$\quad = k(\overrightarrow{CE} - \overrightarrow{CF} - \overrightarrow{CA})$
$\quad = k(\overrightarrow{FE} - \overrightarrow{CA})$
$\quad = k(\overrightarrow{CD} - \overrightarrow{CA})$ ─────────────── ❶
$\quad = k\overrightarrow{AD}$ ─────────────── ❷

즉, $\overrightarrow{AP} = k\overrightarrow{AD}$이므로 세 점 A, P, D는 한 직선 위의 점이다.
따라서 점 P는 직선 AD 위의 점이다. ─────────────── ❸

정답_ 직선 AD

단계	채점 기준	비율
❶	$\overrightarrow{AP} = k(\overrightarrow{FE} - \overrightarrow{CA})$로 나타내기	40%
❷	$\overrightarrow{AP} = k\overrightarrow{AD}$로 나타내기	40%
❸	점 P는 직선 AD 위에 있음을 알기	20%

241

조건 ㈎의 $\overrightarrow{PA} + \overrightarrow{PB} + \overrightarrow{PC} = \overrightarrow{BC}$에서
$\overrightarrow{PA} = \overrightarrow{BC} - \overrightarrow{PC} - \overrightarrow{PB} = \overrightarrow{BC} + \overrightarrow{CP} + \overrightarrow{BP}$
$\quad = \overrightarrow{BP} + \overrightarrow{BP} = 2\overrightarrow{BP}$

이므로 $\overline{AP} : \overline{BP} = 2 : 1$
같은 방법으로 조건 ㈏, ㈐에서 $\overrightarrow{QB} = 2\overrightarrow{CQ}, \overrightarrow{RC} = 2\overrightarrow{AR}$이므로
$\overline{BQ} : \overline{CQ} = 2 : 1, \overline{CR} : \overline{AR} = 2 : 1$
이때, $\dfrac{\triangle APR}{\triangle ABC} = \dfrac{2}{3} \times \dfrac{1}{3} = \dfrac{2}{9}$이고,
$\triangle APR = \triangle BQP = \triangle CRQ$이므로

$\dfrac{\triangle PQR}{\triangle ABC} = \dfrac{\triangle ABC - 3\triangle APR}{\triangle ABC} = 1 - 3 \times \dfrac{\triangle APR}{\triangle ABC}$

$\quad = 1 - 3 \times \dfrac{2}{9} = \dfrac{1}{3}$

정답_ ①

242

오른쪽 그림과 같이 정육각형의 외접원의 중심을 O라고 하면
$\overrightarrow{AB} + \overrightarrow{AC} + \overrightarrow{AD} + \overrightarrow{AE} + \overrightarrow{AF}$
$= (\overrightarrow{OB} - \overrightarrow{OA}) + (\overrightarrow{OC} - \overrightarrow{OA})$
$\quad + (\overrightarrow{OD} - \overrightarrow{OA}) + (\overrightarrow{OE} - \overrightarrow{OA})$
$\quad + (\overrightarrow{OF} - \overrightarrow{OA})$
$= (\overrightarrow{OB} + \overrightarrow{OC} + \overrightarrow{OD} + \overrightarrow{OE} + \overrightarrow{OF}) - 5\overrightarrow{OA}$
이때 $\overrightarrow{OA} + \overrightarrow{OB} + \overrightarrow{OC} + \overrightarrow{OD} + \overrightarrow{OE} + \overrightarrow{OF} = \vec{0}$이므로
$\overrightarrow{OB} + \overrightarrow{OC} + \overrightarrow{OD} + \overrightarrow{OE} + \overrightarrow{OF} = -\overrightarrow{OA}$
$\therefore \overrightarrow{AB} + \overrightarrow{AC} + \overrightarrow{AD} + \overrightarrow{AE} + \overrightarrow{AF} = -6\overrightarrow{OA}$
$|\overrightarrow{AB} + \overrightarrow{AC} + \overrightarrow{AD} + \overrightarrow{AE} + \overrightarrow{AF}| = 18$에서
$|-6\overrightarrow{OA}| = 18, 6|\overrightarrow{OA}| = 18 \quad \therefore |\overrightarrow{OA}| = 3$
따라서 정육각형 ABCDEF는 한 변의 길이가 3인 정삼각형 6개로 이루어져 있으므로 구하는 정육각형의 넓이는

$6\triangle OAB = 6 \times \dfrac{\sqrt{3}}{4} \times 3^2 = \dfrac{27}{2}\sqrt{3}$

정답_ ⑤

243

$\overrightarrow{OB} = \dfrac{\overrightarrow{OA}}{|\overrightarrow{OA}|}$에서 $\overrightarrow{OB}$는 $\overrightarrow{OA}$와 방향이 같고, 크기가 1인 단위벡터이다. 원점을 지나고 곡선 $y = \dfrac{1}{2}x^2 + \dfrac{3}{2}$에 접하는 직선을 $y = mx$라고 하면
$\dfrac{1}{2}x^2 + \dfrac{3}{2} = mx \quad \therefore x^2 - 2mx + 3 = 0$
이 이차방정식의 판별식을 D라고 하면
$\dfrac{D}{4} = m^2 - 3 = 0, m^2 = 3 \quad \therefore m = \pm\sqrt{3}$
즉, 오른쪽 그림과 같이 두 직선 $y = \sqrt{3}x$, $y = -\sqrt{3}x$가 x축과 이루는 예각의 크기는 $60°$이고, 점 A는 곡선 $y = \dfrac{1}{2}x^2 + \dfrac{3}{2}$ 위를 움직이므로 벡터 $\overrightarrow{OB}$의 종점 B가 나타내는 도형의 길이는 반지름의 길이가 1이고, 중심각의 크기가 $60°$인 부채꼴의 호의 길이와 같다.
따라서 구하는 길이는

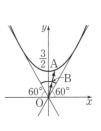

$$2\pi \times 1 \times \frac{60^\circ}{360^\circ} = \frac{\pi}{3}$$

정답_ ①

244

$$\begin{aligned}
\vec{a}+\vec{b}-\vec{c} &= \overrightarrow{OA}+\overrightarrow{OB}-\overrightarrow{OC}=\overrightarrow{OA}-\overrightarrow{OC}+\overrightarrow{OB} \\
&= \overrightarrow{CA}+\overrightarrow{OB}=\overrightarrow{CA}+\overrightarrow{YC} \\
&= \overrightarrow{YC}+\overrightarrow{CA}=\overrightarrow{YA}=-\overrightarrow{AY}
\end{aligned}$$

$\overrightarrow{AP}=(\vec{a}+\vec{b}-\vec{c})t$에서 $\overrightarrow{AP}=-t\overrightarrow{AY}$

따라서 세 점 A, P, Y는 한 직선 위에 있으므로 점 P가 나타내는 도형은 직선 AY, 즉 YA이다.

정답_ ④

245

ㄱ은 옳다.

갑이 A에서 B까지 가는 데 걸린 시간을 x라고 하면

$$x=\frac{|\overrightarrow{AB}|}{u} \qquad \therefore u=\frac{|\overrightarrow{AB}|}{x}$$

또, $\overrightarrow{OP}$는 $\overrightarrow{AB}$와 방향이 같고 크기가 u이므로

$$\overrightarrow{OP}=u\times\frac{\overrightarrow{AB}}{|\overrightarrow{AB}|}=\frac{|\overrightarrow{AB}|}{x}\times\frac{\overrightarrow{AB}}{|\overrightarrow{AB}|}=\frac{1}{x}\overrightarrow{AB}$$

ㄴ은 옳다.

갑이 A에서 B까지 가는 데 걸린 시간을 x, B에서 C까지 가는 데 걸린 시간을 y라고 하면

$$y=\frac{|\overrightarrow{BC}|}{v}$$

을이 A에서 C까지 가는 데 걸린 시간은 $x+y$이므로

$$x+y=\frac{|\overrightarrow{AC}|}{w}$$

한편, ㄱ에서 $x=\dfrac{|\overrightarrow{AB}|}{u}$이므로

$$x+y=\frac{|\overrightarrow{AB}|}{u}+\frac{|\overrightarrow{BC}|}{v}=\frac{|\overrightarrow{AC}|}{w}$$

ㄷ은 옳지 않다.

갑이 A에서 B까지 가는 데 걸린 시간을 x, B에서 C까지 가는 데 걸린 시간을 y라고 하면

$$\overrightarrow{OQ}=v\times\frac{\overrightarrow{BC}}{|\overrightarrow{BC}|}=\frac{|\overrightarrow{BC}|}{y}\times\frac{\overrightarrow{BC}}{|\overrightarrow{BC}|}=\frac{1}{y}\overrightarrow{BC}$$

$$\overrightarrow{OR}=w\times\frac{\overrightarrow{AC}}{|\overrightarrow{AC}|}=\frac{|\overrightarrow{AC}|}{x+y}\times\frac{\overrightarrow{AC}}{|\overrightarrow{AC}|}=\frac{1}{x+y}\overrightarrow{AC}$$

$\overrightarrow{AB}+\overrightarrow{BC}+\overrightarrow{CA}=\vec{0}$이므로 여기에

$\overrightarrow{AB}=x\overrightarrow{OP}, \overrightarrow{BC}=y\overrightarrow{OQ}, \overrightarrow{CA}=-(x+y)\overrightarrow{OR}$

를 대입하면

$$x\overrightarrow{OP}+y\overrightarrow{OQ}-(x+y)\overrightarrow{OR}=\vec{0}$$

$$\therefore \overrightarrow{OR}=\frac{x\overrightarrow{OP}+y\overrightarrow{OQ}}{x+y}=\frac{x}{x+y}\overrightarrow{OP}+\frac{y}{x+y}\overrightarrow{OQ}$$

이때, $\dfrac{x}{x+y}+\dfrac{y}{x+y}=\dfrac{x+y}{x+y}=1$이므로 세 점 P, Q, R는 한 직선 위에 있다.

따라서 옳은 것은 ㄱ, ㄴ이다.

정답_ ③

04 평면벡터의 성분과 내적

246

$$\overrightarrow{OC}=\overrightarrow{AB}=\overrightarrow{OB}-\overrightarrow{OA}=\vec{b}-\vec{a}$$

정답_ $\vec{b}-\vec{a}$

247

원점 O에 대하여

$$\begin{aligned}
\overrightarrow{AB}-\overrightarrow{BC} &= (\overrightarrow{OB}-\overrightarrow{OA})-(\overrightarrow{OC}-\overrightarrow{OB}) \\
&= \overrightarrow{OB}-\overrightarrow{OA}-\overrightarrow{OC}+\overrightarrow{OB} \\
&= -\overrightarrow{OA}+2\overrightarrow{OB}-\overrightarrow{OC} \\
&= -\vec{a}+2\vec{b}-\vec{c}
\end{aligned}$$

정답_ ②

248

$\overrightarrow{AB}+\overrightarrow{OC}=\vec{0}$에서 $\overrightarrow{OC}=-\overrightarrow{AB}=\overrightarrow{BA}$이므로 점 B를 원점으로 평행이동하고, 점 A를 같은 방법으로 평행이동하면 점 C의 좌표는 $(2-3, 1-3)$ $\therefore$ C$(-1, -2)$

$\overrightarrow{AB}=\overrightarrow{OD}$에서 점 A를 원점으로 평행이동하고, 점 B를 같은 방법으로 평행이동하면 점 D의 좌표는 $(3-2, 3-1)$ $\therefore$ D$(1, 2)$

따라서 $a=-1, b=-2, c=1, d=2$이므로

$$abcd=(-1)\times(-2)\times1\times2=4$$

정답_ ④

249

세 점 A, B, C가 한 직선 위에 있으므로

$\overrightarrow{AB}=t\overrightarrow{AC}$ ($t\ne0$인 실수)

로 놓으면 원점 O에 대하여

$$\begin{aligned}
\overrightarrow{AB} &= \overrightarrow{OB}-\overrightarrow{OA}=(-\vec{a}-3\vec{b})-(\vec{a}-2\vec{b}) \\
&= -2\vec{a}-\vec{b}
\end{aligned}$$

$$\begin{aligned}
\overrightarrow{AC} &= \overrightarrow{OC}-\overrightarrow{OA}=(k\vec{a}+2\vec{b})-(\vec{a}-2\vec{b}) \\
&= (k-1)\vec{a}+4\vec{b}
\end{aligned}$$

따라서 $-2\vec{a}-\vec{b}=t(k-1)\vec{a}+4t\vec{b}$이므로

$4t=-1$에서 $t=-\dfrac{1}{4}$

$t(k-1)=-2$에서

$-\dfrac{1}{4}(k-1)=-2, k-1=8$ $\therefore k=9$

정답_ ②

250

$\vec{g}=\dfrac{\vec{a}+\vec{b}+\vec{c}}{3}$이므로

$$\begin{aligned}
\overrightarrow{AG}+\overrightarrow{BG}+\overrightarrow{CG} &= (\vec{g}-\vec{a})+(\vec{g}-\vec{b})+(\vec{g}-\vec{c}) \\
&= 3\vec{g}-(\vec{a}+\vec{b}+\vec{c}) \\
&= 3\vec{g}-3\vec{g} \\
&= \vec{0}
\end{aligned}$$

정답_ ①

251

오른쪽 그림에서 $\overrightarrow{AM}=\dfrac{1}{2}(\vec{a}+\vec{b})$이므로

$\overrightarrow{AK}=\dfrac{1}{2}\overrightarrow{AM}=\dfrac{1}{2}\times\dfrac{1}{2}(\vec{a}+\vec{b})$

$\qquad=\dfrac{1}{4}(\vec{a}+\vec{b})$

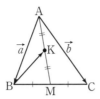

$\therefore\ \overrightarrow{BK}=\overrightarrow{AK}-\overrightarrow{AB}=\dfrac{1}{4}(\vec{a}+\vec{b})-\vec{a}$

$\qquad=-\dfrac{3}{4}\vec{a}+\dfrac{1}{4}\vec{b}$ 정답_③

252

$\overrightarrow{AD}$가 $\angle A$의 이등분선이므로

$\overline{BD}:\overline{CD}=\overline{AB}:\overline{AC}=4:3$

즉, 점 D는 선분 BC를 $4:3$으로 내분하는 점이므로

$\overrightarrow{AD}=\dfrac{4\overrightarrow{AC}+3\overrightarrow{AB}}{4+3}=\dfrac{3}{7}\overrightarrow{AB}+\dfrac{4}{7}\overrightarrow{AC}$

따라서 $m=\dfrac{3}{7}, n=\dfrac{4}{7}$이므로

$m-n=-\dfrac{1}{7}$ 정답_③

삼각형 ABC에서 $\angle A$의 이등분선과 변 BC
의 교점을 D라고 할 때,

$a:b=c:d$

253

$\overrightarrow{PA}+4\overrightarrow{AB}-3\overrightarrow{AC}=\vec{0}$에서

$-\overrightarrow{PA}=\overrightarrow{AP}=4\overrightarrow{AB}-3\overrightarrow{AC}=\dfrac{4\overrightarrow{AB}-3\overrightarrow{AC}}{4-3}$

이므로 점 P는 다음 그림과 같이 선분 CB를 $4:3$으로 외분하는
점이다.

따라서 삼각형 APC의 넓이는 삼각형 APB의 넓이의 $\dfrac{4}{3}$배이므로

$\triangle APC=12\times\dfrac{4}{3}=16$ 정답_④

다른 풀이

$\overrightarrow{PA}+4\overrightarrow{AB}-3\overrightarrow{AC}=\vec{0}$에서

$\overrightarrow{BA}-\overrightarrow{BP}-4\overrightarrow{BA}-3(\overrightarrow{BC}-\overrightarrow{BA})=\vec{0}$

$\therefore\ \overrightarrow{BP}=-3\overrightarrow{BC}$

따라서 점 B는 선분 PC를 $3:1$로 내분하는 점이다.

즉, $\triangle APC:\triangle APB=4:3$이므로

$\triangle APC=12\times\dfrac{4}{3}=16$

참고

오른쪽 그림과 같은 삼각형 ABC에서

$\overrightarrow{PB}=-k\overrightarrow{PC}\ (k>0)$이면

• 점 P는 변 BC를 $k:1$로 내분하는 점이다.

• $\triangle ABP:\triangle APC=k:1$

254

$\overrightarrow{OQ}=\dfrac{2}{3}\overrightarrow{OA}+\dfrac{1}{3}\overrightarrow{OP}=\dfrac{2\overrightarrow{OA}+\overrightarrow{OP}}{2+1}$로 놓으면 점 Q는 선분 PA

를 $2:1$로 내분하는 점이다.

$|\overrightarrow{OP}|=3, |\overrightarrow{OA}|=3\sqrt{2}$로 일정하므
로 오른쪽 그림과 같이 두 벡터 $\overrightarrow{OP}$,
$\overrightarrow{OA}$의 방향이 같을 때 $|\overrightarrow{OQ}|$의 값이
최대가 된다. 이때,

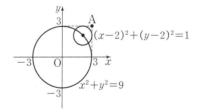

$|\overrightarrow{PQ}|=\dfrac{2}{3}|\overrightarrow{PA}|=\dfrac{2}{3}(3\sqrt{2}-3)$

$\qquad=2\sqrt{2}-2$

이므로 구하는 최댓값은

$|\overrightarrow{OQ}|=3+(2\sqrt{2}-2)=1+2\sqrt{2}$ 정답_③

참고

두 점 $P(x,y), A(3,3)$에 대하여 선분 PA를 $2:1$로 내분하는
점을 $Q(x',y')$이라고 하면 점 Q의 좌표는

$\left(\dfrac{2\times3+1\times x}{2+1},\dfrac{2\times3+1\times y}{2+1}\right)$

$\therefore\ Q\left(\dfrac{x+6}{3},\dfrac{y+6}{3}\right)$

즉, $x'=\dfrac{x+6}{3}, y'=\dfrac{y+6}{3}$에서

$x=3x'-6, y=3y'-6$

이것을 $x^2+y^2=9$에 대입하여 정리하면

$(x'-2)^2+(y'-2)^2=1$, 즉 $(x-2)^2+(y-2)^2=1$

따라서 점 Q가 나타내는 도형은 다음 그림과 같다.

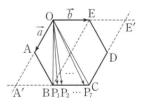

255

오른쪽 그림과 같이 $\overline{OA},\overline{CB}$의
연장선의 교점을 A', $\overline{OE},\overline{CD}$의
연장선의 교점을 E'이라고 하면

$\overrightarrow{OB}=\overrightarrow{OA'}+\overrightarrow{A'B}$

$\qquad=2\overrightarrow{OA}+\overrightarrow{OE}$

$\qquad=2\vec{a}+\vec{b}$

$$\overrightarrow{OC} = \overrightarrow{OA'} + \overrightarrow{OE'} = 2\overrightarrow{OA} + 2\overrightarrow{OE} = 2\vec{a} + 2\vec{b}$$

점 P_k는 변 BC를 $k : (8-k)$ $(k=1, 2, \cdots, 7)$로 내분하는 점이므로

$$\overrightarrow{OP_k} = \frac{k\overrightarrow{OC} + (8-k)\overrightarrow{OB}}{k+(8-k)} = \frac{(8-k)\overrightarrow{OB} + k\overrightarrow{OC}}{8}$$

$$= \frac{(8-k)(2\vec{a}+\vec{b}) + k(2\vec{a}+2\vec{b})}{8}$$

$$= \frac{16\vec{a} + (8+k)\vec{b}}{8} = 2\vec{a} + \vec{b} + \frac{k}{8}\vec{b}$$

$\therefore \overrightarrow{OP_1} + \overrightarrow{OP_2} + \overrightarrow{OP_3} + \cdots + \overrightarrow{OP_7}$

$$= \left(2\vec{a} + \vec{b} + \frac{1}{8}\vec{b}\right) + \left(2\vec{a} + \vec{b} + \frac{2}{8}\vec{b}\right) + \left(2\vec{a} + \vec{b} + \frac{3}{8}\vec{b}\right)$$

$$+ \cdots + \left(2\vec{a} + \vec{b} + \frac{7}{8}\vec{b}\right)$$

$$= 14\vec{a} + 7\vec{b} + \left(\frac{1}{8} + \frac{2}{8} + \frac{3}{8} + \cdots + \frac{7}{8}\right)\vec{b}$$

$$= 14\vec{a} + 7\vec{b} + \frac{7}{2}\vec{b} = 14\vec{a} + \frac{21}{2}\vec{b}$$

따라서 $m = 14, n = \frac{21}{2}$이므로

$$m - 2n = -7 \hspace{3cm} \text{정답\_ ④}$$

256

점 P는 선분 AC를 $3 : 1$로 내분하는 점이므로

$$\overrightarrow{DP} = \frac{3\overrightarrow{DC} + \overrightarrow{DA}}{3+1} = \frac{3}{4}\overrightarrow{DC} + \frac{1}{4}\overrightarrow{DA}$$

$$= \frac{3}{4}\overrightarrow{AB} - \frac{1}{4}\overrightarrow{AD}$$

따라서 $m = \frac{3}{4}, n = -\frac{1}{4}$이므로

$$m + n = \frac{3}{4} + \left(-\frac{1}{4}\right) = \frac{1}{2} \hspace{2cm} \text{정답\_ ②}$$

다른 풀이

$$\overrightarrow{DP} = \overrightarrow{AP} - \overrightarrow{AD} = \frac{3}{4}\overrightarrow{AC} - \overrightarrow{AD}$$

$$= \frac{3}{4}(\overrightarrow{AB} + \overrightarrow{AD}) - \overrightarrow{AD} = \frac{3}{4}\overrightarrow{AB} - \frac{1}{4}\overrightarrow{AD}$$

257

$\overrightarrow{AC} = \overrightarrow{AB} + \overrightarrow{AD} = \vec{a} + \vec{b}$이므로

$$\overrightarrow{AM} = \frac{\overrightarrow{AB} + \overrightarrow{AC}}{2} = \frac{1}{2}\overrightarrow{AB} + \frac{1}{2}\overrightarrow{AC}$$

$$= \frac{1}{2}\vec{a} + \frac{1}{2}(\vec{a}+\vec{b}) = \vec{a} + \frac{1}{2}\vec{b}$$

$$\overrightarrow{AN} = \frac{2\overrightarrow{AD} + \overrightarrow{AC}}{2+1} = \frac{2}{3}\overrightarrow{AD} + \frac{1}{3}\overrightarrow{AC}$$

$$= \frac{2}{3}\vec{b} + \frac{1}{3}(\vec{a}+\vec{b}) = \frac{1}{3}\vec{a} + \vec{b}$$

$$\therefore \overrightarrow{MN} = \overrightarrow{AN} - \overrightarrow{AM} = \left(\frac{1}{3}\vec{a} + \vec{b}\right) - \left(\vec{a} + \frac{1}{2}\vec{b}\right)$$

$$= -\frac{2}{3}\vec{a} + \frac{1}{2}\vec{b}$$

따라서 $m = -\frac{2}{3}, n = \frac{1}{2}$이므로

$$m + n = -\frac{1}{6} \hspace{3cm} \text{정답\_} -\frac{1}{6}$$

258

$4\overrightarrow{AP} - 3\overrightarrow{PB} - \overrightarrow{PC} = \vec{0}$에서

$$4\overrightarrow{AP} - 3(\overrightarrow{AB} - \overrightarrow{AP}) - (\overrightarrow{AC} - \overrightarrow{AP}) = \vec{0}$$

$$8\overrightarrow{AP} = 3\overrightarrow{AB} + \overrightarrow{AC} \quad \therefore \overrightarrow{AP} = \frac{1}{2} \times \frac{3\overrightarrow{AB} + \overrightarrow{AC}}{4}$$

이때, $\overrightarrow{BC}$를 $1 : 3$으로 내분하는 점을 Q라고 하면

$$\overrightarrow{AQ} = \frac{\overrightarrow{AC} + 3\overrightarrow{AB}}{1+3} = \frac{3\overrightarrow{AB} + \overrightarrow{AC}}{4}$$이므로

$$\overrightarrow{AP} = \frac{1}{2}\overrightarrow{AQ}$$

따라서 점 P가 위치하는 영역은 ㉣이다. $\hspace{1cm} \text{정답\_ ④}$

259

$\overrightarrow{AB} = \vec{a}, \overrightarrow{AD} = \vec{b}$라고 하면

$$\overrightarrow{AP} = \frac{2}{3}\overrightarrow{AB} = \frac{2}{3}\vec{a}, \overrightarrow{AQ} = \frac{m\overrightarrow{AB} + \overrightarrow{AD}}{m+1} = \frac{m\vec{a} + \vec{b}}{m+1}$$

$$\overrightarrow{AC} = \overrightarrow{AB} + \overrightarrow{AD} = \vec{a} + \vec{b}$$

이므로

$$\overrightarrow{PQ} = \overrightarrow{AQ} - \overrightarrow{AP} = \frac{m\vec{a} + \vec{b}}{m+1} - \frac{2}{3}\vec{a}$$

$$= \frac{m-2}{3(m+1)}\vec{a} + \frac{1}{m+1}\vec{b}$$

$$\overrightarrow{PC} = \overrightarrow{AC} - \overrightarrow{AP} = \vec{a} + \vec{b} - \frac{2}{3}\vec{a} = \frac{1}{3}\vec{a} + \vec{b}$$

세 점 P, Q, C가 한 직선 위에 있으므로

$$\overrightarrow{PQ} = t\overrightarrow{PC} \; (t \neq 0 \text{인 실수})$$

로 놓으면

$$\frac{m-2}{3(m+1)}\vec{a} + \frac{1}{m+1}\vec{b} = \frac{t}{3}\vec{a} + t\vec{b}$$

두 벡터 $\vec{a}, \vec{b}$가 서로 평행하지 않으므로

$$\frac{m-2}{3(m+1)} = \frac{t}{3}, \frac{1}{m+1} = t$$

위의 두 식을 연립하여 풀면

$$m = 3, t = \frac{1}{4} \hspace{3cm} \text{정답\_ ④}$$

260

$\overrightarrow{OA} = \vec{a}, \overrightarrow{OB} = \vec{b}$라고 하면

점 P는 선분 OA를 $4 : 1$로 내분하는 점이므로

$$\overrightarrow{OP} = \frac{4}{5}\overrightarrow{OA} = \frac{4}{5}\vec{a}$$

점 Q는 선분 OB의 중점이므로

$$\overrightarrow{OQ} = \frac{1}{2}\overrightarrow{OB} = \frac{1}{2}\vec{b}$$

점 R는 선분 AB를 3 : 1로 내분하는 점이므로

$$\overrightarrow{OR}=\frac{3\overrightarrow{OB}+\overrightarrow{OA}}{3+1}=\frac{1}{4}\overrightarrow{OA}+\frac{3}{4}\overrightarrow{OB}=\frac{1}{4}\vec{a}+\frac{3}{4}\vec{b}$$

점 G는 삼각형 PQR의 무게중심이므로

$$\overrightarrow{OG}=\frac{1}{3}(\overrightarrow{OP}+\overrightarrow{OQ}+\overrightarrow{OR})$$

$$=\frac{1}{3}\left\{\frac{4}{5}\vec{a}+\frac{1}{2}\vec{b}+\left(\frac{1}{4}\vec{a}+\frac{3}{4}\vec{b}\right)\right\}$$

$$=\frac{7}{20}\vec{a}+\frac{5}{12}\vec{b}$$

따라서 $k=\frac{7}{20}, l=\frac{5}{12}$이므로

$$k+l=\frac{7}{20}+\frac{5}{12}=\frac{23}{30}$$　　　　　정답_ ⑤

261

$\vec{a}+\vec{b}=(3,-1)+(1,2)=(4,1)$

따라서 벡터 $\vec{a}+\vec{b}$의 모든 성분의 합은

$4+1=5$　　　　　정답_ ⑤

262

$\vec{a}=\vec{b}$, 즉 $(m-2,3)=(-1,4-n)$이므로

$m-2=-1, 3=4-n$　　$\therefore m=1, n=1$

$\therefore m+n=2$　　　　　정답_ 2

263

$2\vec{a}-\vec{b}-2\vec{c}=2(-2,1)-(1,-3)-2(2,1)$

　　　　　　　$=(-4,2)-(1,-3)-(4,2)=(-9,3)$

$\therefore |2\vec{a}-\vec{b}-2\vec{c}|=\sqrt{(-9)^2+3^2}=\sqrt{90}=3\sqrt{10}$　　정답_ ③

264

오른쪽 그림과 같이 원점 O에서
선분 AB에 내린 수선의 발을 H
라고 하면 $A(-\sqrt{3},3), B(2\sqrt{3},0)$
이므로

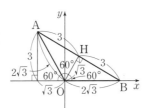

$$\overrightarrow{AB}=\overrightarrow{OB}-\overrightarrow{OA}$$

$$=(2\sqrt{3},0)-(-\sqrt{3},3)$$

$$=(3\sqrt{3},-3)$$

따라서 $a=3\sqrt{3}, b=-3$이므로

$$\frac{a}{b}=\frac{3\sqrt{3}}{-3}=-\sqrt{3}$$　　　　　정답_ ②

265

$\vec{c}=p\vec{a}+q\vec{b}$에서

$(12,-8)=p(3,2)+q(-2,4)$

　　　　　$=(3p,2p)+(-2q,4q)$

　　　　　$=(3p-2q,2p+4q)$

이므로　$3p-2q=12, 2p+4q=-8$

위의 두 식을 연립하여 풀면

$p=2, q=-3$　　$\therefore p+q=-1$　　　정답_ ②

266

$3\vec{a}-2\vec{x}=2\vec{b}$에서　$2\vec{x}=3\vec{a}-2\vec{b}$

$\therefore \vec{x}=\frac{3}{2}\vec{a}-\vec{b}=\frac{3}{2}(0,1)-(1,1)$

　　$=\left(0,\frac{3}{2}\right)-(1,1)=\left(-1,\frac{1}{2}\right)$

따라서 벡터 $\vec{x}$와 같은 방향을 갖는 단위벡터를 $\vec{u}$라고 하면

$$\vec{u}=\frac{1}{\sqrt{(-1)^2+\left(\frac{1}{2}\right)^2}}\left(-1,\frac{1}{2}\right)$$

$$=\frac{2\sqrt{5}}{5}\left(-1,\frac{1}{2}\right)=\left(-\frac{2\sqrt{5}}{5},\frac{\sqrt{5}}{5}\right)$$　　정답_ ⑤

267

원점 O에 대하여

$\overrightarrow{AB}=\overrightarrow{OB}-\overrightarrow{OA}=(2,x)-(x,-1)=(2-x,x+1)$

$|\overrightarrow{AB}|=\sqrt{17}$에서 $|\overrightarrow{AB}|^2=17$이므로

$(2-x)^2+(x+1)^2=17, 2x^2-2x-12=0$

$x^2-x-6=0, (x+2)(x-3)=0$

$\therefore x=-2$ 또는 $x=3$

따라서 모든 실수 x의 값의 합은 1이다.　　　정답_ 1

268

$\vec{a}+t\vec{b}=(-2,0)+t(1,-1)=(-2+t,-t)$

이므로

$$|\vec{a}+t\vec{b}|=\sqrt{(-2+t)^2+(-t)^2}$$

$$=\sqrt{2t^2-4t+4}=\sqrt{2(t-1)^2+2}$$

따라서 $|\vec{a}+t\vec{b}|$는 $t=1$일 때 최소이므로 구하는 최솟값은 $\sqrt{2}$

정답_ ②

269

$\vec{a}+t\vec{b}=(5,-1)+t(-2,3)=(5-2t,-1+3t)$

이므로

$$|\vec{a}+t\vec{b}|=\sqrt{(5-2t)^2+(-1+3t)^2}$$

$$=\sqrt{13t^2-26t+26}$$

$$=\sqrt{13(t-1)^2+13}$$

이때, $-1\leq t\leq 2$이므로 $|\vec{a}+t\vec{b}|$는 $t=-1$일 때 최댓값 $\sqrt{65}$,

$t=1$일 때 최솟값 $\sqrt{13}$을 갖는다.

따라서 $M=\sqrt{65}, m=\sqrt{13}$이므로

$M^2+m^2=65+13=78$　　　　　정답_ ④

270

점 P가 x축 위의 점이므로 $P(a, 0)$으로 놓으면 원점 O에 대하여
$$\overrightarrow{PA}=\overrightarrow{OA}-\overrightarrow{OP}=(1, 1)-(a, 0)=(1-a, 1)$$
$$2\overrightarrow{PB}=2(\overrightarrow{OB}-\overrightarrow{OP})$$
$$=2\{(-1, -2)-(a, 0)\}$$
$$=2(-1-a, -2)=(-2-2a, -4)$$
이므로
$$\overrightarrow{PA}+2\overrightarrow{PB}=(1-a, 1)+(-2-2a, -4)$$
$$=(-1-3a, -3)$$
$$\therefore |\overrightarrow{PA}+2\overrightarrow{PB}|=\sqrt{(-1-3a)^2+(-3)^2}$$
$$=\sqrt{9a^2+6a+10}$$
$$=\sqrt{9\left(a+\frac{1}{3}\right)^2+9}$$
따라서 $|\overrightarrow{PA}+2\overrightarrow{PB}|$는 $a=-\dfrac{1}{3}$일 때 최소이므로 구하는 최솟값은 $\sqrt{9}=3$

정답_ ③

271

$\overrightarrow{OA}$의 y성분은 $|\overrightarrow{OA}|\sin 45°$이므로
$$|\overrightarrow{OA}|\sin 45°=2\sqrt{2}, \frac{\sqrt{2}}{2}|\overrightarrow{OA}|=2\sqrt{2}$$
$$\therefore |\overrightarrow{OA}|=4$$
$$\therefore \overrightarrow{OA}=(4\cos 45°, 4\sin 45°)=(2\sqrt{2}, 2\sqrt{2})$$
한편, $\overrightarrow{OB}=(4\cos 90°, 4\sin 90°)=(0, 4)$,
$\overrightarrow{OC}=(-\sqrt{2}\cos 45°, \sqrt{2}\sin 45°)=(-1, 1)$이므로
$\overrightarrow{OC}=m\overrightarrow{OA}+n\overrightarrow{OB}$에서
$$(-1, 1)=m(2\sqrt{2}, 2\sqrt{2})+n(0, 4)$$
$$=(2\sqrt{2}m, 2\sqrt{2}m+4n)$$
$$\therefore 2\sqrt{2}m=-1, 2\sqrt{2}m+4n=1$$
위의 두 식을 연립하여 풀면
$$m=-\frac{1}{2\sqrt{2}}, n=\frac{1}{2}$$
$$\therefore m^2+n^2=\left(-\frac{1}{2\sqrt{2}}\right)^2+\left(\frac{1}{2}\right)^2=\frac{3}{8}$$

정답_ ③

272

조건 (가)에 의해 $\vec{b}$는 $\vec{a}$와 방향이 반대이다.
$\vec{a}$와 같은 방향의 단위벡터를 $\vec{e}$라고 하면
$$\vec{e}=\frac{\vec{a}}{|\vec{a}|}=\frac{1}{\sqrt{2^2+(-3)^2}}(2, -3)=\frac{1}{\sqrt{13}}(2, -3)$$
조건 (나)에 의해 $|\vec{b}|=13$이므로
$$\vec{b}=-13\vec{e}=-\sqrt{13}(2, -3)=(-2\sqrt{13}, 3\sqrt{13})$$
따라서 $m=-2\sqrt{13}, n=3\sqrt{13}$이므로
$$m+n=-2\sqrt{13}+3\sqrt{13}=\sqrt{13}$$

정답_ ③

273

오른쪽 그림과 같이 점 B를 좌표평면의 원점 O에 놓고, 가로, 세로의 길이가 각각 6, 4인 직사각형 ABCD를 생각하면

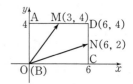

$$\overrightarrow{BM}=(3, 4), \overrightarrow{BD}=(6, 4), \overrightarrow{BN}=(6, 2)$$
$\overrightarrow{BD}=a\overrightarrow{BM}+b\overrightarrow{BN}$에서
$$(6, 4)=a(3, 4)+b(6, 2)$$
$$=(3a+6b, 4a+2b)$$
이므로 $3a+6b=6, 4a+2b=4$
위의 두 식을 연립하여 풀면 $a=\dfrac{2}{3}, b=\dfrac{2}{3}$
$$\therefore ab=\frac{4}{9}$$

정답_ $\dfrac{4}{9}$

274

점 P의 좌표를 (x, y)라고 하면 원점 O에 대하여
$$\overrightarrow{PA}=\overrightarrow{OA}-\overrightarrow{OP}=(-2-x, 4-y)$$
$$\overrightarrow{PB}=\overrightarrow{OB}-\overrightarrow{OP}=(2-x, -y)$$
$$\overrightarrow{PC}=\overrightarrow{OC}-\overrightarrow{OP}=(3-x, -1-y)$$
$$\therefore \overrightarrow{PA}+\overrightarrow{PB}+\overrightarrow{PC}=(3-3x, 3-3y)$$
$|\overrightarrow{PA}+\overrightarrow{PB}+\overrightarrow{PC}|=3$에서
$$\sqrt{(3-3x)^2+(3-3y)^2}=3$$
양변을 제곱하면
$$(3-3x)^2+(3-3y)^2=9$$
$$9(x-1)^2+9(y-1)^2=9$$
$$\therefore (x-1)^2+(y-1)^2=1$$

정답_ ④

275

$\overrightarrow{OB}=\dfrac{3\overrightarrow{OA}}{|\overrightarrow{OA}|}=3\dfrac{\overrightarrow{OA}}{|\overrightarrow{OA}|}$이므로 $\overrightarrow{OB}$는 $\overrightarrow{OA}$와 방향이 같고 크기가 3인 벡터이다.
따라서 $\overrightarrow{OB}$의 종점 B가 나타내는 도형은 중심이 원점이고 반지름의 길이가 3인 원이므로 구하는 도형의 길이는
$$2\pi \times 3=6\pi$$

정답_ ⑤

276

주어진 조건을 만족시키는 점 P가 나타내는 도형은 $\overline{AC}$와 $\overline{AB}$를 이웃하는 두 변으로 하는 오른쪽 그림과 같은 평행사변형의 내부와 그 둘레이다.
삼각형 ABC가 정삼각형이므로 구하는 넓이는

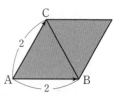

$$2\triangle ABC=2\times\frac{\sqrt{3}}{4}\times 2^2=2\sqrt{3}$$

정답_ ④

277

$s+2t=1$에서

$t=0$일 때, $s=1$이므로 $\overrightarrow{OP}=\overrightarrow{OA}$

$s=0$일 때, $t=\dfrac{1}{2}$이므로 $\overrightarrow{OP}=\dfrac{1}{2}\overrightarrow{OB}$

따라서 주어진 조건을 만족시키는 점 P가
나타내는 도형은 오른쪽 그림과 같이 점 A
와 선분 OB의 중점을 잇는 선분이다.

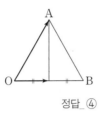

정답_ ④

278

$0\le m+n\le3$에서 $0\le\dfrac{m}{3}+\dfrac{n}{3}\le1$

$\dfrac{m}{3}=k,\ \dfrac{n}{3}=l$이라고 하면 $m\ge0,\ n\ge0$이므로

$0\le k+l\le1,\ k\ge0,\ l\ge0$

이때, $\overrightarrow{OP}=m\overrightarrow{OA}+n\overrightarrow{OB}$에 $m=3k,\ n=3l$을 대입하면

$\overrightarrow{OP}=3k\overrightarrow{OA}+3l\overrightarrow{OB}=k\times3\overrightarrow{OA}+l\times3\overrightarrow{OB}$

따라서 점 P가 나타내는 도형은 $3\overrightarrow{OA}$와 $3\overrightarrow{OB}$를 이웃하는 두 변
으로 하는 삼각형의 내부와 그 둘레이다.

$|\overrightarrow{OA}|=|\overrightarrow{OB}|=4$에서

$|3\overrightarrow{OA}|=|3\overrightarrow{OB}|=12$

이고 $\angle AOB=45°$이므로 구하는 넓이는

$\dfrac{1}{2}\times12\times12\times\sin45°=36\sqrt{2}$

정답_ ③

279

정삼각형의 한 내각의 크기는 $60°$이므
로 오른쪽 그림과 같이 $\overrightarrow{AB}$와 $\overrightarrow{BC}$가 이
루는 각의 크기는 $120°$이다.

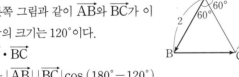

$\therefore \overrightarrow{AB}\cdot\overrightarrow{BC}$

$=-|\overrightarrow{AB}||\overrightarrow{BC}|\cos(180°-120°)$

$=-2\times2\times\cos60°=-2$

정답_ -2

280

$|\vec{a}-2\vec{b}|^2=(\vec{a}-2\vec{b})\cdot(\vec{a}-2\vec{b})$

$=\vec{a}\cdot\vec{a}-4\vec{a}\cdot\vec{b}+4\vec{b}\cdot\vec{b}$

$=|\vec{a}|^2-4\vec{a}\cdot\vec{b}+4|\vec{b}|^2$

이므로

$36=4-4\vec{a}\cdot\vec{b}+36,\ -4\vec{a}\cdot\vec{b}=-4$

$\therefore \vec{a}\cdot\vec{b}=1$

$\therefore \vec{a}\cdot(\vec{a}+\vec{b})=|\vec{a}|^2+\vec{a}\cdot\vec{b}=2^2+1=5$

정답_ ⑤

281

$3\vec{a}+2\vec{b}+\vec{c}=0$에서 $\vec{c}=-3\vec{a}-2\vec{b}$

$\therefore |\vec{c}|^2=|-3\vec{a}-2\vec{b}|^2=|3\vec{a}+2\vec{b}|^2$

$=9|\vec{a}|^2+12\vec{a}\cdot\vec{b}+4|\vec{b}|^2=9+12\vec{a}\cdot\vec{b}+4$

$=13+12\vec{a}\cdot\vec{b}$

이때, $|\vec{c}|=1$이므로

$13+12\vec{a}\cdot\vec{b}=1$ $\therefore \vec{a}\cdot\vec{b}=-1$

$\therefore \vec{a}\cdot\vec{b}+\vec{b}\cdot\vec{c}+\vec{c}\cdot\vec{a}=\vec{a}\cdot\vec{b}+\vec{c}\cdot(\vec{a}+\vec{b})$

$=\vec{a}\cdot\vec{b}-(3\vec{a}+2\vec{b})\cdot(\vec{a}+\vec{b})$

$=\vec{a}\cdot\vec{b}-(3|\vec{a}|^2+5\vec{a}\cdot\vec{b}+2|\vec{b}|^2)$

$=-3|\vec{a}|^2-2|\vec{b}|^2-4\vec{a}\cdot\vec{b}$

$=-3-2+4=-1$

정답_ ③

282

오른쪽 그림과 같이 점 I에서 변 AB에
내린 수선의 발을 E라고 하면

$\overline{BE}=\overline{BD}=8$

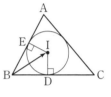

$\therefore \overrightarrow{BA}\cdot\overrightarrow{BI}=|\overrightarrow{BA}||\overrightarrow{BI}|\cos(\angle EBI)$

$=|\overrightarrow{BA}||\overrightarrow{BE}|$

$=15\times8=120$

정답_ 120

283

$\overrightarrow{OA}\cdot\overrightarrow{AB}=\overrightarrow{OA}\cdot(\overrightarrow{OB}-\overrightarrow{OA})$

$=\overrightarrow{OA}\cdot\overrightarrow{OB}-|\overrightarrow{OA}|^2$

$=\overrightarrow{OA}\cdot\overrightarrow{OB}-1\ (\because |\overrightarrow{OA}|=1)$ ······ ㉠

$\overrightarrow{OA}$와 $\overrightarrow{OB}$가 이루는 각의 크기를 $\theta°\ (0°\le\theta°\le180°)$라고 하자.

(ⅰ) $0°\le\theta°\le90°$일 때,

$\overrightarrow{OA}\cdot\overrightarrow{OB}=|\overrightarrow{OA}||\overrightarrow{OB}|\cos\theta°$

$=3\cos\theta°\ (\because |\overrightarrow{OA}|=1,\ |\overrightarrow{OB}|=3)$

이때, $0\le\cos\theta°\le1$에서

$0\le\overrightarrow{OA}\cdot\overrightarrow{OB}\le3$이므로 ㉠에 대입하면

$-1\le\overrightarrow{OA}\cdot\overrightarrow{AB}\le2$

(ⅱ) $90°<\theta°\le180°$일 때,

$\overrightarrow{OA}\cdot\overrightarrow{OB}=-|\overrightarrow{OA}||\overrightarrow{OB}|\cos(180°-\theta°)$

$=-3\cos(180°-\theta°)\ (\because |\overrightarrow{OA}|=1,\ |\overrightarrow{OB}|=3)$

이때, $0°\le180°-\theta°<90°$에서

$0<\cos(180°-\theta°)\le1$이고

$-3\le\overrightarrow{OA}\cdot\overrightarrow{OB}<0$이므로 ㉠에 대입하면

$-4\le\overrightarrow{OA}\cdot\overrightarrow{AB}<-1$

(ⅰ), (ⅱ)에서 $-4\le\overrightarrow{OA}\cdot\overrightarrow{AB}\le2$

따라서 $\overrightarrow{OA}\cdot\overrightarrow{OB}$의 최댓값은 2, 최솟값은 -4이므로

$M=2,\ m=-4$ $\therefore Mm=-8$

정답_ ④

284

$\overrightarrow{OA}=\vec{a},\ \overrightarrow{OB}=\vec{b}$라고 하면

$|\vec{a}|=4,\ |\vec{b}|=2$

$|\overrightarrow{AB}|=|\overrightarrow{OB}-\overrightarrow{OA}|=|\vec{b}-\vec{a}|=3$에서 $|\vec{b}-\vec{a}|^2=9$이므로
$|\vec{a}|^2-2\vec{a}\cdot\vec{b}+|\vec{b}|^2=9,\ 16-2\vec{a}\cdot\vec{b}+4=9$
$\therefore \vec{a}\cdot\vec{b}=\dfrac{11}{2}$

점 P는 선분 AB를 $1:2$로 내분하는 점이므로
$$\overrightarrow{OP}=\frac{\overrightarrow{OB}+2\overrightarrow{OA}}{1+2}=\frac{\vec{b}+2\vec{a}}{3}$$
$$\therefore \overrightarrow{OP}\cdot\overrightarrow{AB}=\frac{1}{3}(\vec{b}+2\vec{a})\cdot(\vec{b}-\vec{a})$$
$$=\frac{1}{3}(|\vec{b}|^2+\vec{a}\cdot\vec{b}-2|\vec{a}|^2)$$
$$=\frac{1}{3}\left(4+\frac{11}{2}-32\right)=-\frac{15}{2}$$
정답_①

285
$\vec{a}\cdot\vec{b}=(3,2)\cdot(3,4)=3\times3+2\times4=17$ 정답_17

286
$\vec{a}\cdot\vec{b}=(4,1)\cdot(-2,k)=-8+k=0$이므로
$k=8$ 정답_8

287
$\vec{a}\cdot\vec{b}=\left(m,\dfrac{2}{m}\right)\cdot\left(2n,\dfrac{1}{n}\right)=2mn+\dfrac{2}{mn}$

이때, $m>0,\ n>0$에서 $mn>0$이므로 산술평균과 기하평균의 관계에 의해
$$2mn+\frac{2}{mn}\geq2\sqrt{2mn\times\frac{2}{mn}}=2\times2=4$$
$$\left(\text{단, 등호는 } 2mn=\frac{2}{mn}\text{일 때 성립한다.}\right)$$
따라서 $\vec{a}\cdot\vec{b}$의 최솟값은 4이다. 정답_④

288
$2\vec{a}+\vec{b}=2(2,-1)+(3-k,3)=(7-k,1)$이므로
$|2\vec{a}+\vec{b}|=\sqrt{(7-k)^2+1^2}=\sqrt{(k-7)^2+1}$
따라서 $|2\vec{a}+\vec{b}|$는 $k=7$일 때 최솟값 1을 가지므로
$\vec{b}=(-4,3)$
$\therefore \vec{a}\cdot\vec{b}=(2,-1)\cdot(-4,3)=-8-3=-11$ 정답_②

289
다음 그림과 같이 점 C를 원점, $\overrightarrow{BC}$를 x축의 음의 방향에, $\overrightarrow{CD}$를 y축의 양의 방향에 놓이도록 직사각형 ABCD를 좌표평면 위에 놓으면 $A(-4,2),\ B(-4,0),\ C(0,0),\ D(0,2)$

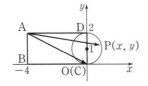

이때, $\overrightarrow{CD}$를 지름으로 하는 원의 중심은 $(0,1)$, 반지름의 길이는 1이므로 이 원의 방정식은
$x^2+(y-1)^2=1$ ......㉠
점 P의 좌표를 (x,y)라고 하면
$\overrightarrow{AC}=\overrightarrow{AO}=-\overrightarrow{OA}=(4,-2)$
$\overrightarrow{AP}=\overrightarrow{OP}-\overrightarrow{OA}=(x,y)+(4,-2)=(x+4,y-2)$
$\therefore \overrightarrow{AC}\cdot\overrightarrow{AP}=(4,-2)\cdot(x+4,y-2)$
$$=4(x+4)-2(y-2)$$
$$=4x-2y+20$$
$4x-2y+20=k$ (k는 상수)라고 하면 점 P는 원 ㉠ 위에 있으므로 원의 중심 $(0,1)$과 직선 $4x-2y+20-k=0$ 사이의 거리는 원의 반지름의 길이 1과 같다.

즉, $\dfrac{|4\times0+(-2)\times1+20-k|}{\sqrt{4^2+(-2)^2}}=1$이므로

$\dfrac{|18-k|}{2\sqrt{5}}=1,\ |18-k|=2\sqrt{5},\ 18-k=\pm2\sqrt{5}$

$\therefore k=18-2\sqrt{5}$ 또는 $k=18+2\sqrt{5}$

따라서 $\overrightarrow{AC}\cdot\overrightarrow{AP}$의 최댓값은 $18+2\sqrt{5}$이다. 정답_⑤

290
크기가 1인 두 벡터 $\vec{a},\vec{b}$가 이루는 각의 크기를 $\theta°$라고 하면
$\vec{a}\cdot\vec{b}=\dfrac{1}{2}$이므로 $0°\leq\theta\leq90°$

따라서 $\cos\theta°=\dfrac{\vec{a}\cdot\vec{b}}{|\vec{a}||\vec{b}|}=\dfrac{\frac{1}{2}}{1\times1}=\dfrac{1}{2}$이므로
$\theta°=60°$ 정답_③

291
$\vec{a}\cdot\vec{b}=-|\vec{a}||\vec{b}|\cos(180°-120°)$
$$=-3\times2\times\cos60°=-3$$
이므로
$|\vec{a}-\vec{b}|^2=(\vec{a}-\vec{b})\cdot(\vec{a}-\vec{b})=|\vec{a}|^2-2\vec{a}\cdot\vec{b}+|\vec{b}|^2$
$$=3^2-2\times(-3)+2^2=19$$
$\therefore |\vec{a}-\vec{b}|=\sqrt{19}$ 정답_①

292
$\vec{a}+\vec{b}=(-1,3)+(2,-1)=(1,2)$
$\vec{a}-\vec{b}=(-1,3)-(2,-1)=(-3,4)$
$\therefore (\vec{a}+\vec{b})\cdot(\vec{a}-\vec{b})=(1,2)\cdot(-3,4)=-3+8=5$
따라서 $0°\leq\theta\leq90°$이므로
$$\cos\theta°=\frac{(\vec{a}+\vec{b})\cdot(\vec{a}-\vec{b})}{|\vec{a}+\vec{b}||\vec{a}-\vec{b}|}$$
$$=\frac{5}{\sqrt{1^2+2^2}\sqrt{(-3)^2+4^2}}$$
$$=\frac{5}{\sqrt{5}\times5}=\frac{\sqrt{5}}{5}$$
정답_⑤

293

$\vec{b}+\vec{c}=(-2,5)+(3,k)=(1,5+k)$이므로

$\vec{a}\cdot(\vec{b}+\vec{c})=(0,-2)\cdot(1,5+k)=-10-2k$ ······ ㉠

벡터의 내적의 정의에 의해

$\begin{aligned}\vec{a}\cdot(\vec{b}+\vec{c})&=|\vec{a}||\vec{b}+\vec{c}|\cos45°\\&=\sqrt{0^2+(-2)^2}\sqrt{1^2+(5+k)^2}\times\frac{\sqrt{2}}{2}\\&=\sqrt{2(26+10k+k^2)}\end{aligned}$ ······ ㉡

㉠, ㉡에서

$\sqrt{2(26+10k+k^2)}=-10-2k$ ······ ㉢

$2(26+10k+k^2)=4k^2+40k+100$

$k^2+10k+24=0,\ (k+4)(k+6)=0$

$\therefore k=-4$ 또는 $k=-6$

그런데 ㉢에서 $-10-2k\ge0$, 즉 $k\le-5$이므로

$k=-6$ 정답_ -6

294

$|\vec{a}+\vec{b}|=2\sqrt{5}$에서 $|\vec{a}+\vec{b}|^2=20$

이때, $|\vec{a}|=2,\ |\vec{b}|=2\sqrt{2}$이고

$\begin{aligned}|\vec{a}+\vec{b}|^2&=(\vec{a}+\vec{b})\cdot(\vec{a}+\vec{b})=|\vec{a}|^2+2\vec{a}\cdot\vec{b}+|\vec{b}|^2\\&=2^2+2\vec{a}\cdot\vec{b}+(2\sqrt{2})^2=12+2\vec{a}\cdot\vec{b}\end{aligned}$

이므로

$12+2\vec{a}\cdot\vec{b}=20$ $\therefore \vec{a}\cdot\vec{b}=4$

$\vec{a}\cdot\vec{b}>0$이므로 두 벡터 $\vec{a},\vec{b}$가 이루는 각의 크기를 $\theta°$라고 하면

$0°\le\theta°\le90°$이다.

즉, $\vec{a}\cdot\vec{b}=|\vec{a}||\vec{b}|\cos\theta°=4$이므로

$2\times2\sqrt{2}\times\cos\theta°=4$ $\therefore \cos\theta°=\frac{\sqrt{2}}{2}$

따라서 두 벡터 $\vec{a},\vec{b}$가 이루는 각의 크기는 $45°$이다. 정답_ ②

295

선분 AB가 원 O의 지름이므로 $\angle APB=90°$

삼각형 ABP에서 $\overline{AP}=\sqrt{5^2-4^2}=3$

한편, 두 벡터 $\overrightarrow{AB}$와 $\overrightarrow{AP}$가 이루는 각의 크기를 $\theta°$라고 하면

$\cos\theta°=\frac{\overline{AP}}{\overline{AB}}=\frac{3}{5}$

$\therefore \overrightarrow{AB}\cdot\overrightarrow{AP}=5\times3\times\cos\theta°=5\times3\times\frac{3}{5}=9$ 정답_9

296

오른쪽 그림과 같이 $\overrightarrow{AB}=\vec{a},\ \overrightarrow{AC}=\vec{b}$라고

하면 삼각형 ABC가 한 변의 길이가 3인

정삼각형이므로

$|\vec{a}|=|\vec{b}|=3,\ \angle BAC=60°$

$\therefore \vec{a}\cdot\vec{b}=|\vec{a}||\vec{b}|\cos60°=3\times3\times\frac{1}{2}=\frac{9}{2}$

한편,

$\overrightarrow{BF}=\overrightarrow{AF}-\overrightarrow{AB}=\frac{1}{4}\overrightarrow{AC}-\overrightarrow{AB}=\frac{1}{4}\vec{b}-\vec{a}$,

$\overrightarrow{DE}=\overrightarrow{AE}-\overrightarrow{AD}=\frac{3}{4}\overrightarrow{AC}-\frac{2}{3}\overrightarrow{AB}=\frac{3}{4}\vec{b}-\frac{2}{3}\vec{a}$

이므로

$\begin{aligned}|\overrightarrow{BF}+\overrightarrow{DE}|^2&=\left|\left(\frac{1}{4}\vec{b}-\vec{a}\right)+\left(\frac{3}{4}\vec{b}-\frac{2}{3}\vec{a}\right)\right|^2\\&=\left|\vec{b}-\frac{5}{3}\vec{a}\right|^2=\left(\vec{b}-\frac{5}{3}\vec{a}\right)\cdot\left(\vec{b}-\frac{5}{3}\vec{a}\right)\\&=|\vec{b}|^2-\frac{10}{3}\vec{a}\cdot\vec{b}+\frac{25}{9}|\vec{a}|^2\\&=3^2-\frac{10}{3}\times\frac{9}{2}+\frac{25}{9}\times3^2=19\end{aligned}$ 정답_ ③

297

오른쪽 그림과 같이 두 대각선의 교점을

M이라 하고, $\angle HAM=\theta°$로 놓으면

$0°\le\theta°\le90°$이므로

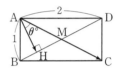

$\begin{aligned}\overrightarrow{AC}\cdot\overrightarrow{AH}&=|\overrightarrow{AC}||\overrightarrow{AH}|\cos\theta°\\&=2|\overrightarrow{AM}||\overrightarrow{AH}|\cos\theta°\\&=2|\overrightarrow{AH}||\overrightarrow{AM}|\cos\theta°\\&=2|\overrightarrow{AH}||\overrightarrow{AH}|=2|\overrightarrow{AH}|^2\end{aligned}$

한편, 삼각형 ABD에서 $\overline{BD}=\sqrt{1^2+2^2}=\sqrt{5}$이므로

$\frac{1}{2}\times\overline{AB}\times\overline{AD}=\frac{1}{2}\times\overline{BD}\times\overline{AH}$에서

$\frac{1}{2}\times1\times2=\frac{1}{2}\times\sqrt{5}\times\overline{AH}$ $\therefore \overline{AH}=\frac{2}{\sqrt{5}}$

$\therefore \overrightarrow{AC}\cdot\overrightarrow{AH}=2|\overrightarrow{AH}|^2=2\times\left(\frac{2}{\sqrt{5}}\right)^2=\frac{8}{5}$ 정답_ ③

298

$\vec{a}+\vec{b}=(3,1)+(1,2)=(4,3)$

$2\vec{a}-t\vec{b}=2(3,1)-t(1,2)=(6-t,2-2t)$

$\vec{a}+\vec{b}$와 $2\vec{a}-t\vec{b}$가 서로 수직이므로

$(\vec{a}+\vec{b})\cdot(2\vec{a}-t\vec{b})=0$

$(4,3)\cdot(6-t,2-2t)=0$

$4(6-t)+3(2-2t)=0,\ 24-4t+6-6t=0$

$10t=30$ $\therefore t=3$ 정답_ ③

299

$\vec{a}$와 $\vec{b}$가 서로 수직이므로 $\vec{a}\cdot\vec{b}=0$에서

$(3t-2,t)\cdot\left(-1,\frac{1}{t}\right)=0,\ -3t+2+1=0$ $\therefore t=1$

$\vec{a}=(1,1),\ \vec{b}=(-1,1)$이므로

$\vec{a}+2\vec{b}=(1,1)+2(-1,1)=(-1,3)$

$\therefore |\vec{a}+2\vec{b}|=\sqrt{(-1)^2+3^2}=\sqrt{10}$ 정답_ ④

300

$\overrightarrow{OA}=(1,2)$, $\overrightarrow{OB}=(3,-4)$이고 두 벡터 $\overrightarrow{BP}$, $\overrightarrow{OA}$가 서로 평행하므로

$\overrightarrow{BP}=k\overrightarrow{OA}$ ($k\neq0$인 실수)

로 놓으면 $\overrightarrow{BP}=\overrightarrow{OP}-\overrightarrow{OB}$이므로

$\overrightarrow{OP}=\overrightarrow{OB}+\overrightarrow{BP}=\overrightarrow{OB}+k\overrightarrow{OA}$

$=(3,-4)+k(1,2)=(3+k, -4+2k)=(x, y)$

한편, 두 벡터 $\overrightarrow{OP}$, $\overrightarrow{OB}$가 서로 수직이므로

$\overrightarrow{OP}\cdot\overrightarrow{OB}=(3+k, -4+2k)\cdot(3, -4)=0$

$3(3+k)-4(-4+2k)=0$

$-5k+25=0$ $\quad\therefore k=5$

따라서 $\overrightarrow{OP}=(8,6)$이므로 $x=8, y=6$

$\therefore x+y=14$

정답_ ⑤

301

$\vec{a}=(1,0)$, $\vec{b}=(0,2)$, $\vec{c}=(x,y)$에서

$\vec{a}+t\vec{b}=(1,0)+t(0,2)=(1, 2t)$

$\vec{c}+t\vec{a}=(x,y)+t(1,0)=(x+t, y)$

$\vec{a}+t\vec{b}$와 $\vec{c}+t\vec{a}$가 서로 수직이므로

$(\vec{a}+t\vec{b})\cdot(\vec{c}+t\vec{a})=(1, 2t)\cdot(x+t, y)$

$\qquad\qquad =x+t+2ty$

$\qquad\qquad =x+t(1+2y)=0$ $\qquad$ ……㉠

㉠이 t의 값에 관계없이 항상 성립하므로

$x=0, 1+2y=0$ $\quad\therefore x=0, y=-\dfrac{1}{2}$

$\therefore x+y=-\dfrac{1}{2}$

정답_ ②

302

$\vec{a}$에 수직인 벡터를 $\vec{c}=(x,y)$라고 하면 $\vec{a}\cdot\vec{c}=0$이므로

$(1,-1)\cdot(x,y)=x-y=0$ $\quad\therefore x=y$

이때, $|\vec{c}|=\sqrt{2}$이므로

$|\vec{c}|=\sqrt{x^2+y^2}=\sqrt{x^2+x^2}=\sqrt{2x^2}=\sqrt{2}|x|=\sqrt{2}$

$|x|=1$ $\quad\therefore x=\pm1$

따라서 $\vec{a}$에 수직이고 크기가 $\sqrt{2}$인 벡터는

$\vec{c}=(1,1)$ 또는 $\vec{c}=(-1,-1)$

이므로 모든 성분의 합의 최댓값은

$1+1=2$

정답_ ②

303

$\vec{a}=(1,-1)$, $\vec{b}=(2, 1-k)$가 서로 수직이므로 $\vec{a}\cdot\vec{b}=0$에서

$(1,-1)\cdot(2, 1-k)=0, 2-(1-k)=0$

$k+1=0$ $\quad\therefore k=-1$

즉, $\vec{b}=(2,2)$이고 $\vec{c}=(-1,3)$이므로

$\vec{b}\cdot\vec{c}=(2,2)\cdot(-1,3)=-2+6=4$

따라서 $0°\leq\theta°\leq90°$이므로

$\cos\theta°=\dfrac{\vec{b}\cdot\vec{c}}{|\vec{b}||\vec{c}|}=\dfrac{4}{\sqrt{2^2+2^2}\sqrt{(-1)^2+3^2}}$

$\qquad =\dfrac{4}{\sqrt{8}\sqrt{10}}=\dfrac{4}{4\sqrt{5}}=\dfrac{\sqrt{5}}{5}$

정답_ ①

304

$6\vec{a}+\vec{b}$와 $\vec{a}-\vec{b}$가 서로 수직이므로

$(6\vec{a}+\vec{b})\cdot(\vec{a}-\vec{b})=0, 6|\vec{a}|^2-5\vec{a}\cdot\vec{b}-|\vec{b}|^2=0$

$|\vec{a}|=1$, $|\vec{b}|=3$이므로

$6\times1^2-5\vec{a}\cdot\vec{b}-3^2=0$ $\quad\therefore \vec{a}\cdot\vec{b}=-\dfrac{3}{5}$

정답_ ②

305

$\vec{a}-2\vec{b}$와 $\vec{a}+\vec{b}$가 서로 수직이므로

$(\vec{a}-2\vec{b})\cdot(\vec{a}+\vec{b})=0$

$\therefore |\vec{a}|^2-\vec{a}\cdot\vec{b}-2|\vec{b}|^2=0$ $\qquad$ ……㉠

이때, $2|\vec{a}|=3|\vec{b}|$이므로 $|\vec{a}|=\dfrac{3}{2}|\vec{b}|$를 ㉠에 대입하면

$\dfrac{9}{4}|\vec{b}|^2-\vec{a}\cdot\vec{b}-2|\vec{b}|^2=0$ $\quad\therefore \vec{a}\cdot\vec{b}=\dfrac{1}{4}|\vec{b}|^2$

따라서 $\vec{a}\cdot\vec{b}>0$이므로 $0°\leq\theta\leq90°$

$\therefore \cos\theta°=\dfrac{\vec{a}\cdot\vec{b}}{|\vec{a}||\vec{b}|}=\dfrac{\dfrac{1}{4}|\vec{b}|^2}{\dfrac{3}{2}|\vec{b}|^2}=\dfrac{1}{6}$

정답_ ①

306

주어진 조건을 좌표평면 위에 나타내면 오른쪽 그림과 같다.

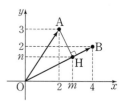

세 점 O, H, B가 한 직선 위에 있으므로 $\overrightarrow{OH}=k\overrightarrow{OB}$ ($k\neq0$인 실수)로 놓으면

$\overrightarrow{OH}=k(4,2)=(4k, 2k)$

$\therefore \overrightarrow{AH}=\overrightarrow{OH}-\overrightarrow{OA}$

$\qquad =(4k, 2k)-(2, 3)$

$\qquad =(4k-2, 2k-3)$

$\overrightarrow{OH}$와 $\overrightarrow{AH}$가 서로 수직이므로 $\overrightarrow{OH}\cdot\overrightarrow{AH}=0$에서

$(4k, 2k)\cdot(4k-2, 2k-3)=0$

$4k(4k-2)+2k(2k-3)=0, 2k(10k-7)=0$

$k\neq0$이므로 $k=\dfrac{7}{10}$

따라서 점 H의 좌표는 $\left(\dfrac{14}{5}, \dfrac{7}{5}\right)$이므로

$m=\dfrac{14}{5}, n=\dfrac{7}{5}$ $\quad\therefore m+n=\dfrac{21}{5}$

정답_ ④

307

점 $(2, 1)$을 지나고 방향벡터가 $\vec{u} = (1, 2)$인 직선의 방정식은

$$\frac{x-2}{1} = \frac{y-1}{2}$$

이 직선이 점 $(0, a)$를 지나므로

$$\frac{0-2}{1} = \frac{a-1}{2} \qquad \therefore a = -3$$

정답_①

308

점 $(4, 1)$을 지나고 벡터 $\vec{n} = (1, 2)$에 수직인 직선의 방정식은
$(x-4) + 2(y-1) = 0$

$$\therefore x + 2y - 6 = 0$$

이 직선이 x축과 만나는 점의 좌표는 $(6, 0)$, y축과 만나는 점의 좌표는 $(0, 3)$이므로

$a = 6, b = 3 \qquad \therefore a + b = 9$

정답_9

309

점 $(-1, 1)$을 지나고 법선벡터가 $\vec{n} = (-1, -2)$인 직선의 방정식은

$$-(x+1) - 2(y-1) = 0$$

$$\therefore x + 2y - 1 = 0 \qquad \cdots\cdots \text{㉠}$$

점 $(2, -1)$을 지나고 방향벡터가 $\vec{u} = (1, 2)$인 직선의 방정식은

$$\frac{x-2}{1} = \frac{y+1}{2} \qquad \therefore 2x - y - 5 = 0 \qquad \cdots\cdots \text{㉡}$$

㉠, ㉡을 연립하여 풀면 $x = \dfrac{11}{5}, y = -\dfrac{3}{5}$

따라서 $a = \dfrac{11}{5}, b = -\dfrac{3}{5}$이므로

$$a + b = \frac{8}{5}$$

정답_④

310

두 점 $A(2, 1)$, $B(-1, 0)$에 대하여 직선 AB의 방향벡터는
$\overrightarrow{AB} = (-3, -1)$이므로 $\overrightarrow{AB}$를 법선벡터로 하고, 점 $A(2, 1)$을 지나는 직선의 방정식은

$$-3(x-2) - (y-1) = 0$$

$$\therefore 3x + y - 7 = 0$$

따라서 $a = 3, b = -7$이므로

$a + b = -4$

정답_ −4

311

두 점 $A(-3, 0)$, $B(1, 2)$에 대하여 $\overrightarrow{AB} = (4, 2)$이므로 이 벡터를 법선벡터로 하고 점 $(-2, 1)$을 지나는 직선의 방정식은

$$4(x+2) + 2(y-1) = 0$$

$$\therefore 2x + y + 3 = 0$$

이 직선의 x절편은 $-\dfrac{3}{2}$, y절편은 -3이므로 이 직선과 x축, y축으로 둘러싸인 도형의 넓이는

$$\frac{1}{2} \times \left| -\frac{3}{2} \right| \times |-3| = \frac{9}{4}$$

정답_⑤

312

(1) $\cos \theta° = \dfrac{|\vec{u_1} \cdot \vec{u_2}|}{|\vec{u_1}||\vec{u_2}|} = \dfrac{|1 \times 0 + 3 \times 2|}{\sqrt{1^2 + 3^2}\sqrt{0^2 + 2^2}}$

$$= \frac{6}{2\sqrt{10}} = \frac{3\sqrt{10}}{10}$$

(2) $\cos \theta° = \dfrac{|\vec{u_1} \cdot \vec{u_2}|}{|\vec{u_1}||\vec{u_2}|} = \dfrac{|2 \times (-3) + 1 \times 2|}{\sqrt{2^2 + 1^2}\sqrt{(-3)^2 + 2^2}}$

$$= \frac{4}{\sqrt{65}} = \frac{4\sqrt{65}}{65}$$

정답_(1) $\dfrac{3\sqrt{10}}{10}$ (2) $\dfrac{4\sqrt{65}}{65}$

313

두 직선 $\dfrac{x+1}{4} = \dfrac{y-1}{3}$, $\dfrac{x+2}{-1} = \dfrac{y+1}{3}$의 방향벡터를 각각 $\vec{u_1}, \vec{u_2}$라고 하면

$\vec{u_1} = (4, 3), \vec{u_2} = (-1, 3)$

두 방향벡터 $\vec{u_1}, \vec{u_2}$가 이루는 예각의 크기가 $\theta°$이므로

$\cos \theta° = \dfrac{|\vec{u_1} \cdot \vec{u_2}|}{|\vec{u_1}||\vec{u_2}|} = \dfrac{|4 \times (-1) + 3 \times 3|}{\sqrt{4^2 + 3^2}\sqrt{(-1)^2 + 3^2}}$

$$= \frac{5}{5\sqrt{10}} = \frac{\sqrt{10}}{10}$$

정답_⑤

314

두 직선 l_1, l_2의 방향벡터를 각각 $\vec{u_1}, \vec{u_2}$라고 하면

$\vec{u_1} = (3, 4), \vec{u_2} = (-1, 2)$

두 방향벡터 $\vec{u_1}, \vec{u_2}$가 이루는 예각의 크기가 $\theta°$이므로

$\cos \theta° = \dfrac{|\vec{u_1} \cdot \vec{u_2}|}{|\vec{u_1}||\vec{u_2}|} = \dfrac{|3 \times (-1) + 4 \times 2|}{\sqrt{3^2 + 4^2}\sqrt{(-1)^2 + 2^2}}$

$$= \frac{5}{5\sqrt{5}} = \frac{\sqrt{5}}{5}$$

$\cos \theta° = \dfrac{\sqrt{5}}{5}$이므로 오른쪽 그림과 같은 직각삼각형 ABC를 생각하면

$\overline{AC} = \sqrt{5^2 - (\sqrt{5})^2} = 2\sqrt{5}$

$$\therefore \sin \theta° = \frac{2\sqrt{5}}{5}$$

정답_④

315

두 직선 $x - 5 = \dfrac{y+2}{3}$, $\dfrac{x+2}{k} = \dfrac{y}{1-k^2}$의 방향벡터를 각각

$\overrightarrow{u_1}, \overrightarrow{u_2}$라고 하면

$\overrightarrow{u_1}=(1,3), \overrightarrow{u_2}=(k, 1-k^2)$

두 직선이 서로 수직이므로 $\overrightarrow{u_1} \cdot \overrightarrow{u_2}=0$에서

$(1,3) \cdot (k, 1-k^2)=0$

$k+3(1-k^2)=0$

$\therefore 3k^2-k-3=0$ ...... ㉠

이 이차방정식의 판별식을 D라고 하면

$D=1^2-4\times3\times(-3)=37>0$

따라서 이차방정식 ㉠은 서로 다른 두 실근을 가지므로 근과 계수의 관계에 의해 모든 실수 k의 값의 합은 $\dfrac{1}{3}$이다.

정답_ ④

316

두 직선 $\dfrac{x-2}{-3}=\dfrac{y+5}{k-1}$, $\dfrac{x+1}{9}=\dfrac{y-2}{-6}$의 방향벡터를 각각

$\overrightarrow{u_1}, \overrightarrow{u_2}$라고 하면

$\overrightarrow{u_1}=(-3, k-1), \overrightarrow{u_2}=(9, -6)$

두 직선이 서로 평행하면 두 방향벡터 $\overrightarrow{u_1}, \overrightarrow{u_2}$도 서로 평행하므로

$\overrightarrow{u_1}=t\overrightarrow{u_2}$ ($t\neq0$인 실수)

로 놓으면 $(-3, k-1)=t(9,-6)$에서

$-3=9t, k-1=-6t$

$\therefore t=-\dfrac{1}{3}, k=3$

정답_ ①

317

세 직선 $\dfrac{x+3}{2}=\dfrac{y-1}{3}$, $\dfrac{x+1}{4}=\dfrac{y}{a}$, $\dfrac{x-2}{b}=\dfrac{1-y}{2}$의 방향벡터를 각각 $\overrightarrow{u_1}, \overrightarrow{u_2}, \overrightarrow{u_3}$이라고 하면

$\overrightarrow{u_1}=(2,3), \overrightarrow{u_2}=(4,a), \overrightarrow{u_3}=(b,-2)$

두 직선 $\dfrac{x+3}{2}=\dfrac{y-1}{3}$, $\dfrac{x+1}{4}=\dfrac{y}{a}$가 서로 평행하므로 두 벡터 $\overrightarrow{u_1}, \overrightarrow{u_2}$도 서로 평행하다.

따라서 $\overrightarrow{u_2}=t\overrightarrow{u_1}$ ($t\neq0$인 실수)로 놓으면

$(4,a)=t(2,3)$에서 $4=2t, a=3t$

$\therefore t=2, a=6$

두 직선 $\dfrac{x+3}{2}=\dfrac{y-1}{3}$, $\dfrac{x-2}{b}=\dfrac{1-y}{2}$가 서로 수직이므로 두 벡터 $\overrightarrow{u_1}, \overrightarrow{u_3}$도 서로 수직이다.

즉, $\overrightarrow{u_1} \cdot \overrightarrow{u_3}=0$에서

$(2,3) \cdot (b,-2)=0, 2b-6=0$ $\therefore b=3$

$\therefore a+b=9$

정답_ 9

318

점 P의 좌표를 (x,y)라고 하면

$\overrightarrow{AP}=(x-2, y-1), \overrightarrow{BP}=(x+2, y-3)$

$\overrightarrow{AP} \cdot \overrightarrow{BP}=0$에서

$(x-2, y-1) \cdot (x+2, y-3)=0$

$(x-2)(x+2)+(y-1)(y-3)=0$

$x^2+y^2-4y-1=0$ $\therefore x^2+(y-2)^2=5$

따라서 점 P의 자취는 중심의 좌표가 $(0,2)$이고 반지름의 길이가 $\sqrt{5}$인 원을 나타내므로

$a=0, b=2, r=\sqrt{5}$

$\therefore a+b+r^2=7$

정답_ ③

319

원 위의 점을 $P(x,y)$라고 하면 오른쪽 그림과 같이 $\overrightarrow{AP}\perp\overrightarrow{BP}$이므로

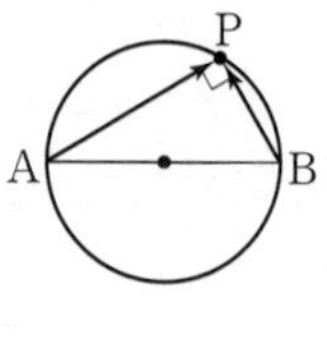

$\overrightarrow{AP} \cdot \overrightarrow{BP}=0$

이때, $\overrightarrow{AP}=(x-4, y+3)$,

$\overrightarrow{BP}=(x-2, y+1)$이므로

$(x-4, y+3) \cdot (x-2, y+1)=0$

$(x-4)(x-2)+(y+3)(y+1)=0$

$x^2+y^2-6x+4y+11=0$

$\therefore (x-3)^2+(y+2)^2=2$

정답_ $(x-3)^2+(y+2)^2=2$

320

점 P가 선분 AB를 $m:1$로 내분하는 점이므로

$\overrightarrow{p}=\dfrac{m\overrightarrow{b}+\overrightarrow{a}}{m+1}=\dfrac{\overrightarrow{a}+m\overrightarrow{b}}{m+1}$ .... ❶

점 Q가 선분 AP를 $3:1$로 내분하는 점이므로

$\overrightarrow{q}=\dfrac{3\overrightarrow{p}+\overrightarrow{a}}{3+1}=\dfrac{3\times\dfrac{\overrightarrow{a}+m\overrightarrow{b}}{m+1}+\overrightarrow{a}}{4}$

$=\dfrac{(m+4)\overrightarrow{a}+3m\overrightarrow{b}}{4(m+1)}$ ...... ㉠

또, 점 Q는 선분 AB의 중점이므로

$\overrightarrow{q}=\dfrac{\overrightarrow{a}+\overrightarrow{b}}{2}$ ...... ㉡

❷

㉠, ㉡이 서로 같으므로

$\dfrac{m+4}{4(m+1)}=\dfrac{1}{2}$, $\dfrac{3m}{4(m+1)}=\dfrac{1}{2}$

즉, $2m+8=4m+4$

$2m=4$ $\therefore m=2$ .... ❸

정답_ 2

단계	채점 기준	비율
❶	점 P의 위치벡터 $\overrightarrow{p}$를 $\overrightarrow{a}, \overrightarrow{b}$로 나타내기	20%
❷	점 Q의 위치벡터 $\overrightarrow{q}$를 $\overrightarrow{a}, \overrightarrow{b}$로 나타내기	50%
❸	m의 값 구하기	30%

321

오른쪽 그림과 같이 $\overline{AB}$를 $1:2$로 내분하는 점을 C라고 하면

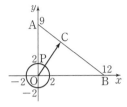

$$\overrightarrow{PC}=\frac{\overrightarrow{PB}+2\overrightarrow{PA}}{1+2}$$

$$=\frac{2\overrightarrow{PA}+\overrightarrow{PB}}{3}$$

이므로

$$|2\overrightarrow{PA}+\overrightarrow{PB}|=|3\overrightarrow{PC}| \quad\text{————————}❶$$

이때, $A(0,9), B(12,0)$이므로 점 C의 좌표는

$$\left(\frac{1\times12+2\times0}{1+2}, \frac{1\times0+2\times9}{1+2}\right)$$

$$\therefore C(4,6) \quad\text{————————————————}❷$$

따라서 $|\overrightarrow{PC}|$의 최솟값은

$$\overline{OC}-\overline{OP}=\sqrt{4^2+6^2}-2=2\sqrt{13}-2$$

이므로 $|2\overrightarrow{PA}+\overrightarrow{PB}|$의 최솟값은

$$3(2\sqrt{13}-2)=6\sqrt{13}-6 \quad\text{————————}❸$$

정답_ $6\sqrt{13}-6$

단계	채점 기준	비율
❶	$\overline{AB}$를 $1:2$로 내분하는 점을 C로 놓고 $\|2\overrightarrow{PA}+\overrightarrow{PB}\|=\|3\overrightarrow{PC}\|$ 임을 보이기	40%
❷	점 C의 좌표 구하기	20%
❸	$\|2\overrightarrow{PA}+\overrightarrow{PB}\|$의 최솟값 구하기	40%

322

삼각형 OA_1A_2에서

$$\angle A_1OA_2=\frac{360°}{8}=45°$$

따라서 $\angle A_1OA_3=45°\times2=90°$이므로 삼각형 OA_1A_3은 직각삼각형이고

$$\overline{OA_1}=\overline{OA_3}=2 \quad\text{————————————}❶$$

한편,

$$(\overrightarrow{A_1O}\cdot\overrightarrow{A_1A_1})+(\overrightarrow{A_1O}\cdot\overrightarrow{A_1A_2})+\cdots+(\overrightarrow{A_1O}\cdot\overrightarrow{A_1A_8})$$

$$=\overrightarrow{A_1O}\cdot(\overrightarrow{A_1A_1}+\overrightarrow{A_1A_2}+\cdots+\overrightarrow{A_1A_8})$$

이고

$$\overrightarrow{A_1A_1}+\overrightarrow{A_1A_2}+\cdots+\overrightarrow{A_1A_8}$$

$$=(\overrightarrow{OA_1}-\overrightarrow{OA_1})+(\overrightarrow{OA_2}-\overrightarrow{OA_1})+\cdots+(\overrightarrow{OA_8}-\overrightarrow{OA_1})$$

$$=(\overrightarrow{OA_1}+\overrightarrow{OA_2}+\cdots+\overrightarrow{OA_8})-8\overrightarrow{OA_1}$$

$$=\vec{0}-8\overrightarrow{OA_1}=-8\overrightarrow{OA_1} \quad\text{————————}❷$$

이므로

$$(\overrightarrow{A_1O}\cdot\overrightarrow{A_1A_1})+(\overrightarrow{A_1O}\cdot\overrightarrow{A_1A_2})+\cdots+(\overrightarrow{A_1O}\cdot\overrightarrow{A_1A_8})$$

$$=\overrightarrow{A_1O}\cdot(-8\overrightarrow{OA_1})=\overrightarrow{A_1O}\cdot(8\overrightarrow{A_1O})$$

$$=8|\overrightarrow{A_1O}|^2=8\times2^2$$

$$=32 \quad\text{————————————————}❸$$

정답_ 32

단계	채점 기준	비율
❶	$\overline{OA_1}$의 길이 구하기	30%
❷	$\overrightarrow{A_1A_1}+\overrightarrow{A_1A_2}+\cdots+\overrightarrow{A_1A_8}=-8\overrightarrow{OA_1}$임을 보이기	50%
❸	$(\overrightarrow{A_1O}\cdot\overrightarrow{A_1A_1})+(\overrightarrow{A_1O}\cdot\overrightarrow{A_1A_2})+\cdots+(\overrightarrow{A_1O}\cdot\overrightarrow{A_1A_8})$의 값 구하기	20%

323

$|\vec{a}+\vec{b}|=|\vec{a}-\vec{b}|$의 양변을 제곱하면

$$|\vec{a}+\vec{b}|^2=|\vec{a}-\vec{b}|^2$$

$$(\vec{a}+\vec{b})\cdot(\vec{a}+\vec{b})=(\vec{a}-\vec{b})\cdot(\vec{a}-\vec{b})$$

$$|\vec{a}|^2+2\vec{a}\cdot\vec{b}+|\vec{b}|^2=|\vec{a}|^2-2\vec{a}\cdot\vec{b}+|\vec{b}|^2$$

$$4\vec{a}\cdot\vec{b}=0 \quad\therefore\ \vec{a}\cdot\vec{b}=0$$

즉, 두 벡터 $\vec{a},\vec{b}$는 서로 수직이다. ————————❶

따라서 $\overline{OA}=\overline{OB}=4$인 삼각형 OAB는 $\angle AOB=90°$인 직각이등변삼각형이므로 삼각형 OAB의 넓이는

$$\frac{1}{2}\times4\times4=8 \quad\text{————————————}❷$$

정답_ 8

단계	채점 기준	비율
❶	두 벡터 $\vec{a}, \vec{b}$가 서로 수직임을 보이기	60%
❷	삼각형 OAB의 넓이 구하기	40%

324

$A(2,3), B(4,1)$이고 점 P가 직선 $x+y=1$, 즉 $y=-x+1$ 위의 점이므로 점 P의 좌표를 $(t,-t+1)$로 놓으면

$$\overrightarrow{AP}=(t-2,-t-2), \overrightarrow{BP}=(t-4,-t) \quad\text{————}❶$$

$$\therefore\ \overrightarrow{AP}+\overrightarrow{BP}=(2t-6,-2t-2) \quad\text{————————}❷$$

$$\therefore\ |\overrightarrow{AP}+\overrightarrow{BP}|=\sqrt{(2t-6)^2+(-2t-2)^2}$$

$$=\sqrt{8t^2-16t+40}$$

$$=\sqrt{8(t-1)^2+32}$$

따라서 $|\overrightarrow{AP}+\overrightarrow{BP}|$는 $t=1$일 때 최소이고, 최솟값은

$$\sqrt{32}=4\sqrt{2} \quad\text{————————————————}❸$$

정답_ $4\sqrt{2}$

단계	채점 기준	비율
❶	$\overrightarrow{AP}$와 $\overrightarrow{BP}$를 성분으로 나타내기	40%
❷	$\overrightarrow{AP}+\overrightarrow{BP}$를 성분으로 나타내기	20%
❸	$\|\overrightarrow{AP}+\overrightarrow{BP}\|$의 최솟값 구하기	40%

325

$$\vec{a}\cdot\vec{b}=(3t-k,t+2)\cdot(-t^2,3t^2-2kt+1)$$

$$=-t^2(3t-k)+(t+2)(3t^2-2kt+1)$$

$$=(6-k)t^2-(4k-1)t+2$$

모든 실수 t에 대하여 $\vec{a},\vec{b}$가 서로 수직이 되지 않으므로

$\vec{a}\cdot\vec{b}\neq0$, 즉 t에 대한 이차방정식

$$(6-k)t^2-(4k-1)t+2=0 \quad\text{……}㉠$$

이 실근을 갖지 않아야 한다. ————————————❶

t에 대한 이차방정식 ㉠의 판별식을 D라고 하면
$$D=(4k-1)^2-4\times(6-k)\times2<0$$
$$16k^2-47<0 \qquad \therefore -\frac{\sqrt{47}}{4}<k<\frac{\sqrt{47}}{4} \quad\text{……❷}$$

따라서 정수 k는 $-1, 0, 1$이므로 구하는 합은
$$-1+0+1=0 \quad\text{……❸}$$

정답_ 0

단계	채점 기준	비율
❶	$\vec{a}, \vec{b}$가 서로 수직이 되지 않도록 하는 조건 알기	40%
❷	k의 값의 범위 구하기	40%
❸	모든 정수 k의 값의 합 구하기	20%

326

$\overrightarrow{AP}=\overrightarrow{CP}-\overrightarrow{CA}, \overrightarrow{BP}=\overrightarrow{CP}-\overrightarrow{CB}$이므로

$2\overrightarrow{AP}+3\overrightarrow{BP}+4\overrightarrow{CP}=\vec{0}$에 대입하면

$2(\overrightarrow{CP}-\overrightarrow{CA})+3(\overrightarrow{CP}-\overrightarrow{CB})+4\overrightarrow{CP}=\vec{0}$

$9\overrightarrow{CP}=2\overrightarrow{CA}+3\overrightarrow{CB}$

$\therefore \overrightarrow{CP}=\dfrac{2\overrightarrow{CA}+3\overrightarrow{CB}}{9} \quad\text{……㉠}$

㉠을 $\overrightarrow{CQ}=k\overrightarrow{CP}$에 대입하면

$\overrightarrow{CQ}=k\dfrac{2\overrightarrow{CA}+3\overrightarrow{CB}}{9}$

점 Q가 선분 AB 위의 점이므로

$\dfrac{2k}{9}+\dfrac{3k}{9}=1 \qquad \therefore k=\dfrac{9}{5}$

정답_ ④

327

점 P는 선분 FD를 $2:1$로 내분하는 점이므로

$\overrightarrow{AP}=\overrightarrow{AF}+\overrightarrow{FP}=\overrightarrow{AF}+\dfrac{2}{3}\overrightarrow{FD}$

오른쪽 그림에서 □AGDH가 평행

사변형이므로

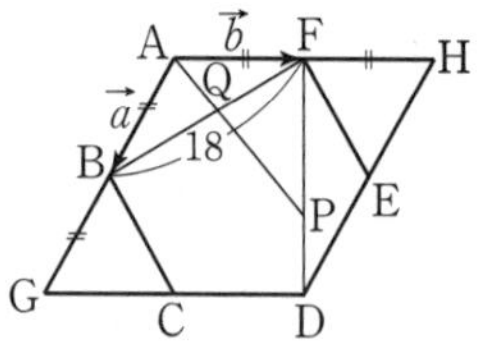

$\overrightarrow{AD}=2(\overrightarrow{AB}+\overrightarrow{AF})$

$\therefore \overrightarrow{FD}=\overrightarrow{AD}-\overrightarrow{AF}$

$\qquad =2(\overrightarrow{AB}+\overrightarrow{AF})-\overrightarrow{AF}$

$\qquad =2\overrightarrow{AB}+\overrightarrow{AF}$

이때 $\overrightarrow{AB}=\vec{a}, \overrightarrow{AF}=\vec{b}$이므로

$\overrightarrow{AP}=\overrightarrow{AF}+\dfrac{2}{3}(2\overrightarrow{AB}+\overrightarrow{AF})$

$\qquad =\vec{b}+\dfrac{2}{3}(2\vec{a}+\vec{b})=\dfrac{4}{3}\vec{a}+\dfrac{5}{3}\vec{b}$

세 점 A, Q, P가 한 직선 위에 있으므로

$\overrightarrow{AQ}=k\overrightarrow{AP}$ ($k\neq0$인 실수)로 놓으면

$\overrightarrow{AQ}=k\left(\dfrac{4}{3}\vec{a}+\dfrac{5}{3}\vec{b}\right)$

점 Q가 선분 BF 위의 점이므로

$k\left(\dfrac{4}{3}+\dfrac{5}{3}\right)=1, 3k=1 \qquad \therefore k=\dfrac{1}{3}$

$\therefore \overrightarrow{AQ}=\dfrac{4\vec{a}+5\vec{b}}{9}$

따라서 점 Q는 선분 BF를 $5:4$로 내분하는 점이고, $\overline{BF}=18$이
므로

$\overline{BQ}=18\times\dfrac{5}{9}=10$

정답_ ⑤

328

$\overrightarrow{AB}=\vec{a}, \overrightarrow{AC}=\vec{b}$라고 하면

$\overrightarrow{AD}=\dfrac{5}{8}\vec{a}, \overrightarrow{AE}=\dfrac{1}{2}\vec{b}$

$\overline{DF}:\overline{FE}=2:1$이므로

$\overrightarrow{AF}=\dfrac{2\overrightarrow{AE}+\overrightarrow{AD}}{2+1}=\dfrac{2\times\dfrac{1}{2}\vec{b}+\dfrac{5}{8}\vec{a}}{3}=\dfrac{5\vec{a}+8\vec{b}}{24}$

$\therefore \dfrac{24}{13}\overrightarrow{AF}=\dfrac{24}{13}\times\dfrac{5\vec{a}+8\vec{b}}{24}=\dfrac{5\vec{a}+8\vec{b}}{13}$

따라서 $\dfrac{24}{13}\overrightarrow{AF}$의 종점은 $\overline{BC}$를 $8:5$로 내분하는 점이고 $\overrightarrow{AF}$의

연장선과 $\overline{BC}$가 만나는 점이 G이므로 $\dfrac{24}{13}\overrightarrow{AF}$의 종점은 점 G이
다.

즉, $\dfrac{24}{13}\overrightarrow{AF}=\overrightarrow{AG}$이므로

$\overline{AF}:\overline{FG}=13:11, \overline{BG}:\overline{GC}=8:5$

$\triangle CEF=a$라고 하면

$\triangle AFE=\triangle CEF=a$

$\triangle ADF=2\triangle AFE=2a$

$\triangle BFD=\dfrac{3}{5}\triangle ADF=\dfrac{6}{5}a$

$\triangle BGF=\dfrac{11}{13}(\triangle ADF+\triangle BFD)=\dfrac{176}{65}a$

$\triangle CFG=\dfrac{5}{8}\triangle BGF=\dfrac{22}{13}a$

$\therefore \dfrac{\triangle ADF+\triangle BGF+\triangle CEF}{\triangle AFE+\triangle BFD+\triangle CFG}$

$=\dfrac{2a+\dfrac{176}{65}a+a}{a+\dfrac{6}{5}a+\dfrac{22}{13}a}=\dfrac{371}{253}$

따라서 $m=253, n=371$이므로

$m+n=624$

정답_ 624

329

$7\overrightarrow{PA}+3\overrightarrow{PB}+4\overrightarrow{PC}=\vec{0}$에서

$\overrightarrow{PA}+\dfrac{3\overrightarrow{PB}+4\overrightarrow{PC}}{7}=\vec{0}$

$\dfrac{3\overrightarrow{PB}+4\overrightarrow{PC}}{7}=\overrightarrow{PQ}$라고 하면 점 Q는 $\overline{BC}$를 $4:3$으로 내분하는

점이다.

또, $\overrightarrow{PA}+\overrightarrow{PQ}=\vec{0}$에서 $\overrightarrow{PA}=-\overrightarrow{PQ}$이므로
세 점 A, P, Q는 한 직선 위에 있고
$\overline{AP}:\overline{PQ}=1:1$이다.

$\triangle ABC=S$라고 하면

$\triangle PAB=\dfrac{1}{2}\triangle ABQ$

$\qquad =\dfrac{1}{2}\times\dfrac{4}{7}\triangle ABC=\dfrac{2}{7}S$

$\triangle PBC=\dfrac{1}{2}\triangle ABC=\dfrac{1}{2}S$

$\triangle PCA=\dfrac{1}{2}\triangle AQC=\dfrac{1}{2}\times\dfrac{3}{7}\triangle ABC=\dfrac{3}{14}S$

$\therefore\triangle PAB:\triangle PBC:\triangle PCA=\dfrac{2}{7}S:\dfrac{1}{2}S:\dfrac{3}{14}S$

$\qquad\qquad\qquad\qquad\qquad =4:7:3$

따라서 $m=4, n=7$이므로
$m+n=11$ 정답_ ③

330

세 점 A, E, D가 한 직선 위에 있으므로
$\overrightarrow{OE}=s\overrightarrow{OA}+(1-s)\overrightarrow{OD}$ ($s\neq0$인 실수) ······ ㉠
$\overrightarrow{OD}=3\overrightarrow{OE}$이므로
$\overrightarrow{OE}=s\overrightarrow{OA}+3(1-s)\overrightarrow{OB}$ ······ ㉡
또, 세 점 B, E, C가 한 직선 위에 있으므로
$\overrightarrow{OE}=t\overrightarrow{OB}+(1-t)\overrightarrow{OC}$ ($t\neq0$인 실수) ······ ㉢
$\overrightarrow{OC}=2\overrightarrow{OA}$이므로
$\overrightarrow{OE}=t\overrightarrow{OB}+2(1-t)\overrightarrow{OA}$ ······ ㉣
㉡, ㉣에서 $s=2(1-t), 3(1-s)=t$
위의 두 식을 연립하여 풀면 $s=\dfrac{4}{5}, t=\dfrac{3}{5}$

㉠에서 $\overrightarrow{OE}=\dfrac{4}{5}\overrightarrow{OA}+\dfrac{1}{5}\overrightarrow{OD}=\dfrac{\overrightarrow{OD}+4\overrightarrow{OA}}{5}$

$\therefore\overline{AE}:\overline{ED}=1:4$

㉢에서 $\overrightarrow{OE}=\dfrac{3}{5}\overrightarrow{OB}+\dfrac{2}{5}\overrightarrow{OC}=\dfrac{2\overrightarrow{OC}+3\overrightarrow{OB}}{5}$

$\therefore\overline{BE}:\overline{EC}=2:3$

따라서 $m=4, n=2$이므로 $m+n=6$ 정답_ ③

331

정육각형의 한 내각의 크기는
$\dfrac{180°\times(6-2)}{6}=120°$

이므로 오른쪽 그림과 같이 점 A에서
$\overline{BF}$ 위에 내린 수선의 발을 H라고 하면

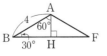

$\angle BAH=60°, \angle ABH=30°$
$\therefore\overline{AH}=2, \overline{BH}=2\sqrt{3}$

오른쪽 그림과 같이 꼭짓점 A가 원점,
$\overrightarrow{AD}$가 y축의 음의 방향에 놓이도록 주어
진 정육각형을 좌표평면 위에 놓으면
$A(0,0), D(0,-8),$
$E(2\sqrt{3},-6)$
$\overrightarrow{AD}=(0,-8), \overrightarrow{AE}=(2\sqrt{3},-6)$이므로
$(1-t)\overrightarrow{AD}+t\overrightarrow{AE}=(1-t)(0,-8)+t(2\sqrt{3},-6)$
$\qquad\qquad\qquad\qquad =(2\sqrt{3}t, 2t-8)$
$\therefore|(1-t)\overrightarrow{AD}+t\overrightarrow{AE}|=\sqrt{(2\sqrt{3}t)^2+(2t-8)^2}$
$\qquad\qquad\qquad\qquad =\sqrt{16t^2-32t+64}$
$|(1-t)\overrightarrow{AD}+t\overrightarrow{AE}|=8\sqrt{3}$에서
$\sqrt{16t^2-32t+64}=8\sqrt{3}$
양변을 제곱하면 $16t^2-32t+64=192$
$t^2-2t-8=0, (t+2)(t-4)=0$
$\therefore t=4$ ($\because t>0$) 정답_ 4

332

오른쪽 그림과 같이 꼭짓점 D가 원점, $\overrightarrow{AD}$가
x축의 음의 방향에, $\overrightarrow{DC}$가 y축의 음의 방향에
놓이도록 주어진 도형을 좌표평면 위에 놓으면
$A(-2,0), B(-2,-2), C(0,-2),$
$D(0,0), E(-1,\sqrt{3})$

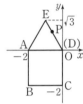

점 P의 좌표를 (x, y)라고 하면 점 P가 $\overline{DE}$ 위의 점이므로
$y=-\sqrt{3}x, -1\leq x\leq0$
$\therefore\overrightarrow{AD}+\overrightarrow{BP}=-\overrightarrow{DA}+\overrightarrow{DP}-\overrightarrow{OB}$
$\qquad\qquad\quad =-(-2,0)+(x,y)-(-2,-2)$
$\qquad\qquad\quad =(x+4,y+2)=(x+4,-\sqrt{3}x+2)$
$\therefore|\overrightarrow{AD}+\overrightarrow{BP}|^2=(x+4)^2+(-\sqrt{3}x+2)^2$
$\qquad\qquad\qquad =4x^2+4(2-\sqrt{3})x+20$
$\qquad\qquad\qquad =4\left(x+\dfrac{2-\sqrt{3}}{2}\right)^2+13+4\sqrt{3}$

$-1\leq x\leq0$이므로 $|\overrightarrow{AD}+\overrightarrow{BP}|$은 $x=\dfrac{\sqrt{3}-2}{2}$일 때 최솟값
$13+4\sqrt{3}$을 갖는다. 정답_ ⑤

333

$6\overrightarrow{OA}+4\overrightarrow{OB}+5\overrightarrow{OC}=\vec{0}$에서 $6\overrightarrow{OA}=-4\overrightarrow{OB}-5\overrightarrow{OC}$
양변을 제곱하면
$36|\overrightarrow{OA}|^2=16|\overrightarrow{OB}|^2+40\overrightarrow{OB}\cdot\overrightarrow{OC}+25|\overrightarrow{OC}|^2$
$|\overrightarrow{OA}|=|\overrightarrow{OB}|=|\overrightarrow{OC}|=1$이므로
$36=16+40\overrightarrow{OB}\cdot\overrightarrow{OC}+25, 40\overrightarrow{OB}\cdot\overrightarrow{OC}=-5$
$\therefore\overrightarrow{OB}\cdot\overrightarrow{OC}=-\dfrac{1}{8}$

한편, $\overline{BC}=|\overrightarrow{BC}|=|\overrightarrow{OC}-\overrightarrow{OB}|$이므로

$$|\overrightarrow{BC}|^2=|\overrightarrow{OC}-\overrightarrow{OB}|^2=|\overrightarrow{OC}|^2-2\overrightarrow{OB}\cdot\overrightarrow{OC}+|\overrightarrow{OB}|^2$$
$$=1-2\times\left(-\frac{1}{8}\right)+1=\frac{9}{4}$$
$$\therefore |\overrightarrow{BC}|=\frac{3}{2}$$

따라서 선분 BC의 길이는 $\frac{3}{2}$이다.   정답_ ③

334

오른쪽 그림과 같이 꼭짓점 B가 원점, $\overline{BC}$가 x축의 양의 방향에 놓이도록 주어진 정삼각형을 좌표평면 위에 놓으면

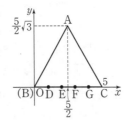

$A\left(\frac{5}{2},\frac{5}{2}\sqrt{3}\right)$, B(0,0), C(5,0),

D(1,0), E(2,0), F(3,0), G(4,0)

따라서

$$\overrightarrow{AB}=-\overrightarrow{OA}=-\left(\frac{5}{2},\frac{5}{2}\sqrt{3}\right)=\left(-\frac{5}{2},-\frac{5}{2}\sqrt{3}\right)$$
$$\overrightarrow{AF}=\overrightarrow{OF}-\overrightarrow{OA}=(3,0)-\left(\frac{5}{2},\frac{5}{2}\sqrt{3}\right)=\left(\frac{1}{2},-\frac{5}{2}\sqrt{3}\right)$$
$$\overrightarrow{GF}=\overrightarrow{OF}-\overrightarrow{OG}=(3,0)-(4,0)=(-1,0)$$
$$\overrightarrow{CA}=\overrightarrow{OA}-\overrightarrow{OC}=\left(\frac{5}{2},\frac{5}{2}\sqrt{3}\right)-(5,0)=\left(-\frac{5}{2},\frac{5}{2}\sqrt{3}\right)$$

이므로

$$\overrightarrow{AB}+\overrightarrow{AF}=\left(-\frac{5}{2},-\frac{5}{2}\sqrt{3}\right)+\left(\frac{1}{2},-\frac{5}{2}\sqrt{3}\right)$$
$$=(-2,-5\sqrt{3})$$
$$\overrightarrow{GF}-\overrightarrow{CA}=(-1,0)-\left(-\frac{5}{2},\frac{5}{2}\sqrt{3}\right)=\left(\frac{3}{2},-\frac{5}{2}\sqrt{3}\right)$$
$$\therefore (\overrightarrow{AB}+\overrightarrow{AF})\cdot(\overrightarrow{GF}-\overrightarrow{CA})$$
$$=(-2,-5\sqrt{3})\cdot\left(\frac{3}{2},-\frac{5}{2}\sqrt{3}\right)$$
$$=-3+\frac{75}{2}=\frac{69}{2}$$

    정답_ $\frac{69}{2}$

335

오른쪽 그림과 같이 점 R에서 선분 PQ의 연장선에 내린 수선의 발을 H라고 하자.

∠RPQ=$\theta°$ (90°<θ≤180°)로 놓으면 직각삼각형 PRH에서

∠RPH=180°−θ°이므로

$$|\overrightarrow{PR}|\cos(180°-\theta°)=|\overrightarrow{PH}|\qquad\cdots\cdots\text{㉠}$$
$$\therefore \overrightarrow{PQ}\cdot\overrightarrow{PR}=-|\overrightarrow{PQ}||\overrightarrow{PR}|\cos(180°-\theta°)$$
$$=-|\overrightarrow{PQ}||\overrightarrow{PH}| (\because \text{㉠})$$

$\overrightarrow{PQ}\cdot\overrightarrow{PR}$가 최소가 되려면 $\overrightarrow{PH}$가 최대가 되어야 하므로 점 R은 선분 PQ에 평행하고 원의 중심 O를 지나는 직선 위의 점이다.

두 점 P, Q의 중점을 M이라 하고 $|\overrightarrow{PM}|$=s로 놓으면

$$|\overrightarrow{PH}|=1-s$$
$$\therefore \overrightarrow{PQ}\cdot\overrightarrow{PR}=-|\overrightarrow{PQ}||\overrightarrow{PH}|=-2s(1-s)=2s^2-2s$$
$$=2\left(s-\frac{1}{2}\right)^2-\frac{1}{2}\geq-\frac{1}{2}$$

따라서 구하는 최솟값은 $-\frac{1}{2}$이다.   정답_ ②

336

$\sqrt{25-9}=4$이므로   F(4,0), F'(−4,0)

A(5,0)으로 놓으면 $\overline{AF}=1$이므로 원 C_1의 반지름의 길이는 1이다.

한편, $\overrightarrow{PF}\cdot\overrightarrow{PF'}=0$에서 $\overrightarrow{PF}\perp\overrightarrow{PF'}$이므로

$\overrightarrow{PF}=s$, $\overrightarrow{PF'}=t$로 놓으면 $s+t=10$, $s^2+t^2=8^2$

$$\therefore st=\frac{(s+t)^2-(s^2+t^2)}{2}=\frac{10^2-8^2}{2}=\frac{36}{2}=18$$

이때, s,t는 이차방정식 $x^2-10x+18=0$의 두 근이고 $s<t$이므로 $s=5-\sqrt{7}$

즉, 원 C_2의 반지름의 길이는

$5-\sqrt{7}-1=4-\sqrt{7}$

한편, $|\overrightarrow{F'X}+\overrightarrow{PX}|$가 최대인 경우는 오른쪽 그림과 같이 세 점 F', P, X가 이 순서대로 한 직선 위에 있을 때이다. 두 원 C_1, C_2의 접점을 B라고 하면 구하는 최댓값은

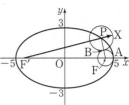

$$|\overrightarrow{F'X}+\overrightarrow{PX}|=|\overrightarrow{F'P}|+|\overrightarrow{PX}|+|\overrightarrow{PX}|$$
$$=|\overrightarrow{F'P}|+|\overrightarrow{PB}|+|\overrightarrow{PX}|$$
$$=|\overrightarrow{F'P}|+|\overrightarrow{PF}|-|\overrightarrow{BF}|+|\overrightarrow{PX}|$$
$$=t+s-1+(4-\sqrt{7})$$
$$=10-1+4-\sqrt{7}=13-\sqrt{7}$$

    정답_ $13-\sqrt{7}$

337

$|\overrightarrow{CP}|=2$를 만족시키는 점 P가 나타내는 도형은 중심이 C(−1,6)이고 반지름의 길이가 2인 원이다.

또, 직선 $\dfrac{x+1}{m}=\dfrac{y-6}{n}$은 점 C(−1,6)을 지나므로 원과 직선이 만나는 두 점 A, B에 대하여 $\overline{AB}$는 원의 지름이다.

오른쪽 그림에서

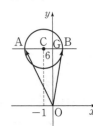

$$|\overrightarrow{OA}+\overrightarrow{OB}|=|2\overrightarrow{OC}|$$
$$=2\sqrt{(-1)^2+6^2}$$
$$=2\sqrt{37}$$

    정답_ ⑤

III 공간도형과 공간좌표

05 공간도형

338

⑤ 꼬인 위치에 있는 두 직선은 한 평면 위에 있지 않다.   정답_ ⑤

339

(i) 두 직선 AG, EG로 결정되는 평면은 평면 AGE의 1개이다.

(ii) 직선 AG와 한 점으로 결정되는 평면은 평면 AGB, 평면 AGF의 2개이다.

(iii) 직선 EG와 한 점으로 결정되는 평면은 평면 EGB, 평면 EGF, 평면 EGD의 3개이다.

(iv) 세 점으로 결정되는 평면은 평면 BFH의 1개이다.

(i), (ii), (iii), (iv)에서 구하는 평면의 개수는

$1+2+3+1=7$ 정답_ ③

340

점 A, B, C, E, G 중 어느 세 점도 한 직선 위에 있지 않으므로 5개의 점 중에서 3개의 점을 택하면 한 평면이 결정된다.

따라서 5개의 점 중에서 3개의 점을 택하여 만들 수 있는 평면의 개수는

$_5C_3 = {}_5C_2 = \dfrac{5 \times 4}{2 \times 1} = 10$

그런데 네 점 A, E, G, C는 한 평면 위에 있으므로 구하는 서로 다른 평면의 개수는

$10 - {}_4C_3 + 1 = 10 - 4 + 1 = 7$ 정답_ ③

341

한 직선 위에 있지 않은 서로 다른 세 점은 하나의 평면을 결정하므로 구하는 평면의 개수는

$_6C_3 = \dfrac{6 \times 5 \times 4}{3 \times 2 \times 1} = 20$ 정답_ ③

342

(i) 직선 l과 직선 l 위에 있지 않은 한 점으로 만들 수 있는 평면의 개수는 $_4C_1 = 4$

(ii) 직선 l 위의 한 점과 직선 l 위에 있지 않은 두 점으로 만들 수 있는 평면의 개수는

$_4C_1 \times {}_4C_2 = 4 \times 6 = 24$

(iii) 직선 l 위에 있지 않은 세 점으로 만들 수 있는 평면의 개수는 $_4C_3 = 4$

(i), (ii), (iii)에서 만들 수 있는 서로 다른 평면의 최대 개수는

$4 + 24 + 4 = 32$ 정답_ 32

343

모서리 AG와 평행한 면은 면 BHIC, 면 CIJD, 면 DJKE, 면 EKLF이므로

$a = 4$

면 ABHG와 평행한 모서리는 모서리 CI, 모서리 DJ, 모서리 EK, 모서리 FL, 모서리 DE, 모서리 JK이므로

$b = 6$

$\therefore a + b = 10$ 정답_ ②

344

직선 AC와 한 점에서 만나는 면은 면 AEFB, 면 AEHD, 면 BFGC, 면 DHGC이므로

$a = 4$

직선 AC와 꼬인 위치에 있는 모서리는 모서리 BF, 모서리 DH, 모서리 EF, 모서리 HG, 모서리 EH, 모서리 FG이므로

$b = 6$

직선 AC와 수직인 모서리는 모서리 AE, 모서리 CG이므로

$c = 2$

$\therefore a + b + c = 12$ 정답_ ③

345

ㄱ. 직선 CG와 직선 EF는 만나지도 않고, 평행하지도 않으므로 꼬인 위치에 있다.

ㄴ. 직선 AE와 직선 BC는 만나지도 않고, 평행하지도 않으므로 꼬인 위치에 있다.

ㄷ. 직선 BF와 직선 DH는 평행하다.

따라서 꼬인 위치에 있는 것은 ㄱ, ㄴ이다.   정답_ ③

346

주어진 전개도로 만든 정사면체는 오른쪽 그림과 같으므로 직선 AF와 꼬인 위치에 있는 직선은 직선 DE이다.

정답_ 직선 DE

347

④ 직선 ED와 꼬인 위치에 있는 직선은 직선 AF, 직선 BG, 직선 CH, 직선 JF, 직선 FG, 직선 GH, 직선 HI의 7개이다.

정답_ ④

348

세 점 D, E, F가 합쳐지는 점이 P이므로 주어진 전개도로 만든 사면체는 오른쪽 그림과 같다.

ㄱ은 옳다.

$\overline{AC}=\overline{AE}=\overline{BE}$이므로 $\overline{AC}=\overline{AP}=\overline{BP}$

$\angle DAC=90°$이므로 $\angle PAC=90°$

따라서 삼각형 ACP는 직각이등변삼각형이므로

$\overline{CP}=\sqrt{2}\,\overline{AP}=\sqrt{2}\,\overline{BP}$

ㄴ도 옳다.

앞의 그림과 같이 세 점 A, B, C는 한 평면 위에 있으면서 한 직선 위에는 있지 않고, 점 P는 이 평면 위에 있지 않으므로 직선 AB와 직선 CP는 꼬인 위치에 있다.

ㄷ도 옳다.

$\overline{AC}\perp\overline{AP}$, $\overline{AC}\perp\overline{AB}$이므로 $\overline{AC}\perp$(평면 ABP)

$\therefore \overline{AC}\perp\overline{PM}$ ...... ㉠

삼각형 PBA가 $\overline{PB}=\overline{PA}$인 이등변삼각형이므로

$\overline{PM}\perp\overline{AB}$ ...... ㉡

㉠, ㉡에서 $\overline{PM}\perp$(평면 ABC)

$\therefore \overline{PM}\perp\overline{BC}$

따라서 옳은 것은 ㄱ, ㄴ, ㄷ이다. 정답_ ⑤

349

주어진 전개도로 만든 정사면체는 오른쪽 그림과 같다.

모서리 AB, CD의 중점을 각각 M, N이라고 하면

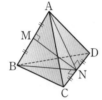

$\overline{CD}\perp\overline{AN}$, $\overline{CD}\perp\overline{BN}$이므로

$\overline{CD}\perp$(평면 ABN)

$\therefore \overline{CD}\perp\overline{MN}$ ...... ㉠

같은 방법으로 $\overline{AB}\perp\overline{CM}$, $\overline{AB}\perp\overline{DM}$이므로

$\overline{AB}\perp$(평면 CDM)

$\therefore \overline{AB}\perp\overline{MN}$ ...... ㉡

㉠, ㉡에서 두 모서리 AB, CD 사이의 거리는 선분 MN의 길이와 같다. 이때 직각삼각형 AND에서 $\overline{AN}=\sqrt{3}$

직각삼각형 AMN에서 $\overline{AN}=\sqrt{3}$, $\overline{AM}=1$이므로

$\overline{MN}=\sqrt{\overline{AN}^2-\overline{AM}^2}=\sqrt{3-1}=\sqrt{2}$ 정답_ ③

350

ㄱ은 옳다.

한 직선과 그 위에 있지 않은 한 점을 포함하는 평면은 단 하나 존재한다. (평면의 결정조건)

ㄴ은 옳지 않다.

(반례)

ㄷ도 옳다.

한 직선과 수직이고, 그 직선 위에 있지 않은 한 점을 포함하는 평면은 단 하나 존재한다.

따라서 옳은 것은 ㄱ, ㄷ이다. 정답_ ③

351

① 은 옳지 않다.

오른쪽 그림과 같은 직육면체에서 $l/\!/\alpha$, $l/\!/\beta$이지만 두 평면 α, β가 만날 수도 있다.

② 도 옳지 않다.

오른쪽 그림과 같은 직육면체에서 $l\perp\alpha$, $l\perp\beta$이면 $\alpha/\!/\beta$이다.

③ 도 옳지 않다.

오른쪽 그림과 같은 직육면체에서 $l\perp\alpha$, $m\perp\alpha$이면 $l/\!/m$이다.

④ 는 옳다.

오른쪽 그림과 같은 직육면체에서 $l/\!/\alpha$, $l\perp\beta$이면 $\alpha\perp\beta$이다.

⑤ 도 옳지 않다.

오른쪽 그림과 같은 직육면체에서 $l/\!/\alpha$, $\alpha\perp\beta$이지만 $l/\!/\beta$일 수도 있다.

정답_ ④

352

ㄱ은 옳지 않다.

(반례) 오른쪽 그림과 같은 직육면체에서 $l\perp m$이고 $m\perp n$이지만 직선 l과 직선 n은 꼬인 위치에 있다.

ㄴ은 옳다.

오른쪽 그림과 같이 $l\perp\alpha$이고 $m\perp\alpha$일 때, 직선 m과 평면 α의 교점을 M이라고 하자. 점 M을 지나고 직선 l에 평행한 직선 l'을 그으면 직선 l은 평면 α에 포함되는 모든 직선과 수직이므로 직선 l'도 평면 α에 포함되는 모든 직선과 수직이다. 즉, 직선 l'과 직선 m은 일치하므로 $l/\!/m$이다.

ㄷ도 옳지 않다.

(반례) 오른쪽 그림과 같은 직육면체에서 $l/\!/\alpha$이고 $\alpha\perp\beta$이지만 $l/\!/\beta$이다.

따라서 옳은 것은 ㄴ뿐이다.

정답_ ②

353

$\overline{BC}\,/\!/\,\overline{FG}$이므로 두 직선 AC, FG가 이루는 각의 크기는 두 직선 AC, BC가 이루는 각의 크기와 같다.

이때, 삼각형 ABC는 직각이등변삼각형이므로

$\theta_1°=45°$

$\overline{BD}\,/\!/\,\overline{FH}$이므로 두 직선 AC, FH가 이루는 각의 크기는 두 직선 AC, BD가 이루는 각의 크기와 같다.

이때, 사각형 ABCD는 정사각형이므로 두 대각선은 서로 다른 것을 수직이등분한다.

$\therefore \theta_2°=90°$

$\therefore \theta_1°+\theta_2°=45°+90°=135°$

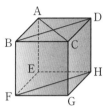

정답_ ④

354

$\overline{DE}\,/\!/\,\overline{CB}$이므로 두 모서리 AC, DE가 이루는 각의 크기는 두 모서리 AC, CB가 이루는 각의 크기와 같다.

이때, 삼각형 ABC는 정삼각형이므로 $\theta°=60°$

$\therefore \cos\theta°=\dfrac{1}{2}$

정답_ ③

355

$\overline{AB}\,/\!/\,\overline{DC}$이므로 꼬인 위치에 있는 두 모서리 AB, CE가 이루는 각의 크기는 두 모서리 DC, CE가 이루는 각의 크기와 같다.

이때, 삼각형 DCE는 $\angle D=90°$인 직각삼각형이고,

$\overline{EC}=\sqrt{3^2+3^2+3^2}=3\sqrt{3}$이므로

$\cos\theta°=\dfrac{\overline{DC}}{\overline{CE}}=\dfrac{3}{3\sqrt{3}}=\dfrac{\sqrt{3}}{3}$

정답_ ③

356

오른쪽 그림과 같이 모서리 EF의 중점을 L이라고 하면

$\overline{IJ}\,/\!/\,\overline{LN}$

이때, 삼각형 MLN은 $\overline{ML}=\overline{LN}=\overline{NM}$인 정삼각형이므로 두 선분 LN, MN이 이루는 각의 크기는 60°이다.

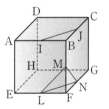

따라서 두 선분 IJ, MN이 이루는 각의 크기도 60°이므로

$\theta°=60°$

$\therefore \cos\theta°=\dfrac{1}{2}$

정답_ ②

오른쪽 그림과 같은 삼각형 ABC에서 두 변 AB, AC의 중점을 각각 M, N이라고 하면

$\overline{MN}\,/\!/\,\overline{BC},\ \overline{MN}=\dfrac{1}{2}\overline{BC}$

357

오른쪽 그림과 같이 두 선분 EH, FG의 중점을 각각 M, N이라고 하자.

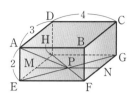

이때, 선분 MN은 선분 DC와 평행하고 점 P를 지나므로 두 선분 AP, DC가 이루는 각의 크기는 두 선분 AP, MP가 이루는 각의 크기와 같다.

또, $\overline{MN}\perp$(면 AEHD)이므로 $\overline{AM}\perp\overline{MP}$, 즉 삼각형 AMP는 직각삼각형이다.

$\overline{AM}=\sqrt{2^2+\left(\dfrac{3}{2}\right)^2}=\dfrac{5}{2}$, $\overline{MP}=\dfrac{1}{2}\overline{MN}=2$이므로 직각삼각형 AMP에서

$\tan\theta°=\dfrac{\overline{AM}}{\overline{MP}}=\dfrac{\ \dfrac{5}{2}\ }{2}=\dfrac{5}{4}$

정답_ ③

358

오른쪽 그림과 같이 $\overline{CD}$의 중점을 G라고 하면 $\overline{FG}\,/\!/\,\overline{BD}$

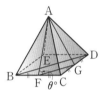

따라서 두 직선 AF, BD가 이루는 각의 크기는 두 직선 AF, FG가 이루는 각의 크기와 같다.

밑면이 한 변의 길이가 12인 정사각형이므로 그 대각선 BD의 길이는 $12\sqrt{2}$이다.

$\therefore \overline{FG}=\dfrac{1}{2}\overline{BD}=6\sqrt{2}$

직각삼각형 ABF에서

$\overline{AF}=\sqrt{\overline{AB}^2-\overline{BF}^2}=\sqrt{10^2-6^2}=8$

오른쪽 그림과 같이 점 A에서 $\overline{FG}$에 내린 수선의 발을 H라고 하면

$\overline{FH}=\dfrac{1}{2}\overline{FG}=3\sqrt{2}$

이므로

$\overline{AH}=\sqrt{\overline{AF}^2-\overline{FH}^2}=\sqrt{8^2-(3\sqrt{2})^2}=\sqrt{46}$

$\therefore \sin\theta°=\dfrac{\overline{AH}}{\overline{AF}}=\dfrac{\sqrt{46}}{8}$

정답_ ③

359

오른쪽 그림과 같이 주어진 정육면체와 합동인 정육면체를 나란히 붙이면

$\overline{AG}\,/\!/\,\overline{IH}$

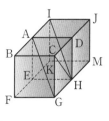

이므로 두 직선 AG, CH가 이루는 각의 크기는 두 직선 IH, CH가 이루는 각의 크기와 같다.

직각삼각형 IBC에서
$$\overline{IC}=\sqrt{\overline{IB}^2+\overline{BC}^2}=\sqrt{4^2+2^2}=2\sqrt{5}$$
직각삼각형 CGH에서
$$\overline{CH}=\sqrt{\overline{CG}^2+\overline{GH}^2}=\sqrt{2^2+2^2}=2\sqrt{2}$$
$\overline{IH}$는 한 모서리의 길이가 2인 정육면체의 대각선이므로
$$\overline{IH}=2\sqrt{3}$$
삼각형 ICH에서 $\overline{IC}=2\sqrt{5}$, $\overline{CH}=2\sqrt{2}$, $\overline{IH}=2\sqrt{3}$이므로
$$\overline{CH}^2+\overline{IH}^2=\overline{IC}^2$$
따라서 삼각형 ICH는 $\overline{IC}$가 빗변인 직각삼각형이다.
$$\therefore \angle IHC=90°$$
즉, 두 직선 AG, CH가 이루는 각의 크기는 90°이다.　정답_ 90°

360

$\overline{CO}\perp$(면 OAB), $\overline{CH}\perp\overline{AB}$이므로 삼수선의 정리에 의해
$$\overline{OH}\perp\overline{AB}$$
직각삼각형 OAB에서
$$\overline{AB}=\sqrt{6^2+6^2}=6\sqrt{2}$$
$\overline{OA}\times\overline{OB}=\overline{OH}\times\overline{AB}$이므로
$$6\times6=\overline{OH}\times6\sqrt{2} \quad \therefore \overline{OH}=3\sqrt{2}$$
　정답_ ②

361

$\overline{AE}\perp$(면 EFGH), $\overline{AO}\perp\overline{FH}$이므로 삼수선의 정리에 의해
$$\overline{EO}\perp\overline{FH}$$
직각삼각형 EFH에서 $\overline{EF}\times\overline{EH}=\overline{FH}\times\overline{EO}$이고,
$\overline{FH}=\sqrt{3^2+4^2}=5$이므로
$$3\times4=5\times\overline{EO} \quad \therefore \overline{EO}=\frac{12}{5}$$
$$\therefore \overline{AO}=\sqrt{\overline{AE}^2+\overline{EO}^2}=\sqrt{2^2+\left(\frac{12}{5}\right)^2}=\frac{2\sqrt{61}}{5}$$
　정답_ ③

362

오른쪽 그림과 같이 점 M에서 모서리 CD에 내린 수선의 발을 I라고 하면
$$\overline{MN}\perp\overline{LD}, \overline{MI}\perp\overline{CD}$$
이므로 삼수선의 정리에 의해
$$\overline{LD}\perp\overline{NI}$$
오른쪽 그림의 정사각형 ABCD에서
$$\overline{AL}=\frac{3}{4}\overline{AB}=15$$
$$\overline{DI}=\frac{1}{2}\overline{CD}=10$$
$$\overline{LD}=\sqrt{20^2+15^2}=25$$

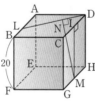

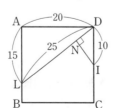

△NDI∽△ALD (AA 닮음)이므로
$$\overline{NI}:\overline{AD}=\overline{DI}:\overline{LD}$$
$$\therefore \overline{NI}=\frac{\overline{AD}\times\overline{DI}}{\overline{LD}}=\frac{20\times10}{25}=8$$
따라서 직각삼각형 MIN에서
$$\overline{MN}=\sqrt{20^2+8^2}=4\sqrt{29}$$
　정답_ ④

363

오른쪽 그림과 같이 꼭짓점 D에서 선분 EG에 내린 수선의 발을 I라고 하면
$$\overline{DH}\perp(\text{평면 EFGH}), \overline{DI}\perp\overline{EG}$$
이므로 삼수선의 정리에 의해
$$\overline{HI}\perp\overline{EG}$$
직각삼각형 EGH에서
$\overline{EH}\times\overline{HG}=\overline{EG}\times\overline{HI}$이고, $\overline{EG}=\sqrt{2^2+1^2}=\sqrt{5}$이므로
$$2\times1=\sqrt{5}\times\overline{HI} \quad \therefore \overline{HI}=\frac{2}{\sqrt{5}}=\frac{2\sqrt{5}}{5}$$
직각삼각형 DHI에서
$$\overline{DI}=\sqrt{\overline{DH}^2+\overline{HI}^2}=\sqrt{3^2+\left(\frac{2\sqrt{5}}{5}\right)^2}=\frac{7\sqrt{5}}{5}$$
　정답_ ③

364

오른쪽 그림에서 $\overline{DQ}=\overline{BQ}$이고 $\overline{BD}\perp\overline{PQ}$이므로 점 P는 두 선분 AC, BD의 중점이다.
이때, 점 P에서 선분 AG에 내린 수선의 발 Q에 대하여 $\angle CAG=\theta°$로 놓으면
직각삼각형 AGC에서
$$\overline{AG}=\sqrt{12^2+12^2+12^2}=12\sqrt{3}$$
$$\therefore \sin\theta°=\frac{\overline{CG}}{\overline{AG}}=\frac{12}{12\sqrt{3}}=\frac{\sqrt{3}}{3}$$
또, 직각삼각형 AQP에서
$$\overline{AP}=\frac{1}{2}\overline{AC}=\frac{1}{2}\times12\sqrt{2}=6\sqrt{2}$$
$$\therefore \overline{PQ}=\overline{AP}\sin\theta°=6\sqrt{2}\times\frac{\sqrt{3}}{3}=2\sqrt{6}$$
　정답_ ④

365

오른쪽 그림과 같이 $\overline{AB}$의 중점을 M이라고 하면 $\overline{PA}=\overline{PB}$이므로
$$\overline{PM}\perp\overline{AB}$$
$\overline{PH}\perp\alpha$이므로 삼수선의 정리에 의해
$$\overline{HM}\perp\overline{AB}$$
직각삼각형 PAM에서 $\overline{PA}=6$, $\overline{AM}=3$이므로
$$\overline{PM}=\sqrt{\overline{PA}^2-\overline{AM}^2}=\sqrt{6^2-3^2}=3\sqrt{3}$$

직각삼각형 PMH에서 $\overline{PH}=4$이므로

$\overline{HM}=\sqrt{\overline{PM}^2-\overline{PH}^2}=\sqrt{(3\sqrt{3})^2-4^2}=\sqrt{11}$

따라서 구하는 거리는 $\sqrt{11}$이다.　　　　　정답_ ①

다른 풀이

$\overline{PH}\perp\alpha$이므로

$\overline{PH}\perp\overline{HA},\ \overline{PH}\perp\overline{HB}$

이때, $\triangle PAH \backsim \triangle PBH$ (RHS 합동)이
므로

$\overline{HA}=\overline{HB}=\sqrt{6^2-4^2}=2\sqrt{5}$

따라서 삼각형 HAB는 $\overline{HA}=\overline{HB}$인 이등변삼각형이므로 $\overline{AB}$
의 중점을 M이라고 하면

$\overline{HM}\perp\overline{AB}$

$\therefore\ \overline{HM}=\sqrt{\overline{HA}^2-\overline{AM}^2}=\sqrt{(2\sqrt{5})^2-3^2}=\sqrt{11}$

366

오른쪽 그림과 같이 선분 BC의 중점을
M이라고 하면

$\overline{PA}\perp\alpha,\ \overline{AM}\perp\overline{BC}$

이므로 삼수선의 정리에 의해

$\overline{PM}\perp\overline{BC}$

직각삼각형 ABM에서 $\overline{AB}=\overline{AC}=5,\ \overline{BC}=6$이므로

$\overline{AM}=\sqrt{\overline{AB}^2-\overline{BM}^2}=\sqrt{5^2-3^2}=4$

직각삼각형 PMA에서 $\overline{PA}=4$이므로

$\overline{PM}=\sqrt{\overline{PA}^2+\overline{PM}^2}=\sqrt{4^2+4^2}=4\sqrt{2}$

따라서 삼각형 PBC의 넓이는

$\dfrac{1}{2}\times 6\times 4\sqrt{2}=12\sqrt{2}$　　　　　정답_ ②

367

오른쪽 그림과 같이 점 P에서 평면 α 위의
한 직선 l에 내린 수선의 발을 I라고 하면

$\overline{PH}\perp\alpha,\ \overline{PI}\perp l$

이므로 삼수선의 정리에 의해

$\overline{HI}\perp l$

이때, $\overline{PH}=4,\ \overline{PI}=4\sqrt{2}$이고, 삼각형 PIH가 직각삼각형이므로

$\overline{HI}=\sqrt{(4\sqrt{2})^2-4^2}=4$

따라서 구하는 거리는 4이다.　　　　　정답_ ⑤

368

오른쪽 그림과 같이 점 P에서 직선 BC에
내린 수선의 발을 M이라고 하면

$\overline{PA}\perp\alpha,\ \overline{PM}\perp\overline{BC}$

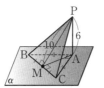

이므로 삼수선의 정리에 의해

$\overline{AM}\perp\overline{BC}$

이때, 삼각형 ABC가 $\angle A=90^\circ$인 직각이등변삼각형이므로 점
M은 $\overline{BC}$의 중점이다.

$\overline{PM}=10,\ \overline{PA}=6$이므로 직각삼각형 PMA에서

$\overline{AM}=\sqrt{\overline{PM}^2-\overline{PA}^2}=\sqrt{10^2-6^2}=8$

삼각형 ABM에서 $\angle B=45^\circ,\ \angle AMB=90^\circ$이므로

$\tan 45^\circ=\dfrac{\overline{AM}}{\overline{BM}},\ 1=\dfrac{8}{\overline{BM}}\qquad\therefore\ \overline{BM}=8$

$\therefore\ \overline{BC}=2\overline{BM}=16$　　　　　정답_16

369

$\overline{OB}=a$로 놓으면 $\overline{AP}=2a$

삼각형 AOB는 직각이등변삼각형이므로

$\sqrt{2}\overline{AO}=a\qquad\therefore\ \overline{AO}=\dfrac{\sqrt{2}}{2}a$

한편, $\overline{PO}\perp\alpha,\ \overline{AO}\perp l$이므로 삼수선의 정리에 의해

$\overline{PA}\perp l$

즉, 삼각형 APB는 $\angle A=90^\circ$인 직각삼각형이다.

$\therefore\ \dfrac{\triangle AOB}{\triangle APB}=\dfrac{\dfrac{1}{2}\times\overline{AO}\times\overline{AB}}{\dfrac{1}{2}\times\overline{AP}\times\overline{AB}}=\dfrac{\overline{AO}}{\overline{AP}}=\dfrac{\dfrac{\sqrt{2}}{2}a}{2a}=\dfrac{\sqrt{2}}{4}$

정답_ ②

370

오른쪽 그림과 같이 선분 PQ를 그으면

$\overline{PO}\perp\alpha,\ \overline{OQ}\perp\overline{AB}$

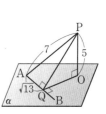

이므로 삼수선의 정리에 의해

$\overline{PQ}\perp\overline{AB}$

즉, 삼각형 AQP는 직각삼각형이므로

$\overline{PQ}=\sqrt{7^2-(\sqrt{13})^2}=6$

따라서 직각삼각형 PQO에서

$\overline{OQ}=\sqrt{6^2-5^2}=\sqrt{11}$　　　　　정답_ ③

371

오른쪽 그림과 같이 단순화하여 생각하면

$\overline{CH}\perp(평면\ AHB),\ \overline{HB}\perp\overline{AB}$

이므로 삼수선의 정리에 의해

$\overline{CB}\perp\overline{AB}$

직각삼각형 ACB에서

$\tan 60^\circ=\dfrac{\overline{BC}}{\overline{AB}},\ \sqrt{3}=\dfrac{\overline{BC}}{50}$

$\therefore\ \overline{BC}=50\sqrt{3}\ (\text{m})$

직각삼각형 CHB에서

$\overline{CH}=\sqrt{(50\sqrt{3})^2-40^2}=10\sqrt{59}\ (\text{m})$

따라서 구하는 건물의 높이는 $10\sqrt{59}$ m이다.　　　　　정답_ ⑤

372

오른쪽 그림과 같이 밑면의 두 대각선 EG, FH의 교점을 I라고 하면 $\overline{AE}\perp$(평면 EFGH), $\overline{EI}\perp\overline{FH}$ 이므로 삼수선의 정리에 의해

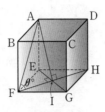

$$\overline{AI}\perp\overline{FH}$$

$\overline{AF}$, $\overline{FH}$는 모두 한 변의 길이가 4인 정사각형의 대각선이므로

$$\overline{AF}=\overline{FH}=4\sqrt{2}$$

$$\therefore \overline{FI}=\frac{1}{2}\overline{FH}=2\sqrt{2}$$

직각삼각형 AFI에서

$$\cos\theta°=\frac{\overline{FI}}{\overline{AF}}=\frac{2\sqrt{2}}{4\sqrt{2}}=\frac{1}{2}$$

정답_ $\frac{1}{2}$

373

두 선분 CM, CN은 한 변의 길이가 8인 정삼각형의 높이이므로

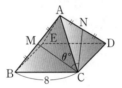

$$\overline{CM}=\overline{CN}=\frac{\sqrt{3}}{2}\times 8=4\sqrt{3}$$

또, 선분 BD는 정사각형 BCDE의 대각선이므로

$$\overline{BD}=8\sqrt{2}$$

삼각형 ABD에서 두 점 M, N은 각각 선분 AB, AD의 중점이므로

$$\overline{MN}=\frac{1}{2}\overline{BD}=\frac{1}{2}\times 8\sqrt{2}=4\sqrt{2}$$

오른쪽 그림과 같이 점 N에서 $\overline{CM}$에 내린 수선의 발을 H라 하고 $\overline{CH}=x$라고 하면 $\overline{CN}^2-\overline{CH}^2=\overline{NM}^2-\overline{MH}^2$이므로

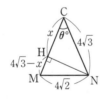

$$(4\sqrt{3})^2-x^2=(4\sqrt{2})^2-(4\sqrt{3}-x)^2$$

$$48-x^2=32-(48-8\sqrt{3}x+x^2)$$

$$8\sqrt{3}x=64 \qquad \therefore x=\frac{8\sqrt{3}}{3}$$

따라서 직각삼각형 NCH에서

$$\cos\theta°=\frac{\overline{CH}}{\overline{CN}}=\frac{\frac{8\sqrt{3}}{3}}{4\sqrt{3}}=\frac{2}{3}$$

정답_ ④

374

주어진 원뿔의 전개도는 오른쪽 그림과 같다.

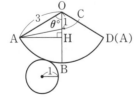

호 AB의 길이는

$$\frac{1}{2}\times 2\pi\times 1=\pi$$

$\angle AOB=\theta°$라고 하면

$$2\pi\times 3\times\frac{\theta°}{360°}=\pi$$

$$\therefore \theta°=60°$$

한편, 점 A에서 선분 OB에 내린 수선의 발을 H라고 하면

$$\cos 60°=\frac{\overline{OH}}{\overline{OA}}$$에서

$$\frac{1}{2}=\frac{\overline{OH}}{3} \qquad \therefore \overline{OH}=\frac{3}{2}$$

삼각형 OAH에서

$$\overline{AH}=\sqrt{\overline{OA}^2-\overline{OH}^2}=\sqrt{3^2-\left(\frac{3}{2}\right)^2}=\frac{3\sqrt{3}}{2}$$

한편,

$$\overline{CH}=\overline{OH}-\overline{OC}=\frac{3}{2}-1=\frac{1}{2}$$

이므로 직각삼각형 AHC에서

$$\overline{AC}=\sqrt{\overline{AH}^2+\overline{CH}^2}=\sqrt{\left(\frac{3\sqrt{3}}{2}\right)^2+\left(\frac{1}{2}\right)^2}=\sqrt{7}$$

따라서 구하는 최단 거리는 $\sqrt{7}$이다.

정답_ ①

375

오른쪽 그림과 같이 직선 l 위의 점 A에서 교선 XY에 내린 수선의 발을 B, 점 B에서 직선 m에 내린 수선의 발을 C라고 하면 삼수선의 정리에 의해

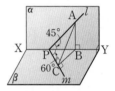

$$\overline{AC}\perp m$$

이때, $\overline{PA}=a$로 놓으면

$$\overline{PB}=\overline{PA}\cos 45°=a\times\frac{\sqrt{2}}{2}=\frac{\sqrt{2}}{2}a$$

$$\overline{PC}=\overline{PB}\cos 60°=\frac{\sqrt{2}}{2}a\times\frac{1}{2}=\frac{\sqrt{2}}{4}a$$

직각삼각형 APC에서 $\angle APC=\theta°$이므로

$$\cos\theta°=\frac{\overline{PC}}{\overline{PA}}=\frac{\frac{\sqrt{2}}{4}a}{a}=\frac{\sqrt{2}}{4}$$

$$\therefore \cos^2\theta°=\frac{1}{8}$$

정답_ ④

376

오른쪽 그림과 같이 평면 α 밖의 한 점 P에서 평면 α와 직선 l에 내린 수선의 발을 각각 O, A라고 하면

$$\overline{PO}\perp\alpha, \overline{PA}\perp l$$

이므로 삼수선의 정리에 의해

$$\overline{AO}\perp l$$

이때, 두 평면 α, β의 이면각의 크기 $\theta°$는 $\angle PAO$의 크기와 같으므로 직각삼각형 PAO에서

$$\overline{AO}=\sqrt{6^2-4^2}=2\sqrt{5}$$

$$\therefore \cos\theta°=\frac{\overline{AO}}{\overline{PA}}=\frac{2\sqrt{5}}{6}=\frac{\sqrt{5}}{3}$$

정답_ ②

377

오른쪽 그림과 같이 선분 BC의 중점을 M
이라고 하면
$$\overline{AM}\perp\overline{BC},\ \overline{DM}\perp\overline{BC}$$
이므로 두 평면 ABC, DBC가 이루는 각
의 크기는 두 선분 AM, DM이 이루는 각
의 크기와 같다.
$$\therefore \angle AMD=\theta°$$

한편, 꼭짓점 A에서 면 BCD에 내린 수선의 발을 H라고 하면
점 H는 삼각형 BCD의 무게중심이다.
이때, 정사면체의 한 모서리의 길이를 a라고 하면
$$\overline{AM}=\overline{DM}=\frac{\sqrt{3}}{2}a$$
$$\therefore \overline{HM}=\frac{1}{3}\overline{DM}=\frac{1}{3}\times\frac{\sqrt{3}}{2}a=\frac{\sqrt{3}}{6}a$$
직각삼각형 AMH에서
$$\overline{AH}=\sqrt{\overline{AM}^2-\overline{HM}^2}=\sqrt{\left(\frac{\sqrt{3}}{2}a\right)^2-\left(\frac{\sqrt{3}}{6}a\right)^2}=\frac{\sqrt{6}}{3}a$$
$$\therefore \sin\theta°=\frac{\overline{AH}}{\overline{AM}}=\frac{\frac{\sqrt{6}}{3}a}{\frac{\sqrt{3}}{2}a}=\frac{2\sqrt{2}}{3}$$

정답_ ⑤

378

오른쪽 그림과 같은 정육면체의 점 I에서
평면 EFGH에 내린 수선의 발을 J, $\overline{FG}$에
내린 수선의 발을 M이라고 하면
$$\overline{IJ}\perp(\text{평면 EFGH}),\ \overline{IM}\perp\overline{FG}$$
이므로 삼수선의 정리에 의해
$$\overline{JM}\perp\overline{FG}$$
따라서 평면 IFG, 평면 EFGH가 이루는 각의 크기는 $\angle IMJ$의
크기와 같다.
직각삼각형 IMJ에서
$$\overline{IM}=\sqrt{\overline{JM}^2+\overline{IJ}^2}=\sqrt{1^2+2^2}=\sqrt{5},\ \overline{JM}=1$$
$$\therefore \cos\theta°=\frac{\overline{JM}}{\overline{IM}}=\frac{1}{\sqrt{5}}=\frac{\sqrt{5}}{5}$$

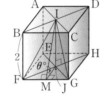

정답_ $\frac{\sqrt{5}}{5}$

379

두 삼각형 ABC, ACD′은 직각이등변삼
각형이므로 오른쪽 그림과 같이 선분 AC
의 중점을 M이라고 하면
$$\overline{BM}\perp\overline{AC},\ \overline{D'M}\perp\overline{AC}$$
이때, 두 평면 ABC, ACD′이 이루는 각
의 크기를 $\theta°$라고 하면 $\theta°$는 두 직선 BM, D′M이 이루는 각의
크기와 같으므로 $\angle BMD'=\theta°$

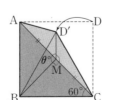

한편, $\overline{BC}=\overline{D'C}=1$이고 $\angle BCD'=60°$이므로 삼각형 D′BC는
정삼각형이다.
$$\therefore \overline{BD'}=1 \qquad\qquad \cdots\cdots \text{㉠}$$
두 삼각형 BCM, CD′M에서
$$\overline{BM}=\overline{D'M}=\frac{\sqrt{2}}{2} \qquad\qquad \cdots\cdots \text{㉡}$$
㉠, ㉡에서
$$\overline{BD'}^2=\overline{BM}^2+\overline{D'M}^2$$
이므로 삼각형 BMD′은 $\angle BMD'=90°$인 직각삼각형이다.
따라서 두 평면 ABC, ACD′이 이루는 각의 크기는 90°이다.

정답_ ⑤

380

오른쪽 그림과 같이 선분 BC의 중점을 H
라고 하면 $\overline{AH}\perp\overline{BC},\ \overline{DH}\perp\overline{BC}$이므로
삼각형 ABH에서 $\overline{AH}=\sqrt{7^2-3^2}=2\sqrt{10}$
삼각형 DHC에서 $\overline{DH}=\sqrt{5^2-3^2}=4$
즉, 삼각형 AHD는 $\overline{AD}=\overline{DH}$인 이등변
삼각형이다.

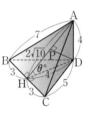

이때, 점 D에서 선분 AH에 내린 수선의 발을 P라고 하면
$$\overline{HP}=\overline{AP}=\frac{1}{2}\overline{AH}=\sqrt{10}$$
따라서 직각삼각형 DPH에서
$$\cos\theta°=\frac{\overline{HP}}{\overline{DH}}=\frac{\sqrt{10}}{4}$$

정답_ ④

381

오른쪽 그림과 같이 점 A에서 평면 BCD
에 내린 수선의 발을 H, $\overline{CD}$에 내린 수
선의 발을 P라고 하면
$$\overline{AH}\perp(\text{평면 BCD}),\ \overline{AP}\perp\overline{CD}$$
이므로 삼수선의 정리에 의해
$$\overline{HP}\perp\overline{CD}$$
따라서 평면 ACD와 평면 BCD가 이루는 각의 크기는 $\angle APH$
의 크기와 같다.

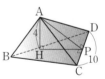

삼각형 ACD의 넓이가 40이므로
$$\frac{1}{2}\times 10\times\overline{AP}=40 \qquad \therefore \overline{AP}=8$$
직각삼각형 AHP에서
$$\overline{HP}=\sqrt{\overline{AP}^2-\overline{AH}^2}=\sqrt{8^2-4^2}=4\sqrt{3}$$
이므로
$$\overline{AP}:\overline{AH}:\overline{HP}=8:4:4\sqrt{3}=2:1:\sqrt{3}$$
따라서 $\angle APH=30°$이므로 평면 ACD와 평면 BCD가 이루는
각의 크기는 30°이다.

정답_ ②

382

$\overline{AF} /\!/ \overline{BE}$ 이므로 두 직선 AF, BD가 이루는 각의 크기는 두 직선 BE, BD가 이루는 각의 크기와 같다.

오른쪽 그림과 같이 두 점 C, D에서 평면 β에 내린 수선의 발을 각각 C', D'이라고 하면

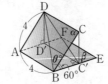

$\overline{DD'} \perp \beta, \overline{D'C'} \perp \overline{BC'}$

이므로 삼수선의 정리에 의해

$\overline{DC'} \perp \overline{BC'}$ ∴ ∠DC'B=90°

이때, 두 평면 α, β가 이루는 각의 크기가 60°이므로

$\overline{BC'} = \overline{BC} \cos 60° = 4 \times \dfrac{1}{2} = 2$

또, 정사각형 ABCD에서

$\overline{BD} = \sqrt{\overline{AB}^2 + \overline{AD}^2} = 4\sqrt{2}$

∴ $\cos \theta° = \dfrac{\overline{BC'}}{\overline{BD}} = \dfrac{2}{4\sqrt{2}} = \dfrac{\sqrt{2}}{4}$

정답_ ①

383

오른쪽 그림과 같이 꼭짓점 A에서 면 BCD에 내린 수선의 발을 G, 선분 BC의 중점을 P라고 하면 모서리 AD와 면 BCD가 이루는 각의 크기는 두 선분 AD, DP가 이루는 각의 크기와 같으므로

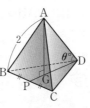

∠ADG=$\theta°$

한편, 선분 DP는 정삼각형 BCD의 높이이고, 점 G는 정삼각형 BCD의 무게중심이므로

$\overline{DP} = \dfrac{\sqrt{3}}{2} \times 2 = \sqrt{3}, \overline{DG} = \dfrac{2}{3} \times \sqrt{3} = \dfrac{2\sqrt{3}}{3}$

∴ $\cos \theta° = \dfrac{\overline{DG}}{\overline{AD}} = \dfrac{\frac{2\sqrt{3}}{3}}{2} = \dfrac{\sqrt{3}}{3}$

정답_ ①

384

오른쪽 그림과 같이 점 A에서 평면 BCDE에 내린 수선의 발을 H, 직선 AC와 평면 BCDE가 이루는 각의 크기를 $\theta°$라고 하면 ∠ACH=$\theta°$

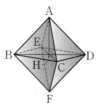

$\overline{AC} = 2a$라고 하면

$\overline{HC} = \dfrac{1}{2} \overline{EC} = \dfrac{1}{2} \times 2a\sqrt{2} = \sqrt{2}a$

직각삼각형 AHC에서

$\overline{AH} = \sqrt{\overline{AC}^2 - \overline{HC}^2} = \sqrt{(2a)^2 - (\sqrt{2}a)^2} = \sqrt{2}a$

이므로

$\overline{AH} : \overline{HC} : \overline{AC} = \sqrt{2}a : \sqrt{2}a : 2a = 1 : 1 : \sqrt{2}$

따라서 ∠ACH=45°이므로 직선 AC와 평면 BCDE가 이루는 각의 크기는 45°이다.

정답_ 45°

385

대각선 AG가 세 면 ABCD, BFGC, ABFE와 이루는 각의 크기 $\alpha°, \beta°, \gamma°$를 나타내면 오른쪽 그림과 같다.

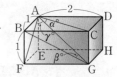

이때, $\overline{AG} = \sqrt{1^2 + 1^2 + 2^2} = \sqrt{6}$이므로

세 직각삼각형 ACG, ABG, AFG에서

$\sin \alpha° = \dfrac{\overline{CG}}{\overline{AG}} = \dfrac{1}{\sqrt{6}}, \sin \beta° = \dfrac{\overline{AB}}{\overline{AG}} = \dfrac{1}{\sqrt{6}},$

$\sin \gamma° = \dfrac{\overline{FG}}{\overline{AG}} = \dfrac{2}{\sqrt{6}}$

∴ $\sin \alpha° + \sin \beta° + \sin \gamma° = \dfrac{4}{\sqrt{6}} = \dfrac{2\sqrt{6}}{3}$

정답_ ④

386

오른쪽 그림과 같이 꼭짓점 B에서 면 AFC에 내린 수선의 발을 P라고 하면 모서리 AB와 면 AFC가 이루는 각의 크기는 두 선분 AB, AP가 이루는 각의 크기와 같으므로 ∠BAP=$\theta°$

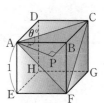

이때, 삼각형 AFC는 한 변의 길이가 $\sqrt{2}$인 정삼각형이고, 점 P는 삼각형 AFC의 무게중심이므로

$\overline{AP} = \dfrac{2}{3} \times \dfrac{\sqrt{3}}{2} \times \sqrt{2} = \dfrac{\sqrt{6}}{3}$

직각삼각형 APB에서

$\overline{BP} = \sqrt{1^2 - \left(\dfrac{\sqrt{6}}{3}\right)^2} = \dfrac{\sqrt{3}}{3}$

∴ $\sin \theta° = \dfrac{\overline{BP}}{\overline{AB}} = \dfrac{\frac{\sqrt{3}}{3}}{1} = \dfrac{\sqrt{3}}{3}$

정답_ ②

387

오른쪽 그림과 같이 두 선분 AF, BE의 교점을 M, 점 M에서 선분 EF에 내린 수선의 발을 N이라고 하면 두 면 AFGD, BEG의 교선과 면 EFGH가 이루는 예각의 크기는 두 선분 GM, GN이 이루는 각의 크기와 같으므로 ∠MGN=$\theta°$

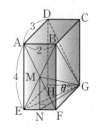

이때, 점 N은 선분 EF의 중점이므로 직각삼각형 GNF에서

$\overline{GN} = \sqrt{3^2 + 1^2} = \sqrt{10}$

또, $\overline{MN} = \dfrac{1}{2} \overline{AE} = 2$이므로 직각삼각형 GMN에서

$\overline{GM} = \sqrt{(\sqrt{10})^2 + 2^2} = \sqrt{14}$

∴ $\cos \theta° = \dfrac{\overline{GN}}{\overline{GM}} = \dfrac{\sqrt{10}}{\sqrt{14}} = \dfrac{\sqrt{35}}{7}$

정답_ ⑤

388

오른쪽 그림과 같이 $\overline{ED}$의 중점을 M이라고 하면 삼각형 AED는 이등변삼각형이므로
$\overline{AM} \perp \overline{ED}$

정육면체의 한 모서리의 길이를 $2a$라고 하면

$\overline{MD} = \dfrac{1}{2}\overline{ED} = \dfrac{1}{2} \times 2a\sqrt{2} = \sqrt{2}a$

직각삼각형 AMD에서
$\overline{AM} = \sqrt{(2a)^2 - (\sqrt{2}a)^2} = \sqrt{2}a$ ······ ㉠

직각삼각형 ACD에서
$\overline{AC} = \sqrt{(2a)^2 + (2a)^2} = 2\sqrt{2}a$ ······ ㉡

직각삼각형 DMC에서
$\overline{MC} = \sqrt{(\sqrt{2}a)^2 + (2a)^2} = \sqrt{6}a$ ······ ㉢

㉠, ㉡, ㉢에서
$\overline{AM}^2 + \overline{MC}^2 = \overline{AC}^2$

이므로 삼각형 AMC는 $\angle AMC = 90°$인 직각삼각형이다.
따라서 직선 AC와 평면 DEFC가 이루는 각의 크기는 두 직선 AC, MC가 이루는 각의 크기와 같다.
직각삼각형 AMC에서
$\overline{AC} : \overline{AM} : \overline{MC} = 2\sqrt{2}a : \sqrt{2}a : \sqrt{6}a = 2 : 1 : \sqrt{3}$

따라서 $\angle ACM = 30°$이므로 직선 AC와 평면 DEFC가 이루는 각의 크기는 30°이다. 정답_ ②

389

직선 AB와 평면 α가 이루는 예각의 크기가 $\theta°$이므로
$\overline{A'B'} = \overline{AB}\cos\theta°$에서

$7 = 14\cos\theta°$ $\therefore \cos\theta° = \dfrac{1}{2}$ 정답_ ④

390

오른쪽 그림과 같이 점 B에서 평면 ACD에 내린 수선의 발을 H라고 하면 $\overline{AB}$의 평면 ACD 위로의 정사영은 $\overline{AH}$이다.
이때, 점 H는 삼각형 ACD의 무게중심이므로

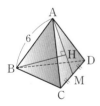

$\overline{AH} = \dfrac{2}{3}\overline{AM} = \dfrac{2}{3} \times \dfrac{\sqrt{3}}{2} \times 6 = 2\sqrt{3}$ 정답_ ⑤

391

대각선 AG의 면 BFGC 위로의 정사영은 선분 BG이고
$\overline{AG} = 3\sqrt{3}$, $\overline{BG} = 3\sqrt{2}$이므로 $\overline{BG} = \overline{AG}\cos\theta°$에서
$\cos\theta° = \dfrac{\overline{BG}}{\overline{AG}} = \dfrac{3\sqrt{2}}{3\sqrt{3}} = \dfrac{\sqrt{6}}{3}$ 정답_ ⑤

392

타원의 장축의 길이를 $2a$라고 하면
$2a\cos 45° = 4$ $\therefore a = 2\sqrt{2}$
타원의 단축의 길이를 $2b$라고 하면
$2b = 4$ $\therefore b = 2$
따라서 타원의 두 초점 사이의 거리는
$2\sqrt{(2\sqrt{2})^2 - 2^2} = 4$ 정답_ ①

393

오른쪽 그림에서
$\overline{AP} \perp$(평면 BCD), $\overline{AQ} \perp \overline{BC}$
이므로 삼수선의 정리에 의해
$\overline{PQ} \perp \overline{BC}$

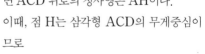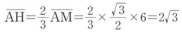

직각삼각형 ABQ에서 $\cos(\angle ABC) = \dfrac{\sqrt{3}}{3}$이므로

$\overline{BQ} = \overline{AB}\cos(\angle ABQ) = 9 \times \dfrac{\sqrt{3}}{3} = 3\sqrt{3}$

이므로
$\overline{AQ} = \sqrt{9^2 - (3\sqrt{3})^2} = 3\sqrt{6}$

직각삼각형 AQP에서 $\cos(\angle AQP) = \dfrac{\sqrt{3}}{6}$일 때

$\overline{QP} = \overline{AQ}\cos(\angle AQP) = 3\sqrt{6} \times \dfrac{\sqrt{3}}{6} = \dfrac{3\sqrt{2}}{2}$

(삼각형 BCP의 넓이)$= k = \dfrac{1}{2} \times 12 \times \dfrac{3\sqrt{2}}{2} = 9\sqrt{2}$

$\therefore k^2 = 162$ 정답_ 162

394

원기둥의 밑면의 넓이는
$\pi \times 4^2 = 16\pi$
자른 단면의 넓이를 S라고 하면 단면과 밑면이 이루는 각의 크기가 60°이고, 자른 단면의 밑면 위로의 정사영은 밑면인 원과 같으므로

$S\cos 60° = 16\pi$, $\dfrac{1}{2}S = 16\pi$

$\therefore S = 32\pi$ 정답_ ⑤

395

밑면인 정삼각형의 넓이는

$\dfrac{\sqrt{3}}{4} \times 8^2 = 16\sqrt{3}$

자른 단면의 넓이를 S라고 하면 단면과 밑면이 이루는 각의 크기가 30°이고, 자른 단면의 밑면 위로의 정사영은 밑면인 정삼각형과 같으므로

$S\cos 30° = 16\sqrt{3}$, $\dfrac{\sqrt{3}}{2}S = 16\sqrt{3}$

$\therefore S = 32$ 정답_ ④

396

삼각형 OBC의 평면 ABCD 위로의 정사영은 삼각형 MBC이고

$\triangle \text{OBC} = \dfrac{\sqrt{3}}{4} \times 2^2 = \sqrt{3}$,

$\triangle \text{MBC} = \dfrac{1}{4} \times 2^2 = 1$

이므로 평면 OBC와 평면 ABCD가 이루는 각의 크기를 $\theta°$라고

하면 $\triangle \text{MBC} = \triangle \text{OBC} \cos \theta°$에서

$\cos \theta° = \dfrac{\triangle \text{MBC}}{\triangle \text{OBC}} = \dfrac{1}{\sqrt{3}} = \dfrac{\sqrt{3}}{3}$

따라서 삼각형 MBC의 평면 OBC 위로의 정사영의 넓이는

$\triangle \text{MBC} \cos \theta° = 1 \times \dfrac{\sqrt{3}}{3} = \dfrac{\sqrt{3}}{3}$ 　　　정답_ ②

397

점 M이 선분 FG의 중점이므로

$\overline{\text{BM}} = \sqrt{2^2 + 1^2} = \sqrt{5}$

두 평면 DCGH, ABFE는 서로 평행하므로 평면 DCGH의 평
면 ABMN 위로의 정사영은 평면 ABFE의 평면 ABMN 위
로의 정사영과 같다.

오른쪽 그림과 같이 두 평면 ABFE,
ABMN이 이루는 이면각의 크기를 $\theta°$라
고 하면

$\cos \theta° = \dfrac{\overline{\text{BF}}}{\overline{\text{BM}}} = \dfrac{2}{\sqrt{5}} = \dfrac{2\sqrt{5}}{5}$

사각형 ABFE의 넓이는

$2^2 = 4$

이므로 평면 DCGH의 평면 ABMN 위로의 정사영의 넓이는

$4 \cos \theta° = 4 \times \dfrac{2\sqrt{5}}{5} = \dfrac{8\sqrt{5}}{5}$ 　　　정답_ ③

398

오른쪽 그림에서 점 B를 지나고 밑면과
30°의 각을 이루는 평면으로 잘랐을 때
생기는 단면은 원이다.
단면인 원의 지름을 $\overline{\text{BC}}$, 점 O에서 $\overline{\text{BC}}$
에 내린 수선의 발을 H라고 하면

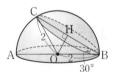

$\overline{\text{BH}} = 2 \cos 30° = \sqrt{3}$

이므로 단면의 넓이는

$\pi \times (\sqrt{3})^2 = 3\pi$

따라서 구하는 정사영의 넓이는

$3\pi \cos 30° = 3\pi \times \dfrac{\sqrt{3}}{2} = \dfrac{3\sqrt{3}}{2}\pi$ 　　　정답_ ②

399

오른쪽 그림과 같이 꼭짓점 A의 평면
BCDE 위로의 정사영을 A′이라고 하
면 평면 ABC의 평면 BCDE 위로의
정사영은 삼각형 A′BC이므로

$\triangle \text{A′BC} = \triangle \text{ABC} \cos \theta°$ ⋯⋯ ㉠

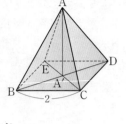

한편, 점 A′은 사각형 BCDE의 두 대
각선의 교점이므로 삼각형 A′BC의 넓이는

$\dfrac{1}{4} \times 2 \times 2 = 1$

삼각형 ABC의 넓이가 4이므로 ㉠에서

$4 \cos \theta° = 1$ 　　$\therefore \cos \theta° = \dfrac{1}{4}$

$\cos \theta° = \dfrac{1}{4}$이므로 오른쪽 그림과 같은 직각삼각형
PQR를 생각하면 $\overline{\text{PR}} = \sqrt{4^2 - 1^2} = \sqrt{15}$

$\therefore \sin \theta° = \dfrac{\overline{\text{PR}}}{\overline{\text{PQ}}} = \dfrac{\sqrt{15}}{4}$ 　　　정답_ ②

400

삼각형 PQR의 평면 DEF 위로의 정사영은 삼각형 DEF이므로

$\triangle \text{PQR} \cos \theta° = \triangle \text{DEF}$

$\therefore \cos \theta° = \dfrac{\triangle \text{DEF}}{\triangle \text{PQR}}$

한편,

$\overline{\text{PQ}} = \overline{\text{QR}} = \sqrt{6^2 + 1^2} = \sqrt{37}$,

$\overline{\text{PR}} = \sqrt{6^2 + 2^2} = 2\sqrt{10}$

이므로 오른쪽 그림과 같이 삼각형 PQR
의 꼭짓점 Q에서 $\overline{\text{PR}}$에 내린 수선의 발
을 H라고 하면

$\overline{\text{QH}} = \sqrt{(\sqrt{37})^2 - (\sqrt{10})^2} = 3\sqrt{3}$

$\therefore \triangle \text{PQR} = \dfrac{1}{2} \times 2\sqrt{10} \times 3\sqrt{3} = 3\sqrt{30}$

이때, $\triangle \text{DEF} = \dfrac{\sqrt{3}}{4} \times 6^2 = 9\sqrt{3}$이므로

$\cos \theta° = \dfrac{9\sqrt{3}}{3\sqrt{30}} = \dfrac{3\sqrt{10}}{10}$ 　　　정답_ ⑤

401

오른쪽 그림과 같이 원뿔의 밑면과 평
면 α가 이루는 각의 크기를 $\theta°$라고 하자.
직각삼각형 ABO에서

$\overline{\text{AB}} = \sqrt{1^2 + (2\sqrt{2})^2} = 3$

$\therefore \cos \theta° = \dfrac{\overline{\text{BO}}}{\overline{\text{AB}}} = \dfrac{1}{3}$

한편, 원뿔의 밑면의 넓이는

$\pi \times 1^2 = \pi$

이므로 원뿔의 밑면의 평면 α 위로의 정사영의 넓이는

$\pi \cos \theta° = \pi \times \dfrac{1}{3} = \dfrac{\pi}{3}$ 정답_ ⑤

402

수면과 지면이 평행하므로 오른쪽 그림
에서

$\angle PMQ = 45°$

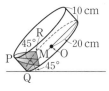

즉, 삼각형 PQM은 직각이등변삼각형
이므로

$\overline{MQ} = \overline{PQ} = 10 \, \text{cm}$

이때, 직각삼각형 ORM에서

$\cos(\angle ROM) = \dfrac{\overline{OM}}{\overline{OR}} = \dfrac{20-10}{20} = \dfrac{1}{2}$

$\therefore \angle ROM = 60°$

수면의 원기둥의 밑면 위로의 정사영은 오른
쪽 그림의 어두운 부분과 같으므로 정사영의
넓이는

$\pi \times 20^2 \times \dfrac{120°}{360°} - \dfrac{1}{2} \times 20 \times 20 \times \sin(180° - 120°)$

$= \dfrac{400}{3}\pi - 100\sqrt{3} \, (\text{cm}^2)$

따라서 수면의 넓이를 $S \, \text{cm}^2$라고 하면

$S \cos 45° = \dfrac{400}{3}\pi - 100\sqrt{3}$

$\therefore S = \dfrac{400}{3}\sqrt{2}\pi - 100\sqrt{6}$

즉, 수면의 넓이는 $\left(\dfrac{400}{3}\sqrt{2}\pi - 100\sqrt{6} \right) \text{cm}^2$이다.

정답_ $\left(\dfrac{400}{3}\sqrt{2}\pi - 100\sqrt{6} \right) \text{cm}^2$

403

$\overline{CG} \perp$ (평면 BCD)이므로 $\overline{CG} \perp \overline{BD}$

또한, $\overline{AC} \perp \overline{BD}$이므로 $\overline{BD} \perp$ (면 ACG)

$\therefore \overline{AG} \perp \overline{BD}$

같은 방법으로 $\overline{AG} \perp \overline{BE}$이므로

$\overline{AG} \perp$ (평면 BDE)   ❶

한편, 삼각형 BDE는 한 변의 길이가 $\sqrt{2}$인 정삼각형이므로

$\triangle BDE = \dfrac{\sqrt{3}}{4} \times (\sqrt{2})^2 = \dfrac{\sqrt{3}}{2}$

사면체 ABDE에서

$\dfrac{1}{3} \times \triangle BDE \times \overline{AI} = \dfrac{1}{3} \times \triangle ABD \times \overline{AE}$이므로

$\dfrac{1}{3} \times \dfrac{\sqrt{3}}{2} \times \overline{AI} = \dfrac{1}{3} \times \dfrac{1}{2} \times 1$

$\therefore \overline{AI} = \dfrac{\sqrt{3}}{3}$ ❷

$\overline{IG} = \overline{AG} - \overline{AI} = \sqrt{3} - \dfrac{\sqrt{3}}{3} = \dfrac{2\sqrt{3}}{3}$이므로

$\overline{AI} : \overline{IG} = \dfrac{\sqrt{3}}{3} : \dfrac{2\sqrt{3}}{3} = 1 : 2$ ❸

정답_ 1 : 2

단계	채점 기준	비율
❶	$\overline{AG} \perp$ (평면 BDE)임을 보이기	30%
❷	$\overline{AI}$의 길이 구하기	40%
❸	$\overline{AI} : \overline{IG}$ 구하기	30%

404

$\overline{AD} \perp \overline{CD}$, $\overline{AD} \perp \overline{BD}$이므로 모서리 AD와 평면 BCD는 서로
수직이다.

또한, $\overline{BC} \perp \overline{CD}$이므로 삼수선의 정리에 의해

$\overline{AC} \perp \overline{BC}$ ❶

즉, 삼각형 ABC는 직각삼각형이므로

$\overline{AC} = \sqrt{\overline{AB}^2 - \overline{BC}^2} = \sqrt{6^2 - 4^2} = 2\sqrt{5}$ ❷

따라서 삼각형 ABC의 넓이는

$\dfrac{1}{2} \times \overline{BC} \times \overline{AC} = \dfrac{1}{2} \times 4 \times 2\sqrt{5} = 4\sqrt{5}$ ❸

정답_ $4\sqrt{5}$

단계	채점 기준	비율
❶	$\overline{AC} \perp \overline{BC}$임을 보이기	50%
❷	$\overline{AC}$의 길이 구하기	30%
❸	$\triangle ABC$의 넓이 구하기	20%

405

오른쪽 그림과 같이 점 M에서 선분 EH
에 내린 수선의 발을 I라고 하면

$\overline{MI} \perp$ (면 EFGH), $\overline{MN} \perp \overline{EG}$

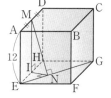

이므로 삼수선의 정리에 의해

$\overline{IN} \perp \overline{EG}$ ❶

직각삼각형 EFG에서

$\overline{EG} = \sqrt{12^2 + 12^2} = 12\sqrt{2}$ ❷

오른쪽 그림과 같이 밑면의 두 대각선의
교점을 O라고 하면 점 I는 선분 HE의 중
점이고, $\overline{IN} \parallel \overline{HF}$이므로 점 N은 삼각형
의 두 변의 중점을 연결한 선분의 성질에
의해 선분 OE의 중점이다.

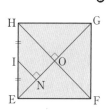

$\therefore \overline{EN} = \dfrac{1}{4}\overline{EG} = \dfrac{1}{4} \times 12\sqrt{2} = 3\sqrt{2}$ ❸

정답_ $3\sqrt{2}$

단계	채점 기준	비율
❶	$\overline{IN} \perp \overline{EG}$임을 보이기	40%
❷	$\overline{EG}$의 길이 구하기	20%
❸	$\overline{EN}$의 길이 구하기	40%

406

오른쪽 그림과 같이 점 A에서 평면 α에 내린 수선의 발을 M, 점 M에서 직선 l에 내린 수선의 발을 H라고 하면 $\overline{AM}\perp\alpha,\ \overline{MH}\perp l$ 이므로 삼수선의 정리에 의해

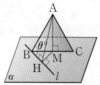

$$\overline{AH}\perp l \quad\quad\quad\text{❶}$$

정삼각형 ABC의 한 변의 길이를 $2a$라고 하면

$$\overline{BM}=\frac{1}{2}\times 2a=a$$

직각삼각형 MBH에서 $\angle MBH=30°$이므로

$$\overline{BH}=\overline{BM}\cos 30°=a\times\frac{\sqrt{3}}{2}=\frac{\sqrt{3}}{2}a$$

직각삼각형 ABH에서

$$\overline{AH}=\sqrt{\overline{AB}^2-\overline{BH}^2}=\sqrt{(2a)^2-\left(\frac{\sqrt{3}}{2}a\right)^2}=\frac{\sqrt{13}a}{2}\quad\quad\text{❷}$$

$$\therefore\ \sin\theta°=\frac{\overline{AH}}{\overline{AB}}=\frac{\frac{\sqrt{13}}{2}a}{2a}=\frac{\sqrt{13}}{4}\quad\quad\text{❸}$$

정답_ $\dfrac{\sqrt{13}}{4}$

단계	채점 기준	비율
❶	꼭짓점 A를 지나고 직선 l에 수직인 직선 구하기	40%
❷	정삼각형 ABC의 한 변의 길이를 $2a$로 놓고 $\overline{BM},\overline{BH},\overline{AH}$의 길이를 a로 나타내기	40%
❸	$\sin\theta°$의 값 구하기	20%

407

오른쪽 그림과 같이 꼭짓점 A에서 밑면에 내린 수선의 발을 H라고 하면 점 H는 삼각형 BCD의 무게중심이다.

이때, 정사면체의 한 모서리의 길이를 a라

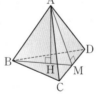

고 하면 $\overline{AM}=\overline{BM}=\frac{\sqrt{3}}{2}a$이므로

$$\overline{BH}=\frac{2}{3}\overline{BM}=\frac{\sqrt{3}}{3}a,\ \overline{MH}=\frac{1}{3}\overline{BM}=\frac{\sqrt{3}}{6}a\quad\quad\text{❶}$$

$\angle ABH=\theta_1°$, $\angle AMH=\theta_2°$이므로

$$\cos\theta_1°=\frac{\overline{BH}}{\overline{AB}}=\frac{\sqrt{3}}{3},\ \cos\theta_2°=\frac{\overline{MH}}{\overline{AM}}=\frac{1}{3}\quad\quad\text{❷}$$

정답_ $\cos\theta_1°=\dfrac{\sqrt{3}}{3}$, $\cos\theta_2°=\dfrac{1}{3}$

단계	채점 기준	비율
❶	$\triangle$BCD의 무게중심 H에 대하여 정사면체의 한 모서리의 길이를 a로 놓고 $\overline{BH},\overline{MH}$의 길이를 a로 나타내기	60%
❷	$\cos\theta_1°,\cos\theta_2°$의 값 구하기	40%

408

삼각형 APU가 직각이등변삼각형이고, $\overline{AP}=\overline{AU}=\sqrt{2}$이므로 $\overline{PU}=2$

따라서 육각형 PQRSTU는 한 변의 길이가 2인 정육각형이므로 그 넓이는

$$6\times\frac{\sqrt{3}}{4}\times 2^2=6\sqrt{3}\quad\quad\text{❶}$$

두 점 P, U의 평면 EFGH 위로의 정사영을 각각 P′, U′이라고 하면 정육면체 PQRSTU 의 평면 EFGH 위로의 정사영은 오른쪽 그림의 어두운 부분과 같다.

이때, 정사영의 넓이는

$$2\sqrt{2}\times 2\sqrt{2}-2\times\frac{1}{2}\times\sqrt{2}\times\sqrt{2}=6\quad\quad\text{❷}$$

따라서 $6=6\sqrt{3}\cos\theta°$이므로

$$\cos\theta°=\frac{\sqrt{3}}{3}\quad\quad\text{❸}$$

정답_ $\dfrac{\sqrt{3}}{3}$

단계	채점 기준	비율
❶	육각형 PQRSTU의 넓이 구하기	40%
❷	정사영의 넓이 구하기	40%
❸	$\cos\theta°$의 값 구하기	20%

409

삼각형 OAB, OAC가 모두 정삼각형이므로 $\overline{OM}\perp\overline{BM},\overline{OM}\perp\overline{CM}$

따라서 $\overline{OM}\perp$(평면 BCM)이므로 $\overline{OM}\perp\overline{MP}$

삼각형 ABC는 한 변의 길이가 3인 정삼각형이고, 점 H는 정삼각형 ABC의 무게중심이므로

$$\overline{AH}=\frac{2}{3}\times\frac{\sqrt{3}}{2}\times 3=\sqrt{3}$$

직각삼각형 OAH에서

$$\overline{OH}=\sqrt{\overline{OA}^2-\overline{AH}^2}=\sqrt{3^2-(\sqrt{3})^2}=\sqrt{6}$$

$\angle OAH=\theta°$라고 하면

$$\tan\theta°=\frac{\overline{OH}}{\overline{AH}}=\frac{\sqrt{6}}{\sqrt{3}}=\sqrt{2}$$

$\triangle OAH\backsim\triangle OPM$ (AA 닮음)이므로 $\angle OPM=\angle OAH=\theta°$

따라서 $\tan\theta°=\dfrac{\overline{OM}}{\overline{MP}}$이므로

$$\overline{MP}=\frac{\overline{OM}}{\tan\theta°}=\frac{\frac{3}{2}}{\sqrt{2}}=\frac{3\sqrt{2}}{4}$$

정답_ ③

410

$\overline{CQ}=\overline{FR}=2$이므로 오른쪽 그림과 같이 삼각형 PRQ의 세 꼭짓점 P, Q, R를 각각 모서리 AB, DC, EF를 따라 오른쪽으로 2만큼 이동하면 삼각형 P'FC가 만들어진다.

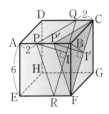

이때, 점 I는 점 I'으로 이동되므로

$\overline{PI}=\overline{P'I'}, \overline{P'I'}\perp\overline{CF}$

$\overline{P'B}\perp$(평면 BFGC)이므로 삼수선의 정리에 의해

$\overline{BI'}\perp\overline{CF}$

한편, 삼각형 BFC에서 $\overline{BC}\times\overline{BF}=\overline{CF}\times\overline{BI'}$이므로

$6\times6=6\sqrt{2}\times\overline{BI'}$ $\therefore \overline{BI'}=3\sqrt{2}$

$\overline{P'B}=2$이므로 직각삼각형 P'BI'에서

$\overline{P'I'}=\sqrt{\overline{P'B}^2+\overline{BI'}^2}=\sqrt{2^2+(3\sqrt{2})^2}=\sqrt{22}$

$\therefore \overline{PI}=\overline{P'I'}=\sqrt{22}$ 정답_ ②

411

삼각형의 두 변의 중점을 연결한 선분의 성질에 의해

$\overline{KL}/\!/\overline{BC}, \overline{NM}/\!/\overline{BC}, \overline{KL}=\overline{NM}=\frac{1}{2}\overline{BC}$ ⋯⋯ ㉠

$\overline{LM}/\!/\overline{AD}, \overline{KN}/\!/\overline{AD}, \overline{LM}=\overline{KN}=\frac{1}{2}\overline{AD}$ ⋯⋯ ㉡

㉠, ㉡에서 사각형 KLMN은 마름모이다.

또, $\overline{KM}=\overline{LN}$이므로 사각형 KLMN은 정사각형이다.

한편, 오른쪽 그림과 같이 꼭짓점 D에서 $\overline{BC}$에 내린 수선의 발을 Q, 두 선분 AQ, KL이 만나는 점을 P, 두 선분 DQ, NM이 만나는 점을 R라고 하면

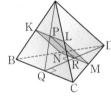

$\overline{NM}/\!/\overline{BC}$이므로

$\overline{DQ}\perp\overline{NM}$

$\overline{PR}/\!/\overline{LM}, \overline{LM}\perp\overline{NM}$이므로

$\overline{PR}\perp\overline{NM}$ $\therefore \angle PRQ=\theta°$

이때, 정사면체의 한 모서리의 길이를 $4a$라고 하면 △PQR에서

$\overline{PQ}=\frac{1}{2}\overline{AQ}=\frac{1}{2}\times\frac{\sqrt{3}}{2}\times4a=\sqrt{3}a$

$\overline{QR}=\frac{1}{2}\overline{QD}=\frac{1}{2}\times\frac{\sqrt{3}}{2}\times4a=\sqrt{3}a$

$\overline{PR}=\frac{1}{2}\overline{AD}=\frac{1}{2}\times4a=2a$

따라서 삼각형 PQR는 $\overline{PQ}=\overline{QR}$인 이등변삼각형이고 선분 PR의 중점을 H라고 하면 삼각형 HQR는 직각삼각형이므로

$\cos\theta°=\frac{\overline{RH}}{\overline{QR}}=\frac{a}{\sqrt{3}a}=\frac{\sqrt{3}}{3}$ 정답_ $\frac{\sqrt{3}}{3}$

> **보충설명**
>
> 정사면체 ABCD에서
>
> $\overline{AB}$와 $\overline{CD}$ 사이의 거리는 $\overline{KM}$

$\overline{AC}$와 $\overline{BD}$ 사이의 거리는 $\overline{LN}$

사면체 ABCD가 정사면체이므로 $\overline{KM}=\overline{LN}$

412

오른쪽 그림과 같이 점 A에서 밑면에 내린 수선의 발을 B, 직선 l과 평면 α가 만나는 점을 C라고 하면 직선 BC는 평면 α 위에서 원기둥의 밑면에 접한다.

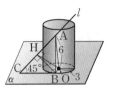

$\overline{OB}\perp\overline{BC}, \overline{OB}\perp\overline{AB}$이므로

$\overline{OB}\perp$(평면 ABC)

점 B에서 직선 l에 내린 수선의 발을 H라고 하면

$\overline{OB}\perp$(평면 ABC), $\overline{BH}\perp l$

이므로 삼수선의 정리에 의해

$\overline{OH}\perp l$

따라서 중심 O와 직선 l 사이의 거리는 $\overline{OH}$의 거리와 같다.

직각삼각형 ABO에서

$\overline{AB}=\sqrt{6^2-3^2}=3\sqrt{3}$

삼각형 ABC는 $\angle ABC=90°$인 직각이등변삼각형이므로

$\overline{BC}=\overline{AB}=3\sqrt{3}$

직각삼각형 CBH에서

$\overline{BH}=\overline{BC}\sin45°=3\sqrt{3}\times\frac{\sqrt{2}}{2}=\frac{3\sqrt{6}}{2}$

직각삼각형 HBO에서

$\overline{OH}=\sqrt{3^2+\left(\frac{3\sqrt{6}}{2}\right)^2}=\frac{3\sqrt{10}}{2}$

따라서 중심 O와 직선 l 사이의 거리는 $\frac{3\sqrt{10}}{2}$이다.

정답_ ⑤

413

주어진 조건을 그림으로 나타내면 오른쪽 그림과 같다.

점 B는 원의 접점이므로 삼각형 ABC는 $\angle B=90°$인 직각삼각형이다.

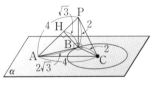

$\therefore \overline{AB}=\sqrt{\overline{AC}^2-\overline{BC}^2}=\sqrt{4^2-2^2}=2\sqrt{3}$

$\overline{AP}=\sqrt{\overline{AB}^2+\overline{BP}^2}=\sqrt{(2\sqrt{3})^2+2^2}=4$이므로 점 B에서 선분 AP에 내린 수선의 발을 H라고 하면

$\frac{1}{2}\times\overline{AP}\times\overline{BH}=\frac{1}{2}\times\overline{AB}\times\overline{BP}$에서

$\frac{1}{2}\times4\times\overline{BH}=\frac{1}{2}\times2\sqrt{3}\times2$ $\therefore \overline{BH}=\sqrt{3}$

이때, 평면 PAB와 선분 BC가 수직이므로 삼수선의 정리에 의해 점 C에서 선분 AP에 내린 수선의 발은 H이다.

또한, $\overline{BC} \perp \overline{AB}$, $\overline{BC} \perp \overline{PB}$이므로

$\overline{BC} \perp \overline{BH}$

따라서 직각삼각형 BCH에서

$\overline{CH} = \sqrt{\overline{BC}^2 + \overline{BH}^2} = \sqrt{2^2 + (\sqrt{3})^2} = \sqrt{7}$　　　정답_ $\sqrt{7}$

414

공의 중심을 지나고 햇빛에 수직인 평면을 α, 공의 그림자의 넓이를 $S\,\text{cm}^2$, 평면 α에 의해 잘린 공의 단면의 넓이를 $S'\,\text{cm}^2$라고 하면 그림자의 단축의 길이는 공의 지름의 길이와 같으므로 공의 지름의 길이는 $16\,\text{cm}$이다.

$\therefore S' = \pi \times \left(\dfrac{16}{2}\right)^2 = 64\pi$

그림자의 장축의 평면 α 위로의 정사영이 공의 지름이므로 지면과 평면 α가 이루는 각의 크기를 $\theta°$라고 하면

$16 = 26\cos\theta°$　　$\therefore \cos\theta° = \dfrac{16}{26} = \dfrac{8}{13}$

$S' = S\cos\theta°$이므로

$S = \dfrac{S'}{\cos\theta°} = \dfrac{64\pi}{\dfrac{8}{13}} = 104\pi$

따라서 그림자의 넓이는 $104\pi\,\text{cm}^2$이다.　　　정답_ ②

415

오른쪽 그림과 같이 반지름의 길이가 1, 2인 구의 중심을 각각 A, B라 하고 점 A, B의 평면 π 위로의 정사영을 각각 A′, B′이라고 하자.

점 A에서 $\overline{BB'}$에 내린 수선의 발을 T라고 하면

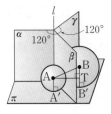

$\overline{BT} = 2 - 1 = 1$

이므로 두 구의 중심 사이의 거리를 d라고 하면

$d = \overline{AB} = \sqrt{\overline{BT}^2 + \overline{AT}^2} = \sqrt{1 + \overline{AT}^2}$　　…… ㉠

주어진 두 구를 평면 π 위로 정사영시켜 오른쪽 그림과 같이 나타낼 때

$\angle OA'D = \angle OB'E = 30°$

이므로

$\overline{OD} = \dfrac{\sqrt{3}}{3}$, $\overline{OE} = \dfrac{2\sqrt{3}}{3}$

따라서 $\overline{DE} = \overline{CB'} = \overline{OE} - \overline{OD} = \dfrac{\sqrt{3}}{3}$이므로

$\overline{A'B'} = \sqrt{\overline{A'C}^2 + \overline{CB'}^2} = \sqrt{3^2 + \left(\dfrac{\sqrt{3}}{3}\right)^2} = \dfrac{2\sqrt{21}}{3}$　　…… ㉡

이때, $\overline{A'B'} = \overline{AT}$이므로 ㉡을 ㉠에 대입하면

$d = \sqrt{1 + \left(\dfrac{2\sqrt{21}}{3}\right)^2} = \dfrac{\sqrt{93}}{3}$　　　정답_ ②

416

오른쪽 그림과 같이 그림자를 세 부분으로 나누고 그 넓이를 각각 S_1, S_2, S_3이라고 하면

(ⅰ) S_1은 선분 AB를 지름으로 하는 반원 ACB를 바닥에 정사영시킨 것이므로

$S_1 = \dfrac{1}{2} \times \pi \times 2^2 \cos(90° - 30°)$

　　$= \pi$

(ⅱ) S_2는 직사각형의 넓이이므로

$S_2 = 4 \times 4 \times \cos 30° = 8\sqrt{3}$

(ⅲ) S_3은 반구를 바닥에 정사영시킨 것으로 반원이 되므로

$S_3 = \dfrac{1}{2} \times \pi \times 2^2 = 2\pi$

(ⅰ), (ⅱ), (ⅲ)에서 $S_1 + S_2 + S_3 = 3\pi + 8\sqrt{3}$

따라서 $a = 3$, $b = 8$이므로 $a + b = 11$　　　정답_ ④

417

오른쪽 그림과 같이 세 점 O, D, E의 평면 ABC 위로의 정사영을 각각 G, P, Q라고 하면 점 G는 삼각형 ABC의 무게중심이므로

$\overline{GP} : \overline{PC} = \overline{OD} : \overline{DC} = 1 : 1$

$\overline{GQ} : \overline{QB} = \overline{OE} : \overline{EB} = 2 : 1$

$\therefore \triangle AGP = \dfrac{1}{2}\triangle AGC = \dfrac{1}{2} \times \dfrac{1}{3}\triangle ABC$

　　　$= \dfrac{1}{6}\triangle ABC$

$\triangle AQG = \dfrac{2}{3}\triangle ABG = \dfrac{2}{3} \times \dfrac{1}{3}\triangle ABC$

　　　$= \dfrac{2}{9}\triangle ABC$

$\triangle QPG = \dfrac{1}{3}\triangle BCG = \dfrac{1}{3} \times \dfrac{1}{3}\triangle ABC$

　　　$= \dfrac{1}{9}\triangle ABC$

따라서 삼각형 AED의 평면 ABC 위로의 정사영인 삼각형 AQP의 넓이는

$\left(\dfrac{1}{6} + \dfrac{2}{9} + \dfrac{1}{9}\right)\triangle ABC = \dfrac{1}{2}\triangle ABC = \dfrac{1}{2} \times \dfrac{\sqrt{3}}{4} \times 2^2 = \dfrac{\sqrt{3}}{2}$

정답_ ④

418

평면 α와 만나는 세 원기둥의 밑면의 중심을 각각 A, B, C라고 하면 삼각형 ABC는 한 변의 길이가 $2\sqrt{3}$인 정삼각형이다.

오른쪽 그림과 같이
(평면 PQ′R″) // (평면 ABC),
$\overline{QR}$ // $\overline{Q'R'}$
이 되도록 점 Q′, R′, R″을 잡으면
$\overline{QQ'} = \overline{RR'} = \overline{R'R''}$
이때, $\overline{QQ'} = a-8$, $\overline{RR'} = b-a$이므로
$a-8 = b-a$
$\therefore b = 2a-8$ ...... ㉠

한편, $\triangle PQQ' \equiv \triangle QRR'$ (SAS 합동)이므로 $\overline{PQ} = \overline{QR}$이고 점
Q에서 $\overline{RP}$에 내린 수선의 발 M은 $\overline{RP}$의 중점이므로
$\overline{MR'}$ // $\overline{PR''}$, $\overline{MR'} = \frac{1}{2}\overline{PR''} = \sqrt{3}$
$\angle RMR' = 60°$, $\overline{MR'} = \sqrt{3}$이므로
$\overline{RR'} = b-a = \sqrt{3}\tan 60°$
$\therefore b-a = 3$ ...... ㉡
㉠, ㉡을 연립하여 풀면 $a=11$, $b=14$
$\therefore a+b = 25$

정답_ 25

419

점 C와 평면 α 사이의 거리가 4이고
$\overline{AP} : \overline{AC} = 1 : 4$
이므로 점 P와 평면 α 사이의 거리는 1이다.
따라서 직선 PB는 평면 α와 평행하므로
오른쪽 그림과 같이 $\overline{PB}$를 포함하고 평
면 α와 평행한 평면 β를 생각할 수 있다.
점 C에서 평면 β에 내린 수선의 발을 Q,
직선 PB에 내린 수선의 발을 D라고 하
면 $\overline{CQ} \perp \beta$, $\overline{CD} \perp \overline{PB}$이므로 삼수선의 정리에 의해
$\overline{QD} \perp \overline{PB}$
따라서 평면 ABC와 평면 α가 이루는 각의 크기를 $\theta°$라고 하면
평면 ABC와 평면 β가 이루는 각의 크기도 $\theta°$이므로
$\angle CDQ = \theta°$
$\overline{AP} : \overline{AC} = 1 : 4$이고 $\triangle ABC$의 넓이가 12이므로
$\triangle PBC = \frac{3}{4}\triangle ABC = \frac{3}{4} \times 12 = 9$
즉, $\frac{1}{2}\overline{PB}\cdot\overline{CD} = \frac{1}{2} \times 5 \times \overline{CD} = 9$이므로 $\overline{CD} = \frac{18}{5}$
$\overline{CQ} = 4-1 = 3$이므로 직각삼각형 CDQ에서
$\overline{DQ} = \sqrt{\left(\frac{18}{5}\right)^2 - 3^2} = \frac{3\sqrt{11}}{5}$
$\therefore \cos\theta° = \frac{\overline{DQ}}{\overline{CD}} = \frac{\frac{3\sqrt{11}}{5}}{\frac{18}{5}} = \frac{\sqrt{11}}{6}$
따라서 삼각형 ABC의 평면 α 위로의 정사영의 넓이는
$12\cos\theta° = 12 \times \frac{\sqrt{11}}{6} = 2\sqrt{11}$

정답_ $2\sqrt{11}$

420

점 $A(a, 2, b)$에서 x축에 내린 수선의 발의 좌표는
$(a, 0, 0)$
이것이 $A'(1, 0, c)$와 일치하므로
$a=1$, $c=0$
점 $A(a, 2, b)$에서 yz평면에 내린 수선의 발의 좌표는
$(0, 2, b)$
이것이 $A''(d, 2, 3)$과 일치하므로
$b=3$, $d=0$
$\therefore a+b+c+d = 1+3+0+0 = 4$

정답_ ④

421

점 $(6, -1, 4)$와 yz평면에 대하여 대칭인 점의 좌표는
$(-6, -1, 4)$
따라서 $a=-6$, $b=-1$, $c=4$이므로
$a-3b+2c = -6-3\times(-1)+2\times 4 = 5$

정답_ ②

422

점 $P(2, -1, 5)$와 z축에 대하여 대칭인 점 Q의 좌표는
$(-2, 1, 5)$
점 $Q(-2, 1, 5)$에서 zx평면에 내린 수선의 발의 좌표는
$(-2, 0, 5)$

정답_ ③

423

점 A는 점 B에서 zx평면에 내린 수선의 발이므로
$A(2, 0, a)$
점 A를 y축에 대하여 대칭이동한 점의 좌표는
$(-2, 0, -a)$
이 점이 점 $(b, 0, -4)$와 일치하므로
$a=4$, $b=-2$ $\therefore a+b = 2$

정답_ 2

424

점 P, Q, R는 점 $A(1, 2, 3)$에서 각각 xy평면, yz평면, zx평면
에 내린 수선의 발이므로
$P(1, 2, 0)$, $Q(0, 2, 3)$, $R(1, 0, 3)$
이때, $\overline{AR} \perp \overline{AQ}$, $\overline{AR} \perp \overline{AP}$, $\overline{AP} \perp \overline{AQ}$이고 $\overline{AP} = 3$, $\overline{AQ} = 1$,
$\overline{AR} = 2$이므로 구하는 사면체의 부피는
$\frac{1}{3}\left(\frac{1}{2} \times 2 \times 1\right) \times 3 = 1$

정답_ ②

425

$P(4, 5, 3)$, $H(4, 5, 0)$이므로 $\overline{PH} = 3$

오른쪽 그림과 같이 점 P에서 직선 l에
내린 수선의 발을 Q라고 하면
$\overline{PQ}\perp l, \overline{PH}\perp(xy$평면$)$
이므로 삼수선의 정리에 의해
$\overline{HQ}\perp l$

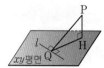

따라서 점 H와 직선 l 사이의 거리는 $\overline{HQ}$의 길이와 같다.
$\overline{PQ}=6, \overline{PH}=3$이므로 직각삼각형 PQH에서
$\overline{HQ}=\sqrt{6^2-3^2}=3\sqrt{3}$ 정답_ ③

426

$P(2,2,3), Q(-2,2,3)$이므로
$$\begin{aligned}\overline{PQ}&=\sqrt{(-2-2)^2+(2-2)^2+(3-3)^2}\\&=4\end{aligned}$$
                                정답_ ④

427

점 $(3,-2,4)$에 대하여 $P(3,2,4), Q(-3,-2,-4)$이므로
$$\begin{aligned}\overline{PQ}&=\sqrt{(3+3)^2+(2+2)^2+(4+4)^2}\\&=\sqrt{116}=2\sqrt{29}\end{aligned}$$
                                정답_ ④

428

$P(2,t,2-t), Q(1-t,3,t)$에 대하여
$$\begin{aligned}\overline{PQ}&=\sqrt{(1-t-2)^2+(3-t)^2+(t-2+t)^2}\\&=\sqrt{6t^2-12t+14}=\sqrt{6(t-1)^2+8}\end{aligned}$$
따라서 선분 PQ의 길이는 $t=1$일 때 최소이고, 이때의 최솟값은
$\sqrt{8}$, 즉 $2\sqrt{2}$이다.   정답_ ⑤

429

$A(a,2,1), B(-6,a,6)$에 대하여
$$\begin{aligned}\overline{AB}&=\sqrt{(-6-a)^2+(a-2)^2+(b-1)^2}\\&=\sqrt{2a^2+8a+40+(b-1)^2}\\&=\sqrt{2(a+2)^2+(b-1)^2+32}\end{aligned}$$
따라서 선분 AB의 길이는 $a=-2, b=1$일 때 최소이고, 이때의
최솟값은 $\sqrt{32}$, 즉 $4\sqrt{2}$이다.   정답_ ②

430

오른쪽 그림과 같이 점 $B(2,3,3)$에서
yz평면에 내린 수선의 발을 H, 선분
AH와 반지름의 길이가 $\sqrt{2}$인 원 C의

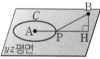

교점을 P라고 하면 구하는 거리의 최솟값은 선분 BP의 길이와
같다.
$A(0,1,1), H(0,3,3)$이므로
$\overline{AH}=\sqrt{(3-1)^2+(3-1)^2}=2\sqrt{2}$ $\therefore \overline{PH}=2\sqrt{2}-\sqrt{2}=\sqrt{2}$
이때, $\overline{BH}=2$이므로 직각삼각형 BPH에서
$\overline{BP}=\sqrt{(\sqrt{2})^2+2^2}=\sqrt{6}$ 정답_ ③

431

$O(0,0,0), A(2,-3,4), B(1-a,a,2)$에 대하여
$\overline{AB}^2=\overline{OA}^2+\overline{OB}^2$이므로
$$(-a-1)^2+(a+3)^2+(-2)^2$$
$$=2^2+(-3)^2+4^2+(1-a)^2+a^2+2^2$$
$$2a^2+8a+14=2a^2-2a+34$$
$10a=20$ $\therefore a=2$ 정답_ ②

432

점 P가 x축 위에 있으므로 $b=c=0$ $\therefore P(a,0,0)$
$A(4,-2,6), B(3,-5,4)$이고 $\overline{AP}=\overline{BP}$이므로
$\overline{AP}^2=\overline{BP}^2$에서
$$(a-4)^2+2^2+(-6)^2=(a-3)^2+5^2+(-4)^2$$
$$a^2-8a+56=a^2-6a+50$$
$2a=6$ $\therefore a=3$
$\therefore a+b+c=3+0+0=3$ 정답_ ③

433

점 $C(a,b,c)$가 xy평면 위의 점이므로 $c=0$
$\therefore C(a,b,0)$
삼각형 ABC가 정삼각형이므로 $\overline{AB}=\overline{BC}=\overline{CA}$에서
$\overline{AB}^2=\overline{BC}^2=\overline{CA}^2$
$A(-1,0,2), B(1,-1,1)$이므로 $\overline{AB}^2=\overline{BC}^2$에서
$$(1+1)^2+(-1-0)^2+(1-2)^2$$
$$=(a-1)^2+(b+1)^2+(0-1)^2$$
$\therefore (a-1)^2+(b+1)^2=5$ ······ ㉠
$A(-1,0,2), B(1,-1,1)$이므로 $\overline{BC}^2=\overline{CA}^2$에서
$$(a-1)^2+(b+1)^2+(0-1)^2$$
$$=(a+1)^2+(b-0)^2+(0-2)^2$$
$$4a-2b+2=0$$
$\therefore b=2a+1$ ······ ㉡
㉡을 ㉠에 대입하면
$(a-1)^2+(2a+2)^2=5, 5a^2+6a=0, a(5a+6)=0$
$\therefore a=-\dfrac{6}{5}$ $(\because a\neq 0)$
이것을 ㉡에 대입하면 $b=-\dfrac{7}{5}$
$a=-\dfrac{6}{5}, b=-\dfrac{7}{5}, c=0$이므로 $a+b+c=-\dfrac{13}{5}$ 정답_ ②

434

두 점 A, B는 xy평면 위의 점이고 두 점의 y좌표의 부호가 같으
므로 xy평면에서 x축을 기준으로 같은 쪽에 있다.

오른쪽 그림과 같이 점 $A(-2, -3, 0)$
과 x축에 대하여 대칭인 점을 A'이라고
하면 $A'(-2, 3, 0)$

이때, $A'(-2, 3, 0)$, $B(4, -2, 0)$이고
$\overline{AP} = \overline{A'P}$이므로
$$\overline{AP} + \overline{PB} = \overline{A'P} + \overline{PB}$$
$$\geq \overline{A'B}$$
$$= \sqrt{(4+2)^2 + (-2-3)^2}$$
$$= \sqrt{61}$$

정답_④

435

두 점 A, B의 x좌표의 부호가 같으므로 두 점 A, B는 좌표공간
에서 yz평면을 기준으로 같은 쪽에 있다.

오른쪽 그림과 같이 점 $A(4, 0, 2)$와 yz
평면에 대하여 대칭인 점을 A'이라고 하
면 $A'(-4, 0, 2)$

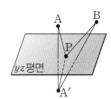

이때, $\overline{AP} = \overline{A'P}$이므로 $\overline{AP} + \overline{PB}$의 최
솟값은 $\overline{A'B}$의 길이와 같다.
$A'(-4, 0, 2)$, $B(2, 3, a)$이므로
$$\overline{A'B} = \sqrt{(2+4)^2 + (3-0)^2 + (a-2)^2} = 3\sqrt{6}$$
양변을 제곱하면
$$36 + 9 + (a-2)^2 = 54$$
$$(a-2)^2 = 9,\ a - 2 = \pm 3$$
$$\therefore a = 5\ (\because a > 0)$$

정답_⑤

436

점 A에서 점 P를 지나 점 B에 이르는 거리는 $\overline{AP} + \overline{PB}$이다.

오른쪽 그림과 같이 y축 위의
점 $B'(0, -3, 0)$을 잡으면
$\overline{PB} = \overline{PB'}$

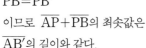
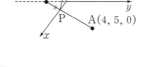

이므로 $\overline{AP} + \overline{PB}$의 최솟값은
$\overline{AB'}$의 길이와 같다.
$$\therefore d = \overline{AB'} = \sqrt{(4-0)^2 + (5+3)^2} = 4\sqrt{5}$$
$$\therefore d^2 = 80$$

정답_80

437

두 점 $A(1, -2, 3)$, $B(2, 1, -2)$의 xy평면 위로의 정사영을
각각 A', B'이라고 하면
$A'(1, -2, 0)$, $B'(2, 1, 0)$
이때,
$$\overline{AB} = \sqrt{(1-2)^2 + (-2-1)^2 + (3+2)^2} = \sqrt{35},$$
$$\overline{A'B'} = \sqrt{(1-2)^2 + (-2-1)^2} = \sqrt{10}$$
이고 $\overline{AB}\cos\theta° = \overline{A'B'}$이므로
$$\cos\theta° = \frac{\overline{A'B'}}{\overline{AB}} = \frac{\sqrt{10}}{\sqrt{35}} = \frac{\sqrt{14}}{7}$$

정답_④

438

삼각형 ABC의 xy평면 위로의 정사영은 삼각형 OAB이므로
$$\triangle ABC\cos\theta° = \triangle OAB \qquad \therefore \cos\theta° = \frac{\triangle OAB}{\triangle ABC}$$
$$\overline{AB} = \overline{BC} = \overline{CA} = \sqrt{(3-0)^2 + (0-3)^2} = 3\sqrt{2}$$
이므로 삼각형 ABC는 한 변의 길이가 $3\sqrt{2}$인 정삼각형이다.
$$\therefore \triangle ABC = \frac{\sqrt{3}}{4} \times (3\sqrt{2})^2 = \frac{9\sqrt{3}}{2}$$
또, $\triangle OAB = \frac{1}{2} \times 3 \times 3 = \frac{9}{2}$이므로
$$\cos\theta° = \frac{\frac{9}{2}}{\frac{9\sqrt{3}}{2}} = \frac{1}{\sqrt{3}} = \frac{\sqrt{3}}{3}$$
$\cos\theta° = \frac{\sqrt{3}}{3}$이므로 오른쪽 그림과 같은 직각삼각

형 PQR를 생각하면
$$\overline{PR} = \sqrt{3^2 - (\sqrt{3})^2} = \sqrt{6}$$
$$\therefore \sin\theta° = \frac{\overline{PR}}{\overline{PQ}} = \frac{\sqrt{6}}{3}$$

정답_⑤

439

$$\overline{AC} = \sqrt{(0-8)^2 + (6-0)^2} = 10$$
$\overline{AO} \perp (xy$평면$)$, $\overline{OC} \perp \overline{BC}$이므로 삼수
선의 정리에 의해
$$\overline{AC} \perp \overline{BC}$$
평면 ABC와 xy평면이 이루는 각의 크
기를 $\theta°$라고 하면
$$\angle ACO = \theta°$$
$$\therefore \cos\theta° = \frac{\overline{OC}}{\overline{AC}} = \frac{8}{10} = \frac{4}{5}$$
한편, $\triangle ABC \backsim \triangle PBH$ (AA 닮음)이므로
$$\overline{BC} : \overline{BH} = \overline{AC} : \overline{PH} = 10 : 6 = 5 : 3$$
이때, $\overline{BC} = 10$이므로
$$\overline{BH} = \frac{3}{5}\overline{BC} = 6$$
$$\therefore \triangle PBH = \frac{1}{2} \times 6 \times 6 = 18$$
따라서 삼각형 PBH의 xy평면 위로의 정사영의 넓이는
$$\triangle PBH\cos\theta° = 18 \times \frac{4}{5} = \frac{72}{5}$$

정답_$\frac{72}{5}$

440

$P(-1, 4, 2)$에 대하여 $A(-1, 4, 0)$, $B(-1, 0, 2)$이므로 선
분 AB의 중점의 좌표는
$$\left(\frac{-1-1}{2},\ \frac{4+0}{2},\ \frac{0+2}{2}\right)$$
$$\therefore (-1, 2, 1)$$

정답_③

441

선분 AB를 $1 : 3$으로 내분하는 점의 좌표는

$$\left(\frac{1\times a+3\times 1}{1+3}, \frac{1\times 2+3\times 6}{1+3}, \frac{1\times(-4)+3\times 4}{1+3}\right)$$

$$\therefore \left(\frac{a+3}{4}, 5, 2\right)$$

이 점이 $(2, 5, 2)$와 일치하므로

$$\frac{a+3}{4}=2 \quad \therefore a=5 \qquad \text{정답\_③}$$

442

선분 AB를 $1 : k$로 외분하는 점이 xy평면 위에 있으므로 외분점의 z좌표는 0이다.

즉, $\dfrac{1\times 6-k\times 2}{1-k}=0$이므로

$$-2k+6=0 \ (\because k\neq 1)$$

$$\therefore k=3 \qquad \text{정답\_③}$$

443

점 P'은 선분 PA를 $2 : 1$로 외분하는 점이므로

P(4, 1, 0)
A(−2, −5, 3)
2 1 P'(a, b, c)

$$a=\frac{2\times(-2)-1\times 4}{2-1}=-8$$

$$b=\frac{2\times(-5)-1\times 1}{2-1}=-11$$

$$c=\frac{2\times 3-1\times 0}{2-1}=6$$

$$\therefore a+b+c=-13 \qquad \text{정답\_②}$$

다른 풀이

점 A는 선분 PP'의 중점이므로

$$A\left(\frac{4+a}{2}, \frac{1+b}{2}, \frac{c}{2}\right)$$

그런데 점 A의 좌표는 $(-2, -5, 3)$이므로

$$\frac{4+a}{2}=-2, \frac{1+b}{2}=-5, \frac{c}{2}=3$$

$$\therefore a=-8, b=-11, c=6$$

$$\therefore a+b+c=-13$$

444

선분 AB를 $2 : 1$로 외분하는 점이 x축 위에 있으므로 외분점의 y좌표와 z좌표는 0이다.

즉, $\dfrac{2\times 2-1\times a}{2-1}=0, \dfrac{2\times b-1\times(-5)}{2-1}=0$이므로

$$a=4, b=-\frac{5}{2}$$

$$\therefore a+b=\frac{3}{2} \qquad \text{정답\_③}$$

445

선분 AB를 $2 : 1$로 내분하는 점 C의 좌표는

$$\left(\frac{2\times(-3)+1\times 3}{2+1}, \frac{2\times 2+1\times 2}{2+1}, \frac{2\times 4+1\times 1}{2+1}\right)$$

$$\therefore C(-1, 2, 3)$$

선분 AB를 $2 : 1$로 외분하는 점 D의 좌표는

$$\left(\frac{2\times(-3)-1\times 3}{2-1}, \frac{2\times 2-1\times 2}{2-1}, \frac{2\times 4-1\times 1}{2-1}\right)$$

$$\therefore D(-9, 2, 7)$$

따라서 선분 CD의 중점의 좌표는

$$\left(\frac{-1-9}{2}, \frac{2+2}{2}, \frac{3+7}{2}\right) \quad \therefore (-5, 2, 5) \qquad \text{정답\_①}$$

446

선분 AB를 $2 : 1$로 내분하는 점 P의 좌표는

$$\left(\frac{2\times 1+1\times 4}{2+1}, \frac{2\times(-2)+1\times 1}{2+1}, \frac{2\times(-3)+1\times 3a}{2+1}\right)$$

$$\therefore P(2, -1, a-2)$$

선분 AB를 $2 : 1$로 외분하는 점 Q의 좌표는

$$\left(\frac{2\times 1-1\times 4}{2-1}, \frac{2\times(-2)-1\times 1}{2-1}, \frac{2\times(-3)-1\times 3a}{2-1}\right)$$

$$\therefore Q(-2, -5, -3a-6)$$

$\overline{PQ}=\sqrt{(-4)^2+(-4)^2+(-4a-4)^2}=4\sqrt{6}$이므로

$$16+16+16(a+1)^2=96$$

$$(a+1)^2=4, a+1=\pm 2$$

$$\therefore a=1 \ (\because a>0) \qquad \text{정답\_①}$$

447

선분 BC를 $3 : 1$로 내분하는 점 P의 좌표는

$$\left(\frac{3\times 0+1\times 0}{3+1}, \frac{3\times 0+1\times 4}{3+1}, \frac{3\times 4+1\times 0}{3+1}\right)$$

$$\therefore P(0, 1, 3)$$

선분 AC를 $1 : 3$으로 외분하는 점 Q의 좌표는

$$\left(\frac{1\times 0-3\times 4}{1-3}, \frac{1\times 0-3\times 0}{1-3}, \frac{1\times 4-3\times 0}{1-3}\right)$$

$$\therefore Q(6, 0, -2)$$

따라서 $P'(0, 1, 0), Q'(6, 0, 0)$이므로

$$\overline{OP'}=1, \overline{OQ'}=6, \angle P'OQ'=90°$$

$$\therefore \triangle OP'Q'=\frac{1}{2}\times 1\times 6=3 \qquad \text{정답\_③}$$

448

선분 AB를 $2 : 3$으로 내분하는 점이 z축 위에 있으므로 내분점의 y좌표는 0이다.

즉, $\dfrac{2\times(-3)+3\times a}{2+3}=0$에서

$3a-6=0$ $\therefore a=2$

또, 선분 AB를 $2:1$로 외분하는 점이 xy평면 위에 있으므로 외분점의 z좌표는 0이다.

즉, $\dfrac{2\times b-1\times 2a}{2-1}=0$에서

$2b-2a=0$ $\therefore b=a=2$

따라서 $A(-2,2,4), B(3,-3,2)$이므로

$\overline{AB}=\sqrt{(-2-3)^2+(2+3)^2+(4-2)^2}$
$\quad\quad=\sqrt{54}=3\sqrt{6}$ 정답_④

449

$\overline{AP}:\overline{BP}=m:n$이므로 점 P는 선분 AB를 $m:n$으로 내분하는 점이고, 점 P가 zx평면 위에 있으므로 점 P의 y좌표는 0이다.

즉, $\dfrac{6m-2n}{m+n}=0$에서

$3m=n$

$\therefore \dfrac{n}{m}=\dfrac{3m}{m}=3$ 정답_③

450

점 $P(-3,4,5)$를 zx평면에 대하여 대칭이동한 점의 좌표는

$(-3,-4,5)$

이 점을 원점에 대하여 대칭이동하면 $(3,4,-5)$이므로

$Q(3,4,-5)$

선분 PQ를 $3:1$로 외분하는 점의 좌표는

$\left(\dfrac{3\times 3-1\times(-3)}{3-1},\dfrac{3\times 4-1\times 4}{3-1},\dfrac{3\times(-5)-1\times 5}{3-1}\right)$

$\therefore (6,4,-10)$

따라서 $a=6,b=4,c=-10$이므로

$a+b+c=0$ 정답_0

451

선분 AC의 중점을 M이라고 하면 점 M의 좌표는

$\left(\dfrac{-2-1}{2},\dfrac{1-3}{2},\dfrac{4-5}{2}\right)$ $\therefore M\left(-\dfrac{3}{2},-1,-\dfrac{1}{2}\right)$

점 D의 좌표를 (x,y,z)라고 하면 선분 BD의 중점의 좌표는

$\left(\dfrac{x-5}{2},\dfrac{y-6}{2},\dfrac{z-6}{2}\right)$

평행사변형 ABCD의 두 대각선 AC, BD의 중점은 일치하므로

$\dfrac{x-5}{2}=-\dfrac{3}{2},\dfrac{y-6}{2}=-1,\dfrac{z-6}{2}=-\dfrac{1}{2}$

$\therefore x=2,y=4,z=5$

따라서 $D(2,4,5)$이므로

$\overline{BD}=\sqrt{(-5-2)^2+(-6-4)^2+(-6-5)^2}$
$\quad\quad=\sqrt{270}=3\sqrt{30}$ 정답_③

452

세 점 $A(a,0,5), B(1,b,-3), C(1,1,1)$을 꼭짓점으로 하는 삼각형 ABC의 무게중심의 좌표는

$\left(\dfrac{a+1+1}{3},\dfrac{0+b+1}{3},\dfrac{5-3+1}{3}\right)$

$\therefore \left(\dfrac{a+2}{3},\dfrac{b+1}{3},1\right)$

이 점이 $(2,2,1)$과 일치하므로

$\dfrac{a+2}{3}=2,\dfrac{b+1}{3}=2$ $\therefore a=4,b=5$

$\therefore a+b=9$ 정답_④

453

$A(3,-6,0), B(0,-6,9), C(3,0,9)$이므로 삼각형 ABC의 무게중심 G의 좌표는

$\left(\dfrac{3+0+3}{3},\dfrac{-6-6+0}{3},\dfrac{0+9+9}{3}\right)$

$\therefore G(2,-4,6)$

$\therefore a=2,b=-4,c=6$

$\therefore a+b+c=2+(-4)+6=4$ 정답_④

454

$B(0,3,5), D(4,0,5), E(4,3,0)$이므로 삼각형 BDE의 무게중심 G의 좌표는

$\left(\dfrac{0+4+4}{3},\dfrac{3+0+3}{3},\dfrac{5+5+0}{3}\right)$

$\therefore G\left(\dfrac{8}{3},2,\dfrac{10}{3}\right)$

$\therefore \overline{AG}=\sqrt{\left(\dfrac{8}{3}-4\right)^2+(2-3)^2+\left(\dfrac{10}{3}-5\right)^2}=\dfrac{5\sqrt{2}}{3}$

정답_⑤

455

선분 AB를 $1:2$로 내분하는 점 P의 좌표는

$\left(\dfrac{1\times(-2)+2\times 3}{1+2},\dfrac{1\times 1+2\times(-4)}{1+2},\dfrac{1\times(-1)+2\times 5}{1+2}\right)$

$\therefore P\left(\dfrac{4}{3},-\dfrac{7}{3},3\right)$

선분 BC를 $1:2$로 내분하는 점 Q의 좌표는

$\left(\dfrac{1\times 0+2\times(-2)}{1+2},\dfrac{1\times 3+2\times 1}{1+2},\dfrac{1\times 2+2\times(-1)}{1+2}\right)$

$\therefore Q\left(-\dfrac{4}{3},\dfrac{5}{3},0\right)$

선분 CA를 $1:2$로 내분하는 점 R의 좌표는

$\left(\dfrac{1\times 3+2\times 0}{1+2},\dfrac{1\times(-4)+2\times 3}{1+2},\dfrac{1\times 5+2\times 2}{1+2}\right)$

$\therefore R\left(1,\dfrac{2}{3},3\right)$

따라서 삼각형 PQR의 무게중심의 좌표는

$$\left(\dfrac{\dfrac{4}{3}-\dfrac{4}{3}+1}{3}, \dfrac{-\dfrac{7}{3}+\dfrac{5}{3}+\dfrac{2}{3}}{3}, \dfrac{3+0+3}{3} \right)$$

$$\therefore \left(\dfrac{1}{3}, 0, 2 \right) \qquad \text{정답\_②}$$

다른 풀이

삼각형 PQR의 무게중심은 삼각형 ABC의 무게중심과 일치한다. 이때, 삼각형 ABC의 무게중심의 좌표는

$$\left(\dfrac{3-2+0}{3}, \dfrac{-4+1+3}{3}, \dfrac{5-1+2}{3} \right)$$

$$\therefore \left(\dfrac{1}{3}, 0, 2 \right)$$

따라서 삼각형 PQR의 무게중심의 좌표는

$$\left(\dfrac{1}{3}, 0, 2 \right)$$

456

삼각형 ABC의 무게중심을 G라고 하면

$$\text{G}\left(\dfrac{n+1}{3}, \dfrac{n+1}{3}, \dfrac{n+1}{3} \right)$$

이므로

$$a_n = \overline{\text{OG}}$$

$$= \sqrt{\left(\dfrac{n+1}{3} \right)^2 + \left(\dfrac{n+1}{3} \right)^2 + \left(\dfrac{n+1}{3} \right)^2}$$

$$= \dfrac{\sqrt{3}}{3}(n+1)$$

$$\therefore a_1 + a_2 + a_3 + \cdots + a_9 = \dfrac{\sqrt{3}}{3}(2+3+4+\cdots+10)$$

$$= \dfrac{\sqrt{3}}{3} \times 54$$

$$= 18\sqrt{3} \qquad \text{정답\_②}$$

457

오른쪽 그림과 같이 꼭짓점 H를 원점에, $\overline{\text{HE}}, \overline{\text{HG}}, \overline{\text{HD}}$를 각각 x축의 양의 방향 위에, y축의 양의 방향 위에, z축의 양의 방향 위에 놓이도록 주어진 정육면체를 좌표공간에 놓고 점 B의 좌표를 (a, a, a)라고 하면

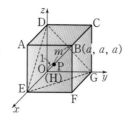

$\text{D}(0, 0, a), \text{E}(a, 0, 0), \text{G}(0, a, 0)$

삼각형 DEG의 무게중심의 좌표는

$$\left(\dfrac{a}{3}, \dfrac{a}{3}, \dfrac{a}{3} \right) \qquad \cdots\cdots \text{㉠}$$

이때, 대각선 HB를 $1 : m$으로 내분하는 점 P의 좌표는

$$\text{P}\left(\dfrac{a}{1+m}, \dfrac{a}{1+m}, \dfrac{a}{1+m} \right) \qquad \cdots\cdots \text{㉡}$$

㉠, ㉡이 일치하므로

$$\dfrac{a}{1+m} = \dfrac{a}{3}$$

$$\therefore m = 2 \qquad \text{정답\_②}$$

458

$x^2 + y^2 + z^2 + 6x - 2y - 4z + 5 = 0$에서

$$(x+3)^2 + (y-1)^2 + (z-2)^2 = 9$$

따라서 구의 중심의 좌표는 $(-3, 1, 2)$이고 반지름의 길이는 3이므로

$$a = -3, b = 1, c = 2, r = 3$$

$$\therefore a + b + c + r = 3 \qquad \text{정답\_⑤}$$

459

선분 AB를 $1 : 2$로 내분하는 점의 좌표는

$$\left(\dfrac{1 \times (-1) + 2 \times 2}{1+2}, \dfrac{1 \times 0 + 2 \times (-3)}{1+2}, \dfrac{1 \times (-1) + 2 \times 5}{1+2} \right)$$

$$\therefore (1, -2, 3)$$

선분 AB를 $1 : 2$로 외분하는 점의 좌표는

$$\left(\dfrac{1 \times (-1) - 2 \times 2}{1-2}, \dfrac{1 \times 0 - 2 \times (-3)}{1-2}, \dfrac{1 \times (-1) - 2 \times 5}{1-2} \right)$$

$$\therefore (5, -6, 11)$$

두 점 $(1, -2, 3), (5, -6, 11)$을 지름의 양 끝 점으로 하는 구의 중심의 좌표는

$$\left(\dfrac{1+5}{2}, \dfrac{-2-6}{2}, \dfrac{3+11}{2} \right)$$

$$\therefore (3, -4, 7)$$

구의 반지름의 길이는

$$\sqrt{(3-1)^2 + (-4+2)^2 + (7-3)^2} = 2\sqrt{6}$$

따라서 구하는 구의 방정식은

$$(x-3)^2 + (y+4)^2 + (z-7)^2 = 24 \qquad \text{정답\_⑤}$$

460

$x^2 + y^2 + z^2 - 4x - 2y - 2z = 8$에서

$$(x-2)^2 + (y-1)^2 + (z-1)^2 = 14$$

이므로 구의 중심의 좌표는

$$(2, 1, 1)$$

이때, 선분 AB의 중점의 좌표는

$$\left(\dfrac{3+a}{2}, \dfrac{4+b}{2}, \dfrac{-1+c}{2} \right)$$

이 점이 구의 중심과 일치하므로

$$\dfrac{3+a}{2} = 2, \dfrac{4+b}{2} = 1, \dfrac{-1+c}{2} = 1$$

$$\therefore a = 1, b = -2, c = 3$$

$$\therefore a + b + c = 1 - 2 + 3 = 2 \qquad \text{정답\_⑤}$$

461

주어진 구가 x축, y축, z축에 동시에 접하므로 구의 중심을 $C(a, a, a)$로 놓고, 점 C에서 x축에 내린 수선의 발을 H라고 하면 $H(a, 0, 0)$

이때, $\overline{CH} = 2$ (구의 반지름의 길이)이므로

$\sqrt{(a-a)^2 + (0-a)^2 + (0-a)^2} = 2$

$\sqrt{2a^2} = 2$, $2a^2 = 4$

$\therefore a^2 = 2$

따라서 원점과 구의 중심 사이의 거리는

$\sqrt{a^2 + a^2 + a^2} = \sqrt{3a^2} = \sqrt{3 \times 2} = \sqrt{6}$

정답_ ⑤

462

$x^2 + y^2 + z^2 - 2x - 6y - 2az + b = 0$에서

$(x-1)^2 + (y-3)^2 + (z-a)^2 = a^2 - b + 10$ ····· ㉠

이므로 구의 중심의 좌표는

$(1, 3, a)$

주어진 구가 xy평면에 접하므로

|(중심의 z좌표)| = (반지름의 길이)

즉, $|a| = \sqrt{a^2 - b + 10}$이므로

$a^2 = a^2 - b + 10$ $\therefore b = 10$

점 $(3, 4, 1)$이 구 ㉠ 위의 점이므로

$(3-1)^2 + (4-3)^2 + (1-a)^2 = a^2 - b + 10$

$4 + 1 + 1 - 2a + a^2 = a^2 - b + 10$

$\therefore 2a - b + 4 = 0$ ····· ㉡

㉡에 $b = 10$을 대입하면

$2a - 10 + 4 = 0$ $\therefore a = 3$

$\therefore ab = 3 \times 10 = 30$

정답_ ②

463

주어진 구가 xy평면, yz평면, zx평면에 동시에 접하고 점 $(1, 4, -3)$을 지나므로 구의 중심의 x좌표, y좌표는 양수이고, z좌표는 음수이다.

따라서 구의 반지름의 길이를 r라고 하면 구의 방정식은

$(x-r)^2 + (y-r)^2 + (z+r)^2 = r^2$

이 구가 점 $(1, 4, -3)$을 지나므로

$(1-r)^2 + (4-r)^2 + (-3+r)^2 = r^2$

$2r^2 - 16r + 26 = 0$

$\therefore r^2 - 8r + 13 = 0$

위의 방정식을 풀면 $r = 4 \pm \sqrt{3}$

따라서 두 구의 중심의 좌표는 각각

$(4+\sqrt{3}, 4+\sqrt{3}, -4-\sqrt{3})$, $(4-\sqrt{3}, 4-\sqrt{3}, -4+\sqrt{3})$

이므로 중심 사이의 거리는

$\sqrt{(2\sqrt{3})^2 + (2\sqrt{3})^2 + (-2\sqrt{3})^2} = 6$

정답_ ③

464

$x^2 + y^2 + z^2 - 4x + 8y - 8z + 27 = 0$에서

$(x-2)^2 + (y+4)^2 + (z-4)^2 = 9$

ㄱ은 옳다.

구의 중심 $(2, -4, 4)$에서 yz평면까지의 거리는 2이고, 구의 반지름의 길이는 3이므로 구 S는 yz평면과 만난다.

ㄴ도 옳다.

구의 중심 $(2, -4, 4)$에서 zx평면까지의 거리는 4이고, 구의 반지름의 길이는 3이므로 구 S는 zx평면과 만나지 않는다.

ㄷ은 옳지 않다.

원점에서 구 S의 중심 $(2, -4, 4)$까지의 거리는

$\sqrt{2^2 + (-4)^2 + 4^2} = 6$

이므로 원점에서 구 위의 점까지의 거리의 최댓값은

$6 + 3 = 9$

그러므로 중심이 원점이고 구 S와 내접하는 구의 반지름의 길이는 9이다.

따라서 옳은 것은 ㄱ, ㄴ이다.

정답_ ③

465

점 A의 좌표를 (x_1, y_1, z_1)이라고 하면 점 A가 구 $x^2 + y^2 + z^2 = 9$ 위의 점이므로

$x_1^2 + y_1^2 + z_1^2 = 9$ ····· ㉠

선분 AB의 중점을 $P(x, y, z)$라고 하면

$x = \dfrac{x_1 - 2}{2}$, $y = \dfrac{y_1 + 4}{2}$, $z = \dfrac{z_1 + 6}{2}$

$\therefore x_1 = 2x + 2$, $y_1 = 2y - 4$, $z_1 = 2z - 6$

이것을 ㉠에 대입하면

$(2x+2)^2 + (2y-4)^2 + (2z-6)^2 = 9$

$4(x+1)^2 + 4(y-2)^2 + 4(z-3)^2 = 9$

$\therefore (x+1)^2 + (y-2)^2 + (z-3)^2 = \dfrac{9}{4}$

따라서 선분 AB의 중점이 그리는 도형은 중심이 $(-1, 2, 3)$이고 반지름의 길이가 $\dfrac{3}{2}$인 구이다.

따라서 구하는 구의 겉넓이는

$4\pi \times \left(\dfrac{3}{2}\right)^2 = 9\pi$

정답_ ④

466

점 P의 좌표를 (x, y, z)라고 하면 $\overline{OP} : \overline{AP} = 2 : 1$이므로

$2\overline{AP} = \overline{OP}$, $4\overline{AP}^2 = \overline{OP}^2$

$4\{(x-6)^2 + y^2 + z^2\} = x^2 + y^2 + z^2$

$x^2 + y^2 + z^2 - 16x + 48 = 0$

$\therefore (x-8)^2 + y^2 + z^2 = 16$

즉, 점 P가 나타내는 도형은 오른쪽
그림과 같이 중심이 $O'(8, 0, 0)$이고
반지름의 길이가 4인 구이다.

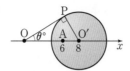

따라서 직선 OP가 구에 접할 때
∠POA의 크기가 최대가 되므로
직각삼각형 POO'에서

$$\sin \theta° = \frac{\overline{O'P}}{\overline{OO'}} = \frac{4}{8} = \frac{1}{2}$$

정답_ ①

467

$x^2 + y^2 + z^2 + 4x - 6y - 8z + 25 = 0$에서
$(x+2)^2 + (y-3)^2 + (z-4)^2 = 4$
주어진 구의 중심을 C라고 하면 $C(-2, 3, 4)$이므로
$\overline{OC} = \sqrt{(-2)^2 + 3^2 + 4^2} = \sqrt{29}$
오른쪽 그림과 같이 원점에서 구에 그
은 접선의 접점을 P라고 하면 삼각형
POC는 직각삼각형이므로 구하는 접
선의 길이는

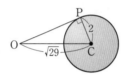

$$\overline{OP} = \sqrt{\overline{OC}^2 - \overline{CP}^2} = \sqrt{(\sqrt{29})^2 - 2^2} = 5$$

정답_ ①

468

오른쪽 그림과 같이 점 $A(2, 3, 1)$에서
구에 그은 접선의 접점을 P라고 하면
$\overline{PA} = 3$
주어진 구의 중심이 $C(1, -1, 0)$이므로
$\overline{CA} = \sqrt{1^2 + 4^2 + 1^2} = 3\sqrt{2}$
따라서 구의 반지름의 길이는

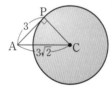

$$\overline{PC} = \sqrt{\overline{CA}^2 - \overline{PA}^2} = \sqrt{(3\sqrt{2})^2 - 3^2} = 3$$

정답_ ②

469

구 $(x-5)^2 + (y+4)^2 + (z-4)^2 = 36$의 중심을 C라고 하면
$C(5, -4, 4)$
$\therefore \overline{CA} = \sqrt{(-6)^2 + 6^2 + (-3)^2} = 9$
오른쪽 그림과 같이 점 P에서 $\overline{CA}$에 내린
수선의 발을 H라고 하면 $\overline{PH}$의 길이는 점
P의 자취인 원의 반지름의 길이이다.

직각삼각형 PCA에서
$\overline{AP} = \sqrt{9^2 - 6^2} = 3\sqrt{5}$
직각삼각형 PCA의 넓이에서
$$\frac{1}{2} \times \overline{AP} \times \overline{CP} = \frac{1}{2} \times \overline{CA} \times \overline{PH}$$
즉, $\overline{AP} \times \overline{CP} = \overline{CA} \times \overline{PH}$이므로
$3\sqrt{5} \times 6 = 9 \times \overline{PH}$ $\therefore \overline{PH} = 2\sqrt{5}$

따라서 구하는 원의 넓이는
$\pi \times (2\sqrt{5})^2 = 20\pi$

정답_ 20π

470

z축 위의 점은 x좌표, y좌표가 모두 0이므로 주어진 구의 방정식
에 $x=0, y=0$을 대입하면
$(0-2)^2 + (0-6)^2 + (z-8)^2 = 89$
$(z-8)^2 = 49, z-8 = \pm 7$
$\therefore z = 1$ 또는 $z = 15$
따라서 $A(0, 0, 1), B(0, 0, 15)$ 또는 $A(0, 0, 15), B(0, 0, 1)$
이므로
$\overline{AB} = |1 - 15| = 14$

정답_ ①

471

y축 위의 점은 x좌표, z좌표가 모두 0이므로 주어진 구의 방정식
에 $x=0, z=0$을 대입하면
$y^2 - 2y + k = 0$ ...... ㉠
구와 y축이 만나는 두 점 사이의 거리가 6이므로 y에 대한 이차
방정식 ㉠의 두 근의 차는 6이다.
따라서 이차방정식 ㉠의 두 근을 $\alpha, \alpha+6$이라고 하면 근과 계수
의 관계에 의해
$\alpha + (\alpha+6) = 2, \alpha(\alpha+6) = k$
$\therefore \alpha = -2, k = -8$

정답_ ①

472

$x^2 + y^2 + z^2 - 4x - 6y - 2kz + 14 = 0$에서
$(x-2)^2 + (y-3)^2 + (z-k)^2 = k^2 - 1$ ...... ㉠
yz 평면 위의 점은 x좌표가 0이므로 ㉠에 $x=0$을 대입하면
$(y-3)^2 + (z-k)^2 = k^2 - 5$
$\therefore S = (k^2 - 5)\pi$
zx 평면 위의 점은 y좌표가 0이므로 ㉠에 $y=0$을 대입하면
$(x-2)^2 + (z-k)^2 = k^2 - 10$
$\therefore S' = (k^2 - 10)\pi$
이때, $S : S' = 3 : 2$이므로
$(k^2 - 5)\pi : (k^2 - 10)\pi = 3 : 2$
$3k^2 - 30 = 2k^2 - 10$
$\therefore k^2 = 20$

정답_ ①

473

중심이 (a, b, c)이고 반지름의 길이가 4인 구의 방정식은
$(x-a)^2 + (y-b)^2 + (z-c)^2 = 16$ ...... ㉠
yz평면 위의 점은 x좌표가 0이므로 ㉠에 $x=0$을 대입하면
$(y-b)^2 + (z-c)^2 = 16 - a^2$

이 식이 $(y+1)^2+(z+4)^2=9$와 같으므로
$a^2=7, b=-1, c=-4$
$\therefore a^2+b^2+c^2=7+(-1)^2+(-4)^2=24$ 정답_ ①

474

xy평면 위의 점은 z좌표가 0이므로 주어진 구의 방정식에 $z=0$
을 대입하면
$x^2+y^2-24x-40y+508=0$
$\therefore (x-12)^2+(y-20)^2=36$
따라서 xy평면과 구가 만나서 생기는 원, 즉 나무판자의 구멍은
반지름의 길이가 6인 원이므로 구하는 넓이는
$\pi \times 6^2=36\pi$ 정답_ ⑤

475

xy평면 위의 점은 z좌표가 0이므로 주어진 구의 방정식에 $z=0$
을 대입하면
$(x-2)^2+(y-1)^2=4$
따라서 원 C의 중심은 $C(2, 1, 0)$이고 반지름의 길이는 2이다.

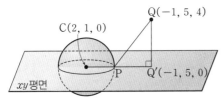

한편, 위의 그림과 같이 점 $Q(-1, 5, 4)$에서 xy평면에 내린 수
선의 발을 Q'이라고 하면
$Q'(-1, 5, 0)$
점 Q'과 점 P 사이의 거리의 최솟값 $\overline{PQ'}$은
$\overline{PQ'}=\overline{CQ'}-\overline{CP}$
$\qquad =\sqrt{(-3)^2+4^2}-2=5-2=3$
$\overline{QQ'}=4$이므로 점 P와 점 Q 사이의 거리의 최솟값은
$\overline{PQ}=\sqrt{3^2+4^2}=5$ 정답_ ②

476

구에 내접한 원기둥의 밑면이 xy평면 위에 있으므로 그 밑면은
구와 xy평면의 교선과 같다.
xy평면 위의 점은 z좌표가 0이므로 $z=0$을 주어진 구의 방정식
$(x-5)^2+(y-8)^2+(z-10)^2=144$에 대입하면
$(x-5)^2+(y-8)^2=44$
따라서 밑면의 반지름의 길이는 $2\sqrt{11}$이다.
오른쪽 그림과 같이 주어진 구의 중심을
C라 하고 점 C에서 xy평면에 내린 수선
의 발을 H라고 하면
$\overline{CH}=\sqrt{12^2-(2\sqrt{11})^2}$
$\qquad =10$

따라서 구에 내접하는 원기둥은 밑면의 원의 반지름의 길이가
$2\sqrt{11}$, 높이가 20이므로 구하는 부피는
$\pi \times (2\sqrt{11})^2 \times 20=880\pi$ 정답_ ⑤

477

오른쪽 그림과 같이 구 S의 중심을 C,
xy평면과 만나서 생기는 원의 중심을
C', z축과 만나는 두 점을 각각 A, B라
고 하자. (단, 점 A의 z좌표가 점 B의 z
좌표보다 크다.)

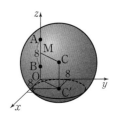

원 C'의 넓이가 64π이므로 $C'(8, 8, 0)$
이고, 원 C'의 반지름의 길이는 8이다.
$\therefore \overline{OC'}=\sqrt{8^2+8^2}=8\sqrt{2}$
선분 AB의 중점을 M이라고 하면
$\overline{AM}=\dfrac{1}{2}\overline{AB}=4, \overline{CM}=\overline{OC'}=8\sqrt{2}, \overline{AB}\perp\overline{CM}$
이므로 직각삼각형 AMC에서
$\overline{AC}=\sqrt{\overline{AM}^2+\overline{CM}^2}=\sqrt{4^2+(8\sqrt{2})^2}=12$
따라서 구 S의 반지름의 길이는 12이다.   정답_ ②

478

두 구의 중심의 좌표는 각각 $(0, 1, 0), (-3, 1, 4)$이므로 두 구
의 중심 사이의 거리는
$\sqrt{(-3)^2+0^2+4^2}=5$
구하는 구의 반지름의 길이를 r라고 하면 두 구가 외접하므로
$2+r=5$ $\therefore r=3$ 정답_ 3

479

$x^2+y^2+z^2+4x+2y-4z+k=0$에서
$(x+2)^2+(y+1)^2+(z-2)^2=-k+9$
두 구의 중심의 좌표는 각각 $(0, 0, 0), (-2, -1, 2)$이므로 두
구의 중심 사이의 거리는
$\sqrt{(-2)^2+(-1)^2+2^2}=3$
두 구가 외접하므로
$1+\sqrt{-k+9}=3, \sqrt{-k+9}=2$
$-k+9=4$ $\therefore k=5$ 정답_ ①

480

$x^2+y^2+z^2-10x-4y+8z+k=0$에서
$(x-5)^2+(y-2)^2+(z+4)^2=45-k$
두 구의 중심의 좌표는 각각 $(0, 0, 0), (5, 2, -4)$이므로 두 구
의 중심 사이의 거리는
$\sqrt{5^2+2^2+(-4)^2}=3\sqrt{5}$

구 C_1이 구 C_2의 밖에 있으려면 두 구의 중심 사이의 거리가 두 구의 반지름의 길이의 합보다 커야 하므로

$\sqrt{5}+\sqrt{45-k}<3\sqrt{5}$

$\sqrt{45-k}<2\sqrt{5}$

$0<45-k<20$

$\therefore 25<k<45$

따라서 자연수 k는 $26, 27, 28, \cdots, 44$의 19개이다. 　　정답_ ②

481

$x^2+y^2+z^2-2x-4y-8z+12=0$에서

$(x-1)^2+(y-2)^2+(z-4)^2=9$

이므로 중심의 좌표는 $(1, 2, 4)$이고 반지름의 길이는 3이다.

$x^2+y^2+z^2-2x+2y=a$에서

$(x-1)^2+(y+1)^2+z^2=a+2$

이므로 중심의 좌표는 $(1, -1, 0)$이고 반지름의 길이는 $\sqrt{a+2}$이다.

두 구가 내접하므로 두 구의 중심 사이의 거리는 두 구의 반지름의 길이의 차와 같다.

즉, $\sqrt{0^2+(-3)^2+(-4)^2}=|\sqrt{a+2}-3|$이므로

$|\sqrt{a+2}-3|=5, \sqrt{a+2}=8 \ (\because \sqrt{a+2}>0)$

$a+2=64 \quad \therefore a=62$

따라서 두 구의 반지름의 길이는 각각

$3, \sqrt{a+2}=8$

이므로 구하는 곱은 24이다. 　　정답_ ⑤

482

두 구의 중심의 좌표는 각각 $(-1, 2, -3), (-1, -2, 0)$이므로 두 구의 중심 사이의 거리를 d라고 하면

$d=\sqrt{0^2+(-4)^2+3^2}=5$

또한, 두 구의 반지름의 길이를 각각 r_1, r_2라고 하면

$r_1=\sqrt{a}, r_2=1$

ㄱ은 옳지 않다.

　$a=16$이면 $r_1=\sqrt{16}=4$이고

　$4+1=5$, 즉 $r_1+r_2=d$

　이므로 두 구는 외접한다.

ㄴ도 옳지 않다.

　$a=20$이면 $r_1=\sqrt{20}=2\sqrt{5}$이고

　$2\sqrt{5}-1<5<2\sqrt{5}+1$, 즉 $r_1-r_2<d<r_1+r_2$

　이므로 두 구가 만나서 원이 생긴다.

ㄷ은 옳다.

　$a>36$이면 $r_1>6$이므로

　$r_1-r_2>d$

　그러므로 두 구는 만나지 않는다.

따라서 옳은 것은 ㄷ이다. 　　정답_ ③

483

주어진 두 구의 중심을 각각 O, C라고 하자.

구 $x^2+y^2+z^2=8$의 중심은 O$(0, 0, 0)$이고 반지름의 길이는 $2\sqrt{2}$이다.

$x^2+y^2+z^2-6x-8y+10z+32=0$에서

$(x-3)^2+(y-4)^2+(z+5)^2=18$

이므로 중심은 C$(3, 4, -5)$이고 반지름의 길이는 $3\sqrt{2}$이다.

두 구의 중심 사이의 거리는

$\overline{OC}=\sqrt{3^2+4^2+(-5)^2}=5\sqrt{2}$

두 구의 반지름의 길이의 합은

$2\sqrt{2}+3\sqrt{2}=5\sqrt{2}$

따라서 두 구는 외접하므로

점 P(a, b, c)는 선분 OC를

$2\sqrt{2} : 3\sqrt{2}=2 : 3$

으로 내분하는 점이다.

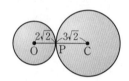

즉, $a=\dfrac{2\times3+3\times0}{2+3}=\dfrac{6}{5}, b=\dfrac{2\times4+3\times0}{2+3}=\dfrac{8}{5},$

$c=\dfrac{2\times(-5)+3\times0}{2+3}=-2$이므로

$a+b+c=\dfrac{4}{5}$ 　　정답_ ③

484

평면 α를 xy평면으로 생각하면 세 구의 중심 A, B, C의 z좌표는 각각 $6, 12, 24$이므로 삼각형 ABC의 무게중심의 z좌표는

$\dfrac{6+12+24}{3}=14$

따라서 삼각형 ABC의 무게중심과 평면 α 사이의 거리는 14이다. 　　정답_ ⑤

485

주어진 두 구의 중심을 각각 O, O'이라고 하면 구 $x^2+y^2+z^2=4$는 중심이 O$(0, 0, 0)$, 반지름의 길이가 2이고,

구 $(x-2)^2+(y-2)^2+(z-2)^2=8$은 중심이 O'$(2, 2, 2)$, 반지름의 길이가 $2\sqrt{2}$이다.

이때, 두 구의 중심 사이의 거리는

$\overline{OO'}=\sqrt{2^2+2^2+2^2}=2\sqrt{3}$

한편, 오른쪽 그림과 같이 두 구가 만나서 생기는 원 위의 한 점을 P, 점 P에서 선분 OO'에 내린 수선의 발을 H라고 하면 두 구가 만나서 생기는 원의 반지름은 선분 PH이다.

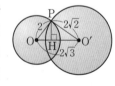

이때, $\overline{OP}^2+\overline{O'P}^2=\overline{OO'}^2$이므로 삼각형 POO'은 $\angle OPO'=90°$인 직각삼각형이다.

$\dfrac{1}{2}\times2\times2\sqrt{2}=\dfrac{1}{2}\times2\sqrt{3}\times\overline{PH}$이므로

$$\overline{PH} = \frac{2\sqrt{6}}{3}$$

따라서 구하는 원의 둘레의 길이는

$$2\pi \times \frac{2\sqrt{6}}{3} = \frac{4\sqrt{6}}{3}\pi$$

정답_ ④

486

집합 A는 중심이 원점이고 반지름의 길이가 3인 구 위의 점들의 집합이고, 집합 B는 중심의 좌표가 (a, b, c)이고 반지름의 길이가 1인 구 위의 점들의 집합이다.

$A \cap B \neq \varnothing$은 두 구가 서로 만남을 의미하므로 두 구가 서로 만나려면 두 구의 중심 사이의 거리 $\sqrt{a^2+b^2+c^2}$이 두 구의 반지름의 길이의 차인 2 보다 크거나 같고, 반지름의 길이의 합인 4 보다 작거나 같아야 한다.

즉, $2 \leq \sqrt{a^2+b^2+c^2} \leq 4$이므로

$2^2 \leq a^2+b^2+c^2 \leq 4^2$

따라서 구하는 입체도형의 부피는 반지름의 길이가 4인 구의 부피에서 반지름의 길이가 2인 구의 부피를 뺀 값과 같으므로

$$\frac{4}{3}\pi \times 4^3 - \frac{4}{3}\pi \times 2^3 = \frac{4}{3}\pi(4^3-2^3)$$
$$= \frac{4}{3}\pi \times 56$$
$$= \frac{224}{3}\pi$$

정답_ ⑤

487

주어진 두 구의 교선을 지나는 구의 방정식은

$x^2+y^2+z^2-4x-8y+8$
$+k(x^2+y^2+z^2-6x-4y+4)=0$ (단, $k \neq -1$) ...... ㉠

이 구가 원점을 지나므로 $(0, 0, 0)$을 대입하면

$8+4k=0$ ∴ $k=-2$

$k=-2$를 ㉠에 대입하면

$x^2+y^2+z^2-4x-8y+8-2(x^2+y^2+z^2-6x-4y+4)=0$
$x^2+y^2+z^2-8x=0$
∴ $(x-4)^2+y^2+z^2=16$

따라서 구하는 구의 반지름의 길이는 4이다.

정답_ ④

참고

서로 만나는 두 구

$x^2+y^2+z^2+ax+by+cz+d=0$,
$x^2+y^2+z^2+a'x+b'y+c'z+d'=0$

의 교선을 지나는 구의 방정식은

$x^2+y^2+z^2+ax+by+cz+d$
$+k(x^2+y^2+z^2+a'x+b'y+c'z+d')=0$ (단, $k \neq -1$)

488

세 정육면체 A, B, C 안에 내접하는 구의 중심을 각각 P, Q, R 라고 하면

$P(3, 1, 3), Q(3, 3, 1), R(1, 3, 1)$

세 점 P, Q, R를 xy평면에 정사영한 점을 각각 P', Q', R'이라고 하면

$P'(3, 1, 0), Q'(3, 3, 0), R'(1, 3, 0)$

이때,

$\overline{P'Q'} = \sqrt{0^2+2^2+0^2} = 2$
$\overline{P'R'} = \sqrt{(-2)^2+2^2+0^2} = 2\sqrt{2}$
$\overline{Q'R'} = \sqrt{(-2)^2+0^2+0^2} = 2$

이므로

$\overline{P'Q'}^2 + \overline{Q'R'}^2 = \overline{P'R'}^2$

즉, 삼각형 $P'Q'R'$은 $\overline{P'R'}$을 빗변으로 하는 직각이등변삼각형이다.

따라서 구하는 넓이는

$$\frac{1}{2} \times 2 \times 2 = 2$$

정답_ ③

489

구의 중심을 C라고 하면 점 C는 선분 AB의 중점이므로 점 C의 좌표는

$$\left(\frac{1+5}{2}, \frac{2+6}{2}, \frac{1+3}{2} \right) \quad ∴ C(3, 4, 2)$$

이때, $A(1, 2, 1)$이므로 구의 반지름의 길이는

$\overline{AC} = \sqrt{2^2+2^2+1^2} = 3$

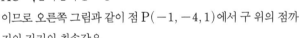

이므로 오른쪽 그림과 같이 점 $P(-1, -4, 1)$에서 구 위의 점까지의 거리의 최솟값은

$\overline{CP}-3 = \sqrt{(-4)^2+(-8)^2+(-1)^2}-3$
$= 9-3 = 6$

정답_ ③

490

구 $(x-1)^2+(y-3)^2+(z-8)^2=64$의 중심을 C라고 하면

$C(1, 3, 8)$

점 C에서 xy평면에 내린 수선의 발을 C'이라고 하면

$C'(1, 3, 0)$

이때, 점 C'은 원 $(x-1)^2+(y-3)^2=36$의 중심이다.

두 점 P, Q가 오른쪽 그림과 같이 놓일 때, 두 점 사이의 거리는 최대가 되고 직각삼각형 $CC'Q$에서

$\overline{CQ} = \sqrt{6^2+8^2} = 10$

이므로 구하는 최댓값은

$10+8 = 18$

정답_ ④

491

구 $x^2+y^2+z^2=1$은 중심의 좌표가 $(0, 0, 0)$, 반지름의 길이가 1이고, 구 $(x-1)^2+(y-2)^2+(z-2)^2=1$은 중심의 좌표가 $(1, 2, 2)$, 반지름의 길이가 1이다.

이때, 두 구의 중심 사이의 거리는
$\sqrt{1^2+2^2+2^2}=3$

두 점 P, Q가 오른쪽 그림과 같이 놓일 때, 선분 PQ의 길이는 최소가 되므로 구하는 최솟값은

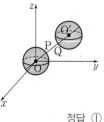

$3-(1+1)=1$

정답_ ①

492

두 구 C_1, C_2의 중심의 좌표는 각각 $(-1, 1, -1)$, $(0, 1, 2)$이고 반지름의 길이는 각각 1, 2이다.

이때, 두 구의 중심 사이의 거리는
$\sqrt{1^2+0^2+3^2}=\sqrt{10}$

이고 $1+2<\sqrt{10}$이므로 두 구는 오른쪽 그림과 같이 서로 만나지 않는다.

따라서 $M=1+\sqrt{10}+2=\sqrt{10}+3$,
$m=\sqrt{10}-(1+2)=\sqrt{10}-3$이므로

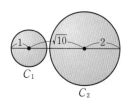

$M+m=(\sqrt{10}+3)+(\sqrt{10}-3)$
$\quad\quad=2\sqrt{10}$

정답_ $2\sqrt{10}$

493

$\angle APB=90°$이므로 점 P는 두 점 A, B를 지름의 양 끝 점으로 하는 구 위의 점이다.

이때, 구의 중심을 C라고 하면 점 C는 선분 AB의 중점이므로 점 C의 좌표는

$\left(\dfrac{0+2}{2}, \dfrac{1+5}{2}, \dfrac{-2-4}{2}\right)$ ∴ $C(1, 3, -3)$

$A(0, 1, -2)$이므로 구의 반지름의 길이는
$\overline{AC}=\sqrt{1^2+2^2+(-1)^2}=\sqrt{6}$

한편, 원점에서 구의 중심 C까지의 거리는
$\overline{OC}=\sqrt{1^2+3^2+(-3)^2}=\sqrt{19}$

따라서 $M=\sqrt{19}+\sqrt{6}$,
$m=\sqrt{19}-\sqrt{6}$이므로

$Mm=(\sqrt{19})^2-(\sqrt{6})^2=13$

정답_ ④

494

오른쪽 그림과 같이 주어진 구의 중심을 C라고 하면 $C(6, -8, 0)$이므로 원점 O에 대하여

$\overline{OC}=\sqrt{6^2+(-8)^2+0^2}=10$

$\overline{OP}=\sqrt{a^2+b^2+c^2}$

주어진 구의 반지름의 길이가 3이므로 $\overline{OP}$의 길이, 즉 $\sqrt{a^2+b^2+c^2}$의 최솟값은 $10-3=7$

따라서 $a^2+b^2+c^2$의 최솟값은 $7^2=49$

정답_ ③

495

사면체 ABCD가 정사면체이므로 모든 모서리의 길이가 같아야 한다. 각 모서리의 길이를 구하면

$\overline{AB}=\sqrt{1^2+4^2+9^2}=\sqrt{98}=7\sqrt{2}$

$\overline{AC}=\sqrt{9^2+1^2+a^2}=\sqrt{a^2+82}$

$\overline{AD}=\sqrt{4^2+(b-1)^2+1^2}=\sqrt{(b-1)^2+17}$

$\overline{BC}=\sqrt{8^2+(-3)^2+(a-9)^2}=\sqrt{(a-9)^2+73}$

$\overline{BD}=\sqrt{3^2+(b-5)^2+(-8)^2}=\sqrt{(b-5)^2+73}$

$\overline{CD}=\sqrt{(-5)^2+(b-2)^2+(1-a)^2}$
$\quad\quad=\sqrt{(a-1)^2+(b-2)^2+25}$ ·········· ❶

$\overline{AB}=\overline{AC}$에서 $\overline{AB}^2=\overline{AC}^2$이므로

$98=a^2+82$, $a^2=16$ ∴ $a=\pm 4$ ······ ㉠

$\overline{AB}=\overline{AD}$에서 $\overline{AB}^2=\overline{AD}^2$이므로

$98=(b-1)^2+17$

$(b-1)^2=81$, $b-1=\pm 9$

∴ $b=-8$ 또는 $b=10$ ······ ㉡

$\overline{AB}=\overline{BC}$에서 $\overline{AB}^2=\overline{BC}^2$이므로

$98=(a-9)^2+73$

$(a-9)^2=25$, $a-9=\pm 5$

∴ $a=4$ 또는 $a=14$ ······ ㉢

$\overline{AB}=\overline{BD}$에서 $\overline{AB}^2=\overline{BD}^2$이므로

$98=(b-5)^2+73$

$(b-5)^2=25$, $b-5=\pm 5$

∴ $b=0$ 또는 $b=10$ ······ ㉣

㉠, ㉡, ㉢, ㉣에서

$a=4$, $b=10$ ·········· ❷

정답_ $a=4$, $b=10$

단계	채점 기준	비율
❶	각 모서리의 길이 구하기	50%
❷	a, b의 값 구하기	50%

496

두 점 $A(-3, 3, 5)$, $B(a, b, c)$에 대하여 선분 AB가 zx평면에 의해 $3:2$로 내분되므로 내분점의 y좌표는 0이다.

즉, $\dfrac{3\times b+2\times 3}{3+2}=0$이므로

$b=-2$ ·········· ❶

선분 AB가 y축에 의해 $2:1$로 외분되므로 외분점의 x좌표와 z좌표는 0이다.

즉, $\dfrac{2 \times a - 1 \times (-3)}{2-1} = 0$, $\dfrac{2 \times c - 1 \times 5}{2-1} = 0$이므로

$a = -\dfrac{3}{2}$, $c = \dfrac{5}{2}$ ──────────────── ❷

$\therefore a+b+c$

$\quad = -\dfrac{3}{2} - 2 + \dfrac{5}{2}$

$\quad = -1$ ──────────────── ❸

정답_ −1

단계	채점 기준	비율
❶	b의 값 구하기	30%
❷	a, c의 값 구하기	60%
❸	$a+b+c$의 값 구하기	10%

497

점 B는 점 $A(2, a, b)$에서 x축에 내린 수선의 발이므로

$B(2, 0, 0)$

점 C는 점 $A(2, a, b)$에서 y축에 내린 수선의 발이므로

$C(0, a, 0)$

점 D는 점 $A(2, a, b)$와 zx평면에 대하여 대칭인 점이므로

$D(2, -a, b)$ ──────────────── ❶

$a > 0$, $b > 0$이므로 사면체 ABCD는

오른쪽 그림과 같다.

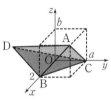

이때, 세 점 A, B, D는 x좌표가 같으

므로 삼각형 ABD는 yz평면과 평행

한 평면 위에 있다.

따라서 삼각형 ABD를 사면체 ABCD의 밑면으로 보면 높이는

2이다.

사면체 ABCD의 부피가 24이므로

$\dfrac{1}{3} \times \left(\dfrac{1}{2} \times 2a \times b \right) \times 2 = 24$

$\therefore ab = 36$ ──────────────── ❷

원점과 점 A 사이의 거리는

$\sqrt{2^2 + a^2 + b^2} = \sqrt{a^2 + b^2 + 4}$

$d = \sqrt{a^2 + b^2 + 4}$라고 하면 $a^2 > 0$, $b^2 > 0$이므로 산술평균과 기하

평균의 관계에 의해

$d^2 = a^2 + b^2 + 4$

$\quad \geq 2\sqrt{a^2 b^2} + 4$

$\quad = 2ab + 4$

$\quad = 2 \times 36 + 4 = 76$ (단, 등호는 $a^2 = b^2$, 즉 $a = b$일 때 성립한다.)

따라서 구하는 거리의 최솟값은

$\sqrt{76} = 2\sqrt{19}$ ──────────────── ❸

정답_ $2\sqrt{19}$

단계	채점 기준	비율
❶	점 B, C, D의 좌표 구하기	30%
❷	ab의 값 구하기	40%
❸	원점과 점 A 사이의 거리의 최솟값 구하기	30%

498

오른쪽 그림과 같이 점 H를 원점에,

세 모서리 HE, HG, HD를 각각 x

축의 양의 방향, y축의 양의 방향, z

축의 양의 방향에 놓이도록 주어진

직육면체를 좌표공간에 놓으면

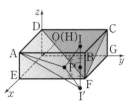

$A(2, 0, 1)$, $B(2, 3, 1)$, $C(0, 3, 1)$, $D(0, 0, 1)$, $E(2, 0, 0)$,

$F(2, 3, 0)$, $G(0, 3, 0)$, $H(0, 0, 0)$

이때, 삼각형 CDF의 무게중심 I의 좌표는

$\left(\dfrac{0+0+2}{3}, \dfrac{3+0+3}{3}, \dfrac{1+1+0}{3} \right)$

$\therefore I\left(\dfrac{2}{3}, 2, \dfrac{2}{3} \right)$ ──────────────── ❶

한편, 점 I와 평면 EFGH (xy평면)에 대하여 대칭인 점을 I'이라

고 하면

$I'\left(\dfrac{2}{3}, 2, -\dfrac{2}{3} \right)$ ──────────────── ❷

$\overline{PI} = \overline{PI'}$이므로

$\overline{AP} + \overline{PI} = \overline{AP} + \overline{PI'}$

$\quad\quad\quad\quad \geq \overline{AI'}$

$\quad\quad\quad\quad = \sqrt{\left(\dfrac{4}{3} \right)^2 + (-2)^2 + \left(\dfrac{5}{3} \right)^2} = \dfrac{\sqrt{77}}{3}$

따라서 구하는 최솟값은 $\dfrac{\sqrt{77}}{3}$이다. ──────────────── ❸

정답_ $\dfrac{\sqrt{77}}{3}$

단계	채점 기준	비율
❶	무게중심 I의 좌표 구하기	30%
❷	점 I와 평면 EFGH (xy평면)에 대하여 대칭인 점의 좌표 구하기	30%
❸	$\overline{AP} + \overline{PI}$의 최솟값 구하기	40%

499

$\angle APB = 90°$이므로 점 P가 그리는 도형은 두 점 A, B를 지름

의 양 끝 점으로 하는 구이다. ──────────────── ❶

구의 중심을 C라고 하면 점 C는 선분 AB의 중점이므로 점 C의

좌표는

$\left(\dfrac{10-6}{2}, \dfrac{2+10}{2}, \dfrac{5+11}{2} \right)$

$\therefore C(2, 6, 8)$

구의 반지름의 길이는

$\overline{AC} = \sqrt{8^2 + (-4)^2 + (-3)^2} = \sqrt{89}$

따라서 구의 방정식은

$(x-2)^2 + (y-6)^2 + (z-8)^2 = 89$ ──────────────── ❷

z축 위의 점의 x좌표와 y좌표는 모두 0이므로 위의 방정식에

$x = 0$, $y = 0$을 대입하면

$(z-8)^2 = 49$, $z-8 = \pm 7$

$\therefore z = 1$ 또는 $z = 15$

따라서 점 P가 그리는 도형에 의해 잘린 z축의 길이는

$|15-1|=14$ ······················· ❸

정답_ 14

단계	채점 기준	비율
❶	점 P가 그리는 도형이 구임을 알기	30%
❷	구의 방정식 구하기	60%
❸	구에 의해 잘린 z축의 길이 구하기	10%

500

구의 중심의 좌표를 (a, b, c)라고 하면 구의 방정식은

$(x-a)^2+(y-b)^2+(z-c)^2=9$

yz평면 위의 점은 x좌표가 0이므로 위의 식에 $x=0$을 대입하면

$(y-b)^2+(z-c)^2=9-a^2$ ······················· ❶

위의 방정식이 $(y-2)^2+(z-1)^2=8$과 일치하므로

$b=2, c=1, 9-a^2=8$

$\therefore a=-1, b=2, c=1$ 또는 $a=1, b=2, c=1$ ··········· ❷

따라서 두 구의 중심은 각각 $(-1, 2, 1), (1, 2, 1)$이므로 구하는 거리는

$|1-(-1)|=2$ ······················· ❸

정답_ 2

단계	채점 기준	비율
❶	구의 중심의 좌표를 (a, b, c)로 놓고 구와 yz평면과의 교선의 방정식 구하기	40%
❷	a, b, c의 값 구하기	40%
❸	두 구의 중심 사이의 거리 구하기	20%

501

삼각형 OAP에서 $\overline{OA}$를 밑변으로 생각하면 높이는 $\sqrt{y^2+z^2}$이 므로

$\triangle OAP = \frac{1}{2} \times 8 \times \sqrt{y^2+z^2} \leq 40$

$\sqrt{y^2+z^2} \leq 10$

$\therefore 0 \leq y^2+z^2 \leq 100$

즉, 삼각형 OAP의 넓이가 40 이하가 될 때의 점 P가 존재하는 영역은 오른쪽 그림과 같이 높이가 8이고 밑면의 반지름의 길이가 10인 원기둥 및 그 내부이다.

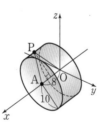

따라서 구하는 부피는

$\pi \times 10^2 \times 8 = 800\pi$

정답_ ⑤

502

yz평면 위의 점은 x좌표가 0이므로 주어진 구의 방정식에 $x=0$을 대입하면

$y^2+z^2-10y-2kz+20=0$

$\therefore (y-5)^2+(z-k)^2=k^2+5$ ······ ㉠

zx평면 위의 점은 y좌표가 0이므로 주어진 구의 방정식에 $y=0$을 대입하면

$x^2+z^2-6x-2kz+20=0$

$\therefore (x-3)^2+(z-k)^2=k^2-11$ ······ ㉡

두 원 ㉠, ㉡의 넓이의 비가 2 : 1이므로

$(k^2+5)\pi : (k^2-11)\pi = 2 : 1$

$2k^2-22=k^2+5$

$k^2=27$ $\therefore k=3\sqrt{3} (\because k>0)$

정답_ ④

503

점 A와 zx평면에 대하여 대칭인 점을 A′이라고 하면

A′$(6, -2, 10)$

$\overline{AP}=\overline{A'P}$이므로

$\overline{AP}+\overline{PB}=\overline{A'P}+\overline{PB} \geq \overline{A'B}$ ······ ㉠

또한, 점 C와 xy평면에 대하여 대칭인 점을 C′이라고 하면

C′$(8, 8, -6)$

$\overline{QC}=\overline{QC'}$이므로

$\overline{BQ}+\overline{QC}=\overline{BQ}+\overline{QC'} \geq \overline{BC'}$ ······ ㉡

㉠, ㉡에서

$\overline{AP}+\overline{PB}+\overline{BQ}+\overline{QC}$

$\geq \overline{A'B}+\overline{BC'}$

$=\sqrt{(-2)^2+4^2+(-4)^2}+\sqrt{4^2+6^2+(-12)^2}$

$=\sqrt{36}+\sqrt{196}$

$=6+14=20$

따라서 구하는 최솟값은 20이다.

정답_ ②

504

조건 (가), (나)에 의해 평면 α는 선분 AC, 선분 BC와 한 점에서 만나고 선분 AB와 평행하다.

오른쪽 그림과 같이 평면 α가 선분 AC, 선분 BC와 만나는 점을 각각 D, E라 하고 점 C에서 $\overline{AB}$에 내린 수선의 발을 G라고 하면 $\overline{CG}$는 $\overline{DE}$와 한 점에서 만난다. 이때, 이 점을 F라고 하면 $\alpha /\!/ \overline{AB}$이므로

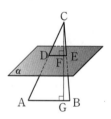

$\overline{DE} /\!/ \overline{AB}$ $\therefore \overline{CF} \perp \overline{DE}$

점 A, B, C와 평면 α 사이의 거리를 각각 d_1, d_2, d_3이라고 하면

$d_1=d_2=\overline{FG}, d_3=\overline{CF}$

$d(\alpha)$는 d_1, d_3 중에서 작은 값이고, $d(\alpha)$가 최대가 되기 위해서는 $d_1=d_3$이어야 한다.

따라서 오른쪽 그림과 같이 점 F가 $\overline{CG}$의 중점이 될 때의 평면 α를 평면 β로 놓자.

ㄱ은 옳다.

$\overline{DE} \perp \overline{CG}$이고 $\overline{DE}$는 평면 β 위에 있는 선분이고, $\overline{CG}$는 평면 ABC 위에

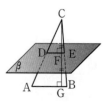

있는 선분이므로

$\beta \perp$ (평면 ABC)

ㄴ도 옳다.

△CDE∽△CAB (AA 닮음)이고, 점 F가 CG의 중점이므로

$\overline{CD} : \overline{CA} = \overline{CE} : \overline{CB} = \overline{CF} : \overline{CG} = 1 : 2$

즉, 점 D, E는 각각 $\overline{CA}$, $\overline{CB}$의 중점이고, 이 두 점은 평면 β 위의 점이므로 평면 β는 선분 AC의 중점과 선분 BC의 중점을 지난다.

ㄷ도 옳다.

세 점 A, B, C의 좌표와 관계없이 평면 β는 세 점에서 이르는 거리가 같은 위치에 존재하므로 $d(\beta)$는 점 B와 평면 β 사이의 거리와 같다.

따라서 옳은 것은 ㄱ, ㄴ, ㄷ이다.

정답_ ⑤

505

오른쪽 그림과 같이 평면 β와 z축의 교점을 D라 하고 점 C에서 선분 AB에 내린 수선의 발을 H라고 하면 삼수선의 정리에 의해

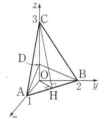

$\overline{OH} \perp \overline{AB}$

한편, 삼각형 OAB에서

$\overline{OB} \times \overline{OA} = \overline{OH} \times \overline{AB}$이므로

$2 \times 1 = \overline{OH} \times \sqrt{5}$ $\therefore \overline{OH} = \dfrac{2\sqrt{5}}{5}$

삼각형 OHC에서

$\overline{CH} = \sqrt{3^2 + \left(\dfrac{2\sqrt{5}}{5}\right)^2} = \dfrac{7\sqrt{5}}{5}$

각의 이등분선의 성질에 의해

$\overline{CH} : \overline{OH} = \overline{CD} : \overline{OD}$

이므로

$\dfrac{7\sqrt{5}}{5} : \dfrac{2\sqrt{5}}{5} = \overline{CD} : \overline{OD}$

$\therefore \overline{CD} : \overline{OD} = 7 : 2$

이때, $\overline{CD} = 3 - \overline{OD}$이므로

$(3 - \overline{OD}) : \overline{OD} = 7 : 2, \ 7\overline{OD} = 6 - 2\overline{OD}$

$9\overline{OD} = 6$ $\therefore \overline{OD} = \dfrac{2}{3}$

따라서 평면 β가 z축과 만나는 점 D의 좌표는

$\left(0, 0, \dfrac{2}{3}\right)$

정답_ ④

506

$4\overline{OB} = 3\overline{OA}$에서

$\overline{OB} : \overline{OA} = 3 : 4$ $\therefore \overline{OA} : \overline{AB} = 4 : 1$

따라서 점 A(a, b, c)는 $\overline{OB}$를 4 : 1로 외분하는 점이므로

$a = \dfrac{4 \times 2 - 1 \times 0}{4 - 1} = \dfrac{8}{3}$

$b = \dfrac{4 \times 4 - 1 \times 0}{4 - 1} = \dfrac{16}{3}$

$c = \dfrac{4 \times 4 - 1 \times 0}{4 - 1} = \dfrac{16}{3}$

$\therefore a + b + c = \dfrac{8}{3} + \dfrac{16}{3} + \dfrac{16}{3} = \dfrac{40}{3}$

정답_ $\dfrac{40}{3}$

507

오른쪽 그림과 같이 꼭짓점 E가 원점에, $\overline{EF}$가 x축의 양의 방향, $\overline{EH}$가 y축의 양의 방향, $\overline{EA}$가 z축의 양의 방향에 놓이도록 주어진 정육면체를 좌표공간에 놓자.

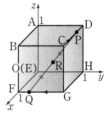

두 점 P, Q가 매초 1의 속력으로 움직이므로 두 점은 4초 후에 처음 자리에 돌아오게 된다.

따라서 t의 값의 범위에 따른 t초 후의 점 R의 좌표를 구하면 다음과 같다.

(i) $0 \le t < 1$일 때,

C$(1, 1, 1)$, G$(1, 1, 0)$이므로

P$(1-t, 1, 1)$, Q$(1, 1-t, 0)$

$\therefore$ R$\left(\dfrac{2-t}{2}, \dfrac{2-t}{2}, \dfrac{1}{2}\right)$

(ii) $1 \le t < 2$일 때,

D$(0, 1, 1)$, F$(1, 0, 0)$이므로

P$(0, 2-t, 1)$, Q$(2-t, 0, 0)$

$\therefore$ R$\left(\dfrac{2-t}{2}, \dfrac{2-t}{2}, \dfrac{1}{2}\right)$

(iii) $2 \le t < 3$일 때,

A$(0, 0, 1)$, E$(0, 0, 0)$이므로

P$(t-2, 0, 1)$, Q$(0, t-2, 0)$

$\therefore$ R$\left(\dfrac{t-2}{2}, \dfrac{t-2}{2}, \dfrac{1}{2}\right)$

(iv) $3 \le t \le 4$일 때,

B$(1, 0, 1)$, H$(0, 1, 0)$이므로

P$(1, t-3, 1)$, Q$(t-3, 1, 0)$

$\therefore$ R$\left(\dfrac{t-2}{2}, \dfrac{t-2}{2}, \dfrac{1}{2}\right)$

각 구간에서 점 R의 z좌표는 $\dfrac{1}{2}$로 일정하고 x좌표와 y좌표가 서로 같으므로 점 R은 평면 $z = \dfrac{1}{2}$에서 직선 $y = x$ 위를 왕복한다.

이때, 한 변의 길이가 1인 정사각형의 대각선의 길이는 $\sqrt{2}$이므로 점 R가 움직인 거리는

$2\sqrt{2}$

정답_ ②

508

두 구

$x^2+y^2+z^2=4$ ⋯⋯ ㉠

$(x-4)^2+(y-2)^2+(z-4)^2=16$ ⋯⋯ ㉡

의 중심을 각각 O, A라고 하면

$O(0, 0, 0), A(4, 2, 4)$

$\therefore \overline{OA}=\sqrt{4^2+2^2+4^2}=6$

즉, $\overline{OA}$의 길이는 두 구 ㉠, ㉡의 반지름의 길이의 합과 같으므로

이 두 구는 외접한다.

오른쪽 그림과 같이 구 ㉡과 구 C의 접점을 B, 중

심을 C라고 하면 삼각형 AOC는

$\overline{OA}=\overline{OC}=2+4=6$

인 이등변삼각형이고, $\overline{AB}=\overline{BC}=4$이므로

$\overline{OB}\perp\overline{AC}$

직각삼각형 AOB에서

$\overline{OB}=\sqrt{6^2-4^2}=2\sqrt{5}$

점 C에서 $\overline{OA}$에 내린 수선의 발을 D라고 하면 삼각형 AOC의

넓이에서

$\dfrac{1}{2}\times\overline{OA}\times\overline{CD}=\dfrac{1}{2}\times\overline{AC}\times\overline{OB}$

이므로

$\dfrac{1}{2}\times 6\times\overline{CD}=\dfrac{1}{2}\times 8\times 2\sqrt{5}$

$\therefore \overline{CD}=\dfrac{8\sqrt{5}}{3}$

따라서 점 C가 나타내는 도형은 중심이 D이고 반지름의 길이가

$\dfrac{8\sqrt{5}}{3}$인 원이므로 구하는 넓이는

$\pi\left(\dfrac{8\sqrt{5}}{3}\right)^2=\dfrac{320}{9}\pi$ 정답_ $\dfrac{320}{9}\pi$

509

$A<0, B<0, C<0$이므로 구의 중심의 x좌표, y좌표, z좌표는

모두 양수이다.

구의 반지름의 길이를 r라 하고 주어진 조건을 그림으로 나타내

면 다음과 같다.

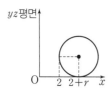 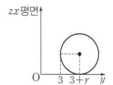

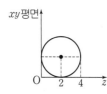

위의 그림에서 구의 반지름의 길이가 2이므로 구의 중심의 좌표

는 $(4, 5, 2)$

따라서 조건을 만족시키는 구의 방정식은

$(x-4)^2+(y-5)^2+(z-2)^2=2^2$

즉, $x^2+y^2+z^2-8x-10y-4z+41=0$이므로

$D=41$ 정답_ ②

510

구 C_1은 정육면체에 내접하므로 중심의 좌표는

$\left(\dfrac{14}{2}, \dfrac{14}{2}, \dfrac{14}{2}\right)$ $\therefore (7, 7, 7)$

구 C_2는 면 ABCD와 yz평면, zx평면에 접하고 반지름의 길이

가 4이므로 중심의 좌표는

$(4, 4, 14-4)$ 또는 $(4, 4, 14+4)$

$\therefore (4, 4, 10)$ 또는 $(4, 4, 18)$

구 C_3은 면 AEFB와 xy평면, zx평면에 접하고 반지름의 길이

가 2이므로 중심의 좌표는

$(14-2, 2, 2)$ 또는 $(14+2, 2, 2)$

$\therefore (12, 2, 2)$ 또는 $(16, 2, 2)$

즉, 세 구 C_1, C_2, C_3의 중심을 꼭짓점으로 하는 삼각형의 세 꼭짓

점의 좌표는

$(7, 7, 7), (4, 4, 10), (12, 2, 2)$

또는 $(7, 7, 7), (4, 4, 10), (16, 2, 2)$

또는 $(7, 7, 7), (4, 4, 18), (12, 2, 2)$

또는 $(7, 7, 7), (4, 4, 18), (16, 2, 2)$

이므로 이 삼각형의 무게중심의 x좌표는

$\dfrac{7+4+12}{3}=\dfrac{23}{3}$ 또는 $\dfrac{7+4+16}{3}=9$

따라서 $a=\dfrac{23}{3}, b=9$ 또는 $a=9, b=\dfrac{23}{3}$이므로

$ab=\dfrac{23}{3}\times 9=69$ 정답_ ⑤

엄선된 유형을 **한 권에 가득!**

풍산자

필수유형

풍산자
장학생 선발

지학사

*연간 장학생 40명 기준

지학사에서는 학생 여러분의 꿈을 응원하기 위해
2007년부터 매년 풍산자 장학생을 선발하고 있습니다.
풍산자로 공부한 학생이라면 누.구.나 도전해 보세요.

**총 장학금
1,200만 원**

선발 대상

풍산자 수학 시리즈로 공부한 전국의 중·고등학생 중 성적 향상 및 우수자

조금만 노력하면 누구나 지원 가능!	수학 성적이 잘 나왔다면?
성적 향상 장학생(10명)	**성적 우수 장학생(10명)**
중학 ㅣ 수학 점수가 10점 이상 향상된 학생	**중학 ㅣ** 수학 점수가 90점 이상인 학생
고등 ㅣ 수학 내신 성적이 한 등급 이상 향상된 학생	**고등 ㅣ** 수학 내신 성적이 2등급 이상인 학생

혜택

 장학금 30만원 및 장학 증서
*장학금 및 장학 증서는 각 학교로 전달합니다.

 신청자 전원 '풍산자 시리즈'
교재 중 1권 제공

모집 일정

매년 2월, 8월(총 2회)
*공식 홈페이지 및 SNS를 통해 소식을 받으실 수 있습니다.

장학 수기)

"풍산자와 기적의 상승곡선 5 ➡ 1등급!" _이○원(해송고)

"수학 A로 가는 모험의 필수 아이템!" _김○은(지도중)

"수학 66점에서 100점으로 향상하다!" _구○경(한영중)

장학 수기
더 보러 가기

풍산자 서포터즈

풍산자 시리즈로
공부하고 싶은 학생들 모두 주목!
매년 2월과 8월에
서포터즈를 모집합니다.
리뷰 작성 및 SNS 홍보 활동을 통해
공부 실력 향상은 물론,
문화 상품권과 미션 선물을
받을 수 있어요!

자세한 내용은 풍산자 홈페이지(www.
pungsanja.com)를 통해 확인해 주세요.

고등학교 내신은 물론 수능까지
대한민국 고등 문법 개념서의 기준!

개념있는
국어문법

:

중학교에서 고등학교 문법까지
'개념있는' 시리즈로
개념 있게 문법 끝!

까다로운 문법
개념을 읽으면서
완벽한 정리!

풍부한 내용,
명쾌한 해설,
참신한 문제 수록!

지학사

엄선된 유형을 한 권에 가득!

풍산자 필수유형
기하

1등급 달성을 위한, 4단계 학습

1단계 개념   명쾌! 통쾌! 핵심을 꿰뚫는 풍산자式 설명

2단계 유형   출제율 99%의 엄선된 유형별 문제

3단계 서술형   반드시 출제되는 서술형 문제

4단계 등급 UP   고득점 필수 문제

지은이 풍산자수학연구소
개발 책임 이성주 | **편집** 금나은, 유미현, 이승화, 문상우 | **마케팅** 김남우, 남성희, 우지영, 최은경
디자인 책임 김의수 | **표지 디자인** 류은경, 홍세정, 송희정 | **본문 디자인** 이창훈
컷 남양프로세스 | **조제판** 남양프로세스 | **인쇄 제본** 벽호

발행인 권준구
발행처 (주)지학사 (등록번호 : 1957.3.18 제 13–11호) 04056 서울시 마포구 신촌로6길 5
발행일 2010년 10월 30일 [초판 1쇄] 2021년 9월 10일 [7판 1쇄]
구입 문의 TEL 02-330-5300 | FAX 02-325-8010
구입 후에는 철회되지 않으며, 잘못된 제품은 구입처에서 교환해 드립니다.
내용 문의 www.jihak.co.kr 전화번호는 홈페이지 〈고객센터 → 담당자 안내〉에 있습니다.

정가 12,000원

53410

9 788905 052799

ISBN 978-89-05-05279-9